지장

지장 II 조각과 회화

2009년 8월 25일 초판 1쇄 인쇄
2009년 9월 5일 초판 1쇄 발행

지은이 | 장 총
옮긴이 | 김진무
펴낸이 | 오영교

펴낸 곳 | 동국대학교출판부
출판등록 | 제2-163(1973. 6. 28)
주소 | 서울시 중구 필동 3가 26
문의전화 | 02 · 2260 · 3482~3
홈페이지 | http://www.dgpress.co.kr
이메일 | book@dongguk.edu

ISBN 978-89-7801-251-5
ISBN 978-89-7801-249-2(set)

값 27,000원

지장

地藏

장 총 지음 | 김진무 옮김

II 조각과 회화

동국대학교출판부

한국어판 서문

이번에 한중불교문화교류협회 회장인 영담 스님과 중국종교사무국 엽소문(葉小文) 국장님의 호의를 입어 나의 지장신앙에 대한 연구를 담은 『지장신앙연구』가 김진무 교수님에 의해 번역되고, 한국의 독자들에게 보일 수 있게 되어 감격스러운 마음으로 이 서문을 쓴다.

한국과 중국은 예로부터 문화, 경제 및 정치 방면의 교류가 끊임없이 지속되어 왔으며, 특히 불교의 교류는 더욱 두드러졌다. 고대로부터 한국과 중국의 불교 교류는 거의 모든 방면에서 여러 왕조를 거치면서 천년이 넘게 이루어져 왔다. 한국의 승려들은 중국에 들어와 서로의 한문 불교 전적들을 유통시켰는데, 이는 바로 불교 교류에 있어서 가장 중요한 일이었으며, 한국과 중국불교에 서로 이익을 가져다주었다고 하겠다. 역사적으로 중국에 구법한 한국 승려들은 매우 많았는데, 그 가운데 일부 승려들은 다시 천축으로 구법하였고, 일부 승려들은 한국으로 귀국하여 가르침을 폈으며, 일부 승려들은 끝내 귀국하지 않고 중국에서 역경과 저술을 남기거나 가르침을 펼쳤다.

구법 승려들의 노력으로 말미암아 역사적으로 한문 불전들이 여러 차례 전입되었으며, 일찍이 한국에 널리 유통되었다. 그러나 중국 당(唐)・송(宋) 기간에 왕조가 바뀌고 전란과 폐불 등으로 상당한 불교 전적이 소실되었다. 이때 조정과 민간 불교계에서는 다시 한국에서 불전을 구했는데, 오대(五代) 시기에 천태종의 전적을 수입하고, 오대와 원(元) 시기에 고려의 승려들과 관리들이 중국에서 경론과 소초(疏鈔)를 인쇄하여 각 사찰에 나누어 준 일과 같은 것이다. 이외에 한국의 승려가 찬술한 저작이 중국에 전입되는 등의 일들은 중국불교에 적지 않은 공헌을 하였다.

지장보살에 대한 신앙은 아시아 지역에서 유구한 전통을 갖고 있으며, 동아시아의 한국과 중국, 일본에 더욱 특별하다. 지장보살은 고대 중국과 한국인들이 신봉했을 뿐만 아니라 그 가운데 한국과 중국의 교류가 포함되어 있다. 지장삼부경의 하나인 『점찰선악업보경(占察善惡業報經)』은 바로 신라 승려인 원광

(圓光)대사와 밀접한 관계를 가진다. 원광대사는 중국으로부터 귀국 후 '점찰보(占察寶)' 를 설치하여 유행시켰다.

구화산(九華山)은 지장보살의 화현(化現) 도량이 되었는데, 바로 신라 승려인 '김교각(金喬覺)' 으로부터 조성된 것으로, 매우 독특한 사례이자 한국과 중국의 불교 교류가 이루어낸 위대한 성과라고 하겠다.

한국의 지장보살 신앙은 매우 성행하였고, 이에 따른 충분한 연구가 이루어져 있다. 설명을 덧붙이자면, 졸저 『지장신앙연구』는 주로 중국 지장신앙의 연구이다. 필자는 미국에 있을 때, 미네소타폴리스미술관에 소장된 한국 지장시왕도를 본 적이 있으며, 독일 프랑크푸르트 시에서는 '한국 고대 사찰의 지장시왕도' 전시를 보고 깊은 감명을 받았다. 아직 힘이 미치지 못하여 심도 있는 연구를 진행하지 못했지만, 향후 여건이 허락되면 심층적 연구를 하고자 하며, 한국 학자들의 뛰어난 논저들을 앙견(仰見)하고자 한다.

지장보살 연구는 중국과 미국 등에서 새로운 학자들에 의해 전문적인 논문들이 나타나고 있다. 사천(四川) 대학의 석견휘(釋見徽), 윤부(尹富)와 미국 애리조나 대학의 지여법사(智如法師), 중국 돈황연구원의 왕혜민(王惠民) 등의 뛰어난 학자들이 그들이다.

이번에 동국대학교출판부에서 졸저를 번역 출판하는 것을 계기로 필자는 이를 수정 보완했지만, 시간 등을 이유로 크게 바꾸지는 못했다. 그러나 이미 중국 원본 가운데 몇몇 잘못된 점은 바로잡았다. 또한 경전 중 다라니 부분을 어느 정도 수정하였고, 필자가 조사한 몇몇 석굴사(石窟寺)의 중요한 새로운 자료도 보충하였다. 또한 특별히 강조할 것은, 동국대학교출판부의 요청에 의해 본 한국어판의 지장 도상(圖像) 부분에 많은 도판(圖版)을 추가하여 출판하게 되었다는 것이다. 중국 원본과 비교하면 참으로 새로운 저술이라고 할 수 있을 것이다. 풍부한 지장보살 관련 도상이 담겨져 있는 본서는 독자들에게 매우 유익할 것이라고 생각한다. 비록 수정을 하였지만, 여전히 착오와 놓친 부분들이 있을 것이니, 한국 독자들이 바르게 지적해 주기를 바란다.

이 기회를 빌려 한국어판 번역을 성사시켜 준 한중불교문화교류협회 회장인 영담 스님과 중국종교사무국 엽소문(葉小文) 국장님에게 경의와 사의(謝意)를

헌상한다. 또한 번역을 맡은 김진무 교수님과 동국대학교출판부의 김윤길 부장님, 중국사회과학원 세계종교연구소 황규(黃奎) 선생님, 애석하게도 이미 타계하신 주소량(周紹良) 스승님께 역시 깊은 감사의 뜻을 표한다.

2009년 6월

중국사회과학원 세계종교연구소

장총(張總)

중국어판 서문

지장보살(地藏菩薩)은 불교에서 가장 중요하면서도 영향이 심원한 보살이다. 중국불교에는 4대보살 설이 있고, 또한 4대보살의 명산도량이 있다. 바로 문수(文殊)보살의 오대산(五臺山), 관음(觀音)보살의 보타산(普陀山), 보현(普賢)보살의 아미산(峨嵋山), 지장보살의 구화산(九華山)이 그것이다.

구화산 지장도량은 그 영향이 매우 크며, 사적(事迹)이 기이하다. 그러나 그 형성 연대는 이미 중국의 중고(中古)사회의 중후기(中後期)라고 하겠다. 지장보살은 아시아의 절반이 넘는 지역에 오랜 전통을 갖고 있다. 지장보살과 관련된 경전은 대략 북량(北涼) 시기에 이미 번역되었다. 당대(唐代)에는 역경가인 현장법사의 역본이 있다. 4대보살의 하나인 지장보살의 불교적 위치는 매우 독특하다. 바다와 같이 넓은 불교의 전적 가운데 지장보살과 관련된 경전 수가 매우 많다고는 할 수 없지만, 그 영향은 오히려 매우 크다고 하겠다. 아주 깊게 중국의 민속에 스며들어 심지어 민족심리 문화의 독특한 조성 성분으로 형성되었다고 할 수 있다.

지장보살의 조형입상(造形立像)은 당대(唐代)로부터 일어나 중요 석굴(石窟)에 출현하였으며, 또한 부처와 보살, 사문(沙門) 등의 다양한 모습으로 나타나고 있어서 여러 보살들 가운데 가장 풍부한 형상을 보이고 있다. 지장보살의 두루마리 회화 또한 매우 다양하고 정치(精緻)한 작품들이다. 돈황(敦煌) 막고굴(莫高窟) 장경석실(藏經石室)에서 출토된 두루마리로 된 견본(絹本) 불화, 그림과 경문이 함께 있는 시왕경도(十王經圖) 두루마리, 금동(金銅)·옥석(玉石)·칠목(漆木) 등의 재질로 깎거나 빚은 조상(造像) 등, 이러한 모든 것들은 지장보살이 역사상에 널리 전해져 있었음을 말해 준다. 지장보살 신앙은 또한 민간에 깊숙이 파고들어 중국인들의 장례 습속에서 '칠칠재일(七七齋日)'로 나타나고 있고, 성황당(城隍堂) 및 수륙재(水陸齋) 의식 등에도 깊이 스며들었다.

따라서 지장보살의 여러 가지 상황에 대하여 깊게 들어가 파악하고자 한다면, 지장보살의 대원력(大願力)과 대비행(大悲行)을 이해하여야 할 것이고, 또

한 반드시 역사에 나타나는 다양한 자취를 찾아야 할 것이며, 심지어 눈을 해외로 돌려 다양한 지역에 소장되어 있는 지장경전과 도상(圖像)들을 열람하여야 비로소 지장보살의 위대함과 수천 년 동안 민중이 지장보살에 대해 지녔던 두텁고 깊은 믿음, 민속에 반영된 지장 형상을 이해하는 바가 있을 것이다.

이 책은 이 영역에 대하여 기본적인 연구를 진행한 것이다. 먼저 지장경전과 문헌에 대하여 계통적으로 정리하고, 또한 석굴 조각과 조소(彫塑), 두루마리 회화, 견본 회화 등을 정합(整合)하였으며, 아울러 경전의 내용과 조형·도상 등을 결합시키고자 하였다. 이로써 가능한 한 전반적으로, 지장보살 신앙과 관련된 면모들을 독자들에게 충실히 보이고자 하였다. 필자의 견해와 학식에 구애받아 필시 부족하거나 합당하지 않은 부분이 있을 것이다. 눈 밝은 이들의 가르침을 청하는 바이다.

제1장 지장보살 조각과 회화 도상(圖像)

지장 Ⅱ

제2장 김지장(金地藏)과 구화도량(九華道場)

제1장 지장보살 조각과 회화 도상(圖像)

조각과 회화로 남아 있는 중국의 옛 지장보살상(地藏菩薩像)은 석굴(石窟)과 경권화(經卷畵), 벽화(壁畵), 불화(佛畵)에서 찾아볼 수 있으며, 금동불상(金銅佛像)과 조상비(造像碑) 등도 각지에 적지 않게 산재해 있다. 사찰과 사당에 있는 지장보살상은 구화산(九華山) 지장도량(地藏道場)에 가장 많이 집중되어 있으며, 이외에 많은 사찰들이 또한 기본적으로 지장전(地藏殿)을 갖추고 있다.

석굴에 조성된 석굴사(石窟寺)는 불교예술이 종합적으로 모여 있는 곳으로, 산 절벽이나 강 주변에 암석을 뚫어 만든 사찰이다. 석굴 조각상의 범위는 마애상(磨崖像)과 감실(龕室)의 상들을 모두 포함하고 있다. 석굴은 비록 인도에서 기원되었지만, 현재는 오히려 중국에 많이 남아 있다.

중국의 석굴에는 지장보살상이라고 할 만한 것들이 적지 않다. 돈황(敦煌)의 막고굴(莫高窟), 하남(河南) 낙양(洛陽)의 용문석굴(龍門石窟), 공의(鞏義)의 대력산석굴(大力山石窟), 녕하(寧夏) 고원(固原)의 수미산석굴(須彌山石窟), 한단(邯鄲) 남향당석굴(南響堂石窟), 항주(杭州) 자운령(慈雲嶺)의 자연사석굴(資延寺石窟), 섬서(陝西) 빈현(彬縣)의 대불사석굴(大佛寺石窟), 요현(耀縣) 약왕산석굴(藥王山石窟), 인유(麟游)의 채가하석굴(蔡家河石窟) 등이 그러한 것들로 모두 지장보살의 조각상이 있다. 중요 중 · 대형의 석굴 대부분에는 모두 지장보살상이 있다. 사천(四川)의 석굴에는 지장보살상이 더욱 많은데, 광원(廣元)의 천불애석굴(千佛崖石窟), 파중(巴中)의 남감석굴(南龕石窟), 통강(通江) 천불애석굴(千佛崖石窟), 내강(內江)의 상룡산석굴(翔龍山石窟), 자중(資中) 중룡산석굴(重龍山石窟), 서암석굴(西巖石窟), 대족(大足)의 북산석굴(北山石窟), 보정석굴(寶頂石窟), 석전산석굴(石篆山石窟) 등이 이에 속한다. 대다수의 석굴상은 기본적으로 암석에 조각하여 만든 것이다. 신강(新疆)의 고목토라석굴(庫木吐喇石窟)에는 지장보살 벽화가 있다. 이 여러 곳의 석굴 가운데, 돈황 막고굴에는 다양하고도 풍부한 소조상(塑造像)과 벽화가 있다. 또한 장경동(藏經洞)에서는 번화(幡畵) 등이 출토되었다.

석굴의 지장보살상에 대해서는 이미 많은 학자들이 오랫동안 연구해 왔다. 마쯔모토 에이이치(松本榮一)의 『敦煌畵の硏究』는 지장보살에 대해 전문적으로 다루고 있고, 나화경(羅華慶) 등은 돈황 막고굴과 용문석굴의 지장보살상을 분별하여 깊이 연구하였다.[1] 지장보살의 회화에서 중요한 것은 돈황의 벽화, 장경동에서 출토된 경책(經冊)류의 변상, 견본(絹本) 불화 그리고 동쪽으로 전해져서 일본에 소장되어 있는 불화 등이다. 지장보살의 도상에 대해서는 중국과 대만 및 일본의 학자들이 이미 연구하여 많은 성과를 올리고 있다. 특히 앞서 살펴본 마쓰모토 에이이치 등을 제외하고도 두두성(杜頭城), 석수겸(石守謙) 등이 모두 이를 주제로 상세하고 깊이 있는 연구를 하였다.[2] 또한 지장보살과 시왕(十王) 도상을 주제로 하여 중국과 대만의 학자들이 쓴 글들도 적지 않으나, 이를 소통시켜 통합하는 작업은 이루어지지 못했다. 총체적으로 말한다면, 이전의 연구가 부분적인 전문 영역에서 진행되었다면, 본 글은 이들 연구성과를 수정・보완하면서 그동안 발굴된 새로운 자료를 더하여 종합적으로 서술하는 것에 중점을 두었다.

1 예를 들면, 松本榮一은 『敦煌畵の研究』(東京 東方文化學院 東京研究所, 1937)에서 地藏菩薩에 대한 전문적인 연구성과를 보여 주었고, 羅華慶과 常靑 등은 莫高窟과 龍門石窟의 지장보살 등에 대해 더욱 깊은 연구를 하였다. 松本榮一・羅華慶, 「敦煌地藏圖像和 '地藏十王廳' 研究」, 『敦煌研究』(第2期), 1993 ; 常靑, 「龍門石窟地藏菩薩及其有關問題」, 『中原文物』(4期), 1993.

2 禿氏佑祥・小川貫一, 「十王生七經贊圖卷的構造」, 『西域文化研究』(第5), 法藏館, 1962 ; 杜頭城, 『敦煌本佛說十王經校錄』, 甘肅教育出版社, 1989 ; 石守謙, 「有關地獄十王圖與其東傳日本的幾個問題」, 『中央研究院歷史語言所集刊』(第56本 第3分), 1985.

1. 석굴 마애상

지장보살의 형상을 석굴 벽에 조각하거나 소조상(塑造像)으로 안치한 석굴로는 낙양(洛陽)의 용문석굴, 빈현(彬縣)의 대불사석굴(大佛寺石窟), 인유(麟游)의 채가하석굴(蔡家河石窟), 남향당석굴(南響堂石窟), 요현(耀縣)의 석굴, 수미산석굴(須彌山石窟), 공의(鞏義)의 대력산석굴(大力山石窟), 돈황석굴 등이 있으며, 또한 사천(四川)의 광원석굴(廣元石窟), 파중(巴中)의 남감석굴(南龕石窟), 협강석굴(夾江石窟), 통강석굴(通江石窟), 대족석굴(大足石窟), 자중(資中)의 석굴과 항주(杭州) 자운령(慈雲嶺)의 마애굴(摩崖窟)이 있다. 아래에서는 지장보살상이 가장 많이 집중되어 있는 석굴을 먼저 살펴보고, 아울러 지역적으로 서로 관계가 있는 상들도 살펴보겠다.

1) 낙양 용문석굴

용문석굴은 중국 불교조각의 중요 중심지역 가운데 하나이다. 석굴 안에 있는 지장보살상은 그 수가 많고, 연대도 대단히 앞서 있어서, 전국의 석굴 그 어느 것과도 비교할 수 없는 중요한 지위를 차지하고 있다. 용문석굴의 지장보살상은 그 형태가 다양할 뿐 아니라, 많은 수의 명문(銘文)이 남아 있다. 용문석굴의 지장보살상을 이해하기 위해서는 먼저 당(唐) 이래로 전개된 지장보살상의 발전과정을 파악하는 것이 중요하다.

용문석굴에 발원문(發願文)이 있는 석상은 최소한 34구이다. 이 중에 제작 연대가 기록되어 있는 것은 14구이며,[3] 당(唐) 인덕(麟德) 원년(664)에서 개원(開元) 2년(714) 사이의 것이다. 이들 가운데 제작 연대가 가장 빠른 것은 인덕 원년이다. 다만 기록이 없는 상들 중에는 더 이른 시기에 만들어진 것도 있는데,

3 常青, 「龍門石窟地藏菩薩及其有關問題」, 『中原文物』(第4期), 1993.

빈양남동(賓陽南洞)의 지장보살 입상과 같은 것은 그 형태를 세밀히 살펴보면 정관(貞觀) 연간(627~649)의 보살상과 일치함을 알 수 있다. 그러므로 용문석굴의 지장보살상 가운데 빠른 것은 대략 정관 말부터 영휘(永徽) 연간(650~655)의 것이라고 추정할 수 있다.

지장보살의 소의(所依) 경전은 중국에서 비교적 빠른 시기에 번역되었고, 그 시기는 최소한 남북조(南北朝) 시대 이전이다. 다만 지장보살상의 출현은 이보다 조금 늦을 것이다. 수(隋) 말기의 전후라는 설이 있으나, 그 증거 자료가 충분하지 않다. 지장보살상이 나타난 것은 아마도 현장(玄奘) 대사가 『대승대집지장보살십륜경(大乘大集地藏菩薩十輪經)』을 번역한 전후로 보는 것이 자연스러울 것이다.

용문석굴의 지장보살상에는 보살의 모습을 한 보살형(菩薩形)도 있고, 또한 사문의 모습을 한 사문형(沙門形)도 있다. 지장보살상에 사문형이 나타남으로

그림 1 용문석굴 왕원궤동의 지장보살상

그림 2 용문석굴 팔작사동의 지장보살상

써 그 연구 가치가 매우 커졌다는 것에 주목할 필요가 있다.

빈양중동(賓陽中洞) 위쪽에는 입상의 지장보살상이 있는데, 높이가 161cm이며, 통견(通絹)의 대가사(大袈裟)를 입고 연화대에 서 있다. 이 지장보살상 옆에는 두 제자가 협시하고 있다. 지장보살상은 오른손을 어깨 쪽으로 들고 있고, 손가락으로부터 솔기가 오조사선(五條斜線)으로 일어나 있으며, 선 사이에는 하늘을 날며 합장하는 사람, 말을 타고 달리는 사람, 무릎을 꿇은 사람의 상들이 새겨져 있다. 의심할 바 없이, 이는 일존오도윤회(一尊五道輪廻)의 지장보살상이며, 지장보살의 손바닥에 조각된 것은 바로 대표적인 오도윤회의 갖가지 형상인 것이다. 왕원궤동(王元軌洞)의 동굴 입구에는 2기의 탑이 있고, 반가좌상(半跏坐像)이 양쪽에 조각되어 있는데, 왼쪽에 좌선하고 있는 승려의 상이 지장보살상이다.〈그림 1〉 통견의 가사를 입고 있으며, 오른손에 마니주(摩尼珠)를 들고 있다. 상의 높이는 1m 정도이다. 팔작사동(八作司洞) 아래에는 왕원궤동의 지장보살상과 아주 비슷한 상이 하나 있는데, 오른손을 위로 올려 보주를 들고 있다.〈그림 2〉

이들 보살상의 제작 시기는 모두 당(唐) 고종(高宗)과 측천무후(則天武后) 시기로서, 이들은 비교적 초기의 승려 모습을 한 지장보살상의 중요 작품들이다. 더욱이 빈양중동의 지장보살상은 지장보살윤회상(地藏菩薩輪廻像)의 대표적 조각이라 할 수 있다.

용문석굴 지장보살상 중에는 보살형이 많다. 빈양남동(賓陽南洞)의 '이○정조상(李○靜造像)'은 입상의 지장보살상으로, 머리에서부터 어깨까지 이르는 풍모(風帽)를 쓰고 있으며, 가슴에는 영락 장식을 하고 있다. 어깨에 걸친 천의는 배 아래에서 교차하고, 왼손은 밑으로 내려 병 하나를 잡고 있다. 상은 일반적인 협시보살과 다르지 않지만, 손에 정병을 들고 있어서 관세음보살상과 구별하기 힘들다. 유사한 지장보살상이 또한 보태동(普泰洞) 부근에 있는데, '상원(上元) 2년(675) 제자○ …… 등의 조상', '경선사(敬善寺) 이경(李慶)의 조상', '채대랑동(蔡大娘洞) 비구니 구랑(九娘)의 조상', '혜간동(惠簡洞) 청신녀 가(賈)의 조상' 등이 그것이다. 이러한 지장보살상은 모두 당(唐) 초기 지장보살상의 전형적인 특징을 보이고 있다. 상반신은 노출되어 있고, 하반신은 긴 하의를

그림 3
용문석굴 제631호
지장오존상

그림 4
용문 빈양남동의
우의덕이 조성한
지장보살상

입고 있으며, 머리에는 두건을 두르고 있는데, 그 자태가 우아하고 아름답다.

그러나 이러한 입상 형태의 지장보살상은 일련의 상들 가운데 하나이며, 단독 형태의 보살입상은 극히 적다. 보태동 부근에 있는 '상원(上元) 2년명의 지장보살상' 은 아미타불회(阿彌陀佛會)의 가운데에 위치하고 있으며, 반대쪽에는 구고관음상(救苦觀音像)이 시립하고 있는데, 지장보살상과 관음상을 구별하기 어렵다. '경선사 이경 지장보살상' 과 '위회(衛回) 관음보살상' 은 나란히 함께 서 있는 형태이며, '채대랑동 비구니 구랑의 조상' 은 아미타불회를 이루고 있고, 관음보살상과 지장보살상이 함께 서 있는 형태이다. '혜간동 청신녀 가의 조상' 은 지장보살이 칠불(七佛)과 함께 있다.

용문석굴의 지장보살상 중에는 입상 형식보다 좌우서상(左右舒相)의 반가부좌(半跏趺坐) 형식이 더 많다. 복식은 당 초기의 보살 복식과 다르지 않다. 빈양남동에 있는 건봉(乾封) 2년(667)의 ○덕자조지장보살상(○德子造地藏菩薩像), 노룡동(老龍洞)에 있는 총장(總章) 2년(669)의 ○업법장등조지장상(○業法藏等造地藏像), 경운(景雲) 2년(711)의 지장감(地藏龕), 만불동(萬佛洞)의 영륭(永隆) 원년(680)과 2년(681)의 처정각조지장보살상(處貞各造地藏菩薩像) 등이 이에 속한다. 631호의 지장보살상 〈그림 3〉은 좌서상(左舒相)을 하고 있으며 가슴에 영락 장식이 있다. 두 제자와 두 보살이 양쪽에서 협시하고 있는 지장오존상(地藏五尊像)이다. 이 지장보살상은 높이가 86cm에 이르러 용문석굴의 좌서상 형태의 지장보살상 가운데 가장 크고, 또한 주존으로 협시를 갖추고 있다는 점에서 명문은 없지만 중요 도상이라 할 수 있다.

이외에도 빈양남동에는 우의덕(牛懿德)이 함형(咸亨) 4년(673)에 조성한 지장보살상 〈그림 4〉이 있다. 좌서상의 자세에 보살의 천의를 입고 있는데, 양쪽 어깨가 가려져 있고 가슴 부분이 드러나 있다. 머리에는 불상처럼 육계가 있고, 얼굴은 비록 심하게 훼손되었지만, 육계의 선은 아주 선명하다. 이것은 불상의 특징과 보살의 천의를 결합하여 표현한 일례이다.

이상과 같이, 용문석굴의 지장보살상은 매우 다양한 형식이 있음을 알 수 있는데, 가장 많은 것이 보살형의 천의 형식이다. 그 다음으로 많이 보이는 것이 좌우서상의 자세를 취하고 있는 반가부좌상(半跏趺坐像)과 입상 형식이다. 용문석굴에는 사문 형식의 지장보살상도 있는데, 좌우서상을 취한 것이 비교적 많다. 지장육도윤회(地藏六道輪廻) 입상 또한 이곳 용문석굴에 있다.

용문석굴의 지장보살상은 대부분 아미타불, 구고관음, 관음보살, 십일면관음과 약사유리광불, 칠불, 업도상(業道像) 등과 함께 조성되어 있다. 지장보살과 불교의 여러 존격(尊格)들 사이의 다양한 관계가 잘 드러나 있다. 또한 적지 않은 학자들이 지장보살과 삼계교(三階敎)와의 관계에 대하여 지적하고 있지만, 석굴에 있는 지장보살상의 유적을 실제로 살펴보면, 아미타 삼존의 구성에서 가장 많이 나타나고 있다는 것을 알 수 있다. 아미타불과 정토신앙이 민간에 깊게 파고들어 널리 부처님의 가피를 바란 것으로, 이러한 마음이 이곳에 반영되는 것이 일반적이라 할 수 있다.

용문석굴의 봉선사(奉先寺) 북쪽 벽 옆에는 당의 상주국괵국공(上柱國虢國公) 양사욱(楊思勖)이 선비(先妣) 등을 위하여 조성한 지장보살상이 있다.[4]

용문석굴의 중요 당굴(唐窟)인 경선사굴(敬善寺窟) 등에는 굴 문의 양쪽 옆에 하후씨(夏侯氏)와 두법력(杜法力)이 조성한 작은 상들이 안치되어 있다. 이러한 소상들은 처음에 주목받지 못했지만, 시왕(十王) 도상의 비교적 이른 시기의 것이라는 점에서 연구 대상이 되고 있다.

공의(鞏義) 대력산석굴

공의의 대력산석굴은 공현(鞏縣)석굴이라 불린다. 제5굴의 북쪽 벽에 있는 탑에 지장보살상이 있다. 탑의 명문에는, "소인해(蘇仁楷)가 망처(亡妻) 위(魏)씨를 위하여 지장보살상 한 구를 조성하여 공양함"[5]이라고 새겨져 있다.

2) 빈현(彬縣) 대불사석굴

빈현의 대불사석굴은 섬서성의 관중(關中) 지역에 위치하고 있는 당 초기의

4 溫玉成, 「龍門所見兩唐書中人物造槪說」, 『中原文物』(第4期), 1993.

5 『中國石窟』(鞏縣石窟), 文物出版社, 1989.

중요 석굴이다. 빈현은 옛날에는 빈주(豳州)라고 불렸다. 장안(長安) 서쪽 실크로드의 옛 길의 하나인 동북쪽 도로에 위치해 있으며 장안에서 서쪽으로 통하는 중요한 진(鎭) 가운데 하나이다. 빈현의 대불사석굴 가운데 중요 석굴은 당 초기의 정관(貞觀) 2년(628)에 조성된 대불동(大佛洞)과 천불동(千佛洞), 나한동(羅漢洞)과 서쪽 절벽의 응복사(應福寺) 등이다. 빈현의 대불사석굴의 지장보살상은 초기에 조성된 상에 속하며, 또한 그 조형이 특수하다는 점에서 구별된다. 또한 사문형과 보살형 지장보살상 이외에도 부처의 특징적인 모습이 나타나 있는 지장보살상이 있다. 그러므로 이곳의 지장보살상의 형태는 별도로 살펴보아야 할 만큼 중요하며, 이 점은 지장보살 조형의 형태와 변화를 완전하게 인식하는 데 있어서 필수적이다.

빈현의 대불사석굴에 대한 연구는 1920년대부터 시작되어 왔다.[6] 지속적인 논문 발표가 있어 왔지만, 비교적 전문적인 연구는 80・90년대에 시작되었다고 말할 수 있다. 하재성(賀梓城), 왕자운(王子雲), 원안지(員安志), 이송(李淞)[7] 등이 대불사석굴의 전체적 상황과 조성연대 등에 대해 다방면에 걸친 연구를 하였다. 최근에는 상청(常青)의 연구 논문이 주목받고 있다.[8]

대불사석굴의 지장보살상은 천불동이 그 중심이 된다. 천불동은 가운데에 중심기둥이 있는 형식으로, 굴 입구에는 2개의 문기둥과 삼문동(三門洞)이 있다. 지장보살의 감상(龕像)은 그 중심기둥 위쪽의 벽면 등에 분포되어 있다. 천불동에 있는 감실의 수는 175곳에 달하며, 대불동에 조금 못미친다. 그러나 보존 상태는 가장 양호하며, 각 시대에 남겨진 석각 명문 또한 가장 많다고 알려져 있다. 이 지장보살 감실 가운데 일부는 지장보살상을 만든 것을 명확하게 기록하고 있다. 그 밖에 수십 개의 감실에는 비록 명문이 보이지 않지만, 그 조형 형태 하나하나가 명문이 있는 다른 지장보살상과 명확하게 일치하고 있어서 또한 지장보살상의 범주에 속한다.

6 崔盈科, 「陝西邠縣之造像」, 『歷史語言所周刊』(第56期), 1928.

7 賀梓城, 「陝西邠縣大佛寺石窟」, 『文物參考資料』(第11期), 1956 ; 王子雲, 『陝西古代石雕刻之一』, 陝西人民美術出版社, 1985 ; 員安志, 「邠縣大佛寺的調查與研究」, 『中國考古學研究論集』, 三秦出版社, 1987 ; 李淞, 「唐太宗建七寺之詔與邠縣大佛寺的開鑿時間」, 『藝術學』(第12期), 臺北 藝術家出版社, 1984.

8 常青著, 『邠縣大佛寺造像藝術』, 現代出版社, 1998.

천불동의 중심기둥 서쪽 벽의 Q19호 감실은 내부에 반가부좌의 지장보살상 2구가 조각되어 있다. 그 감실의 형태는 원공형(圓拱形)이며, 높이는 74cm이다. 두 지장보살상의 머리는 모두 훼손되어 있고, 우견편단(右肩偏斷)의 가사를 입고 있는데, 가사의 문양이 사실적이다. 신체는 건강미가 넘치며, 가슴은 나와 있고 배는 들어가 있다. 이들 지장보살상은 반가부좌의 자세로 서로 호위하듯 대칭되어 있다. 안쪽 팔은 내려서 무릎에 올려 놓고 있고, 바깥쪽 팔은 가슴 앞에서 횡으로 들어 올리고 있으며, 안쪽 다리는 받침대에 올리고, 정강이를 바깥쪽 다리의 무릎에 올리고 있다. 바깥쪽 다리는 펴서 발로 연꽃을 밟고 있다. 좌대의 형태는 원형 속요식(束腰式)이다. 감실 밑에는 무주(武周) 성력(聖曆) 원년(元年 ; 698)의 "급사랑행빈주신평현승고숙하조지장보살상기(給事郎行豳州新平縣丞高叔夏造地藏菩薩像記)"라고 쓰인 명문이 있다.

또한 중심기둥 서쪽 벽에는 Q14호 감실이 있는데, 안쪽에 반가부좌 자세를 하고 있는 보살상이 하나 있다. 감실의 형태는 첨공형(尖拱形)이며, 높이는 61cm에 달한다. 보살상의 자세, 체형과 복식은 모두 Q19호 감실의 상과 같다. 상은 한 구뿐이며, 우서상(右舒相)의 자세를 하고 있다.

서쪽 벽에는 또한 Q23 · 24 · 25호 감실 3개가 있는데, 모두 반가부좌를 한 보살상이 조각되어 있다. Q23 · 25호 감실에 있는 상은 우서상의 자세를 하고 있고, Q24 감실의 상은 좌서상의 자세를 하고 있다. 이들 세 감실의 지장보살상의 좌대는 원형의 속요좌(束腰座)로 복련 형태이다. 감실 밑에는 모두 여러 개의

병[壺]이 장식되어 있는데, 통일감 있게 조각되어 있다. 이곳의 지장 반가부좌상은 대칭으로 구성된 형태가 많다.

천불동 중심기둥의 동쪽 벽에는 Q32호 감실이 있는데, 반가부좌 자세를 하고 있는 지장보살상이 6구가 있다.〈그림 5〉 감실 천장은 이미 훼손되어 있다. 감실의 높이는 66cm이고, 너비는 196cm에 달한다. 6구의 지장보살상은 2구씩 짝을 지어 3개의 조로 배치되어 있다. 즉 마주하여 좌우서상의 자세로 앉아 있는 2구의 지장보살상이 3개의 조로 이루어져 있는 것이다. 상의 머리는 훼손되어 있고, 목 부분에는 삼도문(三道紋)이 있다. 체형은 모두 건장하여, 가슴은 나와 있고 배는 들어가 있다. 상의 크기는 기본적으로 같고, 앉아 있는 자세도 자연스럽다. 어떤 상은 양손을 가슴 앞에 댄 것도 있고, 한 손을 가슴에 대고 한 손은 무릎에 올려놓은 상도 있다.

그림 5
빈현 대불사 천불동 Q32호 감실의 육지장보살상

이들 상 중 오른쪽에서 두 번째와 세 번째 보살상은 통견의 가사를 입고 있고, 다른 나머지 보살상들은 우견편단의 가사를 입고 있다. 옷의 문양이 입체적이어서 사실감을 준다. 보살이 앉아 있는 받침대는 모두 8각형의 속요좌이다. 감실 밑에 세 방향으로 나 있는 명문(銘文)은 많은 사람들이 수희동참하여 이 지장보살상감(地藏菩薩像龕)을 조성하였음을 기록하고 있다. Q32호 아래에 있는 세 방향의 명문을 나누어 살펴보면 다음과 같다.

(1) 무주(武周) 증성(證聖) 원년(695) 『선덕랑행빈주사호참군원사예조지장보살상기(宣德郎行豳州司戶參軍元思叡造地藏菩薩像

記)』: "…… 以欅地前顯能仁以」居大昭惠燈于冥遂運慈」筏于迷津思睿敬造地藏」菩薩一區莊嚴已畢庶超三界希游四禪 …….」大周聖歷元年四月」八日宣德郎行豳州司」戶參軍事元思叡造."

⑵『조산랑행빈주사법참군원해등조지장보살상기(朝散郎行豳州司法參軍元海等造地藏菩薩像記)』: "…… 朝散郎行豳」州司法參軍元海通」直郎行豳州參軍○」元會等因生此州○」于此寺敬造地藏菩」薩像各一區雕鐫始」就 …… 以當來生之福田."

⑶ 무주(武周) 증성(證聖) 원년(695)『조의랑행빈주사호참군운경가조지장보살상기(朝儀郎行豳州司戶參軍雲景嘉造地藏菩薩像記)』: "大周證聖元年四月八日」朝儀郎行豳州司戶參軍」事雲景嘉敬造地藏菩薩像」…… 因飾靈迹于神龕雕」○○于○○○銘曰 ……."

이러한 보살상의 기록으로부터 이 감실의 지장보살상은 대략 무주(武周) 증성(證聖) 원년(元年 ; 695) 부처님오신날 무렵에 형성되었다는 것을 알 수 있다. 조상(造像)에 참여한 이들은 모두 현지의 관리였다.

중심기둥 동쪽 벽의 Q35호 감실에도 역시 반가부좌를 하고 있는 한 구의 보살이 조각되어 있다. 머리 부분은 훼손되어 있고, 왼쪽 다리를 밑으로 내린 좌서상의 자세를 취하고 있다. 왼손은 가슴에 대고 있고, 오른손은 손바닥을 보이고 있다. 체형은 짧게 표현되어 있으며, 배는 들어가고 가슴은 나와 있다. 가사를 입고 있다. 좌대는 원형의 속요좌이다.

굴실의 서쪽 벽 Q59 · 65호 감실 역시 앞서 살펴본 보살상의 조형적 특징을 그대로 가지고 있다. Q59호의 상은 반가부좌 지장보살이다. 상호는 원만하지만, 오관(五官)은 이미 훼손되었다. 우서상의 자세를 하고 있고, 양 목깃을 늘어뜨린 대의와 목깃이 교차하는 내의를 입고 있다. 좌대의 형태는 앙복련의 원형 속요좌이다. Q65호 감실에는 반가부좌를 하고 있는 두 명의 보살이 있다. 대칭으로 좌우서상의 자세를 하고 있다. 2구의 상은 각기 한 발로 연꽃을 밟고 있으며 건장한 체형이다. 우견편단의 가사를 입고 있는데, 가사 끝자락이 아래까지 늘어져 좌대 앞을 덮고 있다. 좌대의 형태는 둥근 속요질삽식(束腰迭澁式)이다. 두 감실의 높이는 60~70cm 정도이다.

굴실의 동쪽 벽에 있는 Q115 · 116 · 118 · 119 감실은 같은 조형의 형태이다. 여기서 Q116 감실의 반가부좌 자세의 보살을 제외하고, 나머지 세 감실에는 짝을 이루어 반가부좌를 하고 있는 보살이 대칭을 이루고 있다. 가사를 입고 있다. 두 손은 모두 가슴 앞에 위치하고 있다. 다만 한 손은 가슴 앞에 모았고, 한 손은 배 앞에 놓는 등의 차이가 있다. Q116호의 상은 작고 비교적 뚱뚱하며, 나머지 상은 건장하고 아름답게 보인다. 받침대는 8각형의 속요식이며, 감실의 높이는 51~77cm 정도로 보살상마다 다르다.

동쪽 문기둥의 동쪽 벽에는 Q123호 감실이 있다. 윗부분은 훼손되었고, 역시 반가부좌의 두 지장보살상이 대칭을 이루고 있다. 바깥쪽 손은 지물(持物)을 들고 있으며, 안쪽 손은 배 앞에 놓여 있다. 좌우서좌(左右舒坐)의 자세를 취하고 있는 다리는 각기 연꽃 위에 올려져 있다. 우견편단의 가사를 입고 있는데, 가사의 끝자락이 아래로 늘어져서 좌대를 덮고 있다. 대의의 문양은 세밀하고 사실적이다. 이 감실 밑에는 두 방향에 명문이 있는데, 한쪽은 주무(武周) 장수(長壽) 2년(694)의 승려 신지(神智)의 발원기이다. 다른 쪽은 주무(武周) 장수(長壽) 3년(695) "중대부행빈주사마이승기경조출가보살상기(中大夫行豳州司馬李承基敬造出家菩薩像記)"라고 쓰인 명문이 있다. 이 벽은 또한 Q127호 감실의 우서상좌(右舒相坐)의 보살상과도 접하고 있다. 당연히 이것 역시 지장보살상이다.

동문 기둥 남쪽 벽의 Q129 · 130 · 131 · 133 · 135호 감실도 같은 양식의 조형이다. 모두 반가부좌 보살상이 하나씩 있는데, 신체가 건장하다. Q129 · 130호 〈그림 6〉의 보살상과 같은 것은 우견편단의 대의를 입고 있고, Q131의 감실상은 통견의 대의를 입고 있으며, Q135의 감실상은 양쪽 목깃을 아래로 늘어뜨린 대의를 입고 있고, 안쪽에는 또한 우견편단의 승기지(僧祇支)를 입고 있다.

서문 기둥 남쪽 벽에는 Q155 · 162 · 163호 감실이 있다. 모두 반가부좌를 하고 있는 보살상이 하나씩 조각되어 있다. Q155상은 우서상의 자세를 하고 양쪽 목깃을 아래로 늘어뜨린 대의와 우견편단의 승기지를 입고 있다. 나머지 두

그림 6
빈현 대불사 천불동 Q130호 감실의 지장보살상

감실상은 모두 좌서상의 자세를 취하고 있고, 통견의 가사를 입고 있다.

동서문 기둥의 남쪽 벽에 있는 보살상은 모두 중심기둥 정면에 붙어 있다(북쪽). 굴 가운데 비교적 중요 벽면에 있는 이들 양면의 감실은 모두 통일된 규칙과 계획을 따르고 있다. 이것 바깥의 서문 기둥의 서쪽 벽에 있는 Q165호 감실에도 역시 반가부좌를 하고 있는 하나의 보살상이 있다.

천불동의 지장보살상은 중심기둥의 동 · 서 양쪽 벽 이외에도 양쪽 문기둥 맞은편 굴실의 남쪽 벽 위에도 분포되어 있다.

천불동의 지장보살상은 당연히 대부분 무주(武周) 시기에 조성되기 시작한 것이다. 그러므로 요약하면 천불동은 본래 이른 시기에 착공되었고, 당 고종(高宗) 함형(咸亨) 연간에 완공된 것으로 보아야 한다. 동굴에서 가장 이른 연대의 것은 '함형 2년(671)의 온실세욕중승경(溫室洗浴衆僧經)'이라 새겨진 것이다. 가장 이른 조상(造像) 기록은 무주(武周) 장수(長壽) 2년(693)의 승려 신지발원기(神智發願記)이다. 또한 가장 중요한 지장보살상(地藏菩薩像)의 기록 연대는, 무주(武周) 증성(證聖) 원년(695)의 원사예조상기(元思叡造像記), 원해(元海)의 운경가조상기(雲景嘉造像記), 무주(武周) 성력(聖歷) 원년(698)의 고숙하조상기(高叔夏造像記)가 있다. 이들 일련의 지장보살상은 기본적으로 7세기 말엽에 조성되었다.

이외에도 대불동 가운데의 D13 · 16호 감실의 반가보살상(半跏菩薩像)도 역시 지장보살상일 가능성이 있다.

정리해 보면, 빈현 대불사(大佛寺)의 지장보살상은 많은 특징을 가지고 있는데, 가장 중요한 상은 가사를 입고 있고 머리에 육계가 있는 불상 형식의 지장보살상이다. 또한 대부분의 상들이 다양한 반가부좌 자세를 취하고 있고, 대칭으로 조각되어 조성되어 있다. 한편 지장보살상이 아미타불 삼존의 협시로 오거나 혹은 관음보살과 같이 조성된 예는 보이지 않는다. 이처럼 회(會)를 이루고 있거나 독존의 불상 형식 지장보살상은 지장보살의 총체적인 조형 형태에서도 아주 독특한 것이다. 대불사 지장보살 조각 기법은 대단히 뛰어나다. 건장한 체형과 살짝 올라온 양쪽 어깨, 두터운 가슴, 허리 부분의 날씬함과 다리 부분의 풍만함 그리고 체형을 살리는 옷의 무늬는 뛰어난 장인의 경지라 할 수 있다.

3) 고원(固原) 수미산석굴과 요현(耀縣) 약왕산석굴

수미산석굴

녕하(寧夏)의 고원 수미산석굴 제105호 굴은 주실의 중심기둥 북쪽 면에 있는 감실에 여러 구의 지장보살상이 조각되어 있다. 감실의 높이는 330cm 정도이다. 이 가운데 한 지장보살상 〈그림 7〉의 높이는 225cm로서 삭발한 사문형이

그림 7
고원 수미산 제105
굴의 지장보살상

그림 8_오른쪽
요현 약왕산 제8
호 감실의 지장보
살육도상

고, 우서상의 자세를 하고 있다. 가사를 입고 있으며, 가사의 끝자락이 좌대를 덮고 있다. 보살상의 왼손은 훼손되어 있고, 오른손은 무릎 위에 올려져 있다. 지장보살의 좌우 양쪽에는 두 보살이 나란히 협시하고 있다. 이 굴은 도화동구(桃花洞區)의 중앙에 위치하고 있으며, 당 초기에 착공되었다.[9]

9 寧夏自治區文物管理委員會 等, 『須彌山石窟』, 文物出版社, 1988, 圖137과 圖141을 참조.

요현 약왕산 마애석굴

섬서의 요현 약왕산은 현의 동쪽으로 5리에 위치하며, 당대(唐代)에 명의(名醫) 손사막(孫思邈)이 이름을 떨친 곳이다. 약왕산 현화대(顯化臺)에 있는 마애상은 태현동(太玄洞) 동쪽 옆으로 500m 남쪽에 있는 절벽의 산허리쯤에 있다. 보살상은 크고 작은 불감 23개에 있으며, 당대에서 금대에 이르는 명문과 명대의 보수 기록이 전하고 있다.[10]

제8호 감실에는 지장보살상이 있는데, 지장보살과 육도윤회도상이다. 〈그림 8〉 감실의 제작 시기는 당의 중기에서 말기이고, 높이는 68cm이다. 보살상의 머리 부분은 명대 만력(萬曆) 40년에 보수하였는데, 부처의 나발(螺髮) 형태이다. 보살상은 좌서상의 자세에 통견의 대가사를 입고 있는데, 가사 끝자락이 흘러내려서 좌대 앞까지 덮고 있다. 왼발은 연꽃을 밟고 있다. 감실의 양쪽 벽에는 구름 형태의 빛 여섯 줄기가 새겨져 있는데, 상의 오른쪽에 있는 세 줄기의 빛에는 옷을 입고 무릎을 꿇고 절하고 있는 인물의 상, 두 팔을 굽혀서 해와 달을 들고 있는 인물의 상, 반라의 몸으로 무릎 꿇고 절하고 있는 인물의 상이 있다. 각각 천도(天道), 아수라도(阿修羅道), 인도(人道)를 대표하고 있다. 상의 왼쪽에 있는 세 줄기 빛 위에는 사자, 짐승 얼굴에 사람의 몸을 한 형상, 그릇을 받들고 있는 귀신이 있다. 이는 축생도(畜生道), 지옥도(地獄道), 아귀도(餓鬼道)를 나타내고 있는 것이다.[11]

제18호 감실은 삼존상이다. 그 정중앙의 상은 '비로불' 이고, 오른쪽의 상이 '지장보살', 왼쪽의 상이 '미륵불' 이다. 지장보살상은 어깨 부분까지 훼손되었는데, 비단 천의를 걸쳤던 흔적이 남아 있다. 풍모를 쓴 지장보살상이었을 것이다. 양손은 옷 소매 사이에 들어가 있다. 감실 오른쪽 아래에는 석장과 염주를 든 고승이 조각되어 있다.

이외에 제14호에서 제17호의 작은 감실 옆에 있는 명문에서 아미타불과 지장보살에 대해 언급하고 있다.

요현 약왕산에서 가장 중요한 지장보살상은 제8호 감실에 있는 지장육도윤

10 張硯 · 王福民, 「陝西耀縣藥王山摩崖造像調査簡報」, 『中原文物』(第2期), 1994.
11 韓偉, 「陝西寧夏」, 『中國石窟雕塑全集』 5.

회도상이다. 이 상은 비록 머리 부분이 나중에 보수되었지만, 나머지 부분은 모두 완전하다. 특히 육도윤회(六道輪廻)를 표현하고 있는데, 육도지장보살상의 진귀한 실례이다.

섬서 인유(麟游)의 채가하석굴

채가하석굴에 있는 마애상의 감실에는 사문형 지장보살상이 하나 있는데, 시대는 대략 북송 시기이다.

4) 융요(隆堯)의 선무산석굴과 한단(邯鄲)의 남향당석굴

선무산석굴

하북성(河北省) 융요의 선무산에도 2개의 감실에 초기에 속하는 당대(唐代)의 지장보살상이 있지만, 안타깝게도 문화대혁명 시기에 훼손되었다. 이 가운데 하나는 당 고종 용삭(龍朔) 연간(661~663)에 비구니 '진○(眞○)'가 조성한 것이다. 다른 하나는 상원(上元) 원년(674) 혹은 조금 늦은 760년에 제대아(齊大雅) 등이 조성한 것이다. 비구니 '진○'의 조상기에는 "龍朔○年○月十五日, 比丘尼眞○地藏菩薩"[12]이라고 되어 있고, 제대아 등의 조상기에는 "齊大雅尙善會李名高造地藏像. 上元元年二月十日"[13]이라고 되어 있다.

남향당석굴

남향당석굴은 하북성(河北省) 한단시(邯鄲市) 봉봉광구(峰峰鑛區)의 고산(鼓山) 남쪽 산기슭, 부양하(滏陽河) 북쪽 연안에 위치해 있다. 석굴은 북제(北齊) 천통(天統) 원년(565)에 처음 만들기 시작하였고, 북조(北朝) 말기에 이미 기본적인 형태가 완성되었다. 수·당 양대에 동굴 안팎을 보수하여 정비하였으며 작은 감실들이 많다. 지장보살상은 당대(唐代)에 조각하여 새긴 작은 감실에

12 張稼農, 「隆堯縣宣務山文物古迹介紹」, 『文物參考資料』(12期), 1957, p.56.
13 大村西崖, 『支那美術史雕塑篇』, 佛書刊行會圖像部, 1915.

있다. 현재 지장보살상은 6개의 감실에 있고, 이 중 2개에 명문이 있다.

제1굴의 중심기둥 왼쪽 앞 사자(獅子)의 앞뒤로 2개의 감실이 있는데, 모두 첨공형(尖拱形) 감실이며 관음보살과 지장보살상이 하나씩 조각되어 있다. 〈그림 9〉 밖에는 제20호 감실이 있는데, 높이가 33cm이며, 기둥의 측면에는 측천무후의 장안(長安) 연간(701~704)의 명문이 있다. 제1굴 30호는 삭발한 사문형 지장보살상으로 교임식(交衽式) 포(袍)에 가사를 걸쳤다.〈그림 10A · B · C〉

제2굴 4호는 첨공형(尖拱形) 감실이다. 높이는 60cm이다. 지장보살상 하나가 있다. 당 개원(開元) 2년(714)의 명문이 있다.

제2굴 12호는 첨공형 감실이다.〈그림 11〉 높이는 41cm이다. 지장보살상 한 구가 있는데, 보존 상태가 비교적 양호하지만 얼굴 부분이 훼손되어 있다. 우서상의 반가부좌를 하고 있고, 오른쪽 다리는 연꽃을 밟고 있다. 가사 안에 승기지를 입고 있으며, 가사의 끝자락이 대좌를 덮고 있다.

제2굴 18호는 첨공형 감실인데, 높이는 33cm이다. 관음보살상과 지장보살상 한 구가 있다. 지장보살은 왼쪽에 있는데, 속요수미(束腰須彌)의 대좌 위에 반가부좌하고 있다. 입상 형태의 관음보살은 오른쪽에 있다.

제2굴 28호는 원공형(圓拱形) 감실이다. 관음보살상과 지장보살상이 하나씩 조각되어 있다.

제3굴 39호는 첨공형 감실이다. 지장보살상이 한 구 있다. 무주(武周) 증성(證聖) 원년(695)의 명문이 있는데, 다음과 같다.

"大○證聖元年……佛弟子」○娘男元琰謂亡夫高禮澄敬造沙門地藏菩」○○鋪……."

제4굴 문 입구 우측에 또한 관음보살상과 지장보살상의 합감이 조성되어 있는데, 관음보살은 입상이고, 지장보살은 좌서상의 반가부좌이다.〈그림 12〉

이처럼 남향당의 지장보살상이 있는 6개의 감실 가운데, 3개의 감실에는 지장보살상이 하나씩 있고, 3개의 감실은 관음보살상과의 합감(合龕)으로 이루어져 있다. 그 형식을 보면 여전히 반가부좌의 자세로 되어 있고, 조성 시기는 무주(武周)와 현종(玄宗)대이다. 명문에 '사문지장보살(沙門地藏菩薩)'을 만든다고 명확하게 밝히고 있다.

그림 9_오른쪽 위
남향당 제1굴 중심기둥 아래쪽의 두 감실

그림 10A_오른쪽 ▲
남향당 제1굴 30호 감실의 지장보살상 측면

그림 10B_오른쪽 ▼
남향당 제1굴 30호 감실의 지장보살상 정면

그림 10C_오른쪽 ▶▶
제1굴 바깥쪽의 앞쪽 면

그림 11
남향당 제2굴 12호 감실의 지장보살상

그림 12
남향당 제4굴 문 입구 안쪽의 합감 상

5) 항주(杭州) 자연사(資延寺)와 서산마애(西山摩崖) 및 공주(贛州) 통천암석굴(通天巖石窟)

항주의 자연사 마애석굴

항주 서호(西湖) 주위의 산들에는 많은 석굴과 마애상이 조성되어 있다. 이 중에 자운령(慈雲嶺) 자연사의 제1감실이 바로 '지장보살육도윤회상' 이다.[14] 〈그림 13A〉 이 감실의 높이는 260cm에 달한다. 감실 중앙의 지장보살상은 좌서상의 자세로 반가부좌를 하고 있다. 양쪽 옆에는 천녀(天女)가 협시하고 있다. 지장보살상은 사문형으로 삭발한 머리에 큰 귀를 하고 있으며, 얼굴은 상서롭고 엄숙하다. 통견의 대가사를 입고 있으며 가슴 아래 부분에 군의(裙衣)가 드러나 있다. 오른손은 가슴 앞으로 들어올렸으나 훼손되어 있으며, 왼손은 선정인을 맺고 있다. 감실 안쪽의 지장보살 왼쪽에서는 뭉게구름 형태의 빛이 일어나 감실의 처마까지 옆으로 완만하게 피어오르고 있다. 빛 사이에는 '육도(六道)' 의 형상을 부조하여 새겨 놓았다. 〈그림 13B〉 가장 앞쪽에 있는 빛에는, 합장을 하고 서로 대화를 하고 있는 듯한 모습으로 걷고 있는 두 명의 천인(天人)이 있다. 귀인의 복장을 하고 있으며, 머리에 면류관을 쓰고 있고, 좁은 소매가 달린 긴

14 王士倫 · 趙振漢, 『西湖石窟探勝』, 上海 人民出版社, 1981 ; 浙江文管會, 『西湖石窟藝術』, 浙江 人民出版社, 1956.

그림 13A
절강 항주 자운령
자연사 지장보살상

그림 13B
감실 외부 위쪽의
육도윤회 도상

치마를 입고 있고, 운견(雲肩)으로 장식하고 있는데, '천도(天道)'를 상징하는 것이다. 그 뒤에 보통사람의 복장을 한 남녀 두 사람이 있다. 남자는 머리에 연각복(軟脚幞)을 쓰고 있으며, 원령장포(圓領長袍)를 입고 허리띠를 하고 있고, 여자는 긴 소매가 달린 교령삼(交領衫)과 땅에 끌리는 긴 치마를 입고 있으며, 머리를 Y자형으로 묶어서 단장을 하였다. '인도(人道)'를 나타내는 것이다. 이 뒤에는 아수라왕이 있는데, 정면으로 서 있고, 4개의 팔을 크게 펴고 있다. 위의 두 팔은 해와 달을 잡고 있고, 아래의 두 팔은 각각 활과 화살을 나누어 잡고 있다. 이것은 바로 '아수라도'를 표현하는 것이다. 계속해서 그 뒤에는 소머리 형상에 사람 몸을 하고 있는 귀신이 있는데, 두 손으로 긴 박달나무를 잡고, 옆에서 부글부글 끓고 있는 가마솥을 휘젓고 있다. 이것은 '지옥도'를 의미하는 것이다. 다시 그 뒤에 붉은 몸에 뼈만 앙상하고, 등과 허리가 굽은 두 명의 남자가 있다. 이것은 '아귀도'를 뜻하는 것이다. 가장 뒤에는 한 필의 준마(駿馬)가 있다. 의심할 바 없이 '축생도'를 대표하고 있는 것이다. 이것은 총 아홉 수(數)의 사람과 짐승의 구성을 통해 불교의 '육도윤회'를 표현하고 있으며, 육도윤회의 굴레에서 끝없이 고통받고 있는 일체 중생을 구원하고자 하는 지장보살의 역할과 자비심을 강조하고 있다.

자연사는 오대(五代) 천복(天福) 7년(942)에 세워졌는데, 오대의 오왕(吳王)·월왕(越王)이 건립하였다. 이때에 마애석굴인, 제1감실의 지장보살상과 제3감실 그리고 사찰 건립이 동시에 이루어졌다. 제3감실은 높이가 454cm에 너비는 963cm에 달하는 대형 감실로, 안에는 서방삼성(西方三聖)이 조각되어 있다. 두 감실에 있는 상들은 모두 자연사의 중요 문화재이다.[15] 여기에 중요 지장보살상이 있는데, 양쪽 옆에 있는 두 명의 권속 중에는 Y자형 머리를 한 여자 시녀가 있다. 이들은 일찍이 민장자(閔長者)와 도명(道明)으로 알려져 왔으나 공양인(供養人)일 가능성이 높다. 지장보살상은 매우 정교하게 조각되어 있으며 아름답다.

항주의 주포서산(周浦西山)

서산 마애는 항주 서호구(西湖區) 전당진(轉塘鎭) 주포향(周浦鄕)에 있으며, 서호에서 동북쪽으로 18km 떨어져 있다. 산림이 깊은 곳에 있어서 최근에야 소개될 수 있었다.[16] 서산에는 명대(明代) 한 조(組)의 지장시왕감상(地藏十王龕

15 이에 대한 정확한 내용은 中國社會科學院 考古研究所 浙江工作隊의 「杭州慈雲岑資賢寺摩崖龕像」, 『文物』(第10期), 1995를 참조.

16 賴天兵, 「杭州周浦西山摩崖造像調査」, 『南方文物』(第2期), 2002.

像)이 보존되어 있는데, 독특한 구성을 보이고 있다. 위쪽에는 3개의 불감이 있고, 가운데에는 지장보살과 시왕, 아래쪽에는 선교(船橋)와 지옥의 장면이 표현되어 있다.

위쪽 세 불감의 가운데 감실에는 하나의 불상과 두 협시가 있고, 양쪽의 감실에는 각각 하나의 불상이 조성되어 있다.

가운데 감실은 가로 3m, 높이가 65cm, 깊이가 32cm이며, 존상은 뒷부분을 깊게 파서 조각하였다. 이 존상이 바로 지장보살로서 삭발한 머리에 큰 귀를 한 모습이며, 가사를 입었고 결가부좌를 하였으며, 두 손으로 보주를 받들고 있다. 그 측면 뒤쪽에는 쌍환석장(雙環錫杖)이 조각되어 있다. 지장보살상의 곁에는 양쪽으로 협시가 있지만 머리 부분이 모두 훼손되었다. 모두 교임수수대포(交衽垂袖大袍)를 입고 있는데, 도명과 민장자로는 보이지 않는다. 양쪽에 다섯 시왕이 조성되어 있는데, 모두 조복(朝服)을 입고 있고 손에는 홀판(笏板)을 들고 있으며, 머리에는 진현관(進賢冠)을 쓰고 있다. 양쪽의 상들은 모두 감실의 측면에서 지장보살상을 향하고 있으며 점차로 높아지는데, 감실의 측면에 있는 것은 높이가 38cm이고, 지장보살상 옆에 있는 것은 49cm이다. 이들은 진광왕(秦廣王), 염라왕(閻羅王), 변성왕(變成王) 등의 시왕이다. 양 감실의 측면에 또한 두 입상이 있는데, 부책(簿冊) 등의 물건을 지니고 있어서 속리(屬吏)임을 알 수 있다. 그 모습이 위엄이 있다. 시왕의 얼굴은 전혀 손상되지 않아 아주 뚜렷하게 표정을 볼 수 있다.

하부의 긴 감실에는 배와 다리와 지옥의 성문이 표현되어 있다. 측면에는 파도 한가운데에 범선이 조각되어 있고, 배에는 두 손을 합장한 사람이 있으며, 선두와 선미에 모두 연꽃이 보인다. 파도 위에는 사람들의 머리가 떠 있다. 배와 파도는 모두 감실 가운데로 들어가고 있다. 중간에 공공교(孔拱橋)가 조각되어 있는데, 그 위를 노부부가 건너고 있다. 다리 아래에는 또한 사람의 머리가 보이고, 다리 입구에는 번기(幡旗)를 든 두 사자(使者)가 서 있다. 공형(拱形)의 지옥 성문은 위에 짐승의 머리가 드러나 있고, 양쪽에는 우두옥졸(牛頭獄卒)이 있으며, 반쯤 열려진 성문에는 짧은 형구를 찬 사람이 있고, 가사를 입고 석장을 든 성인(聖人)이 가까이서 우두옥졸을 바라보고 있다.

이 서산상은 지장보살과 시왕을 중심으로 조각된 것이며, 그 아래의 감상은 바로 지옥 앞의 나하교진(奈何橋津)을 주로 표현한 것이다. 특징적인 범선은 분명히 강남의 수로(水路) 문화와 관계가 있는 것이다. 배와 다리 위의 사람들은 선행을 하여 제도받은 사람들이고, 물 속의 사람들은 악행을 한 사람들을 의미한다. 이미 지옥문에 들어선 자들이라도 여전히 지장보살이나 목련존자가 와서 구제할 희망이 있음을 보여주고 있는 것이다.

공주 통천암석굴

강서(江西) 공주 통천암 259호는 원공형의 감실이고 높이는 171cm이다. 감실 가운데에는 세련된 풍모를 쓴 지장보살상〈그림 14〉이 조각되어 있는데, 높

그림 14
통천암 제259호 감실의 지장보살상

이는 128cm이다. 결가부좌상(結跏趺坐像)으로 상호가 원만하며, 선정인을 하고 있다. 감실 왼쪽에는 공양상이 있다. 이웃하고 있는 감실에는 입상의 관음보살상이 하나 있는데, 여기에도 공양소상(供養小像)이 하나 있다. 그러므로 이들 2개의 감실은 관음보살과 지장보살을 함께 조각하고 구성한 것이라 할 수 있다. 이들은 통천암석굴에서 가장 이른 시기에 조각되어 조성된 것으로, 그 시기는 오대(五代) 무렵으로 추정된다.

6) 면양(綿陽)의 북산원(北山院)

사천과 중경(重慶)지구에 보존된 마애석굴은 상당히 많고, 지장보살과 시왕의 감실상도 역시 적지 않다. 성도부(成都府) 대성자사(大聖慈寺)의 승려 장천(藏川)은 돈황에서 발견된 도찬본(圖贊本)인 『불설시왕경(佛說十王經)』의 찬술자이기 때문에 천투(川渝)지구의 지장보살과 시왕의 감실상 등은 그와 관련되었을 가능성이 상당히 높다. 그리고 면양 북산원의 마애석굴에는 현존하는 가장 이른 시기인 만당(晩唐)의 지장보살과 시왕의 감실상이 있는데, 조각이 아름답고 묘사력이 풍부하여서 크게 주목받고 있다. 북산원(北山院)은 또한 대불사(大佛寺)라고도 불린다. 금양시에서 동쪽으로 수킬로미터 떨어진 위성군진(魏城郡鎭)의 동산(東山) 기슭에 있다. 『사천문물(四川文物)』에 이미 간략하게 보도되었지만,[17] 이 책에 실린 도판 사진은 아직 발표되지 않은 것이다.〈그림 15A〉 석굴은 모두 10여 개의 감실이 있고, 제9호에 지장보살과 시왕의 상이 조각되어 있다. 이 감실은 높이가 145cm, 너비가 239cm이고, 상하 2층에 각 층 3칸으로 나뉘어 있는 소감(小龕)이다. 각각의 칸에는 두 존상이 있고, 상층의 정중앙에는 지장보살과 염라왕이 조각되어 있다. 그 아래 칸에는 무기를 든 무장의 모습이

17 劉佳麗, 「綿陽北山院摩崖造像述略」, 『四川文物』(6期), 2000 ; 文齊國, 「綿陽唐代佛教造像初探」, 『四川文物』(5期), 1991에도 언급되어 있다. 이곳의 조각은 많은 연구자들이 다루고 있다. 莊明興의 『中國中古地藏信仰』과 尹富의 博士論文인 『地藏信仰研究』 등은 모두 현지조사를 하지 않아서 상세히 논하지 못하였기 때문에 주목받지 못하였다.

그림 15A
면양 북산원 전체 감실

조각되어 있는데, 바로 시왕이다. 명왕은 모두 탁자에 앉아 있고 두 명의 동자가 서 있으며, 탁자 앞에는 심판의 장면 등이 조각되어 있다. 칸이 끊어진 곳에는 방제(榜題)가 새겨져 있어서, 존상의 순서와 심판의 장소를 알려주고 있다.

감실의 동쪽 내측 상부에는 시주자가 새겨져 있는데, 머리 부분이 손상되어 있고, 몸에는 쌍령포(雙領袍)를 착용하고 있다. 하부 벽면에는 2구의 상이 있었던 흔적이 남아 있고, 감실 측면에 '일칠(一七) 진광왕(秦廣王)' 과 '이칠(二七) 송제왕(宋帝王)' 이라고 새겨져 있다. 일칠왕은 위에 있고, 이칠왕은 아래에 있어 감실의 동쪽 변에 두 칸이 대응되어 있다. 제일 진광왕은 높은 관을 쓰고 부릅뜬 눈에 두 손으로 홀판을 바르게 쥐고 있으며, 옆에는 선악의 문서를 든 선악의 두 동자가 시립하고 있다. 탁자 앞에는 선한 남자와 악한 여자가 마주하고 있다. 남자는 두 손을 합장하고 있고, 모자의 앞에서 구름 형태의 빛이 일어나고 있는데, 그 속에 작은 불상이 있다. 악한 여자는 칼을 쓰고 있고, 땅에는 빈 칼이 놓여져 있다. 이래 칸에는 '송제왕' 이 긴 수염에 관을 쓰고 교령포를 입고서 두 손을 탁자 위에 올려 놓고 있다. '이칠일(二七日)' 에 지나는 곳은 '초강왕(初江王)' 의 처소인데, 여기에서는 양변의 방제를 '송제왕' 으로 잘못 기록하고 있다. '삼칠 초강왕' 은 '이칠 송제왕' 의 이웃에 앉아 있고, 손으로 홀판을 들고 있다.

‘사칠 오관왕(五官王)’ 은 위쪽에 제일 진광왕과 나란히 앉아 있으며, 손은 무언가를 가리키는 것 같아 마치 막 판결을 내리려는 듯하며, 탁자 앞에는 옥졸 두 명이 기둥에 묶여 있는 죄인의 몸을 톱으로 자르려 하고 있다. 이 왕의 방제 위쪽에는 ‘오칠(五七) 염라왕’ 의 이름이 새겨져 있다. 염라왕은 양손으로 합장을 하고 탁자에 앉아 있으며, 위풍당당하고 늠름한 모습이다. 한 동자는 문서를 들고 있고, 한 동자는 거울을 안고 있다. 뒤쪽 네 명의 시종은 2개의 부채를 들고 있다. 두 명의 무장이 중간에 시립을 하고 있는데 한 명은 도끼를 들고 있으며, 한 명은 검을 세우고 있다. 지장보살은 염라왕과 함께 나란히 앉아 있으며, 두 사람은 머리 위에 모두 보개(寶蓋)가 있다. 〈그림 15B〉 지장보살은 삭발한 사문형이며 연화대에 앉아 다리를 내리고 있고, 두 명의 협시보살이 옆에 서 있다. 지장보살은 부드러운 눈썹에 선한 눈을 하고 있으나 슬픈 표정을 하고 있다. 왕의 얼굴에는 수염이 가득하여 대왕의 위풍을 드러내고 있다. 감실 왼쪽 지장보살의 방제 아래에는 ‘육칠(六七) 변성왕(變成王)’ 이 있으며, 서쪽 감실 칸에 있는 오른쪽 상과 대응하고 있다. 변성왕과 앞에 있는 탁자는 금이 가 있지만, 기둥 앞의 형구에 묶여 앉아 있는 자와 옥졸은 온전하다. 그 옆에 ‘칠칠(七七) 태산왕(太山王)’ 이 홀판에 수염을 받치고 있다. 방제는 유실되었다. 탁자 앞에 한 여자가 있는데, 그 위로 피어오르는 구름 형태의 빛에 소불(小佛)이 있다. 그 아래쪽 칸은 갈라져 있다. ‘백일(百日) 평등왕’ 은 손을 탁자 위에 올려 놓고 있다. 방제에 ‘일년(一年) 도시왕(都市王)’ 이라고 쓰여 있는 도시왕은 양손으로 홀판을 들고 있다. 바로 그 아래에 있는 칸에는 ‘삼년(三年) 전륜왕’ 이 있으며, 전륜왕은 탁자 가운데에 홀로 앉아 있다. 〈그림 16A〉 양쪽 옆에 있는 옥졸은 형구를 찬 채로 무릎을 꿇고 있거나 혹은 엎드려 있는 죄인들을 감시하고 있다. 또한 판관은 문서를 들고 있고, 옥졸이 뒤에서 호위하고 있다. 앞서 살펴본, 여러 왕의 배치로 보면, 그 도상 구성이 둥글게 순환하고 있는 것을 알 수 있다. 즉, 제이 · 제삼 왕의 탁자 앞에 새겨져 있는 여러 장면들이 옆 칸의 전륜왕 장면 뒤에 연결되는 것이다. 제이 · 제삼 왕 앞의 장면들은 비록 윤회의 특징이 선명하게 표현되어 있지 않지만, 오도육취(五道六趣)의 의미를 내포하고 있다고 하겠다. 〈그림 16B〉 구름 형태의 빛 위에 두 부류로 배치되어 있는 네 명은 자세나 복장에

있어서 약간의 차이를 가지고 있지만, 천도(天道)와 인도(人道)를 의미한다고 볼 수 있다. 여기서 한 사람이 긴 형구를 찬 귀신에게 무언가를 건네고 있는데, 흡사 아귀에게 먹이는 밥과 사발처럼 보인다. 빛 아래에는 형구를 찬 여러 명의 죄인과 얼굴에 불꽃이 치성한 자들이 있다. 이처럼 빛 위와 빛 아래의 광경에서 오직 축생도를 표시하는 낙타와 말 등의 동물이 결여되어 있지만, 각흔(刻痕)이 감실의 측벽으로 연장되어 있고, 또한 빛의 흔적이 공양인 아래의 줄무늬에 이르고 있어서 오도육취를 단순하게 표현하였을 가능성이 높다.

감실의 현존 상태를 살펴보면, 서쪽 끝에 있는 석질이 얇고 가벼워서 갈라져 있기는 하지만, 전체적으로 대단히 양호한 상태이다. 현재까지 알려져 있는 지장보살과 시왕의 감실상들 가운데 쉽게 찾아보기 어려운 예에 속하며, 많은 감실에 여러 줄로 새겨진 당대(唐代)의 명문이 있다는 점에서 특징적이다. 이 감실 도상의 제작 시기는 현존하는 돈황본『불설시왕경』도상보다 시기가 더 앞서 보인다. 염라왕과 지장보살이 나란히 앉아 있는 모습이나 지장보살이 정수리를 드러낸 것과 같은 세부 구성을 비교해 보면, 윤회 부분 초기의 특징이 더욱 명백하게 표현되어 있는 것을 알 수 있다. 이 조각에 대한 연구 가치가 대단히 크다고 할 수 있는 부분이다.

그림 15B_앞쪽 지장보살과 염라왕의 감실

그림 16A_왼쪽 전륜왕

그림 16B_왼쪽 오도육취도

7) 사천(四川)의 안악석굴(安岳石窟)

와불원(臥佛院)

第34호는 당 시기의 감실로, 높이는 150cm이다. 관음 · 지장 · 일광 · 월광의 4대 보살을 입상 형태로 조각하였다.

第55호는 오대(五代)의 감실이다. 지장보살상이 조각되어 있으며, 명문이 있다.[18]

18 彭家勝, 「四川安岳臥佛院調查」, 『文物』(第8期), 1988.

원각동(圓覺洞)

제80호는 오대의 지장보살과 시왕, 지옥변상의 감실이다.〈그림 17〉 높이는 245cm이고, 너비는 320cm이다. 정면 벽에는 지장보살이 머리에 풍모를 쓰고 가사를 입은 채 수미좌 위에서 좌서상의 자세로 반가부좌를 하고 있다. 오른손은 석장을 비스듬히 들고 있으며, 왼손에는 마니주를 들고 있다. 발 옆에는 제청(諦聽)이 엎드려 조복하고 있다. 양 벽에는 오명왕(五冥王)을 나누어 조각하였으며, 아래층에는 지옥의 장면이 조각되어 있다. 이 감실의 지장보살과 시왕상의 머리 부분은 모두 훼손되어 있는 상태이고, 풍화가 비교적 빠르게 진행되어 있다. 명왕의 탁자 밑에는 지옥의 장면이 있는데, 한쪽 부분은 이미 훼손되어 있다. 이외에도 3개의 장면이 있다. 능히 변별하여 알 수 있는 것은 옥졸들이 죄인들을 벌주는 것을 묘사한 긴 형벌 장면이다. 죄인은 몸에 형틀을 차기도 하고 무릎 꿇고 있기도 하다. 옥졸은 혹은 병기를 들고 죄인을 압송하기도 하고, 혹은 죄인의 머리를 꽉 붙잡고 있는데, 밑에는 업경(業鏡)이 있고, 업경의 좌우에는 철(鐵)로 만든 개가 여러 마리 있다. 그밖에도 불경을 받들고 있는 이의 모습이 있다. 이 감실의 정면 벽 아래쪽에는 방울 장식이 있는 방제에 북송(北宋) 소성(紹聖) 4년(1097)의 기록이 있다.

그림 17
안악 원각동 제80호 감실

제84호는 오대(五代)의 지장보살과 시왕의 감실이다.〈그림 18〉 높이는 200cm이며 너비는 280cm이다. 정면 벽 아래에 지장보살이 조각되어 있는데, 수미좌 위에서 우서상의 반가부좌를 하고 있다. 머리에 풍모를 쓰고 있으며, 얼굴 부분은 훼손되어 있다. 오른손은 비스듬히 석장을 들고 있고, 왼손은 마니주를 들고 있다. 발 옆에는 제청(諦聽)이 엎드려 조복하고 있다. 수미좌 옆에는 승

그림 18
안악 원각동 제84
호 감실

려 한 명이 서 있는데, 몸을 숙이고 양손은 가슴 앞에 모으고 있다. 얼굴은 이미 손상되어 있다. 돈황본 『불설시왕경』에 따르면, 이 승려는 아마 도명화상일 것이다. 속요수미좌(束腰須彌座) 위에는 비단이 덮여 있고, 아래 부분에는 연꽃과 그 꽃봉오리가 가득 장식되어 있다. 지장보살의 밑에는 업경과 옥문(獄門) 그리고 귀졸이 조각되어 있다. 업경에는 소를 죽이는 광경이 나타나 있다. 한 사람이 소를 누르고 있고, 한 사람이 몽둥이로 소를 내려치려고 하는 장면이다. 업경의 한쪽에는 지옥의 옥졸이 꿇어앉아 있는 죄인의 머리를 잡고 때리고 있다. 이밖에도 옆에는 선악을 관장하는 동자 한 명이 선악의 행적을 기록하는 문서에 무언가를 쓰고 있고, 그 죄상을 밝히는 것과 같은 장면이 전개되고 있다. 업경 밑에는 소머리의 야차와 말 얼굴의 귀졸이 있다. 양쪽 벽면에는 두 층에 명왕과 판관이 조각되어 있다. 지장보살의 오른쪽 위에 있는 층에는 다섯 명왕이 조각되어 있는데, 모두 방건을 쓰고 교령포를 입고 있다. 명왕의 탁자 옆에는 모두 시종이 있다. 밑의 층에는 명왕 한 명과 판관 세 명이 조각되어 있다. 판관은 모두 단정하게 앉아 있는데, 양 손을 가슴 앞에 모으고 있으며, 몸에는 좁은 소매가 달린 원령포를 입고 있고, 머리에 복건을 쓰고 있다. 지장보살의 왼쪽에도 다섯 명왕과 판관 셋이 있는데, 불완전하다. 현재는 위층에 명왕 둘이 남아 있고, 아래층에는 명왕 하나와 판관 둘이 남아 있다. 이들 명왕은 회갑(盔甲)을 입고 머리에는 두무(兜鍪)를 쓴 무장의 모습을 하고 있는데, 바로 오도전륜대왕(五道轉輪大王)이다. 『불설시왕경』의 심판 장면에서도 무장의 모습으로 나타나고 있다. 시왕의 아래층에는 지옥의 광경과 중간 단계의 지옥이 서로 붙어 있다. 지옥에 있는 인물들은 머리를 틀어잡히고, 쇠사슬에 묶여 맞고 있거나 혹은 심문을 당하고 있다. 또한 불상과 불경을 받든 망자들의 혼을 편안하게 하는 의식이나, 혹은 시왕의 재일(齋日)을 마친 이들의 모습도 보인다. 지옥의 광경 중에는 또한 적지 않은 수의 닭이나 개 등의 동물이 조각되어 있다. 십대명왕의 조각과 『불설시왕경』 도상의 밀접한 관계를 알 수 있다.[19]

성천사(聖泉寺)[20]

성천사는 내봉향(來鳳鄕)에서 동쪽으로 2리쯤 떨어진 곳에 위치하고 있다. 1호 감실의 지장시왕상은 상대적으로 독립되어 있을 뿐만 아니라 규모도 비교적 크다.〈그림 19〉 비록 앞서 언급한 2개의 감실과 서로 유사한 면모를 가지고는 있으나 보존 상태가 더 양호하며, 제명(題名)을 구비하고 있다. 또한 세부 구성이 풍부하며, 돈황본 시왕경도와의 관련성이 분명하게 드러나 있다. 그러므로 이 감실의 조각 도상을 이해하는 것은 앞서 살펴본 두 감실의 도상을 좀 더 깊게 이해할 수 있도록 도움을 준다. 전체 높이는 196cm, 안쪽 벽의 높이는 159cm, 너비는 253cm, 깊이는 대략 64~74cm에 이른다. 주존은 중앙에 있으며, 양쪽으

그림 19
안악 성천사 지장시왕 감실

그림 20A_오른쪽
안악 성천사 제1·제4왕

그림 20B_오른쪽
안악 성천사 제9·제10왕

19 圓覺洞의 두 地獄變相에는 두 가지 編號, 즉 56號와 60號 그리고 80號와 84號가 있는데, 모두 동일한 것이다. 劉長久(主編)의 『安岳石窟藝術』(成都 四川人民出版社, 1997) 圖70과 圖78~81을 참조할 것. 제84(60)號의 주존은 目連尊者인데, 目連이 왜 十王冥府를 주재하는가에 대해서는 충분한 이유가 없다.

20 張總 · 廖順勇, 「四川安岳聖泉寺地藏十王龕像」, 『敦煌學輯刊』(第2期), 2007, pp.41~49.

로 위쪽에 3구의 존상, 아래쪽에 2구의 존상을 배열하는 방식으로 시왕이 나뉘어져 있다. 전체적으로 양면 아래쪽 하층의 네 왕은 '제1 진광왕', '제10 오관왕', '제10 전륜왕', '제9 도시왕' 의 순서대로 명문이 나타나고 있는데, 전체적으로 위아래가 기복을 이루며 둥글게 곡선으로 독특하게 순서가 진행되고 있다.〈그림 20A · B〉

지장보살은 반가부좌의 자세로 네모난 좌대에 앉아 있고, 좌대 아래에는 업경과 업칭, 지옥성의 문 등이 새겨져 있다. 모든 명왕은 탁자 앞에 엄숙한 모습으로 앉아 있고, 그 밑으로 형벌의 장면이 새겨져 있다. 감실 내부의 양쪽 옆면에는 시주인의 상과 제명이 새겨져 있다. 감실 위에는 '人' 자 형태로 수조(水槽)가 배치되어 있고, 정면의 벽에는 명왕을 비롯해 모두 52명이 새겨져 있으며, 옆쪽 벽에는 공양인, 승려, 속세인 등 51명이 새겨져 있다. 전체 감실에 새겨진 인물의 총수는 103명에 달한다.

주존인 지장보살은 풍모를 쓰고 있으며, 얼굴의 빰 부분이 손상되어 있다. 가슴에는 영락 장식이 있으며, 옷의 양쪽 목깃 주위에는 가는 구슬이 달려 있다. 오른손은 가슴 앞에서 수인을 맺고 있으나 약간 훼손되어 있으며, 석장을 잡은 흔적은 보이지 않는다. 왼손은 마니주를 들고 있다. 연화대 아래에는 금모사자(金毛獅子)가 옆으로 누워 입으로 얽혀 있는 연꽃줄기를 물고 있다. 주존의 오른쪽에 제2 초강왕이 있으며, 탁자 앞에는 소머리를 한 옥졸이 있다. 옆에는 제3 송제왕이 있는데, 탁자 앞으로 두 마리의 소가 달려가고 있다. 그 옆에는 제5 염라왕이 위풍당당한 모습으로 앉아 있으며 탁자 앞에는 귀졸이 양손으로 형구를 찬 죄인의 머리카락과 허리띠를 힘껏 움켜잡고, 볼기를 쳐서 내던지려 하고 있다. 아래층의 끝에는 제1 진광왕이 명부를 펼쳐서 보고 있다. 탁자 앞에는 형틀에 매여 있는 자와 몽둥이 형벌을 받는 자들의 모습이 보인다. 탁자 사이에 있는 귀졸은 오른손으로 죄인의 머리카락을 짓이기고 있으며, 왼손은 쇠스랑을 잡고 있다. 안쪽에 제4 오관왕이 있으며, 탁자 앞에 확탕형옥이 있고, 귀졸이 양손으로 가마솥을 들고 있다.

그림 21A_오른쪽 안악 성천사 지옥 시식

지장보살의 몸 왼쪽이 제6 변성왕으로, 오른손은 붓을 잡고 있고, 왼손은 탁자 위의 명부에 올려 놓고 있다. 탁자 앞에는 한 옥졸이 형구를 찬 죄인의 머리카락을 손으로 움켜쥐고 있으며, 옆에는 선악부(善惡簿)를 받들고 있는 한 명의 동자가 있다. 그 아래에는 개처럼 생긴 작은 짐승이 막 달려 나가려고 하고 있다. 제7 태산왕은 붓으로 무엇인가를 쓰려고 하고 있으며, 짧은 형구를 찬 죄인이 탁자 옆에 서 있다. 그 아래에 세 마리의 짐승, 즉 거북이, 개, 뱀이 조각되어 있다. 제8 평등왕의 탁자 앞에는 한 사람이 형구를 차고 땅에 앉아 있으며 선악동자가 그 위에 생사부를 펼치고 있다. 그 뒤쪽에는 몸통을 뒤로 세운 한 마리의 개가 조각되어 있다. 아래층의 끝이 제9 도시왕으로 탁자 앞에 설치된 거형(鋸刑)을 바라보고 있으며, 쌍상투를 튼 동자가 그 옆에 서 있다. 그 안쪽이 제10 전륜왕이며, 투구와 갑옷을 입고 있다. 탁자 앞에는 불상을 받든 두 명의 선남자와 경전을 든 두 명의 선여인이 서로 마주보고 있다. 선남자는 정수리에 두건을 하

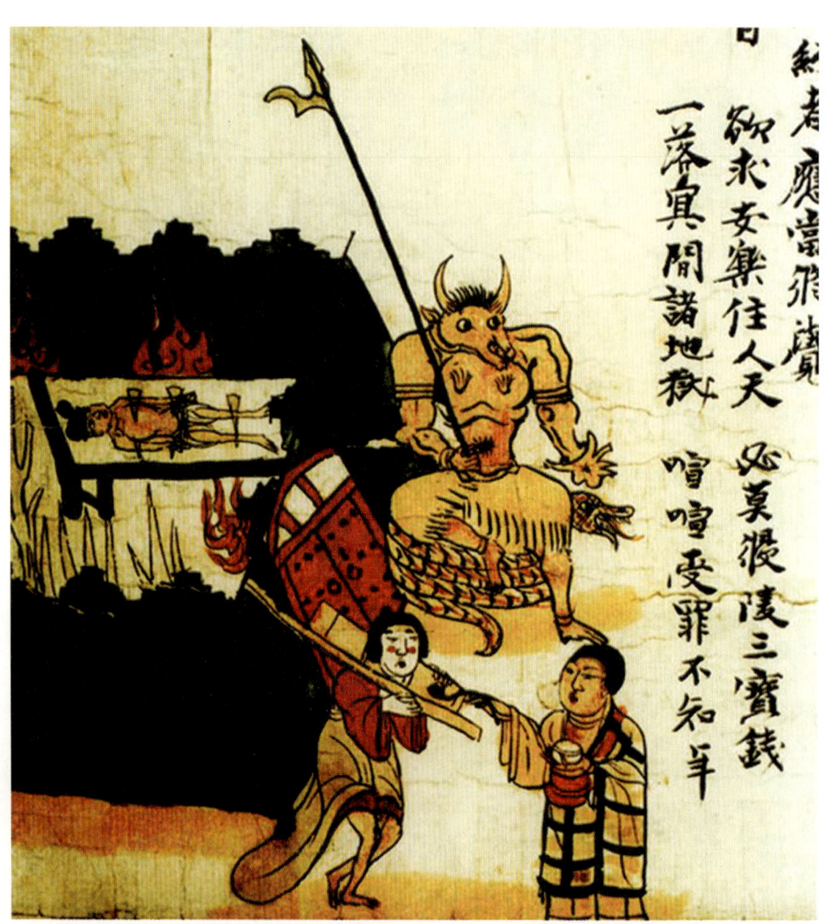

그림 21B
돈황 S.3961호의
시식(施食) 도상

고, 둥근 목깃에 좁은 소매의 옷을 입고 있으며, 손으로 좌불상(坐佛像)의 원광 부분을 받들고 있다. 선여인은 손으로 경전함 혹은 경전을 들고 있다. 그러나 여기에서 육도윤회의 세부적인 장면은 보이지 않는다.

지장보살이 앉아 있는 네모난 좌대의 아래 면은 두 층으로 나뉘어져 있다. 위층은 업칭, 업경이 있는 곳으로, 동자가 저울을 들고, 저울대에 선악부를 걸어 놓고 있으며, 소머리 아방은 팔꿈치를 굽혀 왼손으로 형구를 찬 죄인의 머리채를 틀어쥐고 있다. 업경은 애석하게도 부분적으로 훼손된 상태인데, 방망이를 들고 내려치려고 하는 이의 모습과 결박당한 채 걸어가고 있는 이의 모습이 보인다. 업경의 바깥쪽에도 역시 선악동자가 서 있다. 아래층 지옥의 문 옆에는 갑옷과 투구를 한 소머리 형상의 옥졸 두 명이 지키고 있다. 한쪽에는 이무기가 똬리를 틀고 무엇인가를 살피고 있다. 지옥의 문은 약간 열려 있으며, 그 사이로 긴 형구를 찬 죄인의 모습이 묘사되어 있다. 한쪽 끝 면에는 석장을 든 승려 한 명이 손을 뻗어 머리카락을 휘날리며 뛰어오르는 아귀에게 밥을 먹여주고 있다. 대단히 흥미로운 점은 이 장면과 돈황본 『시왕경』 S.3961호의 끝에 있는 장면이 아주 유사하고, 지옥문과 이무기[蟒蛇] 도상도 여러 『시왕경』 도상에서 나타나고 있다는 점이다.〈그림 21A · B〉

승려가 시식(施食)을 베푸는 이 장면은 전체 감실의 시왕 배치 순서의 끝부분에 해당된다. 이를 자세히 살펴보자. 이 감실은 지장보살의 오른쪽 아래 방향의 제1 진광왕부터 시작되어, 위로 올라가 제2 초강왕, 그 옆의 제3 송제왕, 다시 아래로 내려가 제4 오관왕으로 이어진다. 일반적으로 오관왕의 처소에 함께 있는 업칭이 지장보살의 좌대 아래에 새겨져 있다. 위쪽의 염라왕의 처소에 있는 업경도 역시 마찬가지로 업칭의 옆에 새겨져 있다. 다시 지장보살의 왼쪽에 다섯 명의 명왕이 있는데, 즉 아래로부터 시작하여 돌아서 다시 아래로 내려오는 반 순환 형태이다. 전륜왕에서 다시 돌아서 지장보살의 좌대 아래 맨 밑의 층

그림 22
성천사 명문과 공양인들

에 있는 지옥문에 이르고, 승려 형상의 지장보살(혹은 목련존자)이 아귀에게 시식하는 곳에 이르는데, 이것이 전체 도상의 끝부분이다. 『시왕경』의 장권도(長卷圖) 방식을 이 감실에서는 방형쌍층식(方形雙層式)으로 변화시켜 대단히 독창적으로 보여주고 있다. 이 감실의 내부 양쪽에는 많은 공양인이 조각되어 있는데, 그중에는 승려도 있다. 명문록(銘文錄)에는 남녀 여러 명의 이름이 새겨져 있지만 애석하게도 연화대가 있는 부분이 훼손되어 있다. 〈그림 22〉

암당사(庵堂寺)

제3호의 감실은 오대(五代) 천복(天復) 7년(907)에 조성된 것으로, "지장보살"이라는 명문이 있다.

제12호 감실은 높이가 1m이다. 정면 벽의 오른쪽에 관음보살과 지장보살의 좌상이 조각되어 있고, 왼쪽 벽에는 입상 형태의 백의관음보살이 있고, 정면 벽의 윗부분에는 칠불(七佛)과 비천이 조각되어 있으며, 감실의 오른쪽 벽에는 공양인 세 명이 있다. 감실 바깥의 오른쪽 벽에는 오대 천성(天成) 4년(929)에 만들어진 상이 있는데, "白衣觀音, 地藏菩薩"이라는 명문이 있다.

고승향(高升鄕)의 대불암(大佛巖)

감실이 하나가 있는데, 지장보살상 내부는 손상되었고, "오대(五代) 광정(廣政) 22년(959)"이라는 명문이 있다.

삼선동(三仙洞)은 명대(明代) 만력(萬歷) 연간의 마애상으로 염라시왕(閻羅十王)과 지옥변상이 있다. 〈그림 23〉[21]

안악현의 통계에 따르면 석각상(石刻像)이 132곳에 산재해 있다고 한다.

앞서 살펴본 곳을 제외하고도, 여러 곳에 지장보살 혹은 지장보살과 관련 있는 조각들이 남아 있는데, 다음과 같다.[22]

---

21 庵堂寺, 高升鄕의 大佛巖, 三仙洞 조각은 胡文和의 『四川道教佛教石窟藝術』의 관점에 근거하였다. 이 책의 圖版29~31은 三仙洞의 十王像으로 참고할 만하다.

22 安岳石窟 이외의 다른 지장보살상에 대해서는 傅成金 · 唐承義, 「四川安岳石刻普查簡報」, 『敦煌研究』(第1期), 1993을 참조할 것.

그림 23
안악 삼선동의 감실

주가경당(朱家經堂) : 청대(清代)의 마애상으로 지옥변상이 있음.

서선사(西禪寺) : 당대(唐代)의 마애상으로 지장보살상이 있음.

상대불사(上大佛寺) : 당(唐) · 송(宋)의 마애상으로 관음보살과 지장보살상이 있음.

석라구(石鑼溝) : 당(唐) · 송(宋)의 마애상으로 지장보살상이 있음.

불동암(佛洞巖) : 명대(明代)의 마애상으로 지옥변상이 있음.

향단사(香壇寺) : 송대(宋代)의 마애상으로 지옥변상이 있음.

감로사(甘露寺) : 청대(清代)의 마애상으로 지장보살이 있음.

8) 대족석굴(大足石窟)

사천의 대족석굴은 당 말기와 오대(五代)에서 북송 · 남송의 양송(兩宋) 시기에 형성된 곳으로, 중국 석굴 발전의 중심이 남쪽으로 옮겨간 곳이다. 여기에는 지장보살 및 지장보살과 시왕 그리고 지장보살과 지옥변상 등을 비롯한 중요 조각 도상들이 전하고 있다. 대족석굴은 대족현(大足縣) 경계 안의 석굴과 마애상을 지칭하는 것으로, 그 실제 범위는 북산(北山), 보정(寶頂), 남산(南山), 석전산(石篆山), 석문산(石門山), 묘고산(妙高山) 등의 일부를 포괄하고 있다. 북산에서도 다시 불만(佛灣), 영반파(營盤坡) 등이 있다. 보정산(寶頂山)에는 다시 대불만(大佛灣), 소불만(小佛灣), 도탑파(倒塔坡), 용두산(龍頭山), 삼원동(三元洞) 등의 여러 곳이 있다. 그러므로 대족석굴은 그 범위가 대단히 넓은 석굴군(石窟群)이다. 여기서 가장 유명하고 대표적인 것이 북산의 불만과 보정산의 대불만과 소불만이다. 대족석굴에는 지장보살상과 관련 기록이 풍부하게 남아 있다.[23]

북산의 불만(佛灣)

제23호 감실은 오대(五代)에 만들어졌고, 높이는 50cm이다. 감실 한가운데에 한 구의 지장보살상이 있는데, 머리는 육계를 하고 있고, 결가부좌하여 연화대에 앉아 있다. 양손은 발우를 들고 있다. 상 옆에 석장이 하나 있다.

제37호 감실은 후촉(後蜀)의 광정(廣政) 3년(940)에 만들어졌다. 높이는 93cm이며, 일단의 지장보살상들이 조각되어 있다.〈그림 24〉 주요 상들은 금강좌(金剛座) 위에 우서상(右舒相)의 반가부좌를 하고 있으며, 머리에는 풍모를 쓰고 있다. 오른손은 석장을 잡고, 왼손은 마니주를 들고 있다. 상의 앞쪽 좌우에는 공양인이 한 명 서 있고, 짐승 한 마리가 엎드려 있는데, 감실 옆에는 언장(彦璋)과 등지(鄧知)의 『조상기(造像記)』가 있다.

그림 24
대족 북산 제37호 감실의 지장보살상들 중 하나

제52호 감실은 아미타불, 구고관음, 지장보살의 삼존상을 이루고 있다. 당 건녕(乾寧) 4년(897)에 만들어졌다. 감실의 높이는 98cm이다. 상의 왼쪽이 지장보살인데, 손에 여의주를 들고 있으며, 연화대 위에 서 있다. 오른쪽은 관음보살로, 역시 연화대에 서 있으며, 정병과 버드나무 가지를 들고 있다.

23 大足石窟 지장보살상의 현황에 대해서는 胡文和 · 李永翹, 『大足石刻內容總錄』, 四川社會科學出版社, 1985에 의거하고 동시에 관련 논문과 전문 저작물들을 참조할 것.

제53호 감실은 아미타불, 관음보살, 지장보살상이다. 전촉(前蜀) 영평(永平) 5년(915)에 만들어졌다. 감실은 높이가 124cm이다. 상들의 왼쪽에 지장보살이 서 있는데, 왼쪽 손에 지물을 들고 있으나 훼손되어 있다. 오른쪽이 관음보살로 두광이 있고 연화대에 서 있다.

제58호 감실은 관음보살과 지장보살상의 합감(合龕)이다. 당 건녕(建寧) 3년(896)에 착공했으며, 높이는 134cm이다. 왼쪽에 지장보살이 연화대에 반가부좌하고 있는데, 가사를 입고 있으며, 머리 위는 보개로 덮여 있다. 오른쪽은 관음보살이며 역시 연화대에 반가부좌를 하고 있다. 두 상의 중간에는 상서로운 구름 위에 공양인들과 일곱 명의 천녀가 조각되어 있다. 양쪽 옆에는 보살들이 서 있다.

제82호 감실에도 역시 관음보살과 지장보살상이 있다. 오대(五代)에 만들어졌으며, 모두 연화대 위에 서 있다. 이미 풍화되었다.

제91호 감실에는 지장보살상이 있는데, 반가부좌를 하고 있고, 앞에는 작은 공양인상이 있다. 모두 훼손되어 있다.

제106호 감실에는 화엄삼성상(華嚴三聖像)이 있다. 감실 앞의 좌우 양쪽 벽에 관음보살과 지장보살상이 있다. 오른쪽 벽에 석장을 잡고 앉아 있는 지장보살상은 이미 훼손되어 있다.

제110호 감실은 송대(宋代)에 만들어졌고 약사유리광불과 그 권속들의 상이 있다. 부처의 왼쪽 옆이 관음보살인데, 화관을 쓰고 연화대에 앉아 있다. 부처의 오른쪽이 지장보살로, 손에 석장을 잡고, 금강좌에 앉아 있다. 두 상에 모두 두광이 있다.

제117호는 송대(宋代)의 관음보살과 지장보살의 감실이다. 감실의 높이는 187cm이다. 왼쪽이 지장보살이며, 가사를 입고 있다. 오른쪽이 관음보살이다. 두 상의 머리와 손은 모두 훼손되어 있으며, 각각 연화대 위에 서 있다. 감실의 좌우 벽에는 각기 12신(神)과 10신의 소상(小像)이 있다.

제121호는 송대(宋代)의 관음보살과 지장보살의 감실이다.〈그림 25〉 감실의 높이는 187cm이다. 오른쪽이 반가부좌의 지장보살상으로, 가사를 입고 있으며, 왼손에 마니주를 들고 있다. 마니주에서 나온 서광이 감실의 꼭대기까지 이르고 있다. 왼쪽이 반가부좌의 관음보살상인데, 양손에 여의주를 들고 있다. 지장보살의 왼쪽에는 석장을 든 승려와 남자 공양인이 서 있으며, 관음보살의 오른쪽에는 귀부인과 여자 공양인이 서 있다.

그림 25
대족 북산 제121호 감실의 관음·지장보살상

제158호는 지장보살의 감실이나 훼손되어 있다. 지장보살은 앉은 자세로 있으며, 두광(頭光)이 있고, 좌우에 두 명의 권속이 있다. 왼쪽의 권속은 합장을 하고 있고, 오른쪽 권속은 석장을 들고 있다.

제172호는 송대의 관음보살과 지장보살의 감실로, 높이는 76cm이다. 모두 수미좌 위에 앉아 있다. 지장보살은 가사를 입고 있으며, 왼손에 마니주를 오른손에 석장을 잡고 있다. 관음보살은 양손으로 정병을 들고 있다. 주존의 위쪽에는 6구의 작은 좌불이 있고, 좌우의 벽에는 보살상이 있다.

제187호는 송대의 관음보살과 지장보살의 감실이다. 왼쪽에는 지장보살이 수미좌에 앉아 있다. 머리와 손이 모두 석장에 의지하고 있으나 훼손되어 있다. 오른쪽이 관음보살로 연화대에 앉아 있다. 두 보살상 사이에 큰 정병 하나가 있고, 정병에는 활짝 만개한 열 송이 연꽃이 있다. 꽃 위에 각각 작은 불상이 한 구씩 있다.

제191호는 오대(五代)의 관음보살과 지장보살의 감실이다.〈그림 26A·B〉 높이는 159cm이다. 두 보살상은 모두 반가부좌를 하고 있다. 지장보살은 오른쪽에 있는데, 우서상(右舒相)의 자세에 가사를 입고 있다. 왼손에는 마니주를 들고, 오른손에는 석장을 잡고 있다. 관음보살의 왼손은 발우를 들고 있고, 오른손은 버드나무 가지를 잡고 있다. 두 상의 사이에 커다란 정병이 하나 있는데, 병에는 만개한 열 송이 연꽃이 있고, 연꽃 한 송이마다 좌상의 불상이 하나씩 있

그림 26A
대족 북산 제191호 감실의 관음·지장보살상

그림 26B
지장보살상

다. 감실의 좌우 밑에는 협시보살들이 있다. 이 두 감실에서 보이는 특징은 시왕류(十王類) 도상과 관련이 없다.

제205호는 오대(五代)의 지장보살과 시왕의 감실이다.〈그림 27〉 지장보살은 수미좌에 앉아 있고, 손에는 석장을 잡고 있다.〈그림 28A〉 그 좌우의 벽에는 각각 구름 형태의 빛 다섯 줄기가 새겨져 있는데, 여기에는 각각 시왕과 두 동자가 협시하고 있다. 양쪽의 벽 아래에도 세 명의 권속이 조를 이루고 있는데, 판관과 육조의 부류일 것이다. 각 상은 모두 풍화되어 잘 알아볼 수 없다.〈그림 28B〉 감실의 처마에는 옆으로 두 구의 비천상이 조각되어 있다.

제217호는 파손된 감실로 중앙에 지장보살의 좌상이 있는데, 오른손에 석장을 잡고 있다. 좌우의 벽에는 합장하는 승려와 공양인이 있다.[24]

제221호는 오대(五代)의 관음보살과 지장보살의 감실이다. 오른쪽이 지장보살의 감실이다. 지장보살은 풍모를 쓰고 가사를 입고 있으며, 손에는 석장을 들고 있다. 왼쪽이 관음보살의 감실이다. 두 보살상은 모두 서 있다. 감실의 바

24 이 조각상을 『大足石刻內容總錄』에서는 지장보살로 확정하지 않았지만, 필자는 도상의 형식과 내용을 근거로 하여 지장보살상으로 판단하였다.

그림 27 대족 북산 제205호 감실의 지장보살과 시왕상

그림 28A 대족 북산 제205호의 지장보살상 | 그림 28B 대족 북산 제205호 감실 옆쪽 아래의 판관

깥에는 공양인이 있는 작은 감실이 있다.

제231호는 오대(五代) 지장보살의 감실이다. 지장보살은 석장을 들고 서 있다. 양 옆에는 권속들이 있었으나 각 상(像)은 풍화되어 있다.

제241호는 만당(晩唐)의 관음보살과 지장보살의 감실이다. 관음보살이 왼쪽에 있으며, 연꽃을 밟고 서 있다. 지장보살은 오른쪽에 있는데, 수미좌 위에 반가부좌를 하고 있으며, 오른손에 석장을 잡고 있다. 감실의 좌우에 또한 공양인과 권속들의 상이 있으나, 모두 풍화되어 있다.

제242호는 오대(五代) 지장보살의 감실이다. 지장보살은 서 있고, 손에는 석장을 잡고 있다. 감실 바깥에 공양인 상이 있으나, 풍화되어 있다.

제244호는 관음보살과 지장보살의 감실인데, 훼손되었다. 두 보살상은 모두 서 있고, 감실 바깥에는 일곱의 작은 공양인이 있으나 모두 풍화되어 있다.

제248호는 오대(五代)의 관음보살과 지장보살의 감실이다. 왼쪽이 지장보살로, 가사를 입고 석장을 들고 있다. 관음보살은 오른쪽에 있는데 정병과 버드나무 가지를 잡고 있다. 두 보살상은 모두 붉은 발로 연화대 위에 서 있다. 감실 바깥에 작은 공양인이 있지만, 상이 모두 풍화되어 있다.

제249호는 관음보살과 지장보살의 감실이다. 송의 지도(至道) 연간(955~977)에 만들어졌다. 높이는 77cm이다. 지장보살은 오른쪽에 있는데, 반가부좌의 자세이며 풍모를 쓰고 가사를 입고 있다. 왼손에는 마니주를 들고, 오른손에는 석장을 잡고 있다. 관음보살은 왼쪽에 있는데, 기대어 앉은 자세로 발우와 버드나무 가지를 들고 있다. 감실 바깥에 여섯 공양인과 조상기가 있다. 조상기에는 이(李)씨 성을 가진 구랑(九娘)이란 여인이 망부를 위하여 3년에 걸쳐 이 관음보살과 지장보살상을 조성했다고 기록되어 있다.

제253호는 오대(五代)의 관음보살과 지장보살 그리고 시왕의 감실이다. 높이는 157cm이다. 지장보살과 관음보살은 붉은 발로 연화대 위에 서 있다. 지장보살이 오른쪽에 있는데, 가사를 입고 있으며, 가슴은 영락으로 장식하였고, 귀에는 귀고리를 하였다. 양손은 훼손되어 있다. 관음보살은 정병과 버드나무 가지를 들고 있다. 머리 위에는 보개와 비천이 있다. 좌우의 벽에는 구름 형태의 빛이 여섯 줄기가 있다. 구름 위에는 십전염라(十殿閻羅)와 이사관상(二司官像)

을 분별하여 조각하였는데, 피리를 들고 있거나, 서로 읍을 하고 있거나, 말을 타고 있는 등 다양한 자세를 하고 있다. 감실 바깥에는 송 함평(咸平) 4년(1001)에 진소현(陳紹絢) 등이 조성한 기록이 있다.

제275 · 276 · 277호는 모두 오대(五代)의 관음보살과 지장보살의 감실이지만 훼손되었다. 지장보살은 풍모를 쓰거나 혹은 삭발한 형태이며, 손에는 마니주와 석장을 잡고 있고, 반가부좌를 하거나 혹은 서 있는 형태이다. 보살상들은 대부분 풍화되었다.

제279호는 동방약사정토변상(東方藥師淨土變相) 감실이다. 후촉(後蜀) 광정(廣政) 18년(955)에 조성되었다. 높이는 186cm이다. 감실의 왼쪽 벽에는 모서리를 넘어, 위에서 아래까지 지장사존(地藏四尊)이 조각되어 있다. 보살상들은 모두 왼손으로 배 앞에서 마니주를 들고 있고, 오른손은 석장을 잡고 있다. 그 왼쪽 밑에는 권속이 한 명 있다.

제281호는 동방약사정토변상 감실이다.〈그림 29A〉 후촉(後蜀) 광정(廣政) 17년(954)에 조성되었다. 높이는 186cm이다. 감실의 측면에는 지장삼신상(地藏三身像)이 조각되어 있고, 그 특징은 제279호와 동일하다.〈그림 29B〉 각각의 보살상 밑에는 권속이 한 명씩 있다. 기둥 사이에 다음과 같은 명문이 있다.

> 敬鐫造藥師琉璃光佛, 八菩薩, 十二神王一部衆, 并七佛 …… 兼地藏菩薩三身, 都共一龕.

제284호는 오대(五代)의 관음보살과 지장보살의 감실이다. 지장보살상은 석장을 잡고 서 있으며 관음보살상은 훼손되어 있다.

북산 불만의 지장보살 감실의 수는 32개 이상인데, 상당히 많은 수라고 할 수 있다. 지장보살상도 매우 다양한 도상 구성을 보여주고 있다.[25] 만당(晩唐) 시기의 상들에서는 관음보살과 지장보살의 합감(合龕), 아미타불과 관음보살 그리고 지장보살의 합감이 나타나고 있다. 이러한 구성은 이 단계의 상들에 있

25 黎方銀 · 王熙祥, 「大足北山佛灣石窟的分期」, 『文物』(第8期), 1988.

그림 29A
대족 북산 제281호 감실

그림 29B
대족 북산 제281호 지장삼신상

어서 대단히 특징적인 면모라 할 수 있다. 오대(五代) 시기에는 관음보살과 지장보살의 합감이 유행하였고, 아미타불과 관음보살, 지장보살의 배치에서 더 나아가 약사변상과 지장보살의 배치로 발전하였다. 지장보살상 단독으로 있는 것도 적지 않은데, 대다수는 앉은 형태이며, 승복을 입고 풍모를 쓰고 있다. 또한 왼손에 마니주를 들고, 오른손에 석장을 잡고 있는데, 석장은 지장보살의 필수적인 지물이었다. 송대(宋代)의 지장보살상에는 관음보살과의 배치, 지장보살과 시왕, 약사변상과 관음보살 · 지장보살 등의 배치가 유행하였다. 결국, 북산 불만의 풍부한 지장보살상들은 만당(晩唐)에서 오대(五代)와 송대(宋代)까지의 지장보살상의 변천과정을 보여주는 중요한 연결 고리라고 할 수 있다.

북산의 영반파(營盤坡)

제9호는 오대(五代)의 지장보살 감실이다. 감실의 높이는 54cm이다. 입상에 사문형이고, 귀에는 긴 구슬 귀고리를 하고 있다. 통견의 가사를 입고 있다. 양손은 가슴 밑에서 지물을 들고 있으나 훼손되어 있다.

북산의 북탑(北塔)

탑의 각 층에는 모두 감실상이 있으며, 『화엄경』의 53선지식 구법 장면을 풍부한 내용으로 표현하고 있다. 제65호는 관음보살과 지장보살의 감실인데, 훼손되어 있다. 왼쪽이 관음보살이고 오른쪽이 지장보살이다. 두 보살상은 모두 서 있고, 양 옆에 권속이 한 명씩 있다.

그림 30
대족 북탑 제74호 감실의 지장보살상

제74호는 지장굴(地藏窟)이다.〈그림 30〉 굴의 전체 높이는 230cm이다. 정면 벽에 지장보살이 수미좌 위에서 반가부좌를 하고 있고, 통견의 가사를 입고 있다. 오른손은 마니주를 들고 있는데, 마니주에서 엷은 빛이 나오고 있다. 왼손은 훼손되어 있다. 양쪽 옆에는 석장을 든 승려와 남녀 권속, 공양인 등이 있다.

북산의 관음파(觀音坡)

제1호는 지장보살, 인로왕보살의 감실이다. 남송(南宋) 소흥(紹興) 24년(1154)에 복소육(伏小六)이 조각하였다. 높이는 150cm이다. 단지, 왼쪽에 석장을 가지고 있는 지장보살과 오른쪽의 인로왕보살의 보번개(寶幡蓋)만이 남아 있다. 왼쪽 벽에는 네 명의 공양인과 복소육이 만든 지장보살상, 인로왕보살상의 명문이 있다.

제2호는 비로불(毗盧佛)과 사자를 타고 있는 문수보살과 코끼리를 타고 있는 보현보살상이 있는 감실이다. 감실의 오른쪽 벽 위에는 지장보살의 기좌상(倚坐像)이 있는데, 가사를 입고 있으며 손에 석장을 들고 있다. 두 발은 연꽃을 밟고 있다. 지장보살의 밑에는 훼손된 상이 하나 있는데, 이 상은 허리에 보병을 찬 채, 왼손에 대나무 깃발을 들고 빛이 감도는 구름 위에 서 있다.

북산의 불이암(佛耳巖)

제1호는 송대(宋代)의 관음보살과 지장보살의 합감(合龕)이다. 높이는 110cm이다. 관음보살과 지장보살 모두 정면의 벽에 앉아 있다. 관음보살은 지물을 들고 있으나 이미 손상되어 있다. 지장보살은 왼쪽에 앉아 있는데, 풍모를 쓰고, 석장을 잡고, 연꽃을 밟고 있다. 오른쪽 벽에는 공양인이 있다.

제4호는 오대(五代)의 관음보살과 지장보살의 합감이다. 높이는 90cm이다. 관음보살과 지장보살 모두 연화대 위에 서 있다. 관음보살은 가슴 앞에 염주를 들고 있다. 지장보살 역시 가슴 앞에 지물을 들고 있는데 손상되어 있다. 소매가 넓은 흰옷을 입고 있다.

제20호는 송대(宋代)의 지장보살 감실이다. 지장보살의 신체는 훼손되었고, 석장과 광배 부분만이 남아 있다.

보정산의 대불만(大佛灣)

제20호는 지장시왕과 지옥변상이다.〈그림 31〉 규모가 아주 큰 마애상이다. 꼭대기의 높이는 13.80m이고, 너비는 19.40m이며, 4층으로 나뉘어 있다. 여기서 가장 중요한 위치에 있는 상이 지장보살상인데,〈그림 32A〉 위쪽 두 층에 걸쳐 중간에 위치하고 있다. 연화좌에 결가부좌하고 있으며, 머리에는 화관을 쓰고 금의삼(襟衣衫)을 입었으며, 가슴은 영락으로 장식하였다. 오른손은 가슴 앞에서 결인(結印)을 하고 있으며, 왼손은 무릎 위에서 마니주를 들고 있는데, 마니주에서 여섯 줄기의 큰 빛이 새어나오고 있다. 지장보살의 양쪽 옆에는 두 명의 권속이 있다. 지장보살의 왼쪽에 있는 권속은 석장을 잡고 서 있는 승려이고, 오른쪽은 발우를 들고 있는 승려이다.

맨 위층에는 시방제불(十方諸佛)이 있다. 제불은 지장보살을 중심으로 좌우 각각 5개의 원감(圓龕) 안에 조성되어 있고, 연화대에 결가부좌하고 있다.

그 밑층에는 십대명왕이 있다. 시왕의 순서는 동쪽에서 서쪽으로 배열되어 있다. 두 보사(報司)는 양쪽의 맨 끝에 위치해 있다. 지장보살을 중심으로 감실의 오른쪽 바깥에서부터 안쪽으로 순서를 살펴보면, '현보사관(現報司官)'을 시작으로 '진광대왕(秦廣大王)', '초강대왕(初江大王)', '송제대왕(宋帝大王)',

그림 31 대족 보정 제20호 감실

그림 32A 지장보살 | 그림 32B 염라왕

'오관대왕(五官大王)', '염라천자(閻羅天子)' 〈그림 32B〉가 있다. 각 명왕들은 모두 탁자 앞에 앉아 있으며, 권속이 한 명씩 있다. 탁자 앞에는 방제가 있다. 이어서 나머지 다섯 명왕의 순서는 '변성대왕(變成大王)', '태산대왕(太山大王)', '평정대왕(平正大王)', '도시대왕(都市大王)', '전륜성왕(轉輪聖王)' 그리고 '속보사관(速報司官)' 이다. 이들 명왕은 탁자에 앉아 있으며, 권속 한 명을 거느리고 있다. 탁자 정면에 방제가 있다.

중간층에는 10개의 지옥변상 장면이 있다. 즉, '도산지옥(刀山地獄)', '확탕지옥(鑊湯地獄)', '한빙지옥(寒氷地獄)', '검수지옥(劍樹地獄)', '발설지옥(拔舌地獄)', '독사지옥(毒蛇地獄)', '좌대지옥(坐碓地獄)', '거해지옥(鋸解地獄)', '철상지옥(鐵床地獄)' 과 '암흑지옥(黑暗地獄)' 이다. 이 지옥 도상 옆에는 십재일(十齋日)과 각각의 지옥에 대한 문구가 적혀 있다.〈그림 33A · B〉 "초하루에 정광불(定光佛)을 1천 번 염불하면, 도산지옥(刀山地獄)에 떨어지지 않는다."라고 하고 있다. 십재일과 10지옥과의 연관 관계는 많은 연구자들이 간과하고 있는 점이기도 하다.[26]

맨 밑의 층은 『화엄십악품(華嚴十惡品)』 변상이다.〈그림 34〉 여기에 조지봉(趙智鳳)을 위한 보살상이 있고, 그 뒤에 3층으로 이루어진 4개의 찬첨보탑(攢尖寶塔)이 있으며, 탑 위에는 『대장불설화선경(大藏佛說華鮮經)』의 문구들이 있다. 주존의 옆에 있는 각각 4개의 장면은 지옥변상과 관계가 있다. 주존의 왼쪽에는 '절슬지옥(截膝地獄)', '철위산아비지옥(鐵圍山阿鼻地獄)', '아귀지옥(餓鬼地獄)' 과 '도선지옥(刀船地獄)' 이 있다. 주존의 오른쪽에는 '철륜지옥(鐵輪地獄)', '확탕지옥(鑊湯地獄)', '철극지옥(鐵戟地獄)' 과 '분예지옥(糞穢地獄)' 이 있다. 이들 지옥과 그 지옥도는 일반적인 지옥변상에 속하지 않으며, 『화선경(華鮮經)』과는 직접적인 관련이 없다. 이 『화선경』은 돈황의 유서(遺書) 가운데 가장 유명하고 중요한 것의 하나인 『대방광화엄십악품경(大方廣華嚴十惡品經)』의 위경이다. 지옥도의 방제와 경문을 비교해 보면 이 점을 충분히 알 수 있다. 예를 들면, 주존 왼쪽에 있는 '절슬지옥' 의 4개 부분은 곧, '권계주도(勸

26 예를 들어 胡文和는 『四川道敎佛敎石窟藝術』에서 이 지옥 도상들이 『大方廣華嚴十惡品經變』에 근거하고 있다고 주장하였지만 銘文의 내용에 주목하지 않은 것이다.

그림 33A 십재일과 10지옥의 각 장면

그림 33B
십재일과 10지옥의 각 장면

그림 34
감실 아래층의 십악품 지옥

戒酒圖)', '앙굴마라음주타지옥도(鴦崛摩羅飮酒墮地獄圖)', '반타녀매주타지옥도(磐陀女賣酒墮地獄圖)'와 '절슬지옥본상도(截膝地獄本相圖)'이다. 이러한 지옥 도상은 『대방광화엄십악품경』에서 특히 술과 육식을 경계하는 것과 맥을 같이한다. 경문의 내용 중에 앙굴마라와 반타녀가 악을 짓고 그 응보가 일어나는 과정이 도상적으로 대단히 생동감 있게 표현되어 있다.

이 경전과 관련된 가장 이른 시기의 석각(石刻)은 산동(山東) 거야(巨野)에 있는 북제(北齊) 하청(河淸) 2년(564)의 유진동(劉珍東)이 조상(造像)한 간경비(刊經碑)이다. 간경비의 경문은 불완전하지만, 경전의 이름을 '화엄경게'라고 하고 있다. 이를 『대방광화엄십악품경』과 비교해 보면 조금도 의심할 것 없이 같은 경전에 속한다는 것을 알 수 있다. 이 경전이 산동(山東)에서 돈황까지 펴지고, 또한 이에 근거한 송대(宋代)의 조각상이 사천지역에 있다는 것은 불교 예술의 전파 과정에 있어 대단히 흥미로운 것으로 다각도로 심도 있게 연구해 볼 만한 가치가 있다.

소불만(小佛灣)의 제6호는 본존전(本尊殿) 정면 벽 아래쪽의 난간에 걸쳐 있는 지옥변상으로, 풍화가 비교적 심하다. 〈그림 35〉 10개의 표제명(標題銘)이 새겨져 있는데, 당대(唐代)에 번역된 『화엄경』 「십지품」의 이구지(離垢地) 가운데 10불선업도(不善業道)의 내용으로부터 나온 것이다. 이는 또한 승려의 계율과 관계가 있는 것으로, 이 석대(石臺)는 계단(戒壇)의 성격을 지니고 있음을 알 수 있다.[27]

27 拙文, 「大足石刻地獄輪廻圖像叢考」, 重慶大足國際學術會, 2005 참조.

그림 35
대족 보정 소불만
제6호의 지옥변상

그림 36
대족 보정 제22호
무능승명왕상

제22호는 십대명왕 감실이다. 지장보살의 화신과 관련된 명왕은 상 위에 "무능승금강명왕지장보살화(無能勝金剛明王地藏菩薩化)"라는 방제가 있어서, 정확한 존명을 알 수 있다. 〈그림 36〉 명왕 가운데는 또한 노사나불의 화신인 대화두명왕(大火頭明王), 치성광불(熾盛光佛)의 화신인 대위덕명왕(大威德明王), 제개장보살(除蓋障菩薩)의 화신인 대분노명왕(大憤怒明王), 금강수보살(金剛手菩薩)의 화신인 항삼세명왕(降三世明王), 관세음보살의 화신인 마수명왕(馬首明王), 석가모니불의 화신인 대예적명왕(大穢迹明王), 허공장보살(虛空藏菩薩)의 화신인 대소금강명왕(大笑金剛明王), 자씨존(慈氏尊) 미륵의 화신인 대륜금강명왕(大輪金剛明王)과 보현보살의 화신인 보척금강명왕(步擲金剛明王)이 있다. 애석한 것은 이 가운데 지장보살과 허공장 · 자씨 · 문수보살의 화신인 명왕이 모두 미완성이라는 것이다. 십대명왕은 남송 시기에 조각되었는데, 일반적으로 이들 상의 미완성은 원나라의 침입과 관련이 있는 것으로 알려져 있다.

보정의 도탑파(倒塔坡)

전법륜탑이다. 송대(宋代)의 것으로 8각형의 실심탑(實心塔)이며, 높이는 8m이다. 제1층의 8면에 조각이 있다. 이 가운데 네 번째가 '나무지장왕보살(南無地藏王菩薩)' 이다. 〈그림 37〉 왼손에 석장을, 오른손에는 마니주를 들고 있는데, 마니주에서는 두 줄기 빛이 새어 나오고 있다.

석전산(石篆山)

제9호는 지장보살과 시왕의 감실이다. 〈그림 38〉 북송 소성(紹聖) 3년(1096)에 조성되었다. 감실의 높이는 190cm이다. 주존인 지장보살상은 삭발을 한 사문형이며, 가사는 통견으로 소매가 넓다. 가슴에는 군의(裙衣)와 매듭끈이 드러나 있다. 우서상의 반가부좌를 하고 있으며, 오른손은 설법인을 하고 있고, 왼손은 무릎 위에 놓여 있다. 머리 뒤에는 서운(瑞雲) 형태의 광배가 있다. 지장보살의 뒤쪽에는 합장을 하고 있는 승려 한 명과 구환석장(九環錫杖)을 들고 있는 시녀 한 명이 있다. 지장보살의 양쪽에는 십대명왕과 그 권속들이 배치되어 있는데, 지장보살의 서쪽에 진광대왕과 현보사관, 우두귀(牛頭鬼), 초강대왕과

그림 37
대족 보정 탑의 지장보살상

그림 38
대족 석전산 제9호 감실의 지장시왕상

두 명의 권속, 송제대왕과 한 명의 권속, 오관대왕과 한 명의 권속, 염라천자와 남녀 권속이 있다. 지장보살의 동쪽에는 변성대왕과 남녀 권속, 태산대왕과 한 명의 권속, 평등대왕과 한 명의 권속, 도시대왕과 두 명의 권속, 전륜대왕과 마면귀(馬面鬼) 및 속보사관(速報司官)이 차례로 있다. 감실의 문기둥 옆에는 두 역사(力士)가 있는데, 각기 뱀[蛇]과 소[牛] 위에 앉아 있으며, 모두 생동감이 있고 힘이 넘친다. 문기둥의 명문에는 악양(岳陽)의 문유간(文惟簡) 및 아들과 딸인 문거안(文居安), 문거례(文居禮)가 조성하였다고 기록되어 있다.

석전산의 천불애(千佛崖)

제1호는 명대(明代)의 십이금광불(十二金光佛)의 감실이다. 감실은 옆으로 길게 뻗어 있고, 안에는 다섯 군상이 있는데, 처음이 금광불(金光佛)이고, 세 번째가 지장보살상이다. 지장보살은 가사를 입고 결가부좌하고 있으며, 양손으로 마니주를 들고 있다. 마니주에서는 한 줄기 엷은 빛이 흘러나오고 있다.

제3호는 명대의 지장삼신(地藏三身)의 감실로 높이는 109cm이다. 〈그림 39〉 삼신의 지장보살은 결가부좌하고 있으며, 삭발한 사문형이다. 직령교임식(直領交衽式) 포에 우견편단의 가사를 입고 있으며 가사를 고정시키는 띠매듭이 표현되어 있다. 중앙의 지장보살상은 오른손을 가슴에 대고 왼손은 무릎 위

그림 39
대족 석전산 천불애 제3호 감실의 지장삼신상

에 올려 놓고 있다. 오른쪽의 지장보살상은 양손을 소매 사이에 넣고 있다. 왼쪽의 지장보살상은 양손으로 마니주를 들고 있는데, 마니주에서 나온 빛이 감실의 꼭대기에 이르고 있다. 감실의 오른쪽 벽에는 석장 하나가 조각되어 있다.

석문산(石門山)

제1호는 약사유리광불의 감실이다. 송 소흥(紹興) 21년(1151)에 만들어졌다. 약사여래의 좌우에 관음보살과 지장보살이 있다. 지장보살은 가사를 입고, 양손에 석장을 들고 있다. 관음보살은 합장을 하고 있다.

불안교(佛安橋)

제5호는 송대(宋代) 지장보살의 감실이다. 높이는 80cm이다. 지장보살은 앉아 있으며, 왼손은 연화대 위에 올려 놓고, 오른손은 마니주를 들고 있다. 감실의 좌우에는 권속이 서 있다.

제12호는 송대의 '삼교(三敎)' 굴이다. 굴 안의 정면 벽에는 유 · 불 · 도 삼교의 주요 상이 있는데, 곧 비로불과 도상(道像)과 유상(儒像)이다. 굴 입구의 좌우 벽의 위층에는 대칭으로 지장보살상 한 구가 조각되어 있는데, 높이가 90cm이다.

옥탄(玉灘)

제1호는 남송(南宋) 소흥(紹興) 7년(1137)에 만들어졌다. 감실의 높이는 115m로, 석벽의 정중앙을 뚫어서 주존인 지장보살좌상과 그 권속들을 조각하였다. 〈그림 40〉 지장보살은 머리에 풍모를 쓰고, 석장을 들고 있다. 정수리에는 상서로운 빛이 감돌고 있으며, 그 빛 위에 좌상의 소화불(小化佛)이 있다. 지장보살상의 좌우에는 육비관음보살(六臂觀音菩薩), 여의륜관음보살(如意輪觀音菩薩), 정병을 든 관세음보살 등이 각각의 감실에 조각되어 있다.

칠공교(七拱橋)

제6호는 지장보살의 감실로 송대(宋代)에 만들어졌다. 주존은 이미 훼손되

그림 40
대족 옥탄 제1호 감실의 지장보살상

었다. 주존의 뒤에는 7층의 보탑이 부조되어 있다.

대족석굴의 지장보살상은 북산의 불만(佛灣)과 보정의 대불만(大佛灣)을 모태로 한 것이 두드러진다. 북산 불만의 지장보살 감실은 36개에 달하고, 만당(晩唐)과 오대(五代) 그리고 송대(宋代)의 3대에 걸쳐 조성된 것이 모두 있으며, 지장보살과 제불(諸佛), 보살상들의 배치 형태가 대단히 풍부하다. 지장보살과 관음보살, 지장보살과 아미타불 그리고 관음보살, 지장보살과 약사불변상 등이 그러한 예이다. 지장보살을 주존으로 삼고, 지장보살과 보지(寶志), 승가(僧伽) 및 민공, 도명을 배치한 다양한 형태도 나타나고 있다. 이외에도 북산 불만에는 화엄삼성(華嚴三聖)과 관음보살, 지장보살이 있다. 북산 관음파(觀音坡)에는 또한 인로왕보살과 지장보살, 비로불과 지장보살이 있다. 보정의 도탑파(倒塔坡) 송탑(宋塔)에는 8대보살상[28]이 있는데, 여기에 지장보살상이 있다. 불안교(佛安橋)에는 송대 삼교(三教)의 영향이 나타나 있는 굴에 지장보살상이 있다. 옥탄에는 지장보살과 여의륜관음, 육비관음, 정병을 든 관세음보살상 등의 합감(合龕)이 있다.

28 이 八大菩薩은 不空(譯)의 『八大菩薩曼荼羅經』에 의거한 것으로 觀世音菩薩, 彌勒菩薩, 虛空藏菩薩, 普賢菩薩, 金剛手菩薩, 妙吉祥菩薩, 除蓋障菩薩, 地藏菩薩이다.

보정산 대불만의 지장보살상은 비록 그 수는 많지는 않으나, 그 규모는 거대하다. 제20호에는 지장보살과 시왕, 지옥변상이 있다. 이러한 것은 석전산의 북송 시기 지장보살과 십대명왕의 감실에서도 볼 수 있으나, 다만 그 내용에 있어서는 보정 대불만 제20호의 마애석굴의 풍부함에 미치지 못한다. 지장보살이 손에 든 마니주에서는 여섯 줄기의 빛이 방출되고 있는데, 위쪽의 곧은 두 빛을 따라가면 십불(十佛)을 새긴 원감(圓龕)에 이르고, 중간의 두 빛은 시왕과 양사(兩司)의 상을 향하고 있으며, 아래쪽 두 빛은 밑의 지옥변상을 향하고 있다. '지장보살의 비민육도(悲憫六道)' 의 구현이 모든 감실과 절벽에 있는 상들에 적용되고 있는 것이다.

또한 여기에는 적지 않은 불전(佛典) · 게(偈) · 찬(贊) 등이 있다. 시왕 부분의 게송은 『염라수기경』의 찬사(贊詞)와 동일하며, 아래층의 10지옥에 새긴 문장에는 십재일의 내용이 있고, 다시 그 아래층 지옥에는 『대방광화엄십악품』의 변상이 있다. 이것은 『호구경(護口經)』과도 관련이 있다. 이처럼 이들 도상이 여러 종류의 경전 · 게 · 찬과 돈황의 유서(遺書)와 서로 밀접한 관련이 있고, 또한 민간에 유행했던 위경(僞經)과도 관련이 있기 때문에 이에 대한 연구는 지장보살 신앙과 발전에 있어서 매우 중요하고 깊은 의의가 있다.

9) 자중(資中), 내강(內江), 협강(夾江), 공래(邛崍), 미산(眉山)의 감실 조각상

사천 천중(川中) 지역의 자중, 내강, 협강, 공래, 미산 등 여러 현의 마애감실에도 지장보살상이 조각되어 있다.

자중은 중용산(重龍山)과 서암(西巖) 등 여러 곳에 조각상이 있다.

자중현은 동서남북으로 다수의 감실이 둘러싸고 있다. 북암(北巖)과 서암(西巖)에 지장시왕상이 갖추어져 있다. 일본 츠카모토 젠류(塚本善隆)는 일찍이 사천에 오대(五代) 시대에 두량(杜良)이 조성한 시왕상의 명문이 있다고 하였는데, 필자는 조사를 통해서, 『예풍당금석문자목(藝風堂金石文字目)』 가운데 이러한 기록이 있고, 여기에 자주(資州) 북암(北巖)이라고 명확하게 기록되어 있는 것을 찾았다. 즉, 자중 최대의 감상(龕像)이 중용산에 소재하고 있었던 것이다. 이 감실의 마애상은 애석하게도 현재는 종적을 찾을 수 없고, 단지 남아 있는 몇 개의 감실에서 당(唐) 시기에 지장보살상 혹은 관음보살상, 불상 등이 있는 감실을 조성하였다는 기록을 찾아볼 수 있다. 비록 이 감실의 시왕상이 현재는 존재하고 있지 않지만, 타강(沱江) 유역에는 여전히 이러한 종류의 지장시왕상이 남아 있고, 자중과 내강에도 있다.

자중 서암에 존재하는 제1호 감실의 지장보살상과 제21호 감실의 지장보살, 인로왕보살과 아미타불, 관음보살상을 제외하더라도, 이 2개의 감실에는 만당(晩唐) 시기의 지장보살과 시왕상이 있으며, 특징적으로 이들은 모두 옥형(屋形) 감실에 명왕이 배치되어 있다. 이러한 점은 돈황본 『시왕경』 가운데 P.2870호 도상 등과 비교된다. 이 두 감실의 상이 비록 호문화(胡文和),[29] 정명이(丁明夷)[30] 등에 의해 연구되어, 한 감실은 만당(晩唐) 광화(光化) 연간(898~901) 시기의 지장보살과 시왕상으로 소개되고 있지만, 두 사람의 견해는 세부적으로 일치하지 않는다.[31] 필자는 수차례 현지조사를 통해서, 명문을 모두 발견했으며, 이에 따라 명문 해석을 다시 하였다.[32]

---

29 胡文和, 「論地獄變相圖」, 『四川文物』(第2期), 1982 ; 「四川摩崖石刻造像及分期」, 『考古學輯刊』(第7期), 1991 ; 『四川道教佛教石窟藝術』, 四川人民出版社, 1994, pp.49~50에 資中 西巖에 대한 묘사 중에 "제84호 감실의 우측 벽에 '光化四年(901)卽天復元年……八日' 이라는 殘記가 남아 있다. 제85호 감실의 좌측 벽에는 '敬鐫西方阿彌陀佛一龕 …… 宅淸泰鴻上件功德時以天夏元年十二月' 이라는 殘記가 남아 있다."라고 하였다. 그는 여기서 제84호 감실의 지장보살과 관음보살상의 존재 그리고 제89호 감실의 현황을 설명하지 않았는데, 〈四川佛教石窟造像題材一覽表〉(p.369)에서는 '中晩唐' 시기 '地藏與十冥王' 의 대표적인 조각으로 資中 西巖 제89호 감실(898~901)의 상을 들고 있다.

30 丁明夷, 「四川石窟雜識」, 『文物』(第8期), 1988, p.53에서는 이를 資中 西崖 제85호 감실로 말하고 있다. 그러나 〈四川密造像題材統計表〉(p.51)에서는 '晩唐' 시기 '地藏十王' 條에서 오히려 資中 西巖 第89窟을 들고 있다. 여기서 資中 西崖 兩龕 地藏十王像은 상이 분명하지 않을 뿐만 아니라 表에서 열거된 內江 飛翔龍山의 지장시왕상의 경우는 가공의 것에 속한다. 飛翔龍山은 內江城中의 地名으로, 현재 이 산은 없으며 조각상도 없다.

31 丁明夷는 제85호 감실에 '光化年間' 의 기년명이, 胡文和는 제84호 감실 우측 벽에 '光化年間' 의 기년명이 있다고 하였는데, 아마도 동일한 시기의 기년명을 말한 것으로 보인다. 또한 胡文和는 제84호 감실이 觀音 · 地藏, 제85호 감실이 阿彌陀佛을 題材로 하였다고 하였는데, 이것은 丁明夷의 글과 다르다.

32 筆者는 2001년 6월에 현지답사를 하면서 資中縣 文物管理所의 向友明 先生의 도움을 받았기에 지면을 빌려 깊은 감사를 표한다. 2005년 重慶大足石刻五十周年會 기간에 다시 현지답사를 하여서 보다 정확한 명문 기록을 찾았다.

자중 서암은 어하구(御河溝) 마애상이라고 부르기도 한다. 나한동(羅漢洞) 구역에는 42개의 감실이 있다. 지장보살과 시왕상이 조각되어 있는 2개의 감실이 모두 이 구역에 있으며,〈그림 41〉 이 2개의 감실 부근에는 명문이 새겨져 있는 또 다른 중요 감실이 있다.[33] 시왕재(十王齋)가 언급되어 있지만, 감실에는 시왕상이 조성되어 있지 않으며 주존이 아미타불이다. 관련 학자들의 이에 대한 연구 역시 잘못된 부분이 많은데, 명문의 판독이 부정확하였기 때문이다. 명문 앞의 두 행은 호문화가 연구하여 발표하였다.[34]

제89호 감실은 횡방형(橫方形)이며, 높이는 93cm, 너비는 113cm이다.〈그림 42〉 감실의 중앙 정면에 지장보살이 조각되어 있고, 그 양쪽 옆으로 감실의 한쪽에 각각 5개의 소옥형(小屋形)이 있는데, 위로 3개 아래로 2개가 배치되어 있다. 보살상은 이끼로 가득 차 있다. 왼쪽 옆에 있는 기둥에 "평정대왕(平正大王)"이라고 쓴 글자가 보인다. 명왕의 탁자 앞에 있는 인물들 대부분은 입상이며 하면의 기대(基臺) 위에는 심판과 징벌을 받는 장면이 묘사되어 있다.

가장 동쪽에 있는 감실[35]은 앞의 감실에 비해서 조금 크다. 높이가 123cm, 너비가 134cm이고, 두 층으로 순서대로 올라가게 만들었다. 감실 내부의 깊이는 28cm, 외부는 56cm이다. 감실 중간에 지장보살상이 앉은 자세로 석장을 잡고 있다. 상의 높이는 44cm, 좌대의 높이는 23cm이다. 양쪽의 소감(小龕)은 전체적으로 옥형(屋形)의 형태이다. 각 측면에 모두 하나의 옥(屋)이 있고, 천정 아래에 위로 3개, 아래에 2개의 소감이 분포되어 있다. 소감의 크기는 15×11cm이다. 감실 내부의 시왕상의 형상은 이미 흐릿해져 있지만, 감실 왼쪽 위에 있는 기둥에 "제일진(第一秦)"이라고 쓴 글자를 변별할 수 있다. 감실 하단에는 지옥 장면이 묘사되어 있다.

이 감실의 양쪽 벽에 새겨져 있는 인물들은 공양인이며, 명문과 나란히 있다.〈그림 43〉 서쪽 벽은 91×70cm이며, 위층 꼭대기에 한 사람이 무릎을 꿇고

33 敬鐫西方阿彌陀佛一龕 ……」 宅清泰鐫上件功德. 時已天夏元年十二月」 八日 因設報恩齋慶贊畢 齋愿弟子劉○○」 鐫造上件功德等 并已普爲四恩三有 法界衆生 同沾此福 時光化○○○」 忠勝 都下朗及劉燈等三十人就當院修設十王齋 …….

34 丁明夷,『四川石窟雜識』,『文物』(8期), 1988, p.53.

35 資中縣 文物管理所에서 정한 編號는 龕位와 맞지 않는다.

그림 41
자중 서암의 감실

그림 42
서암 감실의 지장
보살상

그림 43◀
자중 서암 감실의
양쪽 벽면

그림 44▶
자중 서암 감실의
방제

있고, 뒤에는 열 명이 예를 갖추어 서 있다. 아래층에도 앞쪽에 한 사람이 무릎을 꿇고 있으며 뒤로 일곱 명이 단정하게 서 있다. 동쪽 벽은 60×56cm이고, 상층과 중간층에는 모두 다섯 명의 공양인이 있으며, 아래층에는 일곱 명이 단정하게 서 있다. 29×16cm의 방형(方形) 방제〈그림 44〉 안에는 거사(居士)가 있으며, 백모(白某)와 그 아내 그리고 한 가문의 권속이 지장시왕변(地藏十王變)을 조성한다는 내용이 명문으로 기록되어 있다. 글자는 부분적으로 파악된다.[36]

> …… 右弟子白敬〇爲妻黎氏及一門眷屬」…… 地藏菩薩并十王變」〇壹龕佛〇身安〇眷屬 …… 」…… 時在景福二年正月二十四日 …….[37]

위의 명문 아래쪽에 또한 "鐫造地藏菩薩并十王部衆共壹龕"이라는 또 다른 명문이 새겨져 있다.

결론적으로, 자중현 서암에는 지장보살과 시왕상이 조성되어 있는 감실이 2개 있다. 명문 하나는 땅에 엎드려서 보아야 할 정도로 밑에 있다. 다른 미륵상 감실의 아래에 있는 명문에도 시왕이 언급되어 있는데, 쉽게 구별되지 않는다. 이 명문은 비록 기년(紀年) 부분에 있는 '경(景)' 혹은 '복(福)'이 분명하지 않지만, 만약에 이것이 '경복(景福)'이라면, 송대(宋代)의 기년에 해당되며, 만약에 '복덕(福德)' 2년이라면, 당대(唐代)의 기년에 해당된다. 다만 자중현 서암의 전체적인 상황을 살펴본다면, 주요 상들이 당대(唐代)와 오대(五代)에 조성되었다는 것을 알 수 있다. 예를 들면, 유명한 오대 시기의 상인 '비사문천왕상(毗沙門天王像)'과 '비기(碑記)'가 이에 속한다. 많은 감실 중에 송대에 착굴하여 조성된 상은 보이지 않는다. 그러므로 이것은 당대 말기의 기년으로 판단되며, 기본적으로는 만당(晩唐) 2년(893)의 상으로 인정할 수 있다. 또한 이 2개의 감실

36 資中縣 文物管理所에서 정한 編號는 龕位와 맞지 않는다.

37 紀年이 '景德' 혹은 '景福'으로 되어 있다. 㺯莽자는 비교적 분명한데, 두 번째 글자가 명확하지 않다. 만약 㺯芒吝이면 北宋(1006)이고, 㺯昧莽이면 晩唐의 983년이다. 資中 西巖의 조각상 모두가 晩唐과 五代 초기에 만들어진 것으로 볼 때, 이 상만이 北宋 시기에 만들어졌을 가능성은 크지 않다.

상은 모두 P.2870호 『불설시왕경』과 비교될 수 있다. 이 경전은 권수(卷首)에 '석가수기시왕도(釋迦授記十王圖)' 가 있으며, 후면에 십전염라(十殿閻羅) 중에 초강왕, 평정왕, 도시왕, 오도전륜왕이 있고, 나머지는 모두 청당(廳堂)에 위치하고 있다. 염라왕과 지장보살은 쌍으로 이루어진 비교적 큰 청당 가운데에 앉아 있다. 이 경전의 도상은 만당(晩唐) 시기의 지장보살, 시왕의 감실상과 여러 형태로 관련이 있어서, 시왕상 도상이 유행한 흔적을 잘 보여준다.

중용산(重龍山)의 조각상은 북암(北巖) 조각상이라 불리기도 하는데, 여기에는 지장보살의 감실상이 많이 있다.

제6호는 만당(晩唐) 시기의 관음보살과 지장보살의 감실이다. 두 상은 모두 입상이다. 지장보살은 풍모를 쓰고 있으며, 왼손에 석장을 들고, 오른손은 가슴 앞에 두고 있다. 두 관음보살은 양손으로 합장을 하고 있는데, 이것은 시간이 지난 후에 후인이 다시 조각한 것이다.

제29호는 만당 시기 약사불과 관음보살 그리고 지장보살의 감실이다. 약사불과 협시, 관음보살과 지장보살, 공양인을 포함해 모두 9구가 있다. 명문에는 "○○○佛觀音, 地藏菩薩一龕 ……." 이라고 되어 있다.

제47호는 만당 시기 지장보살 감실이다. 지장보살은 오른손으로 석장을 잡고 있고, 머리는 이미 훼손되었다.

제54호는 만당 시기 지장보살의 감실이다. 지장보살은 사문형이며, 둥근 머리에 큰 귀를 하고 있고, 짧은 적삼에 긴 군의를 입고 있다. 양손은 마니주를 들고 있으며, 복련의 연화대 위에 서 있다. 감실 옆에는 함통(咸通) 5년(864)의 조상기(造像記)가 있다.

제78호는 만당 시기 약사불의 감실이다. 약사불의 협시는 일광보살과 월광보살이다. 오른쪽 상이 지장보살로 왼손에 마니주를 들고 있다. 왼쪽의 상은 보수한 것이다.

제90호는 만당 시기 지장보살의 감실이다. 지장보살이 우서상(右舒相)의 자세로 반가부좌를 하고 있다. 통견의 가사를 입고 있으며 광배가 있다. 감실 옆에는 당(唐) 대중(大中) 8년(854)의 지장보살상기(地藏菩薩像記)가 있다.

제93호 감실에는 당(唐) 시기의 화엄삼성상(華嚴三聖像)이 있다. 높이는

320cm이다. 주불(主佛)은 비로자나불이며, 좌우의 협시는 문수보살과 보현보살, 관음보살과 지장보살의 4대보살이다. 이 감실 옆의 후대에 만들어진 소감(小龕)에는 당 대중 8년(854), 대중 12년(858)의 명문이 있다. 그러므로 이 감실은 그 이전에 만들어진 것으로 보아야 한다.

제94호는 만당 시기의 지장보살 감실이다. 지장보살은 가부좌의 자세를 하고 있으며, 목과 가슴에 영락 장식이 있다. 감실 옆에는 지장보살을 공경하여 상을 만든다는 기록이 있다.

제97호는 만당 시기의 지장보살 감실이다. 지장보살은 결가부좌를 하고 있으며, 가사를 입고 있다. 두광이 있다.

제120호는 만당 혹은 오대(五代) 시기의 불(佛)과 관음보살, 지장보살의 감실이다. 주존은 훼손되어 있다. 왼쪽에 풍모를 쓴 사문형의 지장보살이 있는데, 오른손에 석장을 들고 있으며 반가부좌 하고 있다. 관음보살 역시 반가부좌를 하고 있다. 감실을 따라서 공양인이 줄지어 서 있다.

제121호는 만당 혹은 오대의 부처와 지장보살의 감실이다. 주존은 손상되었고, 옆에는 두 명의 협시보살이 있다. 왼쪽에는 지장보살이 풍모를 쓰고 있으며, 반가부좌 자세를 취하고 있다. 영락 장식이 있다.

자중현 중룡산의 소감(小龕) 가운데 관음보살과 지장보살의 합상(合像)이 있는 감실은 모두 23개이며, 지장보살상은 모두 8구이다. 앞에서 살펴본 것은 단지 몇 개의 주요 감실에 불과하다. 이들 감실의 상 가운데 주요 상들은 만당 시기에 조성되었다.[38] 중룡산에는 오대(五代)의 두량(杜良)이 만든 '시왕상'이 있으며, 일본 학자 츠카모토 젠류(塚本善隆)는 일찍이 전촉(前蜀) 무성(武成) 3년(910)의 명문에 주목하였다.[39] 다만 『예풍당금석문자목(藝風堂金石文字目)』은 자중현 북암으로부터 이 기록이 나왔다고 명확하게 밝히고 있다.

38 資中 重龍山의 地藏菩薩像은 王熙祥·曾德仁, 「四川資中重龍山摩崖造像」, 『文物』(第8期), 1988에 근거하였음. 王熙祥·曾德仁, 「四川資中重龍山摩崖造像內容總錄」, 『四川文物』(第3期), 1989 참조.

39 塚本善隆, 「引路菩薩信仰與地藏菩薩信仰」, 『塚本善隆著作集 第七卷 - 淨土宗史·美術篇』, 大東出版社, 1975.

그림 45
내강 청계촌의 지장시왕 감실

내강(內江) 청계촌(淸溪村)

감실의 형태는 2층의 편방형(扁方形)이다.〈그림 45〉 바깥에 있는 감실은 양쪽 벽의 위에서 아래까지 4개의 소감상(小龕像)이 있고, 정면 벽의 양쪽 아래 모서리에는 승려 한 명, 여자 권속 한 명이 있는데, 모두 합장을 하고 서 있다. 안쪽의 감실은 위쪽이 둥글게 되어 있다. 지장보살은 솟아오른 연화대 위에 앉아 있으며 머리는 훼손되어 있다. 한 승려가 그 옆에 서 있는데, 발 아래에 역시 작은 연화대가 있다. 명부시왕은 지장보살의 양쪽 옆에 나뉘어 한 줄로 앉아 있는데, 4왕이 정면에 보이고 1왕은 감실의 안쪽 벽에 위치해 있다. 각 주변에는 권속들의 소상(小像)이 있다. 시왕은 두 탁자 앞에 앉아 있고, 탁자의 밑쪽에는 부조(浮雕) 형태의 윤회 혹은 지옥도상이 있다. 양쪽에 부조한 문형(門形)이 있는데, 마디마디의 여러 곳이 훼손되어 있다. 시왕은 대부분 관복을 입고 있으나, 오직 지장보살의 왼쪽 제4왕만이 장수의 복장으로 무장하고 있다. 여기서 제10 오도전륜왕과 제9 도시왕의 배치를 장인이 의도적으로 다르게 하였는지 그 여부는 알 수 없지만, 이러한 특징이 대족(大足)의 석전산(石篆山) 제9호 감실에도 역시 나타나고 있다.

이 감실은 오대(五代, 907~960)에 만들어진 것이다. 그 옆의 감실 아래에는 전촉(前蜀) 영평(永平) 2년(912)의 기년명이 있다. 부근의 멀지 않은 곳에 있는 감실에 또한 오대 대화(大和) 3년(931)의 기년명이 있지만, 이들 기년명이 있는 위치를 잘 살펴보면, 이들 감실의 상은 영평(永平) 2년의 시기에 만들어진 것임을 알 수 있다.[40]

이외에도 내강(內江) 지역의 상룡산(翔龍山)에도 또한 지장보살과 시왕을 소재로 한 것이 있다.

협강현(夾江縣)의 천불암(千佛巖)과 우선사(牛仙寺)

협강의 천불암

제42호는 관음보살과 지장보살의 감실이다. 감실의 높이는 80cm이다. 두 상은 나란히 서 있다. 관음보살은 정병과 버들가지를 들고 있으며, 지장보살은 왼쪽 어깨를 약간 숙이고 손에 마니주를 들고 있다. 지장보살의 가사에는 사선의 음선(陰線) 문양이 있는데, 선 하나하나가 흘러내리는 듯 자연스럽다.

제91호는 지장변상의 감실이다. 높이는 217cm이다. 주존은 불 · 보살의 삼존상으로 모두 좌상이다. 부처의 뒤에는 제자 둘이 서 있고, 감실 앞에는 공양인 둘이 있다. 불상의 머리는 이미 훼손되었다. 불상의 왼쪽에 지장보살이 있는데, 머리에 풍모를 쓰고, 오른손은 석장을 잡고 있다. 대금가사(對襟袈裟)를 입고, 대아문(帶壺門)의 북 모양의 석좌에 앉아 있다. 불상의 오른쪽에 있는 상은 지장화신상(地藏化身像)으로 추정된다. 삭발한 머리에 깊은 눈과 높은 코를 가지고 있다. 몸에는 대번령착수가사(大飜領窄袖袈裟)를 입고 있으며, 역시 석좌에 앉아 있다. 감실의 조성 시기는 빨라야 당(唐) 초기일 것이다.

제125호는 관음보살과 지장보살의 감실이다. 높이는 114cm이다. 두 보살상은 모두 입상이다. 관음보살은 오른쪽에 있고, 정병을 들고 있다. 지장보살이 왼

40 淸溪村 상의 기년명은 大和年號로 되어 있으나 唐代 文宗 때에도 大和年號는 있었다. 여기에서는 五代(907~960)의 吳 大和年號라야 한다. 이 시기는 마침 前蜀이 끝나고 後蜀이 시작되는 기간(925~934)이 었기 때문에 吳의 年號를 채용한 것이다. 그런데 이 감실상의 앞쪽에는 '永○平)二年' 이라는 기년명이 있고 주존의 蓮座도 十王龕의 것과 일치한다. 十王龕의 앞뒤로 모두 '永平二年' 이라는 기년명의 상이 있기 때문에 이 감실의 상이 만들어진 것은 이 시기이다.

쪽에 있는데, 오른손은 정병을 들고 있고, 왼손은 가슴 앞에 두고 있다. 두 보살상 사이에는 1개의 병이 놓여 있고, 여기에 일곱 송이 연꽃이 피어 있다. 꽃 위에는 칠존화신불(七尊化身佛)이 앉아 있다. 얼굴이 작고 둥글며 육계가 고르다.

제20호 감실과 제125호 감실은 내용이 서로 비슷하다.

제152호 감실은 당의 전성기에 만들어진 아미타불과 관음보살 그리고 지장보살의 감실이다. 감실의 높이는 90cm이다. 이들 삼존상은 모두 연화대에 서 있으며 두광이 있다. 아미타불은 중앙에 있는데, 육계가 낮고 평평하며, 가사 안에 승기지가 있다. 수인은 중품중생인(中品中生印)을 하고 있다. 관음보살은 아미타부처의 왼쪽에 서 있는데, 높은 화관을 쓰고, 비단 천의를 입고 있으며, 오른손은 정병을 들고, 왼손은 불진(拂塵)을 들고 있다. 지장보살은 사문형이다. 왼손은 가슴 앞에서 마니주를 들고 있는데, 오른쪽 어깨가 약간 숙여져 있다. 감실의 왼쪽 밑에는 "개원(開元) 27년(739)" 이라는 명문이 있다.

제154호 감실은 그 내용과 형식이 제152호 감실과 같다. 감실의 높이는 116cm이다. 부처가 연꽃을 바라보며 서 있다. 관음보살과 지장보살은 모두 복련의 연화대 위에 서 있다. 지장보살은 왼손으로 마니주를 들고 있고, 오른손은 자연스럽게 밑으로 내려 옷깃을 잡고 있다.

협강 천불애의 조성 시기는 초당(初唐)에서 시작되어 대략 만당(晩唐) 회창(會昌) 연간에 끝난 것으로 보이는데, 만당 시기의 조각이 대부분이다.[41]

협강 우선사(牛仙寺)의 상은 당대(唐代)의 마애상이다. 3개의 감실이 있으며, 이곳의 지장보살상은 모두 삭발한 머리에 붉은 발을 하고 있다. 통견의 가사를 입고 있으며 한 손은 가슴 앞에서 마니주를 들고 있다. [42]

---

41 王熙祥 · 曾德仁, 「四川夾江千佛崖摩崖造像」, 『文物』(第2期), 1992. 관련 학자들이 이들 지장보살상을 처음으로 조사하였을 때에는 모두 '弟子像' 으로 보았다. 手持摩尼珠 등의 도상적 특징을 소홀히 파악한 결과이다. 夾江 千佛崖造像은 1958년에 이미 曹恒鈞이 「文物參考資料」(第4期)에 조사보고서를 실었다. 그러나 문화혁명 기간 중에 감실상이 훼손되어 編號가 분명하지 않게 되자, 王熙祥 등이 새로운 편호를 채용하여 소개하였다. 그런데 胡文和는 『四川道教佛教石窟藝術』에서 曹恒鈞의 편호로 소개하였다. 여기서 제26호 감실은 阿彌陀, 觀音, 地藏의 감실이다. 제153호 감실의 주존은 阿彌陀, 觀音, 地藏으로 "先天元年(712)" 이라는 기년명이 있다. 한편으로, 胡文和는 제91호 감실의 도상이 地藏變相이 아니라 道明과 僧伽, 寶志 도상이라고 하였다.

42 周杰華, 「夾江新發現的唐代摩崖造像」, 『四川文物』(第2期), 1988년.

공래(邛崍)의 석순산(石筍山)

第29호 감실에는 입상의 관음보살상과 나머지 3구의 상이 조각되어 있다. 제30호 감실에는 지장보살의 입상과 그 밖의 3구의 상이 조각되어 있다. 2구의 상에 광배가 있다. 이들 관음보살과 지장보살은 비록 2개의 감실에 나뉘어 있지만 한 가지의 형식에 속하는 것이다. 부근의 제32호 감실에는 "당(唐) 대력(大歷) 2년(767)"의 명문이 있다.

단릉(丹稜)의 정산(鄭山), 유취(劉嘴)

정산 제4호 감실은 높이가 63cm이며, 감실 내부에 관음보살과 지장보살 등의 상이 조각되어 있다.

정산 제24호 감실은 높이가 59cm이며, 내부에 관음보살과 지장보살상이 조각되어 있다.

정산 제33호 감실은 내부에 관음보살과 지장보살상이 조각되어 있다.

유취(劉嘴) 제14호 감실은 높이가 87cm이며, 내부에 관음보살과 지장보살상이 있다.

정산의 조각상 가운데에는 천보(天寶) 연간의 명문이 있으며, 유취의 조각상에는 천보와 장경(長慶) 시기의 명문이 있다. 이로부터 이곳의 조각상이 당대(唐代)의 것임을 알 수 있다.

영현(榮縣) 소정구(小井溝)

제14호는 관음보살과 지장보살의 감실이다. 여기에 있는 상은 중·만당 시기에 만들어진 것이다.[43]

인수(仁壽) 우각채(牛角寨)

제23호 감실의 높이는 128cm이다. 지장보살과 사천왕상의 감실이다. 지장보살은 결가부좌하고 있다. 가사를 입고 있는데, 그 소매가 초롱처럼 둥글다. 대

43 邛崍·丹棱·榮縣의 상은 胡文和, 『四川道教, 佛教石窟藝術』에 근거하였다.

좌 아래에는 보살 한 구가 앉아 있다. 사천왕과 지장보살 모두 하나의 긴 장방형의 대좌 위에 앉아 있다. 사천왕은 갑옷과 투구를 쓰고, 붉은 어깨와 붉은 발을 하고 있으며, 단정한 가부좌 자세를 취하고 있다. 손에는 검, 탑, 비파, 창을 나누어 들고 있고, 발로는 야차(夜叉)를 밟고 있다. 감실 입구에는 2구의 공양인상이 있다.[44]

미산현(眉山縣) 선인동(仙人洞)

선인동 제6호는 당대(唐代) 지장보살의 감실이다. 감실의 높이는 200cm이다. 보살상은 사문형의 입상이다. 매우 세밀하게 조각되었으며, 도법(刀法)은 완숙미가 넘친다. 보살상의 뒤쪽에 얕은 선으로 크게 광배를 새겨 넣었고, 두광에는 화염무늬로 둘러싸인 연꽃을 조각해 놓았다. 지장보살은 삭발한 머리에 얼굴은 길고 둥글며, 약간 오른쪽을 향하고 있다. 눈썹이 눈을 가리고 있고, 깊은 사색에 잠겨 있다. 코는 길고 아주 곧다. 오른손을 자연스럽게 아래로 내려서 정병을 들고 있으며, 왼손은 가슴 앞에 두었는데, 손에 가사자락을 잡고 있다. 가슴에는 영락 장식이 있다. 가사의 양쪽 옷깃이 길게 내려와 있으며, 옷 주름이 세밀하고 화려하다. 대부분의 선이 음선(陰線)으로 처리되어 있다. 붉은 발로는 연화대를 밟고 있다. 이 감실 옆의 제7호 감실에는 정교하고 아름다운 관음보살상이 조각되어 있다. 감실과 보살상의 크기는 지장보살과 일치한다. 비록 관음보살과 지장보살의 합감 형태는 아니지만 그 관계에 대해 주목할 필요가 있다.

10) 광원(廣元), 파중(巴中), 통강(通江)의 굴애(窟崖)

사천성 북부 광원의 천불애(千佛崖)와 관음애(觀音崖), 파중의 남감(南龕) 및 통강의 불일감(佛日龕) 마애굴상(摩崖窟像)에도 역시 적지 않은 지장보살상이 있다.

44 鄧仲元 · 高俊英, 「仁壽縣牛角寨摩崖造像」, 『四川文物』(第2期), 1990.

광원의 천불애(千佛崖)[45]

광원 천불애에는 비교적 많은 지장보살 감실상이 존재하고 있다. 그 형태를 보면 반가부서상좌(半跏趺舒相坐)의 상, 독존의 입상, 관음보살과 협시를 이루고 있는 상, 아미타불 혹은 약사불 삼존의 협시로 오는 상 등이 있다.

천(千) 202호 감실은 대략 개원(開元) 초년에 조성된 것으로 독존의 지장보살 입상이 있다.〈그림 46〉 신체가 풍만하며, 옷주름은 물결치듯 부드럽다. 삭발한 머리에는 두광이 있다. 위로 올린 오른손과 통견의 끝자락을 잡고 있는 왼손 그리고 다리 아래 부분은 모두 훼손되어 있다. 감실 바깥은 각이 져 있고 안은 둥글게 층을 이루고 있다. 세부 표현이 매우 아름답다.

천 216호 감실의 형태도 위와 같다. 지장보살상은 역시 삭발한 모습인데, 왼손은 아래로 내려 복숭아 형태의 여의보주를 잡고 있고, 오른손은 위로 올려 둥근 형태의 보주를 들고 있다.

광원 천불애 대운동(大雲洞)의 제16호 감실 중에는 보수한 소감(小龕)이 있는데, 여기에 관음보살과 지장보살상이 있다. 이들 상은 불상의 북쪽 벽 밑에 위치하고 있다. 왼쪽이 지장보살상으로 사문형이다. 가사를 입고 있고, 가슴에 영락 장식이 있으며 왼손은 마니주를 들고 있다. 복련 위에 서 있다. 오른쪽이 관음보살이며, 왼손에 정병을 들고 오른손은 불진(拂塵)을 들고 있다. 명문에는 다음과 같은 기록이 있다.

> 天寶十五載(756) …… 世音菩薩一軀, 地藏菩薩一軀

위항굴(韋抗窟)의 문으로 가는 길 서쪽에 지장보살의 감실이 있다. 지장보살상은 입상에 사문형이며 가사를 입고 있다. 가슴에는 영락 장식이 있다. 한 손은 어깨에 염주를 두르고 있고, 한 손은 내려서 가사 자락을 잡고 있다. 옆에는 〈지장공양기(地藏供養記)〉가 있다.

---

45 廣元 文物管理所 等,「廣元千佛崖石窟調査記」·「廣元皇澤寺調査記」,『文物』(第6期), 1990.

그림 46
사천 광원 천불애
202호 지장보살상

다보굴(多寶窟 : 제2호)의 지장보살 소감(小龕)

뒤쪽 벽에 관음보살과 지장보살의 감실이 있다. 왼쪽이 관음보살이고 오른쪽이 지장보살이다. 보살상은 사문형에 가사를 입고 있다. 오른손은 위로 올려 마니주를, 왼손은 아래로 내려 마니주를 들고 있다.

북쪽 벽의 아래층에도 지장보살의 감실이 있다. 지장보살은 우서상(右舒相)의 자세를 하고 속요(束腰) 형태의 앙복련원좌(仰覆蓮圓座) 위에 있다. 왼손에 마니주를 들고 있다.

남쪽 벽의 중간층에 지장보살의 감실이 있다.〈그림 47〉 지장보살상은 반가부좌를 하고 속요 형태의 앙복련원좌 위에 있다. 삭발하였으며 상호가 원만하다. 목에는 삼도문(三道紋)이 있다. 아래로 길게 늘어진 통견 가사 안에 승기지가 드러나 있다. 들어 올린 오른손과 다리 위에 올려 놓은 왼손에서는 각기 한 줄기 상서로운 빛이 새어 나오고 있고, 그 위에 각각 5구의 소좌상(小坐像)이 조각되어 있다. 지장보살과 업도(業道)를 표현하는 것이다. 감실의 상은 성당(盛唐) 시기의 양식에 속한다.

그림 47
사천 광원 다보굴
의 지장보살상

수불굴(睡佛窟 : 제4호)의 보착소감(補鑿小龕)

동쪽 벽의 북쪽에 있는 태관도(抬棺圖) 밑에는 3개의 지장보살 감실이 있다. 우서상의 반가부좌를 하고, 삭발을 하였으며 가사를 입었다. 왼손은 마니주를 들고 있다. 오른손에서는 상서로운 구름 형태의 빛이 새어 나오고 있는데, 그 위에는 칠존 소좌상(小坐像)이 있다.

아미타굴 제46호 밑에는 약사여래, 관음보살, 지장보살의 감실이 있다. 감실 가운데에 3구의 입상이 조각되어 있다. 약사불은 육계가 있으며, 통견의 가사를 입고 있다. 왼쪽이 지장보살이다. 삭발하였고 가사를 입었으며, 양손은 마니주를 들고 있다. 오른쪽이 관음보살이다.

지장굴은 절벽의 북쪽 끝에 있는 바닥층에 위치하고 있는데, 여기에 한 구의 지장보살 좌상이 조각되어 있다.

파중(巴中)의 남감마애(南龕摩崖)

남감(南龕)의 제25호 굴은 성당(盛唐) 시기의 지장육도윤회상 감실이다. 〈그림 48〉 지장보살의 위에는 보개가 있고, 두광과 신광이 있다. 통견의 가사에는 가사를 고정시키는 둥근 고리 장식이 있으며, 가사 안에는 승기지가 드러나 있다. 마니주를 들고 있는 왼손은 무릎 위에 올려져 있으며, 오른손의 무외인은 파손되어 있다. 지장보살의 양쪽 끝에는 각각 4구의 상이 짝을 이루고 있다. 또한 지장보살의 바로 옆에는 구름 형태의 빛 위에 상들이 양쪽으로 층층이 표현되어 있다. 맨 위층 양쪽의 빛 위에는 선정(禪定)에 든 부처들이 있다. 그 아래 오른쪽

그림 48
파중 남감 제25호
감실의 지장육도
윤회상

빛 위에는 한 명의 무사가 있는데, 왼손에 방패를 오른손에 검을 잡고 있다. 천도(天道)를 뜻한다. 그 왼쪽의 상서로운 빛 위에는 삼면육비(三面六臂)의 아수라(阿修羅)가 손에 해와 달, 'ㄱ' 자 모양의 자[尺]와 거울을 들고 있다. 또한 그 아래층의 오른쪽에 있는 빛 위에는 여자 공양인 한 명이 있는데, 인도(人道)를 의미한다. 왼쪽 면은 훼손되어 있다. 맨 아래층의 왼쪽과 오른쪽 상들은 아귀도와 지옥도를 표현하고 있는 것으로 보인다. 전체적으로 이 감실의 상들은 지장보살과 육도윤회를 표현하고 있는데, 도상이 손상되어 명확하지 않다.

남감 제62호 감실에도 지장보살이 있다. 이 감실이 서방변상(西方變相) 감실이다. 또한 일불(一佛) 52보살로 불리기도 하는데, 아미타불과 50개의 연꽃 위에 보살을 표현하고 있다. 감실의 세 벽에는 서방삼성(西方三聖)과 연꽃 위의 51보살이 조각되어 있다. 지장보살은 양쪽 벽의 아래쪽에 위치하고 있다. 풍모를 쓰고 있고, 목에 염주를 걸고 있으며, 가사를 입고 있다. 연꽃 위에 앉아 있으며, 한 손은 선정인을, 한 손은 마니주를 들고 있다.

남감(南龕) 제3호와 79굴은 아미타불과 관음보살, 지장보살의 합감이다. 제66호 감실은 지장보살과 약사불이 함께 서 있다. 제80호는 지장보살과 관음보살이 나란히 서 있다.

통강의 천불애(千佛崖), 노반석(魯班石), 불일애(佛日崖)

통강 천불애의 제29호 감실은 초당(初唐) 시기의 지장보살 감실이다. 이 감실의 위쪽 세 벽에는 1천 좌의 불상이 조각되어 있다. 중간에 일불(一佛)과 두 보살이 있다. 밑에 있는 세 벽에는 아미타변상이 조각되어 있다. 주존과 협시는 정면 벽에 위치하고 있고, 나머지 벽에는 연꽃에 앉아 있는 보살들이 다섯 층으로 조각되어 있다. 그 오른쪽 벽 아래에 하나의 감실이 있는데, 안쪽에 반가부좌를 하고 있는 지장보살상이 있다. 지장보살상의 양쪽으로 각기 한 줄기 상서로운 빛이 새어 나오고 그 위에는 각각 5구의 소상(小像)이 있다.

통강 노반석(魯班石)의 제15호 굴은 일불(一佛)과 50보살의 서방변상(西方變相)이다. 굴 안 3면의 좁은 단 위에 서방삼성(西方三聖)이 조각되어 있고, 나머지 벽에는 연꽃 위에 보살상들이 조각되어 있다. 2구의 지장보살상은 풍모를 쓰고 있으며, 가사를 입고 선정인을 맺고 있다.

통강(通江) 불일애(佛日崖)는 미륵불과 지장보살의 합감(合龕)이다. 감실 가운데 의좌 자세[倚坐]를 한 일불(一佛)과 반가부좌를 하고 있는 지장보살상이 조각되어 있다. 지장보살은 삭발하였으며, 통견의 가사를 입고 있다. 명문은 다음과 같다.

> 彌勒二身 趙益 何揚敬造供養 地藏菩薩一身 弟子趙婁低供養 可知是彌勒與地藏同龕 相隣的一龕則有彌勒與阿彌陀同龕

이 이외의 또 다른 감실에서도 독특한 도상 구성을 볼 수 있다. 바로 미륵 이

존불, 천왕, 지장보살, 미륵 삼존불, 관음보살상의 배치 형태이다. 가히 당시의 불교가 얼마만큼 민간 신앙에 깊이 뿌리내렸는지를 잘 보여주고 있다.[46]

11) 동평 화엄동(華嚴洞)과 맥적산(麥積山) 굴상(窟像)

산동성(山東省) 동평현(東平縣)에 있는 화엄동 석굴 중에는 지장시왕 석굴이 있다.〈그림 49〉 굴 입구의 양쪽 방향에 비기(碑記)가 있어서 명대(明代) 성화(成化) 9년(1473)에 조성된 것임을 알 수 있다. 화엄동은 천연동굴이다. 여기에 지장보살과 도명화상, 민공, 시왕과 공양인을 포함해 모두 14구의 존상이 조각되어 있다. 오직 지장보살상만이 지면에 위치해 있고, 나머지 상들은 약 20cm의 석대(石臺) 위에 조각되어 있다. 지장보살은 사문형이며, 속요(束腰) 형태의 수미좌 위에 결가부좌하고 있다. 전체 높이는 103cm이고, 상의 높이는 82cm, 수미좌의 너비는 68cm이다.〈그림 50A〉 머리의 윗부분 반은 이미 손상되었으나 본래는 두광이 있고 삭발한 사문형으로 풍모를 쓰지 않았다는 것을 알 수가 있다. 양손은 마니주를 들고 있다. 또한 화려한 당초문이 있는 가사의 주름선은 깊고 선명하며, 가슴 아래에는 군의의 띠매듭이 뚜렷하게 새겨져 있다. 지장보살이 앉아 있는 수미좌 앞에는 한 마리의 신수(神獸 : 啼聽)가 머리를 옆으로 돌리고 조복하고 있는데, 매우 생동감이 있다.〈그림 50B〉 지장보살의 오른쪽이 도명화상이다. 높이는 65cm이고 손에는 석장을 잡고 있다. 지장보살의 왼쪽이 민공이고, 높이가 57cm이다.

다시 그 왼쪽에 순서대로 5왕이 있는데, 모두 홀판(笏板)을 들고 있다. 얼굴은 지장보살을 향하고 있다. 오른쪽에 순서대로 있는 5왕도, 모두 가슴 앞에 홀판을 들고 지장보살을 바라보고 있다. 시왕의 높이는 약 70cm이다. 구성과 배치가 대단히 치밀하다. 서쪽에 서 있는 제1상은 비교적 작은데 판관 혹은 공양인의 상이다. 지장보살의 형상은 이들 조각들 가운데서도 단연 빼어나다. 연좌 아

46 巴中, 通江 등의 감실상에 대해서는 丁明夷, 「從廣元到巴中」, 『文物』(第6期), 1990을 참조하였음.

그림 49
동평 화엄동의 내부

그림 50A
화엄동의 지장보살상

그림 50B
지장보살상 아래의 제청

래의 제청도 보는 이의 시선을 끈다. 한 가지 흥미로운 것은, 이 굴의 상 배치가 완전히 정비된 사묘(寺廟)의 배치와 너무나 비슷하다는 것이다. 호법신이 있고, 가란신(伽蘭神)이 있으며, 삼세불이 있고, 또한 관음・문수・보현의 3대보살과 지장보살 그리고 18나한 등이 있으며, 지장보살과 시왕이 그 중심에 위치하고 있다. 일전지지(一殿之地)의 모습을 모방하여 지은 듯하다. 애석한 것은, 이 굴에 있는 조각상의 머리 부분이 문화대혁명 시기에 파손되었다는 사실이다. 굴 입구 비기(碑記)의 글자도 손상을 입었는데, 홍위병들이 자신의 이름과 당시의 연대를 새겨 넣기도 하였다. 문화대혁명이 문물을 파괴한 역사적 증거로 남아 있다.

또한 하북(河北) 부평(阜平)의 석불당(石佛堂)의 상들도 동평 화엄동의 상 배치와 유사한 점이 있다.[47]

감숙(甘肅) 천수(天水) 맥적산(麥積山)의 지장시왕굴(地藏十王窟)

맥적산의 제2굴에는 명대(明代)의 소조상과 벽화가 있다. 지장보살과 시왕 그리고 지옥변상으로 이루어져 있다. 정면 벽에는 지장보살이 제청(諦聽)을 타

47 張總・吳緒剛, 「山東東平華嚴洞石窟」, 『文物』(第9期), 2001.

고 있고, 옆에는 부처와 승려, 도사(道士) 등이 있다. 동 · 서의 양쪽 벽 앞에는 각기 5판관이 있다. 양쪽 벽에는 또 십전명왕(十殿冥王)과 나하교, 업경(業鏡), 거해(鋸解), 확탕(鑊湯), 도저(搗杵)와 갈미혼탕(喝迷魂湯) 등의 지옥 장면이 그려져 있다.

12) 대리(大理)의 검천석굴(劍川石窟)

운남(雲南) 대리의 검천석굴은 석종산(石鐘山)에 있는 석굴이다. 이 석굴은 다시 3구역으로 나뉘는데, 바로 석종사(石鐘寺)와 사자관(獅子關) 그리고 사등정(沙登箐) 구역이다. 석종사 제3호 감실이 바로 지장보살의 감실이다.〈그림 51〉 오대(五代)의 남소(南詔)시기에 만들어졌다. 상의 뒤쪽 면에는 거대한 원륜(圓輪)의 광배가 있고, 그 광배 바깥 테두리에는 8개의 작은 원과 타오르는 불꽃 무늬가 장식되어 있다. 광배의 안쪽은 소박하고 장식이 없다. 지장보살의 얼굴은 길고 둥글며 원만하다. 머리에는 풍모를 쓰고 있는데, 화문(花紋)으로 장식되어 있다. 가슴과 양쪽 무릎에는 화려한 영락 장식이 있다. 통견의 가사를 입고 있으며 안에는 승기지가 드러나 있다. 오른손은 이미 훼손되어 있고, 왼손은 마니주를 들고 있다. 의자 자세를 취하고 있다. 대좌는 속요(束腰) 형태의 수미좌이며, 위층에는 다시 앙련대가 더해져 있다. 두 다리는 각각 작은 연화대를 밟고 있다. 전체적으로 우아한 조형미를 보여 준다.

그림 51
대리 검천 석종사 제3호 감실의 지장보살상

석종사 구역의 제6호 감실은 그 규모가 거대하며 석종사 뒤쪽에 있다.[48] 이

48 석종사 제6호 감실은 北京大學과 雲南大學의 공동 조사보고서인 『大理劍川石窟考古隊報告』를 참조할 것. 필자도 1999년 7월부터 8월까지 이들과 함께 참여하였다.

그림 52
검천 석굴 제6호 감실의 무능승명왕상

감실은 약 20m 높이의 북쪽 절벽의 허리 부분이 붕괴되어 형성된 것으로, 안쪽이 움푹 들어간 곳에 위치해 있다. 밑부분에서 두 층으로 높은 기반을 조성하였는데, 아래층의 너비가 1,135cm이며, 높이는 80cm이다. 이 기반 위에 목조식 건축을 모방하여 다섯 칸을 만들었다. 명간(明間)에 불상 한 구와 두 제자를, 차간(次間)과 초간(稍間) 안에는 각각 이대명왕을, 모두 합해 팔대명왕을 조각하였다. 초간 바깥의 양쪽은 호법대흑천(護法大黑天)과 비사문상을 나누어 조각하였다.

지장보살의 화신인 무능승명왕(無能勝明王)은 동쪽에 조각되어 있다.〈그림 52〉 명왕은 삼두팔비(三頭八臂)에 화염문의 광배가 있다. 상의 전체 높이는 158cm이다.

법화사(法華寺)의 석굴

법화사 석굴은 운남성(雲南省) 안령시(安寧市) 동쪽에서 약 5리 정도 떨어져 있는 작은 도화촌(桃花村)의 낙양산(洛陽山) 서북쪽에 위치하고 있다. 원래는 사찰과 석굴이 같이 있는 불교 유적지였지만, 애석하게도 사묘(寺廟)는 문화대혁명 시기에 훼손되었다.

명대(明代) 『경태도경(景泰圖經)』의 기록에 의하면, 낙양산(洛陽山)은 안령주(安寧州) 인근의 동쪽으로 10리 되는 곳에 있다. 단(段)씨가 동쪽 산의 석벽에 18나한을 새겼다고 기록되어 있다. 옹정(雍正) 시기의 『운남통지(雲南通志)』의 기록에는 "법화사는 성 동쪽의 10리쯤 되는 낙양산에 있으며, 송(宋) 시기에 대리(大理)의 단(段)씨가 건축하였다."라고 하고 있다. 법화사 석굴이 북송의 대리국(大理國) 시기에 조성되었다는 것을 증명하는 기록들이다. 석굴은 모두 네 곳이 있는데, 지장보살상이 있는 석굴이 첫 번째 석굴이다.〈그림 53〉 산 벽의 가장 아래층에 위치하고 있고, 여기에 2개의 감실이 있는데, 그중 하나가 관음보살의 감실이다. 지장보살의 감실에는 풍모를 쓴 지장보살이 좌서상(左舒相)의 자세로 연화대 위에 앉아 손으로 석장을 들고 있는데, 중요 부분은 훼손되어 있

그림 53
운남 안령 법화사
의 지장보살상

다. 그러나 세련된 조각기법과 화려한 도상 표현은 그 면모를 잃지 않고 남아 있다. 다른 나머지 감실에는 18나한상 그리고 수행상과 열반상의 불상이 있다.

2. 금동상과 석조비상(石造碑像)

1) 금동상

금동 지장보살상은 여러 세기에 걸쳐 전해지고 있다. 소주(蘇州) 서광사(瑞光寺) 탑의 제3층 안쪽에서 발견된 일련의 금동상 가운데 지장보살상이 여러 점 있다. 절강(浙江) 금화만불탑(金華萬佛塔) 안에서도 일찍이 오대(五代)에서 북송 시기의 금동상과 도금탑(鍍金塔) 등이 발견되었는데, 완숙미를 보여주는 지장보살상이 여러 점 있다. 지장신앙이 전파되고 토착화되는 과정에서 금동 지장보살상의 제작도 자연히 유행하였다.

사문형 지장보살상

중국의 금동 지장보살상은 국내뿐만 아니라 해외의 여러 곳에도 소장되어 있는데, 이 가운데는 높이가 겨우 8.4cm인 사문형 지장보살상도 있다.[49] 〈그림 54〉 북경 고궁박물원에는 대표적인 지장보살상 3구가 소장되어 있다. 이들 중 첫 번째 상은 뛰어난 장인의 높은 예술적 경지를 보여준다. 〈그림 55〉 상의 높이는 11cm이며, 무게는 237g이다. 좌서상(左舒相)의 반가부좌 자세를 하고

그림 54
해외 소재의 금동 지장보살상

---

49 松原三郎, 『增訂中國佛教雕刻史硏究』, 圖267B ; 金申, 『佛教雕塑名品圖錄』, 北京 工藝美術出版社, 1995, 圖348.

그림 55
북경 고궁박물원
소장 금동지장보
살상

있으며, 우견편단의 가사를 입고 있다. 얼굴은 풍만하며, 귀와 머리 부분이 비교적 크다. 몸을 앞으로 약간 굽히고 있으며 사색에 잠겨 있다. 목에는 이도(二道)가 있다. 오른손은 가슴 앞에서 무외인을 취하고 있으며, 왼손은 자연스럽게 아래로 내려 무릎 위에 놓고 있다. 가사는 주름이 깊고 약간 경직되어 있으며 좌대 아래까지 덮여 있다. 좌대의 가장 밑부분은 유실되었다. 현재의 것은 나무로 만든 것으로 다시 보수한 것이다. 이 보살상은 당대(唐代)의 고종(高宗)에서 현종(玄宗) 개원(開元) 시기에 제작된 것이다.

두 번째 상은 화염 문양의 광배, 화려한 연화대가 있는 방형좌(方形座)에 앉아 있는 지장보살상이다.〈그림 56〉 전체 높이는 19cm이고, 무게는 196g이다. 화려한 장식적 요소로 인해서 존상이 상대적으로 작게 표현되어 있다. 존상은 좌서상의 반가부좌를 하고 있으며, 얼굴은 정면을 향하고 있다. 오른팔을 약간 올려 마니주를 들고 있으며, 왼손은 무릎 위에 올리고 있다. 우견편단의 가사에는 주름이 음선으로 선명하게 새겨져 있고, 가사 자락이 좌대 밑까지 늘어져 있다. 속요좌 아래는 복잡하게 구성되어 있으며, 앙련식의 승탁(承托)이 있다. 왼쪽 다리는 작은 연화대를 밟고 있고 가지와 잎이 덩굴처럼 휘어지고 얽혀 있다. 복련좌 아래에는 사방에 아문형(壼門形)이 있는 좌대가 있다. 광배 부분도 매우 정치하며 화려하다. 불꽃무늬로 바깥 둘레를 장식하고, 안에는 연꽃의 외씨를 공형(空形)으로 새겼다. 시대는 동일하여 당 고종부터 현종 시기의 것이다.

또 다른 한 구의 상은 시대가 조금 늦어서 당(唐) 전성기에서 중기에 제작된 것이다. 높이는 17cm이며, 무게는 285g이다. 이 보살상의 신체와 얼굴은 앞의 두 보살상처럼 선이 뚜렷하지 않다. 우서상(右舒相)의 자세로 반가부좌를 하고 있다. 왼손은 무릎 위에 올려놓았으며 오른손은 약간 올려 마니주를 들고 있다. 좌대 아래에는 연꽃 가지와 꽃봉오리가 대칭으로 휘어지고 엉켜 있다. 이것은 전에 고궁실록고(故宮實錄庫)에 소장되어 있었는데, 나중에 문물국에서 반환하여 고궁박물관에서 소장하게 되었다.[50]

운남(雲南) 대리(大理)에 있는 대리삼탑(大理三塔)의 가운데 탑에서 일찍이

50 李靜杰(主編), 『中國金銅佛』, 北京 宗教文化出版社, 1996, 圖138 · 139 · 140 참조.

그림 56
북경 고궁박물원
소장 금동광배지
장보살상

그림 57A
운남성박물관 소장 지장보살상

그림 57B
운남성박물관 소장 지장보살상

독특한 조각상이 출토되었다. 탑의 모형, 금시조(金翅鳥)와 여러 불상을 제외하고도, 몇 구의 작은 지장보살상이 출토되었다. 부분적으로 유실되거나 훼손되어 있지만, 자세와 형상이 기본적으로 앞의 상들과 일치하고 있다. 모두 삭발을 한 사문형으로 석장을 들고 있으며, 반가부좌를 하고 있다. 현재 운남성박물관(雲南省博物館)에 소장되어 있다.〈그림 57A · B〉

미국 시카고미술관에 소장되어 있는 금동지장보살상은〈그림 58〉 삭발을 한 사문형으로 우견편단의 가사를 입고 있으며, 좌서상의 자세를 취하고 있다. 오른손은 위로 약간 올려 마니주를 들고 있으며, 왼손은 아래로 내려 무릎 위에 올려 놓고 있는데, 모지와 중지 그리고 무명지의 세 손가락으로 인(印)을 맺고 있

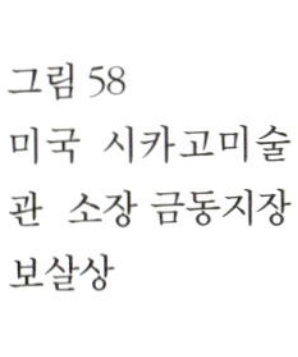

그림 58
미국 시카고미술관 소장 금동지장보살상

그림 59
절강 금화만불탑 출토 금동지장보살상

다. 신체에 볼륨감과 생동감이 있으며, 이목구비를 비롯해 가사의 주름선이 깊고 뚜렷하다. 당대(唐代)의 것에 속한다. 스위스 리에트버그박물관에도 역시 작은 금동지장보살입상이 소장되어 있다. 왼손은 아래에서 바깥으로 올리고 있고, 오른손은 위로 올려 둥근 마니주를 잡고 있다. 물결처럼 주름진 무늬가 있는 가사를 입고 있다.

1956년대에 절강(浙江) 금화만불탑(金華萬佛塔)의 탑 토대를 보수하던 중, 탑의 기지궁(基地宮)에서 오대(五代) 오(吳) · 월국(越國) 시기에 주조된 도금탑 등을 비롯해서 많은 문물이 출토되었다. 주조 동상이 약 60여 구에 이른다. 여기에는 유명한 금동수월관음상도 있다. 2구의 지장보살상도 대단히 정교하고 아름답다.[51] 이 중에 복숭아 모양의 화염문 신광(身光)이 있는 한 구의 지장보살상을 살펴보자.〈그림 59〉 이 상은 전체 높이가 44.5cm이고 사문형으로 좌서상의 반가부좌 자세를 하고 있다. 전체적으로 단아한 모습이다. 둥근 얼굴에 큰 귀를

51 浙江 文物管理委員會 等, 『金華萬佛塔出土文物』, 文物出版社, 1958.

하고 있으며, 눈빛은 아래로 향하여 깊은 명상에 잠겨 있다. 목에는 보주 장식이 있는 둥근 목걸이를 하고 있다. 통견의 가사에 승기지와 군의를 다 갖추어 입고 있으며, 가사를 고정시키는 띠매듭 표현이 매우 깔끔하다. 오른손은 몸 앞으로 들어 올려 마치 보주와 같은 둥근 수인을 맺고 있으며, 왼손은 무릎 위에 올려놓았는데, 손에는 마니주를 들고 있다. 가사는 아래로 늘어져서 자연스럽게 좌대에 걸쳐져 있다. 좌대는 속요수미좌 형태이다. 밑 부분의 네 받침대는 승탁식(承托式)이다. 좌대의 밑 부분에는 피어나는 한 송이 연꽃을 나누어서 새겼다. 밑 부분의 받침대에는 "女弟子〇三爲四恩三有造地藏一身永充供養"라는 명문이 새겨져 있다.

또 다른 지장보살상도 그 조형과 형식에 있어서 앞의 보살상과 아주 유사하다. 전체 높이는 44cm이다. 좌대의 네 군데 받침대 부분에도 "府內女弟子吳二娘爲〇孫十二娘子造地藏"라는 명문이 있다.

금화만불탑은 밀인사탑(密印寺塔)이라 불리기도 하는데, 북송의 가우(嘉佑) 7년에 건립되었다. 원래의 절은 오대의 오월(吳越) 시기에 세워진 영복사(永福寺)였다. 탑의 기지궁(基地宮) 안에서 오대 시기의 불교 문물이 적지 않게 출토되었다. 위의 두 지장보살상도 바로 오대 시기에 만들어진 것이다.

소주(蘇州) 서광사탑(瑞光寺塔)의 탑심실(塔心室)에서 발견된 지장보살상은 소주시박물관(蘇州市博物館)에 소장되어 있다. 이 중에 한 구의 상은 높이가 17.4cm이고, 북송 시기의 것이다. 조형(造型)은 풍만하고 둥글며, 반가부좌의 자세를 하고 있다. 오른손은 마니주를 들고 있고, 왼손은 무릎을 감싸고 있다. 통견의 가사를 입고 있으며, 사다리 계단 형태에 사선으로 음선(陰線)을 더하여 무늬를 새겼다. 가사의 안쪽에 승기지가 드러나 있다. 좌대에서는 연꽃의 줄기가 보살상을 타고 올라가고 있다. 가사 역시 이 줄기를 따라 좌대의 위에서 아래까지 덮고 있는데, 줄기의 가운데 부분은 호문식(壺門式)의 공문(空紋)을 새겼다. 보살상은 펼쳐진 연화대 위에서 좌서상의 자세를 취하고 있다. 상의 두께가 대단히 얇으며, 아래 부분에는 각이 진 형태의 편호문(扁壺門) 하나가 바닥 받침대에 있다. 상의 기본 형태는 당(唐) 시기의 것과 크게 다르지 않으며, 좌대의 형식은 송대(宋代)의 특징이 가장 농후하게 드러난다.[52]

그림 60A · B
북경 고궁박물원
소장 고의조상

북경의 고궁박물원에 소장되어 있는 명(明) 정통(正統) 9년(1445)의 고의조상(高義造像)은 삭발한 사문형으로 평범한 승려의 모습이다. 직령교임식(直領交衽式) 포에 우견편단의 가사를 입고 있는데, 왼쪽 어깨 위에 가사를 고정시키는 둥근 고리장식이 있다. 오른손은 본래 석장을 잡고 있었으나 유실되었으며, 왼손은 보주를 들고 무릎 위에 올려놓았다. 속요형(束腰形)의 좌대에 결가부좌하고 있으며, 좌대 아래에는 작은 신수(神獸), 즉 제청(啼廳) 한 마리가 누워 있고, 좌대 뒤에는 조상기(造像記)가 새겨져 있다. 〈그림 60A · B〉

북경의 수도박물관(首都博物館)에는 명대의 금동지장보살상이 한 점 소장되어 있다. 〈그림 61〉 시대는 비교적 늦지만, 삭발한 사문형이다. 조합식(組合式)으로 주조되었으며, 크기가 대략 20cm이다. 지장보살이 중앙에 반가서상(半跏舒相)의 자세로 앉아 있고, 좌대 아래에는 신수 제청이 누워 있다. 앞쪽 양옆에 있는 협시들은 민장자와 도명일 것이다. 지장보살의 뒤에는 산석지수(山石枝樹)가 있다. 그 위쪽에는 7구의 작은 상이 있는데, 중앙에 있는 3구의 작은 불상을 중심으로 배열되어 있다. 삼세불과 4대보살이다. 금사자(金獅子) 혹은 제청을 타고 있거나 앉아 있는 지장보살과 민장자와 도명화상의 도상 구성은 만당(晩唐) 시기부터 오대(五代) 시기 이래로 이미 점진적으로 일정한 형식을 갖추고 있는데, 이 상에서와 같이 삼세불과 4대보살이 추가되어 있는 형식은 대단히 찾아보기 힘든 구성이다.

52 蘇州市 文物管理委員會 (等), 「蘇州瑞光寺塔發現一批五代 · 北宋文物」, 『文物』(第11期), 1991 ; 金申, 『佛教雕塑名品圖錄』, 北京 北京工藝美術出版社, 1995, 圖368.

보살형(菩薩形) 지장보살상

북경예술박물관(北京藝術博物館)에 소장되어 있는 명대(明代)의 동조(銅造) 지장보살상의 감실들 중 하나는 첨공형(尖拱形)이다. 〈그림 62〉 감실의 틀 위에는 "지장왕보살"이라고 새겨져 있으며, 감실 안에는 결가부좌한 보살상이 있다. 정수리에 비로고관(毗盧高冠)을 쓰고 있고, 가슴에는 영락장식이 있다. 가슴 앞에서 무외인을 짓고 왼손은 연화뢰(蓮花蕾)를 잡고 무릎 위에 올려 놓고 있다. 좌대 아래에는 앙복형(仰覆形)의 연꽃이 있고, 그 감실의 아래에 다시 앙복형의 연화대가 있다. 보살상의 자홍빛 구리색과 감실 바깥의 황색빛 구리색이 선명하게 대비되어 있다. 이 상은 밀종의 색채가 강하다.

그림 61_왼쪽
북경 수도박물관 소장 금동지장보살상

그림 62
북경 예술박물관 소장 지장보살 감실

2) 니조(泥造) · 목조(木造) · 석조상(石造像)

현존하는 니조 · 목조 · 석조의 지장보살상은 그 수량이 많지 않다. 서너 점 정도에 불과하다.

서안시(西安市)의 대안탑(大雁塔)은 대자은사탑(大慈恩寺塔) 부근에 있는데, 일찍이 많은 '선업니조상(善業泥造像)'이 출토되었다. '선업니조상'은 고승의 뼛가루를 진흙에 넣어 모구(模具)를 사용하여 불상을 만드는 것으로, 구워서 완성한다. 재질이 도제(陶制)이므로 와상(瓦像)이라 부르기도 한다. 이러한 종류의 불상 제작 과정은 오늘날 티베트에서 유행하는 토속 공예인 찰찰(擦擦 ; chacha)의 한 종류와 유사하다.

여기서 지장보살은 두 종류로 나타나고 있다. 첫 번째는 입상의 불상 형태로

그림 63
북경 고궁박물원 소장 선업니지장보살상

머리에 육계가 있으며, 통견의 가사를 입고 있다. 상의 크기는 겨우 6~7cm 사이다.

두 번째는 지장보살과 육도윤회도로 이루어진 것이다. 크기는 위의 상과 크게 다르지 않다. 지장보살은 반가부좌의 자세를 취하고 있고, 사문형이다.[53] 서안(西安)의 서쪽 근교에서 이러한 선업니가 출토되었는데, 초당(初唐), 성당(盛

53 大村西崖의 『支那美術史』(雕塑篇), 圖 834 · 835에서는 이것을 羅漢 도상으로 설명하고 있지만, 地藏六趣 도상이다.

唐) 시기의 것이다.[54] 북경의 고궁박물원에 소장되어 있는 선업니 지장보살상의 한쪽에는 위에서 아래까지 천(天), 인(人), 축생, 아귀, 지옥도가 차례로 표현되어 있다.〈그림 63〉

석조(石造) 지장보살상의 경우는 미국 뉴욕의 메트로폴리탄박물관에 소장되어 있는 것을 들 수 있다.〈그림 64〉 이 보살상은 사문 형상의 입상이다. 형상과 자태가 청년 승려의 모습이며, 양손으로 가슴 앞에서 복숭아 형태의 마니주를 들고 있다. 조형 예술에 있어서 마니주를 표현하는 방식은 여러 가지가 있다. 세밀한 것은 보주 바깥에 화염이 있는 것으로, 회화에서 비교적 많이 볼 수 있다. 조각에서도 역시 찾아볼 수 있다. 조금 더 간단한 것은 복숭아 형태에 보주 바깥에 화염이 표현된 것이 있다. 또한 둥근 구슬 형태도 있는데, 회화에서는 수정처럼 밝게 빛나는 투명한 형태로 그려진다. 석조 조각상에서는 대부분 둥근 구슬 형태로 표현되는데, 이 상의 것은 복숭아 형태이다.[55]

일본에 있는 석조지장보살상은〈그림 65〉 당대(唐代) 시기 입상 형태의 사문형 지장보살상으로 마니주를 들고 있다. 상의 높이는 32cm이다.

신강(新疆)의 고차(庫車) 지역에서는 일찍이 당대 시기의 목조 지장보살상이 하나 출토되었다. 일종의 단감상(檀龕像)의 한 부분이다. 이 목조 지장보살은 감실 중앙에 조각되어 있고, 감실 좌우에 문비가 있다. 이 상은 현재는 독일의 베를린박물관에 소장되어 있다. 높이는 11.2cm이다. 목감(木龕)의 형상은 대단히 치밀하며 상주형(象舟形)이다. 지장보살은 사문형이며, 반가부좌의 자세를 취하고 있다. 기본적인 특징은 당대에 만들어진 각종의 동·석조상 등과 큰 차이가 없지만, 다만 그 마무리가 현저하게 거칠다.

송대(宋代) 시기의 목조 지장보살 감실도 해외에 소장되어 있다.〈그림 66〉 감실의 몸통 부분은 닫거나 열 수도 있다. 상의 윗부분은 가옥의 천장 형태이며, 문비를 닫으면 몸체는 기둥 모양처럼 된다. 아랫부분은 속요수미좌의 형태이다. 전체적으로 하나의 주 감실과 2개의 보조 감실로 이루어져 있다. 감실 내부를

54 何漢南,「西安西郊清現出一批唐代造像」,『文物參考資料』(第6期), 1957, p.86. 고궁박물원 소장의 선업니 상과 앞의 책에 수록된 세부 도판의 상은 일치한다.

55 吳曉丁,『流傳海外的中國雕刻』, 天津人民美術出版社.

그림 64 ◀
뉴욕 메트로폴리탄박물관 소장 지장보살상

그림 65 ▲
일본 소재의 석조 지장보살상

그림 66
해외 소재의 북송 시기 목조지장보살 감실

두 층으로 나누어 조각하였다. 주존은 아래층에 있고, 위층에는 불상이 있다. 지장보살상의 크기는 감실에 있는 상 가운데 가장 크다. 머리에 풍모를 쓰고 있는데, 양 어깨까지 늘어져 있다. 직령교임식(直領交衽式) 포 위에 우견편단의 가사를 입고 있다. 가슴 앞의 오른손은 훼손되어 있고, 왼손은 마니주를 들고 있다. 결가부좌를 하고 앙련화 형태의 좌대에 앉아 있다. 좌대 아래는 역시 속요수미좌 형태이다. 좌대 옆에는 관모를 쓴 노인 한 명과 승려 한 명이 있다. 주존인 지장보살과 대응하고 있는 양쪽 옆의 감실 위도 역시 각각 상 · 하의 두 층으로 나누어 상을 조각하였다. 각 상은 모두 문관의 복식을 하고 있다. 그 위층에는 세 명이 있는데, 상반신만 조각되어 있으며 연꽃 좌대가 있다. 아래층에 있는 한 명은 신체가 비교적 왜소하다. 일반적으로 시왕과 판관은 동시에 나타나고 있으므로, 이 작은 상은 판관일 가능성이 대단히 높다. 이 감실과 상은 오직 나무로만 조각되어 있으며, 가까이 지니고 있을 수 있을 정도의 크기이다. 도법(刀法)은 약간 거칠지만 원숙한 조형미가 느껴진다.

3) 석조비상(石造碑像)

불교의 비상(碑像)은 중국의 전통적인 석비 조형(造型) 기법에 바탕하고 있다. 지장보살을 소재로 한 비상은 대단히 적어서 단지 몇 개만이 있을 뿐이다. 그러므로 지장보살상의 비는 매우 귀중한 유물이라 할 수 있다.

당(唐) 함형(咸亨) 원년(670)에 최선덕(崔善德)이 조성한 미륵불과 지장보살상의 비는 높이가 56cm이며, 석회질의 바위를 사용하였다.〈그림 67〉 금세기 초에 프랑스 파리에 소장되어 있었는데, 이후에는 소재를 알 수 없다. 이 비의 정면 쪽 머리 부분은 규원형(圭圓形)이다. 비의 정면 쪽에 미륵불의 상이 조각

그림 67
최선덕 조상비 비음(碑陰)

되어 있다. 지장보살과 육도윤회상의 위치는 비음부(碑陰部)에 위치하고 있다. 이 비음부는 중요한 부위로서, 규원형의 감을 여는 곳이다. 지장보살은 사문형이며, 반가부좌를 하고 있다. 머리 뒤에는 원형의 두광이 있으며, 몸 뒤에도 역시 원형의 신광이 있다. 지장보살은 둥근 얼굴에 평온한 표정을 짓고 있다. 두 손은 양쪽으로 펼치고 있는데, 오른손은 위로 올리고 왼손은 비교적 낮게 들고 있으며, 손바닥에는 마니주가 분명하게 드러나 있다. 가슴과 배 앞에는 승기지가 드러나 있다. 오른쪽 다리는 좌대 위에 올려 놓고, 왼쪽 다리는 자연스럽게 아래로 내려, 발밑의 한 송이 연꽃 형태의 승탁을 밟고 있다. 좌대는 앙련과 복련이 섞인 형태이며, 속요형이다. 가사의 끝자락이 좌대의 한쪽으로 흘러내려져 있다.

좌대 아래의 양쪽에는 무릎을 꿇고 있는 두 명의 승려가 있다.

비의 상단부 양쪽 측면에는 지장보살이 양손에 들고 있는 마니주에서 새어 나온 각각 세 줄기 구름 형태의 빛이 새겨져 있다. 지장보살의 머리 위에는 한 구의 소화불(小化佛)이 조각되어 있다. 이들 상은 모두 비의 윗부분을 얇게 파서 하나의 층을 만든 후에 조각한 것이다. 여기서 주의깊게 보아야 할 것은 육도윤회의 표현이다. 빛이 퍼져 나가는 끝부분은 구름처럼 뭉클뭉클 표현되어 있는데, 좌우의 위쪽 방향의 빛이 가장 크고, 빛 위에는 모두 각각 세 명의 인물이 있다. 왼쪽 윗부분의 빛에 있는 3인의 중간에 있는 인물은 천장(天將)인 듯하며, 무관의 복장을 하고, 손에는 병기를 잡고 있다. 그 양쪽에는 상체를 드러낸 건장한 인물과 관복을 입은 인물이 묘사되어 있다. 이들 3인은 당연히 천도(天道)를 표현하고 있다. 오른쪽 윗부분의 빛 위 3인은 모두 평상복인 교령포를 입고 있고, 소매를 초롱처럼 하여 양손을 가슴 앞에 두고 있다. 그 가운데, 왼쪽 두 명은 부부인 듯하며, 오른쪽의 노인과 담소를 나누고 있다. 이것은 바로 인도(人道)를 나타내는 것이다. 그 밑층의 빛 위의 인물은 교령의를 입고, 소매를 초롱처럼 하여 가슴 앞에 두고 있다. 얼굴은 원만하며, 머리 위에는 용관(龍冠)을 쓰고 있다. 천룡팔부(天龍八部)이다. 그 반대편 빛 위에는 정수리에 뿔이 2개 솟아 있는 인물이 있는데, 지옥도를 의미한다. 맨 아래층의 오른쪽 빛 위에 있는 인물은 웃통을 벗고 있으며 근육이 탄탄하고 머리에 뿔이 하나 있다. 축생도를 나타내는 것이다. 그 반대편 빛 위에 있는 형상은 벌거벗은 상태로 무릎을 꿇고 있는데, 머리가 사람 같지 않게 크다. 아귀도를 나타내는 것이다. 이들 육도의 형상은 세밀하고 정교하게 조각되어 있다. 비의 감실 아래쪽에는 아주 가는 선으로 사자 두 마리와 향로가 새겨져 있는데, 향로의 양쪽 옆에 명문이 있다. 판독이 가능한 것은 "제자남최선덕공양(弟子男崔善德供養)"과 "덕처(德妻) …… 공양(供養)"이다. 이 비의 측면에는 오대(五代) 후량(後梁) 정명(貞明) 2년에 중간된 제명(題銘)이 있다. 비음부의 조각기법이 뛰어나서, 어떤 학자는 이 비(碑)가 후대에 보수 조각된 것으로 보기도 한다. 조각은 부드럽고 생동감이 넘치는데, 당(唐) 고종(高宗) 함형(咸亨) 시기의 양식에 비하여 유연하다. 비음부의 글자 위치도 대단히 잘 잡혀 있다. 당 고종(高宗) 시기의 중요 지장보살상으로 분류할 수 있다.

당(唐) 수공(垂拱) 원년(685)의 기년명이 있는 한 석조 소상은 높이가 28.5cm이다. 지장보살의 신체는 보살과 같다. 머리에는 상투를 높게 올리고, 감실 가운데 반가부좌하고 있다. 지장보살 주위로는 육도를 상징하는 구름 형태의 빛이 감실의 처마까지 중첩되게 이어져 있다. 각진 좌대 앞에는 명문이 새겨져 있다. 이 상은 비록 크기가 작고 세밀한 부분이 명확하지 않지만, 초기의 지장보살상에 있어서 중요한 작품 가운데 하나이다.[56]

공의시(鞏義市) 대력산(大力山)석굴에는 오대(五代)에 조각된 십대명왕상의 비가 있다. 실제로는 비의 받침대를 둘로 나누어, 여기에다 각각 오대명왕의 상을 조각한 것이다. 이것은 현재 공의시 대력산석굴 문물보관소에 소장되어 있다. 첫 번째 받침대의 비 높이는 171cm이고, 두 번째 받침대의 비 높이는 173cm이다. 모두 평정장조형(平頂長條形)이다. 두 비는 모두 위에서 아래까지 5층의 감실로 전개되고 있다. 첫 번째 비의 바닥층은 옥형(屋形)의 감실이고, 두 번째 비의 바닥층은 원공형(圓拱形)이며, 그 위층의 감실은 모두 유장형(帷帳形)이다. 첫 번째 비는 아래부터 위까지 진광, 송제, 초강, 오관, 염라왕의 순서로 오대명왕이 새겨져 있고, 각 상은 모두 문관의 복식을 하고 있다. 머리에는 진현관을 쓰고, 원령포를 입고 있다. 모두 네 명씩의 호위 병사가 있고, 모든 왕

56 松原三郎, 『中國佛教雕刻史硏究』, 圖259.

의 몸 앞에는 문서 탁자가 있으며, 몸 뒤에는 부채를 든 사람이 있다. 진광왕의 몸은 상당 부분 마모되어 있고, 초강왕과 오관왕은 붓을 들고 있다. 송제왕은 손을 탁자에 올려 놓고, 염라왕은 양손에 홀판을 쥐고 있다. 이 상의 틀 옆에는 발원자와 명왕의 제명이 설치되어 있다. 나머지 네 감실의 제명은 마모되어 있다. 두 번째 비는 명왕과 발원자의 이름이 모두 보존되어 있다. 순서에 따라 위에서 아래로 배열되어 있다. 변성왕의 몸 뒤에 다섯 명의 권속이 있고, 두 명은 부채를 들고 있다. 오도전륜대장군은 투구와 갑옷으로 장식되어 있다. 손에는 붓을 들고 있다. 나머지 왕은 모두 문관의 복식을 하고 있다. 시종의 보고를 듣거나, 혹은 붓을 들어 판결을 내리는 모습이다. 전체 비에 조각된 상의 조형은 치졸하기는 하지만 생동감이 넘친다. 여기서 명왕의 제명과 성도부(成都府) 출신의 사문장천(沙門藏川)이 찬술한 『불설시왕경』에 나타나는 명왕의 이름은 서로 일치한다.

돈황 벽화와 회화에 나타나는 지장보살과 시왕의 상은 대략 오대(五代) 시기에 시작되었기에, 이들 비 역시 오대 시기의 것일 것이다. 지장보살과 시왕 신앙이 민간에 유포되어 깊이 뿌리 내리는 과정을 이해하는 데 도움을 준다.[57] 즉, 이들 비에 있는 상의 존재와 조각은 시왕지장 신앙이 사천과 돈황 지역에 멈추지 않고 전국적으로 전파되었음을 잘 보여준다.[58]

57 『中國石窟雕塑全集6 · 北方六省』, 重慶出版社, 2001, 圖39.

58 金申, 『中國紀年佛像圖典』, 圖260 〈唐咸亨元年崔善德造像碑〉.

3. 신강 · 돈황의 벽화와 불화

1) 고목토라(庫木吐喇) 석굴

고목토라 석굴은 신강의 천산(天山) 남쪽 산기슭과 탑리목분지(塔里木盆地)의 북쪽을 잇는 고차현(庫車縣)에 위치하고 있으며, 신강의 가장 중요한 석굴들 가운데 하나이다. 구자(龜玆) 등의 기타 석굴에서 함께 엿볼 수 있는 중요한 특징은 고목토라 석굴도 중원 한족(漢族)의 특징을 갖추고 있다는 것이다. 제75굴은 최근에 쌓인 모래를 정리하던 중에 발견된 새로운 동굴이다.[59] 이 굴은 지장보살과 육도윤회도를 그 주제와 내용으로 하는 벽화굴이다. 굴의 정면 벽에는 지장보살이 그려져 있고, 양쪽 벽에 천, 인, 아수라, 지옥, 축생, 아귀의 육도가 있다. 지장육도의 구성이 완전하게 잘 갖추어져 있다. 이 굴은 회골(回鶻) 시기의 동굴로, 대략 10세기 전후에 조성된 것으로 추정된다.(이곳의 동굴 형성 시기는 두 가지로 분류된다. 한족 시기의 동굴은 8세기 중엽에서 9세기 중엽까지이고, 회골 시기의 한풍 동굴은 위로는 9세기 후반부터 밑으로는 11세기를 그 하한으로 한다.)

제75호 굴을 자세히 살펴보자. 이 굴은 길게 구부러진 작은 정방형의 굴이다. 굴 내부의 벽화는 대부분 온전하게 보존되어 있다. 정면 벽에는 지장보살도가 그려져 있는데, 사문형이며 벽면의 3분의 2를 차지하고 있다. 결가부좌한 지장보살은 넓은 한식(漢式) 가사를 입고 있으며, 가사에는 많은 꽃잎으로 염색한 꽃무늬가 있다. 양손은 선정인처럼 모았으며, 손 안에는 마니주가 있다. 빛이 양쪽 옆 벽면의 화면 위를 채우고 있다. 좌우의 양쪽 벽에는 각각 3개조의 화면이 있는데, 육도윤회도의 배경을 표현하고 있다. 왼쪽 벽 위에 있는 도상은 4인의 공양보살이며, 모두 양손을 합장하고 무릎을 꿇고 있는 자세이다. 이것은 '천도' 를 나타낸다. 왼쪽 벽의 중간 부분에는 사람 몸에 소머리를 하고 있는 지옥의

59 馬世長,「庫木吐喇的漢風洞窟」,『龜玆佛教文化論集』(新疆 龜玆石窟研究所 編), 新疆 美術攝影出版社, 1993.

귀졸이 삼지창을 들고 방패를 흔들며 쇠솥을 끓이고 있다. 쇠솥 밑에는 화염이 거세게 일고 있고, 쇠솥 안에 4인의 머리가 있는데, 이것은 '지옥도'를 나타낸다. 왼쪽의 벽 아래에는 말과 낙타가 나타나 있다. '축생도'를 의미한다. 도상 옆의 방제에서 읽을 수 있는 것은 '…… 축생(畜生)' 등의 글자이다. 오른쪽 벽 위에 있는 도상은 수미산의 도경(圖景)인데, 산 옆에 해와 달이 있다. '아수라도'를 표현한 것이다. 오른쪽 벽 중간 부분에는 물러나 서 있는 4인의 세속 인물이 있는데, 두 명의 남자와 두 명의 여자이다. 모두 회골식(回鶻式)의 좁은 소매인 교령장포(交領長袍)를 입고 있다. 허리를 묶고 있으며, 양손은 앞쪽으로 모으고 있다. 이것은 '인도'를 나타낸 것이다. 오른쪽 벽 아래에는 피골이 상접한 붉은 신체의 남자가 큰 불 속에서 고통을 받고 있다. 이것은 '아귀도'를 의미하는 것이다. 지장보살의 밑에는 장편의 한문으로 쓴 묵서발문(墨書跋文)이 있다. 애석하게도 글자는 대부분 훼손되고 흐릿해져서 알아볼 수 있는 것이 많지 않다. 양쪽 벽의 아래에는 각각 공양인이 한 줄로 있으며, 그 앞에 비구와 비구니가 있다. 뒷면에도 남·녀 공양인이 서로 따르고 있다. 이 부분의 방제(榜題)에서 알 수 있는 것은, 한족 승려 '도수(道秀)'와 회골의 '골록(骨祿)'이라는 성씨의 제명(題名)이다. 회골 사람인 골록씨의 가족이 재물을 내어 동굴을 뚫어 조성했다는 것과 벽화가 완전히 한족의 특징을 가지고 있다는 것을 알 수 있다.

고목토라의 제79호 굴에는 지옥변상도가 있다. 이것은 상하의 두 층으로 나뉘어 있는데, 위층에는 귀왕과 압송되고 있는 죄인, 귀졸 등이 있는 장면이고, 아래층에는 죄인들이 지옥에서 죄에 따른 형벌을 받고 있는 장면이다. 이를 구체적으로 살펴보면 다음과 같다.

위층에는 아홉 명의 사람이 있고, 한쪽에 삼두육비(三頭六臂)의 귀왕(鬼王)이 있다. 이 귀왕은 몸에 신광이 있으며 긴 머리에 건장한 체구이다. 다리를 꼬고 높은 좌대 위에 앉아 있는데, 손에는 위가 커다란 몽둥이가 들려 있다. 장식 문양은 많이 도드라지게 표현되어 있다. 이 귀왕의 얼굴 앞쪽 아래에는 반라 상태의 초록색 몸에 표대(飄帶)를 하고 있는 소귀(小鬼) 하나가 무릎을 꿇고 있다. 손에는 여러 명을 묶은 줄을 들고 귀왕을 향해 무언가를 보고하고 있다. 소귀의 손에서 나온 포승줄은 네 명의 배와 목을 두르고 있다. 그중 한 명은 상반신이 드러나 있는데, 두광이 있으며, 양손이 뒤로 묶여 있다. 두 번째 인물은 둥근 목깃의 대금(對襟) 복장을 한 여인인데, 역시 두광이 있으며 양손이 뒤로 묶여 있고 무릎을 꿇고 있다. 세 번째 인물은 상반신을 벗고 있다. 네 번째 인물은 둥근 목깃의 대금 복장을 하고 있다. 이 인물들 뒤에 아직 포승줄에 묶이지 않은 채 무릎을 꿇고 있는 반라 상태의 인물이 있다. 그 뒤쪽에는 양의 머리에 사람의 몸을 한 귀졸이 있는데, 반라 상태로 무릎을 꿇고 있는 자의 머리와 팔을 잡고 있다.

아래층에는 아홉 명의 사람과 짐승 한 마리가 있다. 이것은 지옥의 광경이다. 화면 곳곳이 모두 불길에 타고 있는데, 지옥에서 거세게 타오르는 불길을 표현하고 있다. 여기서 주요 장면은 한 무리의 옥졸이 사람들에게 톱질을 하는 장면이다. 두 명의 옥졸이 양쪽 옆에 나뉘어 서 있고, 한가운데에 양손을 묶인 채로 서 있는 사람의 머리가 톱질되어 있다. 그 왼쪽에는 옥졸 한 명이 사람 하나를 붙잡고 있으며, 다시 그 옆에는 양손을 뒤로 묶인 여인이 있다. 그 오른쪽에는 순서대로, 오른손으로 활을 당기며 왼쪽 다리를 앞으로 내딛고 있는 사람, 상반신에 상처를 입고 왼쪽 다리를 벌리고 있는 사람, 한 마리 짐승을 좇아 몸을 낮추고 기어다니는 반라의 사람과 상반신이 이미 훼손된 상태로 서 있는 사람 등이 있다.[60]

여기에 등장하는 인물들의 모습과 동작 그리고 관습은 구자(龜玆) 현지의 특징이 담겨 있다. 이 가운데 일정 부분은 한족 지역과 고창(高昌) 지역의 지역적 특징이 반영되어 있다. 돈황에서 성행하던 동굴 벽화는 중당(中唐) 시기에 이르러 지옥변상으로 나타나기 시작했으며, 중・만당(晩唐) 시기 이후에는 고창 지역에서도 나타나고 있다. 고목토라 제79호 굴은 지옥변상의 내용이 복잡해지고 일정한 줄거리 구성을 지니고 있다. 다만 고창과 돈황의 표현은 일정한 연관을 가지고 있다. 중국에서 발현되어 역으로 서역에 영향을 미친 불교문화 회귀 현상 중의 하나이다.

---

60 梁志祥・丁明夷, 「新疆庫木吐喇新發現的幾處洞窟」, 『文物』(第5期), 1985, pp.1~6 ; 吳焯, 「庫木吐喇石窟壁畵的風格演變與古代龜玆的歷史興衰」, 『龜玆佛教文化論集』(新疆 龜玆石窟研究所 編), 新疆 美術攝影出版社, 1993.

고목토라의 제9호 굴에는 담으로 쌓은 길의 바깥 벽 가운데에 지장보살도가 있다. 이 벽화는 많이 손상되어 있다. 겨우 사문 형상이라는 것과 가사 위에 그려진 각종 형태만을 알아볼 수 있을 정도이다. 뱀의 형태, 연못, 육도 윤회 등이 표현되어 있다. 이 상은 지장보살상일 것으로 추측된다.[61] 다만 그 형태가 노사나법계(盧舍那法界)의 상과 너무도 유사하다. 이처럼 가사에 새겨지고 그려졌던 이전의 많은 도상들은 모두 노사나법계의 상이었다.

극자이(克孜爾) 석굴에서도 일찍이 하나의 지옥벽화 잔편들이 출토되었다. 횡으로 배치된 화면에는 거센 불길과 소머리의 옥졸과 혹형을 가하는 장면이 있다. 그 내용과 구성이 대단히 방대해서, 원래는 긴 띠 모양의 벽화였을 것으로 추정된다. 이것은 서장(西藏)의 고격(古格) 유적의 지옥도와 어느 정도 유사성이 있다.[62]

2) 고창(高昌) 지역

20세기 초에 독일인 그룬베델과 로코크를 대장으로 하는 발굴대가 신강(新疆) 지역에서 많은 연구와 발굴을 진행하였으며, 아울러 수많은 벽화들을 가지고 독일로 돌아갔다. 이러한 벽화들 중에 지옥도가 있다. 그룬베델과 로코크가 출판한 책에서 회화와 관계된 것은, 그룬베델의 『고창(高昌)』(Grunwedel Kultsattan)과 로코크의 『Chotscho 화주(火州)』와 『Spatantike』라는 책으로, 여기에 지장보살과 시왕 그리고 지옥 종류의 도상이 있다.

투르번에서 서쪽으로 3리쯤 떨어진 곳에서 무거운 색채의 견본 불화 한 점이 출토되었다. 여기에는 풍모를 쓴 지장보살이 표현되어 있다. 제작 연대는 오대(五代) 이전일 가능성이 높다. 이 불화는 일부만 남아 있지만, 지장보살의 기본 모습은 완전히 갖추고 있다. 머리 뒤에는 원형의 두광이 있고, 가슴 앞은 영

---

61 新疆 維族自治區 博物館, 『庫車庫木吐拉石窟』, 新疆 人民出版社.

62 『地中海一帶的佛教藝術4』(베를린, 1922~23), 圖9. 앞에서 인용한 石守謙 선생의 글에서는 圖8로 게재되어 있다.

락으로 장식되어 있다. 전상가사(田相袈裟)는 가슴 앞을 드러낸 교임식이고, 오른쪽 어깨는 실로 묶어 늘어뜨리고 있다. 오른손은 가슴 앞에서 마니주를 잡고 있는 듯이 보이고, 왼손은 범서(梵書)를 들고 있다. 머리는 비단 천을 연결해 모자처럼 하고 있는데, 귀 앞에서 양쪽 옆까지 늘어져 있다. 갸름한 얼굴과 존귀해 보이는 모습, 이완되어 있는 자세는 지장보살의 평범치 않은 존격을 표현해 내고 있다.[63]

이외에도 고창의 토욕구(吐峪溝)에서 출토된 지장보살도를 하나 들 수 있다. 이것도 훼손된 불화의 일부 조각이다. 지장보살 도상을 제외한 나머지 부분은 너무 적게 남아 있어서 지옥도인지 아니면 다른 구성인지 판단하기가 쉽지 않다. 이 화면 속의 지장보살 역시 서 있으며, 통견의 가사를 입고 있다. 왼손으로 석장을 어깨에 대고 있으며, 오른손은 높이 올려 마니주를 들고 있다. 다리 밑에는 개(혹은 사자) 한 마리가 있는데, 뒤쪽으로 달려가고 있다. 앞쪽은 아마 문의 휘장 부분인 듯하다.[64] 시대는 9세기 혹은 10세기로 추정된다.

고창에서 발견된 지본(紙本) 불화의 잔편은 시왕도 두루마리의 일부로 추정되는데, 회골문자가 있다. 〈그림 68〉[65] 화면 왼쪽에 세로로 쓰인 것이 회골문자이다. 중국식 복장을 하고 있는 세 명의 사람과 손에 피리를 든 사람이 표현되어 있다. 이 지본 불화가 제작된 시기는 대략 10세기일 것이다. 이밖에도 또 다른 불화 잔편이 투르번에서 서쪽으로 3리쯤 떨어진 곳에서 발견되었다. 중국식 복장을 하고 높은 관모를 쓴 인물을 볼 수 있는데, 앞에는 긴 탁자가 있고, 위에는 두루마리가 펼쳐져 있다. 이 인물은 시왕 가운데 한 명이며, 옆에는 명관의 신체 일부분이 보인다.

이외에도 고창에서 출토된 벽화로 그룬베델이 출간한 책에 목두구(木頭溝) 벽화인 지옥도가 있다.[66] 잔편 조각에서 볼 수 있는 것은, 심판하는 왕의 탁자와 징벌자가 있는 장면이다. 화면 앞에는 소머리를 한 귀신과 말의 얼굴을 한 귀신

63 Le Coq, Chotscho, 圖43a. 저자는 풍모를 쓴 지장보살의 모습을 분별하지 못하고 일반 승려의 모습으로 보고 있다. 松本榮一은 그의 논문에서 이 점을 지적하고 있다. 『敦煌畵研究』, p.390.

64 같은 책, 圖47.

65 Le Coq, 『Spatantike』II, 圖5 ; Le Coq, 『Chotscho』, 圖47b.

66 Grunwedel, 『Kultsattan 』, 圖629.

그림 68
고창 지본 시왕도의 잔편

이 있다. 소머리 귀신은 양손에 나체 상태의 부인 한 명을 들어 올려 가마솥에 넣으려 하고 있다. 말머리의 귀신은 몽둥이를 흔들어 불길 속에 던져서 가마솥의 열기를 높이고 있다. 끓는 물 한가운데에는 삶겨지고 있는 혼백들이 있다. 옆에는 웅크리고 고통스러워하는 이가 있고, 또한 죄를 지은 영혼을 나무판 위에 박는 못도 보인다. 화면 뒤쪽에는 한 줄로 늘어놓은 탁자가 2개 있다. 투르번의 석굴벽화인 베제클릭(伯孜克里克) 벽화에도 지옥도가 있다. 화면 윗부분에 오도윤회 부분이 있고,[67] 아랫부분 좌우에는 지옥에서 고통을 받는 이들의 모습이

67 Le Coq, Spatantike IV, 圖19. 윤회도상에 대해 松本榮一은 六道에서 天道가 없는 五道라고 보고 있지만 필자는 五道輪廻의 五道로 보는 것이 타당하다고 생각한다.

구체적으로 묘사되어 있다. 대단히 정교하고 세밀하다. 방제는 회골문자로 쓰여 있다.

3) 돈황의 석굴 벽화

돈황 석굴 안에는 대단히 많은 지장보살도가 있다. 이것은 석굴벽화뿐만 아니라 견본이나 마본(麻本)·지본 불화도 모두 포괄하는 것이다. 돈황의 지장보살도에 대해서는, 많은 학자들이 연구하여 적지 않은 성과를 남기고 있다. 본 글은 기본적으로 『돈황막고굴내용총록(敦煌莫高窟內容總錄)』에 의거하여, 성당, 중당, 만당, 조씨(曹氏) 통치 시기 및 북송의 초기 그리고 서하(西夏) 시기 등의 역사 발전 시기에 따라 돈황 석굴 벽화에 나타나는 지장보살에 대해 살펴보겠다.[68]

초당(初唐) 시기

제372호 굴은 동쪽 벽의 문 남쪽에 지장왕과 좌불이 한 구씩 그려져 있고, 문 북쪽에 약사불과 공양인 여인이 각각 한 명씩 그려져 있다.

성당(盛唐) 시기

제23호 굴은 서쪽 벽에 천장이 휘장 형태인 감실이 있고, 그 휘장을 따라 문 북쪽의 윗부분에 한 구의 지장보살이, 아랫부분에 2구의 보살이 그려져 있다.

제74호 굴은 동쪽 벽의 문 북쪽에 관음보살과 지장보살의 도상 일부분이 남아 있다. 서쪽 벽에 있는 감실 바깥의 남쪽에는 지장보살 도상이 있으나, 하반신이 훼손되어 있다.

제103호 굴은 담으로 된 길의 남쪽에 지장보살이 그려져 있다.

68 敦煌文物研究所, 『敦煌莫高窟內容總錄』; 松本榮一, 『敦煌畵研究』, 東京, 1937; 羅華慶, 「敦煌地藏圖像和 '地藏十王廳' 硏究」, 『敦煌研究』(第2期), 1992; 宿白, 「敦煌莫高窟密敎遺迹札記」, 『文物』(第9·10期), 1989.

제115호 굴은 동쪽 벽의 문 남쪽에 관음보살(훼손)과 지장불이 그려져 있고, 문 북쪽에 보살(훼손)과 지장불(혹은 관음보살이나 지장보살일 수도 있다)이 그려져 있다.

제116호 굴은 동쪽 벽의 문 북쪽에 지장보살이, 문 남쪽에 관음보살이 그려져 있다. 관음보살과 지장보살이 배치된 도상 구성을 살펴볼 수 있다.

제122호 굴은 동쪽 벽의 문 북쪽에 지장보살이, 남쪽에는 관음보살이 그려져 있다.

제166호 굴은 동쪽 벽의 문 남쪽에 관음보살과 지장보살이 그려져 있고, 문 북쪽에는 지장보살, 아미타불, 약사여래, 다보불 등 여러 불존이 그려져 있다. 서쪽 벽에 있는 감실 바깥의 남쪽에는 약사여래와 지장보살이 그려져 있다.

제176호 굴은 주실(主室)의 북쪽 벽에 지장보살이 있다. 또한 천불 가운데 약사불, 관음보살, 지장보살이 배치되어 있다.

제194호 굴은 동쪽 벽의 문 남쪽에 관음보살과 지장보살이 그려져 있다.

제205호 굴은 주실 남쪽 벽의 아미타불경변상 아래에 있는 천불 중에 약사불, 관음보살, 지장보살의 삼존 도상이 그려져 있다.

제444호 굴은 전실 서쪽 벽의 문 위에 지장보살과 약사여래가 그려져 있다.

제445호 굴은 동쪽 벽의 문 위에 지장보살이 그려져 있다.

중당(中唐) · 토번(吐蕃) 시기

제26호 굴은 남쪽 벽의 가운데 부분에 중당 시기에 그려진 지장보살, 관음보살, 세지보살 등이 있다. 서쪽 모서리에는 지장보살과 관음보살이 각각 있다.

제32호 굴은 남쪽 벽의 가운데 부분에 석가모니가 설법하는 장면이 있고, 그 동쪽에는 관음보살이, 서쪽에는 지장보살이 그려져 있는데, 이것은 청대(淸代)에 보수하며 다시 그린 것이다.

제33호 굴은 동쪽 벽의 문 남쪽에 중당 시기에 그려진 지장보살과 또 다른 보살이 있다.

제45호 굴은 서쪽 벽에 있는 감실의 바깥 북쪽에 중당 시기의 지장보살이 있고, 〈그림 69A〉 그 감실의 남쪽에는 관음보살이 그려져 있다. 이것 역시 관음보

그림 69A
돈황 제45굴 서쪽 벽 감실의 지장보살

살과 지장보살이 배치된 도상 구성이다. 동쪽 벽의 문 북쪽에도 중당 시기의 관음보살과 지장보살이 그려져 있다. 〈그림 69B〉

제115호 굴은 주실 남쪽 벽에 중당 시기에 그려진 지장보살 한 구와 보살 2구가 있다. 북쪽에는 천수관음변상이 있고, 서쪽에는 지장보살, 약사여래, 보살

그림 69B
돈황 제45굴 동쪽 벽문 북쪽의 관음·지장보살

등의 여섯 존격이 그려져 있다.

제126호 굴은 동쪽 벽의 문 북쪽에 관음보살과 지장보살이 각각 한 구씩 그려져 있다.

제148호 굴은 북쪽 벽에 있는, 천장이 휘장 형태인 감실의 북쪽에는 지장보살이 군도를 이루고 있다. 그 동서쪽으로는 약왕보살이 있고, 감실의 천장에는 환희장마니보승불(歡喜藏摩尼寶勝佛)이 그려져 있다. 이 굴은 이대빈(李大賓)이 당(唐)의 대력(大歷) 11년(776)에 조성하였다.

제153호 굴은 서쪽 벽에 있는 감실 내부의 북쪽에 병풍 두 짝이 그려져 있고, 그중 하나에 지장보살과 한 구의 보살이 그려져 있다.

제155호 굴은 서쪽 벽에 장형(帳形)의 감실이 있고, 그 감실 휘장문의 북쪽에 지장왕이 그려져 있다. 휘장문의 남쪽에는 약사불이 그려져 있다.

제176호 굴은 주실 남쪽 벽에 중당 시기에 그려진 일장보살(日藏菩薩), 월장보살(月藏菩薩), 지장보살이 있다. 동쪽 벽의 문 남쪽에는 지장보살과 보살 2구가 그려져 있다. 문 북쪽에는 중당 시기에 그려진 지장보살, 약사불, 다보불이 각각 한 구씩 있다.

제197호 굴은 남쪽 벽에 지장보살과 보살이 한 구씩 그려져 있다.

제199호 굴은 동쪽 벽의 문 남쪽에 중당 시기에 그려진 관음보살과 지장보살이 있다.

제201호 굴은 주실 남쪽 벽의 중앙에 무량수경변상도가 그려져 있고, 그 동쪽 끝에 관음보살이 그려져 있으며, 서쪽 끝에 지장보살이 그려져 있다. 북쪽 벽에는 무량수경변상도가 있는데, 양쪽 끝의 한쪽에 그려진 백묘관음(白描觀音)은 형체를 알아보기 어렵다. 나머지 한쪽에 지장보살 2구가 그려져 있는데, 한 구는 미완성 상태이다. 두 점의 무량수경변상도 양쪽의 도상 구성은 모두 관음보살과 지장보살이 배치되는 특징을 보여주고 있다.

그림 70
유림굴 제15호의 지장보살과 육도 윤회도

제255호 굴은 남쪽 감실을 따라 바깥의 동쪽에 관음보살이 그려져 있고, 서쪽에도 지장보살이 그려져 있다. 관음보살과 지장보살의 도상 구성을 보여준다.

제379호 굴은 동쪽 벽의 문 남쪽 가운데 중당 시기에 그려진 관세음보살과 지장보살이 한 구씩 있다.

제449호 굴은 서쪽 벽에 있는, 휘장 형태의 감실 남쪽에 지장보살이 있고, 옆과 위에는 여의륜관음보살, 금강저관음보살이 그려져 있다. 대칭되어 있는 장형(帳形)의 감실 북쪽에는 보○향로(寶○香爐)보살, 불공견삭관음보살과 양류지관음보살이 그려져 있다.

안서(安西) 유림굴(榆林窟) 제15호 굴의 전실 동쪽 벽에 있는, 문의 남쪽 윗부분에 지장보살이 육도윤회를 관장하는 장면이 그려져 있다.〈그림 70〉 지장보살은 서 있는 자세이며, 손에 들고 있는 마니주에서 여섯 줄기의 가는 빛이 새어

나오고 있다. 이 빛은 좌우 각각 3개로 퍼져 있으며, 끝에는 인도, 수라도, 아귀도, 지옥도 등의 육도가 표현되어 있다.

만당(晩唐) 시기

제75호 굴은 서쪽 벽에 있는 감실에 만당 시기에 그려진 입불(立佛)과 보살, 지장보살이 각각 한 구씩 있다.

제138호 굴은 주실 남쪽 벽의 변상도 아래에 불상, 지장보살, 제자상이 한 구씩 그려져 있다.

제177호 굴은 주실 남쪽 벽에 있는 감실의 내부 남쪽 벽 위에 수만(垂幔)과

그림 71
돈황 막고굴 제 196호

병풍 세 짝이 그려져 있는데, 여기에 지장보살과 미륵불과 보살이 각각 한 구씩 있다.

제195호 굴은 북쪽 벽에 있는 휘장 형태의 감실 내부 북쪽 벽 위에 수만과 병풍 두 짝이 그려져 있다. 여기에 지장보살이 있다.

제196호 굴은 동쪽 벽의 문 위에 관음보살, 금강저보살, 지장보살이 삼존을 이루고 있다.〈그림 71〉 지장보살은 손에 보주를 들고 있고, 네 줄기의 빛 위로 육도가 표현되어 있다.

제217호 굴은 복도의 록형(錄形)의 정상에 남북으로 나뉘어 그려진 지장보

살과 시왕이 있다. 시왕은 양쪽 휘장에 각각 다섯 명씩이 나누어 배치되어 있다.

조씨(曹氏) 통치 시기 : 오대(五代)

제6호 굴은 복도의 록형 정상 중앙에 지장보살과 육도윤회 그리고 시왕도가 있다. 옆에는 수월관음보살이 있다.

제124호 굴은 가운데 길의 록형 정상 중앙에 지장왕과 육도윤회도가 있다. 이 굴은 원래 성당(盛唐) 시기에 뚫었으며, 오대 시기에 중수되었다. 전실의 서쪽 벽 뒤에 후주(後周) 광순(廣順) 3년(953)의 중수발원문이 있다.

제225호 굴은 동쪽 벽의 문 남쪽에 오대에 그려진 관세음보살, 지장보살 그리고 보살이 있다.

제294호 굴은 전실의 문 위에 육도윤회도가 대칭적으로 그려져 있어서 독특하다.

제301호 굴은 전실의 서쪽 문 위에 오대 시기에 그려진 지장보살이 한 구씩 있는데, 상반신이 훼손되어 있다.

제305호 굴은 복도의 천장에 오대 시기에 그려진 지장시왕도가 있다.

제331호 굴은 전실 서쪽 벽의 문 위에 오대 시기에 그려진 지장왕과 육도윤회 그리고 수월관음이 있으나 이미 마모되어 있다.

제375호 굴은 복도의 록형 정상 중앙에 오대 시기에 그려진 지장시왕도가 있다.

제379호 굴은 복도의 천장 중앙에 오대 시기에 그려진 지장시왕도가 있다.

제384호 굴은 가운데 길 정상 중앙에 오대 시기에 그려진 지장시왕도가 있다.

제387호 굴은 전실 남쪽 벽에 오대 시기에 그려진 지장왕이 있다.

제390호 굴은 복도의 천장에 오대 시기에 그려진 지장시왕도가 있다. 또한 도명화상의 방제가 있다.

제392호 굴은 복도의 천장 중앙에 지장시왕도 일부가 그려져 있다.

조씨(曹氏) 통치 시기 : 북송 초기

제176호 굴은 복도의 록형 천장 중앙에 송대(宋代)에 그려진 지장보살과 육도윤회 그리고 시왕이 있다.

제202호 굴과 제380호 굴은 복도의 록형 천장 중앙에 송대에 그려진 지장시왕도가 있다.

제456호 굴은 동쪽 벽의 문 북쪽에 지장왕보살, 육도윤회와 시왕이 그려져 있다. 문 남쪽에는 팔비관음(八臂觀音), 위에는 집화관음(執花觀音)이 그려져 있다.

서하(西夏) 시기

제117호 굴은 주실 서쪽 벽에 있는 감실 바깥의 남쪽에 서하 시기에 그려진 지장보살이, 감실 바깥의 북쪽에는 관음보살이 그려져 있다. 역시 지장보살과 관음보살의 도상 구성을 보여준다.

제154호 굴은 주실 북쪽 벽의 경전 변상도 아래에 서하 시기에 그려진 지장보살이 있다.

제314호 굴은 전실 서쪽 벽 문 위에 서하 시기에 그려진 지장시왕도가 있다.

안서(安西) 유림굴(楡林窟) 제38호 뒤쪽의 복도 천장에는 오대(五代)에 그려진 지장시왕도가 있고, 앞 복도 천장에는 천불과 지장보살이 있다. 제35호 굴은 송대(宋代)의 지장시왕도가 있고, 제33호 굴에는 지장보살과 오도전륜 그리고 염라왕이 그려져 있다. 〈그림 72〉

그림 72
유림굴 제33호 지장보살도

이상으로, 돈황 막고굴에 그려진 지장보살상에서 알 수 있는 것은 관음보살과 지장보살이 같이 배치되는 도상 구성이 대단히 커다란 비중을 차지하고 있다는 것이다. 관음보살과 지장보살을 감실의 양쪽이나, 감실의 안과 밖에 각각 배치한 것이 그러한 예이다. 이외에도, 관음보살과 지장보살이 주존의 협시로 오는 경우도 적지 않다.

성당(盛唐) 시기에는 여섯 곳에서 관음보살과 지장보살의 도상 구성이 나타나고 있다. 여기서 눈에 띄는 것은 지장보살과 약사불의 배치이다. 이 시기에는 두 곳에 약사불과 관음보살 그리고 지장보살의 배치가 나타나고 있다.(제176호 · 205호 굴) 그리고 역시 두 곳에 약사불과 지장보살이 배치되고 있으며(제166호 · 444호 굴), 다시 한 곳에 지장보살, 약사불, 아미타불과 다보불 등의 배치가 나타나고 있다.

중당(中唐) 시기에는 아홉 곳에서 관음보살과 지장보살의 도상 구성이 나타나고 있다. 이외에도 지장보살이 천수관음경변상(千手觀音經變相) 옆에 있는 경우도 있다.(제115굴) 제449호 굴의 지장보살은 옆에 여의륜관음과 금강저관음이 있다. 장형(帳形) 감실의 대칭되는 한쪽에는 양류지관음, 불공견삭관음과 보○향로(寶○香爐)보살이 그려져 있다. 지장보살과 약사불의 도상 구성도 주목해야 한다. 제155호 굴에는 지장왕과 약사불이 대칭적으로 배치되어 있고, 제176호 굴은 약사불, 지장보살, 다보불로 구성되어 있으며, 제115호 굴은 천수관음경변상 옆에 약사불과 지장보살 등이 있다. 중당 시기에 있어서 주목되는 도상 구성은 일장보살과 월장보살 그리고 지장보살의 구성이다.(제176호 굴)

만당(晩唐) 시기에는 관음보살과 금강저보살, 지장보살의 도상 구성과 관음보살, 미륵불상 등의 도상 구성이 있다.

조씨(曹氏) 통치 시기(五代, 北宋)에는 지장보살과 시왕이라는 주제가 가장 부각되고 집중적으로 다루어졌다. 이 시기에 제작되어 남아 있는 것이 20여 개이다. 만약 유림굴의 것까지 포함한다면 30여 개에 달한다. 이 가운데 3개는 육도윤회를 포함하고 있다. 여기서 지장보살을 주제로 한 것은 3분의 2 이상이 해당된다. 관음보살과 지장보살의 도상 구성을 보이는 것은 앞 시기보다 많지 않다. 지장보살과 수월관음보살이 함께 나타나고,(제331호 굴) 또한 지장시왕과

팔비관음보살이 대칭적으로 배치되는 경우도 나타나고 있다.(제456호 굴)

서하 시기에 그려진 지장보살은 비교적 적어서, 3구 정도가 발견되고 있다. 관음보살과 지장보살, 지장보살과 시왕 등의 도상 구성을 보여주고 있다.

결론적으로, 돈황 막고굴 벽화(유림굴을 포함하여)에서 지장보살이 독존으로 그려진 경우는 그렇게 많지 않다. 성당 시기에서 서하 시기까지 약 20구이며, 또한 각 시기마다 부각되지도 않고 있다. 상대적으로 당대(唐代)에는 관음보살과 지장보살의 도상 구성이 상당히 부각되었다고 할 수 있는데, 약 60구에 달한다. 또한 약사불과 지장보살의 구성 역시 주목할 만한 가치가 있다. 조씨 통치 시기에는 지장보살과 시왕의 구성이 가장 많아서 벽화에 나타나는 지장시왕도가 모두 30개이다.[69] 오대 시기에도 7, 8개가 있어서 북송 초기보다 많다. 돈황 석굴 벽화에서 지장보살을 주제로 간략하게 당대와 그 이후인 오대와 송대를 나누어서 살펴보면, 당 시기에는 관음보살과 지장보살의 도상 구성이 가장 부각되어 있다. 독존의 지장보살 그리고 약사불과 지장보살의 도상 구성 역시 주목할 만한 가치가 있다. 오대와 송대에는 지장보살과 시왕이 절대적으로 중요하게 부각되어, 오대 시기에 이들 도상이 가장 많이 나타나고 서하 시기로 이어지고 있다.

4) 돈황의 견본(絹本) · 지본(紙本) 불화[70]

돈황의 지장보살상은 다양한 형식을 보이고 있다. 다만 용문석굴이나 빈현(彬縣)의 대불사 석굴에 나타나는 불교 장엄이나, 보살 형식의 지장보살상은 보

69 『敦煌莫高窟內容總錄』索引部分에는 15개의 예가 열거되어 있다. 그런데 여기서 第155 · 331 · 387窟의 지장보살 도상은 총목록에 모두 地藏王으로 기재되어 있다. 지장왕은 地藏이나 十王이 아니다. 단독으로 존숭되는 지장보살 도상은 종종 地藏王菩薩로도 불린다. 따라서 색인 부분의 통계에 오류가 있을 가능성이 있다. 제305굴의 지장보살 도상은 총목록에 地藏王으로 되어 있지만, 지장보살의 양쪽에 十王이 배치되어 있어서 地藏十王圖임에 틀림없다.

70 羅華慶, 「敦煌地藏十王廳」, 『敦煌研究』(第2期), 1993을 참조하여 기술하였다.

이지 않는다. 도상 형식에 있어서는 모두 사문형 지장보살을 기반으로 하여 변화를 주고 있다고 할 수 있다. 돈황 지장보살상의 도상과 그 변화에 대해서는 종래에 서로 다른 방면의 분석이 있어 왔다. 수인이나 지물에 따라 살펴보면, 어떤 지물도 들고 있지 않은 형태, 혹은 수인의 유형에 따른 형태, 혹은 정병이나 꽃을 들고 있는 유형에 따른 형태가 있는데, 가장 많은 것은 마니주를 들고 있는 유형이다. 석장과 마니주를 함께 지니고 있는 유형은 전형적인 것에 속한다. 복장의 특징에 따라 살펴보면, 비록 그 변화가 다양하기는 하지만, 머리에 풍모를 쓰고 있는지를 중요 기준으로 삼을 수 있다. 이른 시기의 지장보살은 대부분 삭발한 형상이다. 이후에 일종의 비단수건을 쓴 형태로 발전하였는데, 피모지장(被帽地藏)이라고도 불리운다. 자세를 살펴보면 서 있는 자세, 반가부좌의 자세, 결가부좌의 자세 등의 변화가 있다. 도상 구성에 따라 분석해 보면 지장보살과 관음보살의 구성, 지장보살과 육도윤회의 구성, 지장보살과 시왕의 구성, 지장보살과 육도와 시왕이 모두 함께 있는 구성이 있다. 화면의 구성 형식에 따라 또 변화가 있다. 경전의 변상도 형식이거나 혹은 하나의 화폭에 배치되어 있는 것 등이 그 예이다. 이하에서는 지장도상의 분류 특징에 따라 살펴보겠다.

(1) 수인을 맺고 있는 지장보살

입상에 삭발한 사문형이며 가사를 입었다. 대다수가 정면인데, 측면 혹은 몸을 약간 숙이고 있는 자세도 보인다. 양손은 무외인(無畏印)과 원인(願印)을 비롯해 내박인(內縛印), 보주앙장인(寶珠仰藏印) 그리고 안위인(安慰印)을 취하고 있다. 이러한 종류의 지장보살상으로 돈황 막고굴의 제26호, 제153호, 제201호에 중당(中唐 ; 吐蕃) 시기의 벽화가 있다. 견본(絹本) 불화로는 프랑스 파리에 소장되어 있는 목록 가운데 P106 · 109 · 110호가 해당되며, 기메미술관에 소장되어 있는 것은 MG1399호 · 2798호이고, 영국의 대영박물관에 소장되어 있는 W125호 등이다.[71] 〈그림 73〉

---

71 Pelliot Pamting, Bannieres dt Reintures de Touen-Houang, Paris, 1976 ; 기메미술관 소장 그림 『Du Musee Guimet』, Paris. 〈스타인 수집 돈황화 목록〉 ; Weley, 『A Catalogue of Painting recovered From Tun-Hang By Sir Aurel Stein』, 1931.

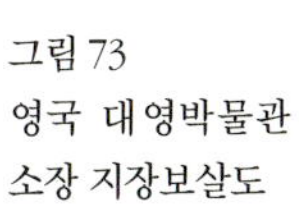

그림 73
영국 대영박물관
소장 지장보살도

그림 74
영국 대영박물관
소장의 정병을 든
지장보살도

(2) 정병(淨甁)이나 꽃을 든 지장보살

입상에 사문형이며 가사를 입었다. 정면과 측면의 여러 모습이 있다. 손에는 정병을 들고 있거나, 꽃을 들고 있다. 꽃을 지물로 들고 있는 것은 『지장보살의궤(地藏菩薩儀軌)』에 기재된 화상법(畵像法)에 따르는 것으로 보인다. 그러나 정병을 지물로 들고 있는 것은 화상법에 보이지 않는다. 정병은 초기 미륵보살의 지물이었고, 관음보살은 버드나무 가지나 정병을 그 전형적인 특징으로 하고 있다. 지장보살이 정병을 들고 있는 것은 대체로 관세음보살이 중생을 널리 구제하기 위해 감로수(甘露水)를 내리는 것과 비슷한 의미를 가질 것이다. 관음보살과 지장보살이 함께 협시관계로 배치된 많은 예가 이를 잘 보여주고 있다.

꽃을 든 지장보살은 돈황 막고굴 제74호 성당굴(盛唐窟), 제194호 성당굴 벽화의 관음보살과 지장보살의 배치에서 보인다. 그리고 정병을 든 지장보살은 대영박물관 W118, 442호〈그림 74〉 및 인도 국립박물관의 소장품에서 보인다. 주목할 것은 꽃을 든 지장보살은 벽화에서 나타나고, 정병을 든 지장보살은 견본불화에서 나타난다는 것이다.

(3) 마니주를 들고 있는 지장보살

입상에 삭발한 사문형이며 가사를 입었다. 정면이나 반 측면의 자세이다. 손에 마니주를 들고 있다. 혹은 한 손으로, 혹은 양손으로 들고 있다. 마니주는 화염무늬가 있는 것과 수정 형상의 보주로 구별된다. 마니주는 여의보주로 불리기도 한다. 마니는 본래 범어인 Mani의 음역이며, 구슬이나 보배로운 구슬을 의미한다. 일반적으로 전해지기를 마니주는 재앙을 피하거나, 병을 물리치며, 물을 맑게 하거나 물의 색을 바꾸는 효과가 있다고 한다. 범어 Cinta-mani의 음역은 진타마니(眞陀摩尼), 혹은 진다마니(振多摩尼) 등이고, 뜻은 여의보(如意寶), 여의주(如意珠), 혹은 마니보주(摩尼寶珠), 여의마니(如意摩尼), 무가보주(無價寶珠) 등이다. 일반적인 뜻은 무엇인가를 구하는 것이며, 이 구슬은 능히 그것을 모두 담고 있다. 그래서 여의보주라 부른다.[72] 『지장십륜경(地藏十輪經)』「서품

72 『佛光大辭典』, 佛光山出版社, 1989, p.6067.

(序品)」에서는 "대법회에 참가하는 대성문승(大聲聞僧), 대보살은 각자 스스로 보기를, 양 손바닥에 여의주를 지니고, 하나하나의 여의주로부터 여러 가지의 보배가 비 오듯 하고, 다시 하나하나의 여의주로부터 뭇 광명이 방출된다. …… 이 광명이 비춤으로써 온갖 병이 치유되어 제거되고, 모든 살해된 자 및 묶인 죄수들이 해탈을 얻으며, 모든 몸과 말과 뜻에 무겁게 오염된 업장들이 가벼워지고 청정하게 되고, 모든 굶주리고 목마른 자 또한 배부르게 되며, 모든 여러 가지 형벌로 고통을 받는 자도 걱정과 괴로움을 여의게 되고, 모든 의복이나 재물 등이 부족한 자들도 만족하게 된다. …… 모든 묘락(妙樂)이 그 가운데 충만하게 된다."라고 하고 있다.

『지장보살다라니경(地藏菩薩陀羅尼經)』에서 역시 이르기를, "또한 양손에 여의주가 있어 여의보를 비 내리듯 하고, 그 여의보로부터 광명이 방출됨을 모두 보았다. 이와 같은 광명 가운데 시방의 항하사(恒河沙) 세계의 일체 제불을 모두 보았다. 제불이 계신 곳에는 각각 보살들이 둘러싸고 있다. 그 광명 가운데 시방제불세계가 모두 보였다. 병이 있는 자가 광명이 몸에 닿으면 치유되어 병이 제거되고, 모든 묶인 자들과 죽어야 할 자가 광명이 몸에 닿으면 모두 해탈을 얻는다. 만약 굶주리고 목마른 자가 광명이 몸에 닿으면 또한 모두 배부르게 된다. 여러 가지 죄벌로 고통을 받는 자와 의복과 영락 등의 여러 가지 물건이 부족한 자가 광명이 몸에 닿으면 생각대로 모두 만족을 얻는다. 만약 살생, 투도, 사음, 망언, 기어, 양설, 악구, 비난의 악업을 지은 자가 광명이 몸에 닿으면 이와 같은 죄악이 모두 제거된다. 모든 중생에게 구불득고(求不得苦)가 있음에 광명이 몸에 닿으면 모두 즐거움을 얻으며, 광명이 청정하여 모든 장애가 없어진다."라고 한다. 이로부터 마니주의 한없는 공능을 알 수가 있다.

지장보살이 마니주를 지물로 들고 있는 예는 가장 많다. 막고굴의 제26 · 32 · 33 · 45 · 74 · 75 · 115 · 116 · 117 · 126 · 138 · 166 · 172 · 176 · 177 · 195 · 196 · 197 · 199 · 201 · 205 · 225 · 372 · 387 · 445호 등의 벽화에는 모두 있다. 이 가운데는 2폭 혹은 4폭이 있는 것도 있다. 제372호는 초당(初唐) 시기의 것이고, 제15 · 74 · 116 · 166 · 176 · 205호 굴은 성당(盛唐) 시기의 벽화

그림 75A
프랑스 루브르박물관 소장 지장보살도

그림 75B
프랑스 기메미술관 소장 지장보살도

이다. 제26・32・33・45・126・176・197・199・201・225호에는 중당(中唐) 시기의 것으로 보이는 지옥도가 있다. 제138・177・195・196호는 만당(晩唐) 시기의 것이다. 제387호는 조씨(曹氏 ; 五代) 시기에 그려진 것이고, 제117호는 서하 시기의 것이다. 분명한 것은 막고굴 벽화에서 마니주를 들고 있는 지장보살의 형상은 초당, 성당, 중당, 만당의 네 시기에 모두 보이며, 중당 시기에 가장 많다. 하지만 당 이후, 오대와 서하 시기에는 드물게 나타난다.

견본 불화는 펠리오(P. Pelliot)의 P.105・107・108・111・112・119호〈그림 75A・B〉와 대영박물관에 소장되어 있는 W.324호 등이 있다.

(4) 석장과 보주를 든 지장보살

사문 형상이다. 정면과 측면의 자세를 취하고 있다. 석장과 보주를 함께 들고 있는데, 일반적으로 오른손에 석장을, 왼손에 마니주를 들고 있다. 석장과 보주는 지장보살상에서 매우 중요한 의미를 가지고 있다. 후대에 지장보살의 전형적인 모습이 되기 때문이다. 지장보살의 손에 들린 석장은 지옥의 문을 여는 중요한 기능을 한다. 이처럼 두 가지의 지물을 든 지장보살은 대부분 벽화에서 발견되는데, 막고굴의 성당 시기 제23・122・444호 굴 벽화에서 볼 수 있다. 다만 장경동(藏經洞)의 지본(紙本) 회화 가운데 하나가 이러한 특징을 보여주고 있다. 즉, P.4518호이다.〈그림 76〉 지장보살은 오른발을 드러내고 연화대에 앉아 있다. 오른손에 석장을 잡고, 왼손에 수정 형상의 마니주를 들고 있다. 이마에 백호가 있고, 귀는 길게 어깨까지 늘어져 있다.[73] 가슴은 영락으로 장

그림 76
프랑스 P.4518호
지장보살도

식되어 있고, 두광과 신광이 있다. 제자(題字)의 위에는 "나무지장보살(南無地藏菩薩)"이, 아래에는 "청신불제자봉혜화장색장삼일심공양(淸信佛弟子逢鞋靴匠索章三一心供養)"이 쓰여 있다. 신발 장인인 하류층 대중이 만든 지장공양도(地藏供養圖)이다. 이들이 만들어 바친 또 다른 화폭 가운데 한 폭은 관음보살이고, 한 폭은 다보불이다.

(5) 풍모를 쓴 지장보살

풍모를 쓴 지장보살도상은 만당(晩唐) 이래로 크게 유행한 도상이다. 풍모란, 세찬 바람을 막기 위해 비단이나 천으로 두건을 만들어 머리에 두르는 것으로, 두건의 양끝이 어깨까지 내려오는 것이 특징이다. 이러한 지장보살 도상은 이미 연구되어 피모지장이라고 불린다. 지장보살이 풍모를 쓰고 있는 이유는 아직 명확하지 않다. 다만 현재까지 논의되고 있는 것은 돈황 유서 가운데 S.3092호 『도명화상환혼기(道明和尙還魂記)』와 관계가 있다는 것이다. 이 『도명화상환혼기』에서 말하기를, 양주(襄州)의 개원사(開元寺) 승려 도명이 명부를 돌아다니다 지장보살과 만나게 되었는데, "그의 눈은 푸른 연꽃과 같고, 얼굴은 둥근 달과 같았으며, 영락으로 장엄하였고, 보배 연꽃을 밟고 있었다. 석장의 금환(金環)을 울리며 운수행각을 하고 있었다. 지장보살이 도명에게 '나를 알겠는가?' 하고 묻자 도명은 알아보지 못하였다. 보살은 '잘 살펴보아라. 내가 바로 지장이다.' 라고 하였다. 그곳에서의 형용은 이곳과 같지 않았다. 어찌하여 이곳 염부제(閻浮提)에서는 지장보살이 손에 보주를 지니고 있으며, 풍모를 쓰지 않은 채 정수리를 드러내고, 화려한 영락 장식을 하고 있는가? 이를 전한 자의 잘못일 것이다."라고 하고 있다. 그러므로 이 시기에 이미 풍모를 쓴 지장보살의 형상이 있었을 가능성이 크다.

그림 77_오른쪽 영국 소장, 견본 피모지장도

풍모를 쓴 지장보살은 벽화와 견본 · 지본 불화에 많이 나타나고 있다. 지장보살의 주류적 모습으로 자리잡고 있다. 이 가운데 가장 중요한 것은 독존으로 그려진 경우이다. 〈그림 77〉 독존의 지장보살은 입상이나 반가부좌, 결가부좌의

73 P.4518號 지장보살도는 黃永武(編), 『敦煌寶藏』에 게재된 것으로 흑백사진이다. 풍모를 쓴 지장보살은 모두 두 귀를 드러내지 않는데, 여기에서는 귀가 어깨까지 늘어져 있고 매우 뚜렷하다.

자세로 있으며, 양손에는 대부분 석장과 보주를 들고 있다. 여기에 다시 도명화상과 금모사자 그리고 선악을 관장하는 두 동자가 그려지기도 하며 남녀 공양인이나 승려 앞에서 길을 인도하는 공양인이 그려져 있는 경우도 있다. 막고굴 제154호 굴은 서하 시기에 그려진 지장보살도가 있는데, 입상 형태이고, 그 옆에는 꽃을 든 여러 명의 보살이 있다. 견본 불화 중에 펠리오의 P.103, 대영박물관에 소장된 W4 · 119 · 412 등을 들 수 있다. 또한 육도윤회의 도상은 일반적으로 지장보살의 양옆으로 여섯 줄기의 가는 빛이 있고, 천, 인, 아수라, 축생, 아귀, 지옥의 형상이 나뉘어서 상징적으로 표현되어 있다. 이러한 종류의 도상은 막고굴 제331호 굴에 있는 조씨(曹氏) · 오대(五代) 시기의 지장시왕도에서도 볼 수 있다. 또한 견본 불화에서는 펠리오의 P.113, 대영박물관에 소장된 W19 등을 들 수 있다. 영국에 소장되어 있는 한 지장보살도는 발원문에 북송(北宋) 초기 건륭(建隆) 4년(963)이라는 제작 시기가 밝혀져 있다. 여기서는 두 명의 보문보살이 지장보살 아래에서 협시하고 있다. 돈황의 지장보살도에는 또한 P.4514호의 5와 같은 인본(印本) 등이 있고, 지장보살상의 인본 한 장이 있다. 그리고 P.4070호는 채색한 지장보살도이다. 견본 · 지본에도 여러 종류의 지장보살 도상이 있다.[74]

(6) 지장시왕도

지장시왕도는 돈황 벽화, 견본 · 지본류의 경전 변상도에서 볼 수 있는데, 남아 있는 수량이 상당히 많고 중요한 위치를 차지하고 있다. 지장보살과 명부시왕의 내용은 지장보살 도상에 있어서 가장 다양하고 풍부한 형식의 발전을 가져왔다. 지장시왕도 가운데는 맡은 소임에 따라 명부지옥을 관장하고 심판하는 십대명왕, 즉 진광, 초강, 송제, 오관, 염라, 변성, 태산, 평등, 도시, 오도전륜왕이 있다. 또한 판관(判官), 선악을 관장하는 장선(掌善)과 장악(掌惡)의 두 동자 그리고 도명화상과 금모사자(金毛獅子) 등이 있다. 또한 많은 지장시왕도가 육도윤회를 표현함으로써 확실히 복잡한 화면을 구성하게 되었다. 지장시왕도의 형

74 松本榮一, 『敦煌畵の硏究』, 上同.

식은 시왕이 심판하는 장면을 표현한 긴 두루마리 형식과 하나의 화폭에 표현한 것으로 나눌 수 있다. 긴 두루마리 형식은 경전변상도에서 나타나는데, 경문, 도상 모두 중요한 형태와 구성을 보이고 있다. 하나의 화폭에 표현한 것은 장경동(藏經洞)에서 나온 견본 불화와 벽화를 들 수 있다. 구도는 다시 두 종류로 나눌 수 있다. 첫 번째는 지장보살이 중간에 위치해 있고, 십대명왕이 양쪽으로 나누어 배치되어 있는 것이다. 두 번째는 지장보살이 약간 위쪽에 치우쳐 있고, 십대명왕 등이 지장보살의 아래쪽에 집중되어 있는 것이다. 이때의 십대명왕은 2개 조로 나뉘어 좌우에 다섯 명씩 지장보살의 아래에 배열되어 있다. 두루마리 형식의 경전변상도는 때론 한 폭의 지장시왕도를 이루기도 한다. 그 형식은 앞서 살펴본 지장보살이 위쪽의 중앙 부분에 있고, 시왕은 양쪽으로 나뉘어 화면 아랫부분에 배치되는 형식과 일치한다.

지장시왕도는 일부에서 위경(僞經)으로 의심하고 있는 『불설시왕경(佛說十王經)』에 의거한 것이다. 이것은 간단히는 『불설시왕(佛說十王)』이라 불리는데, 원래는 『염라왕수기(閻羅王授記)』에서 비롯되었다. 『염라왕수기』 가운데 이미 시왕의 심판이 있고, 다만 성도부(成都府) 대성자사(大聖慈寺)의 승려 장천(藏川)의 손에서 이 경문에 찬사(贊詞)와 변상이 더하여졌다. 변상의 장면에는 청중이 칠칠재(七七齋)를 미리 배우고, 망인과 자신의 복을 비는 장면, 또한 시왕의 전당에서 십악과 오역의 죄를 지은 영혼이 심판당하는 장면, 선남선녀가 경전을 안고 상을 받들고 지나가고 있는 장면 등이 있다. 의미 있는 것은 『불설시왕경』의 경본 가운데 지장보살과 염라왕이 함께 있는 것이 여러 차례 나타난다는 것이다. 돈황 이외의 지역에서 발견된 한 권의 고일경(古逸經)인 『불설지장보살경(佛說地藏菩薩經)』에서는 지장보살이 남쪽의 유리세계로부터 와서 염라왕이 행하는 지옥의 심판을 공정하고 합리적으로 하게 하며, 죄지은 영혼을 다스리는 어려움을 돕는다고 하고 있다. 이러한 내용은 지장보살과 염라가 나란히 앉아 심판하는 장면에 대한 근거를 제시해 준다. 『불설지장보살경』은 돈황 유서 가운데서도 필사본이 가장 많은 경전 중의 하나로서, 모두 30여 건에 이른다. 물론 이것들은 이 경전과 아주 부분적으로 관계가 있지만 오히려 이러한 현상은 이 경전이 얼마나 크게 유행했었는지를 설명하여 주고 있다.

그림 78
일본 구보총미술관 소장 동문원 발원의 시왕경도

뿐만 아니라 돈황에서 출토되어 지금은 일본에 소장되어 있는 『시왕경도(十王經圖)』〈그림 78〉[원래는 경도(京都)의 산중상회(山中商會)에 소장되어 있었으나 지금은 일본 구보총미술관(久保總美術館)에 소장되어 있음]는 권수(卷首)에 이 『불설지장보살경』을 사경하였다고 적고 있어, 『불설지장보살경』과 『불설시왕경』의 밀접한 관계를 증명하고 있다.

돈황 시왕도의 구도는 십대명왕과 판관이 화면의 양쪽 위에서 아래까지 배치되어 있고, 화면 중앙에 결가부좌 혹은 반가부좌한 지장보살이 손에 석장과 마니주를 들고 있다. 그 아래에 때로는 도명화상과 금모사자 그리고 선악을 관장하는 두 동자가 나타난다. 막고굴의 제305 · 375 · 379 · 384 · 390굴은 조씨(曹氏) · 오대 시기의 벽화이며, 제202굴은 조씨 · 북송 전기의 벽화이다. 제314굴은 서하 시기의 벽화이다. 견본 불화는 펠리오 P.114 · 117 · 118K와 대영박

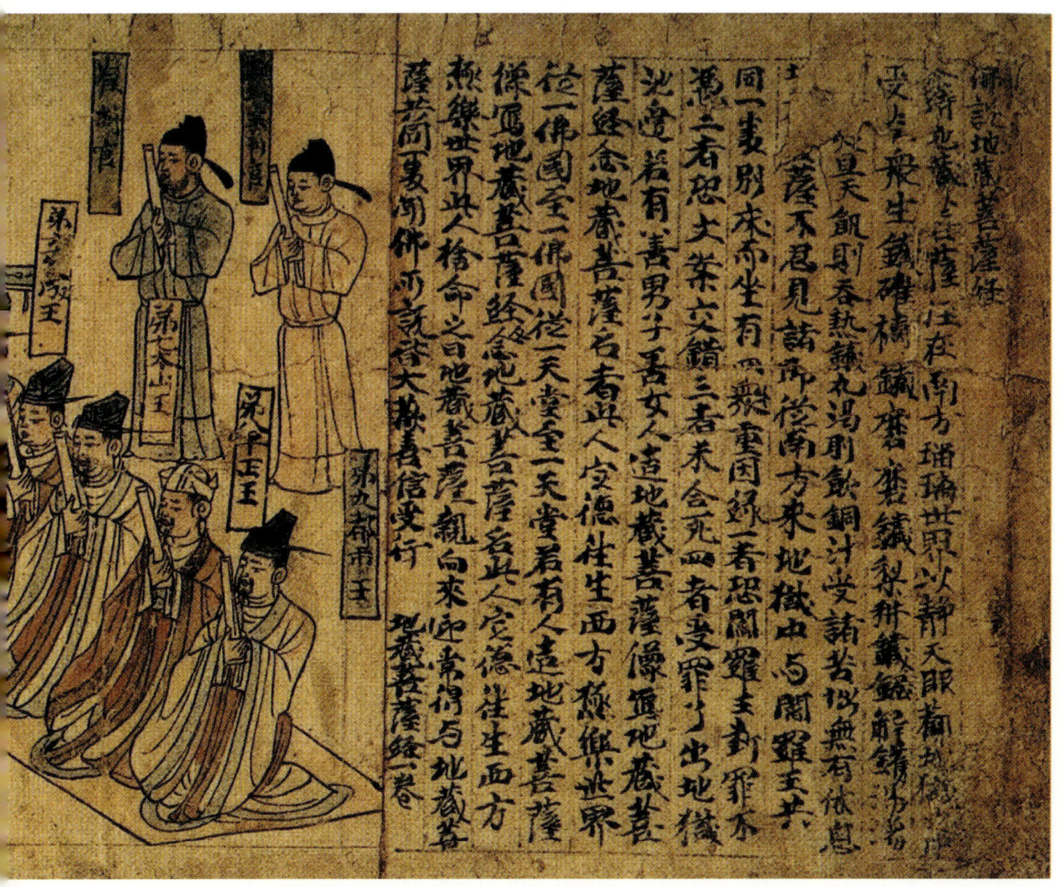

물관에 소장된 W9 · 361 · 552이다.

돈황 시왕도 가운데, 도명, 금모사자, 선악동자를 포함하여 십대명왕과 판관이 화면 아래에 있는 것도 있다. 막고굴 제6 · 392굴에 있는 벽화는 조씨(曹氏) · 오대 시기의 것이며, 제176 · 380 · 456굴의 벽화는 조씨 · 북송 전기의 것이다. 견본 불화는 펠리오 P.115 · 116 · 120과 대영박물관에 소장되어 있는 W23 · 367 · 473 등 몇 점이 있다.

지장시왕도는 두 가지의 기본적인 형태가 있다. 즉, 긴 두루마리 형태와 하나의 화폭에 그려지는 형태가 그것이다. 이외에도 하나의 화폭에 십대명왕 하나를 그리는 형태도 점차적으로 나타나고 있다. 그러나 이러한 종류의 형태는 돈황의 견본, 지본, 벽화의 범주 안에서 볼 수 있다. 이것은 일찍이 강서(江西) · 절강(浙江) 일대에 유행하였으며, 후에 일본에까지 전해지게 되어 적지 않은 작품들이 남아 있다. 중국의 각종 수륙화(水陸畵)에도 지장시왕 도상이 있다. 청대(淸代) 말엽부터 민국(民國) 초기까지의 민간회화에도 역시 이러한 종류의 지장시왕 도상이 있다. 결론적으로 말하면, 지장시왕의 도상은 그 내용이 풍부하며 지속적인 변화가 있어 왔다는 것이다. 단서가 되는 것들을 모두 모으고, 현재 남아 있는 작품들에 의거하여 말할 수 있는 것은 그 발단이 돈황화였으며, 종국에는 돈황화의 범주를 넘어섰다는 것이다.

다음 장에서는 석굴 조각상과 수륙화, 민간회화의 요소들을 종합적으로 살펴보겠다.

부(附) : 여기에서 돈황 회본(繪本)에서 나온 법장(法藏) P.2824호[75]를 살펴보자. 이것은 불교적 세계관인 '삼계구지도(三界九地圖)' 를 한 폭에 표현한 것으로, 당대(唐代)의 현장(玄奘)이 번역한 『아비달마구사론(阿毗達磨俱舍論)』에 의거한 것이다. 이 도상에서 지옥과 축생과 아귀는 서로 이웃하게 그려져서, 3악도가 하나의 정비된 체계로 나타나고 있는데, 전체적으로 지옥이 중심이 되고 있다. 지옥의 위치는 구산팔해(九山八海)의 아래에, 금륜(金輪)의 위에 배치되어 있다. 지옥의 형태는 하나의 큰 무전식(廡殿式) 건축물이다. 전각의 앞과 양쪽 옆에는 철문이 있고, 문에는 자물쇠가 걸려 있으며 옆으로 담장이 둘러져 있다. 한쪽 담장 앞에는 귀신 하나가 그려져 있는데, 위에 "귀취(鬼趣)"라는 방제가 있다. 이와 대칭되는 위치에는 노새 한 마리가 있고, 위에 "축취(畜趣)"라는 방제가 있다. 지옥 철문의 아래에는 무전식 천정이 하나 있고, 그 아래에서 양쪽에 배열된 그림과 이어져 있다. 각각 오방옥형(五房屋形)이 있는데, 이것은 대지옥문에 딸린 소지옥이다. 대지옥 위에는 13행의 방제가 있다. 판독이 가능한 것을 정리해 보면 다음과 같다.

一等活, 壽五百歲」二黑繩, 一千」三衆合, 二千劫」四號叫, 四千」五大號叫, 八千」六炎熱, 萬六千」七極炎熱, 半中劫」八無間, 一

[75] 胡同慶, 「P.2824 三界九地圖內容考證」, 『敦煌研究』, 1996年 4月號.

中劫

一砲, 二砲烈, 三蝎哲沾, 四啉啉凡, 五虎虎凡, 六青蓮花, 七紅蓮花, 八大紅蓮花.

『구사론』과 대조하여 살펴보면 더욱 분명해지는데, 위에 있는 한 단락의 글은 8대지옥(大地獄)과 지옥의 시간을 나타내는 것이다. 아래의 한 단락의 글은 팔한지옥(八寒地獄)을 표현하고 있다. 『구사론』의 권8 "등활지옥(等活地獄) …… 수오백(壽五百), …… 극열지옥수반중겁(極熱地獄壽半中劫), 무간지옥수일중겁(無間地獄壽一中劫)" 이라는 문장과 같다. 이 8대지옥의 명칭과 『본생경(本生經)』에 나타나는 명칭도 서로 일치한다. 또한 『구사론』 권11에서는 "다시 팔한지옥이 있는데, 그 8개는 무엇인가?[復有八座寒捺落迦其八者何] …… 오(五) 호호파(虎虎婆), 육(六) 올발라(嗢鉢羅), 칠(七) 발특마(鉢特摩), 팔(八) 마하발특마(摩訶鉢特摩). 여기에 있는 유정들은 극심한 추위가 몸을 핍박하여 목소리조차 변하기에 이러한 명칭이 생겨난 것이다[此中有情嚴寒所逼隨身聲變以立其名也]."라고 하고 있다. 이 팔한지옥은 원래 남전(南傳) 『경집(經集)』의 '10지옥' 에서 비롯되었다.

4. 수륙화(水陸畵) - 괘화(掛畵) · 벽화 · 판화

수륙화의 기원은 면연귀왕(面燃鬼王)의 시식법(施食法)에서 비롯되었다는 설과 양(梁) 무제(武帝)가 설행(設行)하였다는 수륙참의(水陸懺儀)에서 비롯되었다는 설, 두 가지가 있다. 일반적으로, 양 무제가 중국의 수륙도량을 창설하였다는 것에는 큰 이견이 없다. 수륙법회는 천지신귀(天地神鬼), 삼교구류(三教九流), 고혼아귀(孤魂餓鬼)에게 먹을 것을 베풀고, 일체의 죽은 영혼과 혼백을 제도하는 법회이다. 수륙법회는 경참의(經懺儀)에 있어서 가장 중요하고 규모 또한 가장 크다. 법회가 열릴 때, 의식용 회화는 중요 기능을 담당하였다. 족자 형태의 탱화나 수륙 전각의 벽화에, 천지귀신과 삼교구류, 일체의 죽은 혼백 등을 표현하여 이를 제도하였기 때문이다. 이 수륙화 도상의 내용 표현은 매우 광범위하고 다양하여 일반적인 예배용 불화의 범주를 넘어서고 있다. 수륙화에서는 대부분 지장보살과 십대명왕이 표현되고 있다. 보살의 화신인 명왕들도 표현되어 있는데, 이러한 것은 모두 지장신앙과 관계가 있다.

수륙재는 양무제로부터 기원이 되었다고 하지만, 수륙화 제작이 본격화된 시기는 기록으로 살펴보면, 만당(晩唐) 시기로 추정된다. 『익주명화록(益州名畵錄)』은 화가 장남본(張南本)이 당(唐) 희종(僖宗) 중화(中和) 연간(881~885)에 성도(成都) 보력사(寶歷寺)에서 수륙원(水陸院)을 건립할 때에 모두 120여 개의 영정을 그렸다고 하고 있다. 여기에는 또한 다음과 같은 내용이 있다.

> 천지신지(天地神祇), 삼관오제(三官五帝), 뇌공전모(雷公電母), 옥독신선(獄瀆神仙), 자고제왕(自古帝王), 촉중제묘(蜀中諸廟) …… 천괴만이(千怪萬異), 신귀룡수(神鬼龍獸), 망량이매(魍魎魑魅) 등과 그들을 혼합한 것들로, 당시에 그를 대수필(大手筆)이라고 칭하였다.[76]

76 『益州名畵記 · 張南本傳』, 人民美術出版社.

장남본이 수륙원에서 그린 것은 수륙화이다. 그가 그린 것이 삼라만상을 포괄하고 있는 것을 볼 때, 이미 오늘날에 볼 수 있는 수륙의 다양한 내용과 다르지 않음을 알 수 있다. 또한 120여 개의 영정의 수를 헤아려 본다면, 오늘날 전해지고 있는 명대(明代)의 완비된 수륙화와도 크게 다르지 않다. 삼교구류를 비롯한 모든 것을 받아들이는 수륙화의 체계가 이미 만당 시기에 구체화되었다는 것을 알 수가 있다.

도교 궁관(宮觀)의 벽화에서도 역시 이러한 것들이 점차 체계적인 도상으로 발전하였다. 오대(五代) 전촉(前蜀)을 연 자는 도문(道門)의 화가 장소경(張素卿)을 청하여 청성산(青城山)의 관진군전(觀眞君殿)에 오옥(五獄), 사독(四瀆), 십이계녀(十二溪女), 산림(山林)과 계곡, 수목의 제신(諸神) 및 옥독조리(獄瀆曹吏) 등을 그리게 하였다. 장소경은 또한 간주(簡州) 개원사(開元寺)에서 용성자(容成子), 동중서(董仲舒) 등 십이선군(十二仙君)의 상을 그렸으며, 또한 당시에 점을 치는 모습, 약을 파는 모습, 책을 늘어놓고 손님을 끄는 모습 등을 묘사하였다.

결론적으로, 만물은 영(靈)을 가지고 있다는 중국인의 종교적 관념이 수륙계통의 회화에 반영되어 나타난 것이다. 불교의 성인, 도교의 신선, 선현, 성인과 산악, 수목, 하천, 계류, 성상(星像) 등이 모두 열을 이루고, 결국은 하나로 집대성되어 도량법회에 사용된 것이 수륙화라고 할 수 있다. 당(唐)과 오대(五代)를 지나 송(宋)으로 전해지면서 수륙화는 더욱 성행하게 되어, 수륙도량의 수륙전(水陸殿)뿐만 아니라 일반 사찰과 사당의 건물에 불화나 벽화로 제작되었다. 근세에 이르기까지 산서(山西) 지역의 사찰들 중에는 수륙전이 적지 않게 남아 있었다. 그러나 천진현(天鎭縣) 자운사(慈雲寺), 우옥(右玉) 보령사(寶寧寺), 번치(繁峙) 암산사(巖山寺), 하곡(河曲) 해조암(海潮庵), 공동(洪洞) 광승사(廣勝寺), 영제(永濟) 만고사(萬固寺) 가운데 우옥 보령사를 제외하고는 항일 시기에 모두 훼손되었다.

이 장에서는 수륙화를 주제로 한 괘화와 벽화 그리고 판화에 나타나는 지장보살과 시왕, 지옥 전관과 명왕 등에 대해 살펴보겠다.

1) 괘화(掛畵)

수륙재가 설행될 때에 사묘에 걸어 놓는 수륙재 괘화는 두루마리 형식의 불화로 대부분이 견본(絹本)이다. 이때에 괘화를 거는 것은 중요 의식의 하나였으며, 일반적으로 7일간 연속적으로 사용되었다. 송대(宋代) 이래로 수륙도량은 황실과 민간에서 발원하여 전국적으로 유행하였는데, 특히 전란 이후에 더욱 성행하였다. 잔존하는 수륙화로는 우옥(右玉) 보령사(寶寧寺) 외에도 적지 않은 수륙화들이 전국에 산재해 있다. 진중(晋中), 진남(晋南), 섬서성(陝西省) 북쪽 낙천현(洛川縣) 등의 지역에서 찾아볼 수 있으며 청해성(青海省) 구담사(瞿曇寺) 등에도 역시 귀중한 수륙화가 남아 있다.

또한 각 지역 박물관에도 수륙화가 소장되어 있다. 특히 산서성박물관에 소장되어 있는 보령사 수륙화[77]가 유명하며, 산서성 예성박물관(芮城博物館)에는 20여 폭의 수륙화가 소장되어 있다. 섬서성 낙천현박물관(洛川縣博物館)에도 수륙화가 있다.

보령사 수륙화는 가장 진귀하고 완비된 수륙화이다. 이 수륙화에는 지장보살과 지옥 시왕의 도상이 있으며, 지장보살이 4대보살의 하나로 나타나고 있다. 곧 문수, 관음, 보현, 지장보살이 각각 대보살의 상수(上首)로 표현되고 있다.

그림 79
보령사 수륙화의 지장보살

대보살로 표현된 지장보살의 장엄은 매우 화려하고 세밀하다.〈그림 79〉 화면 위쪽에는 화려한 이층 보개가 있는데, 번괘(幡掛)와 채대(彩帶)가 걸려 있고 화염문의 마니주가 장식되어 있다. 원형의 마니주를 둘러싸고 있는 불꽃은 마니주의 신력을 나타내는 것이다. 마니주의 또 다른 형태로는 원구형(圓球形)의 수정 마니주가 있다. 이러한 두 종류의 보주는 돈황의 벽화나 견본 불화에서 볼 수 있다. 그런데 조각과 소

77 山西省博物館(編), 『寶寧寺明代水陸畵』, 文物出版社, 1985.

조에서는 투명한 수정과 불꽃무늬를 표현하기가 쉽지 않기 때문에 단순히 원구형으로 나타내는 경우가 많다. 중국의 불탑 등을 비롯해 건축물의 천장에는 불꽃무늬 형태의 마니주가 장식되어 있는 경우가 많다. 이것은 고대 건축물이 화재에 약하였기 때문에 이를 피하기 위한 것으로 '수주(水珠)' 혹은 '수연(水烟)' 이라고 불렀다.

지장보살은 상서로운 구름을 배경으로 화려한 대좌 위에 결가부좌하고 있으며, 몸에는 두광과 신광이 있다. 머리에 쓰고 있는 오불관(五佛冠) 위에는 5개의 마니화주가 걸려 있다. 머리를 묶어 뒤로 넘겼으며 크고 둥근 귀고리를 하였다. 얼굴은 원만하고, 명상에 잠겨 있다. 가슴은 화려한 영락으로 장식하였으며, 영락의 양쪽에는 띠가 매듭지어져 걸려 있다. 오른손은 가슴 앞에서 육환석장(六環錫杖)을 들고 있는데, 석장의 윗부분은 보옥과 화주로 장식되어 있다. 왼손은 투명한 수정 마니주를 들고 있다. 우견편단을 하고 있으며, 두 겹의 붉은 가사에는 화려한 원문(圓紋)이 수놓아져 있다. 내의는 띠매듭이 드러나 있다. 속요(束腰) 형태의 화려하고 정교하게 장식되어 있는 수미보대(須彌寶臺) 위에는 청련화 대좌가 있으며, 가사 자락의 일부가 이 청련화 대좌 사이로 늘어져 있다. 속요 부분 주위 난간에는 다섯 명의 작은 동자들이 있어서 매우 독특하다. 수미보대의 아래에는 금모사자, 즉 신수(神獸)인 제청(諦聽)이 갈기털을 솟구쳐 위협적인 모습을 하고 있다. 전체적으로 색채가 밝고 화려하다.

수륙화의 부처와 보살상 뒤에는 각 부문별로 존격에 따라 모두 방제가 표시되어 있다. 그 순서에서, 오른쪽의 서른여섯 번째 도상이 지장보살과 진광대왕, 초강대왕, 송제대왕, 오관대왕이다.〈그림 80A · B〉 화면 구성상, 지장보살과 네 명의 시왕 그리고 여섯 명의 시왕으로 나뉘어 있다. 먼저, 지장보살과 네 명의 시왕을 살펴보자. 지장보살은 화면 앞에 위치하고 있는데, 후덕한 귀부인의 용모이다. 머리 뒤에는 원륜(圓輪)의 두광이 있다. 오불관을 쓰고 있으며, 오불관 위쪽의 정중앙에는 입상의 화불이 있다. 오불관의 양 옆에는 날개가 있으며, 늘어진 장식과 깃대가 걸려 있다. 보살의 상호는 원만하고 안온하다. 목과 가슴에는 두 줄의 구슬장식이 있는데, 하나는 수정구슬과 홍색의 돌로 장식된 것이고, 다른 하나는 영락장식이다. 이들 장식 양쪽으로는 띠가 매듭져 있다. 귀에는 귀

그림 80A
보령사 수륙화의 지장보살과 시왕 등

그림 80B
보령사 수륙화의 진광왕 부분

고리를 하고 있으며, 팔목에는 팔찌를 차고 있다. 양손은 자연스럽게 가슴 앞에 놓았는데, 오른손은 들어서, 모지(拇指)와 중지(中指)로 아주 작고 투명한 마니주 하나를 잡고 있다. 의복은 앞서 살펴본, 4대보살의 지장보살 천의와 같고, 다만 입상이라는 차이점이 있다. 양쪽 발은 2개의 연꽃송이를 밟고 있다. 제청이 갈기를 세우고 지장보살의 왼쪽 발 옆에서 호위하고 있다. 또한 지장보살의 왼쪽에는 한 승려가 큰 소매의 교령승복을 입고 있다. 오른손은 발우를 들고 있고 왼손은 정교한 형태의 구환석장을 들고 있다. 구환석장의 앞부분에는 역시 마니주가 있다. 평온한 모습의 이 승려는 도명화상일 것이다. 지장화상의 오른쪽에는 한 노인이 시립해 있다. 머리에 높은 관을 썼고, 얼굴에는 긴 수염이 있다. 두 손은 가슴 앞에서 맞잡아 읍을 하고 있다. 이 노인은 민장자의 모습이다.

지장보살의 몸 뒤에는 진광, 초강, 송제, 오관의 사대명왕이 있다. 이 네 왕은 명확하게 방제로 구분되어 있지 않다. 모두 화려하고 귀한 제왕의 조복을 입고 있으며, 손은 가슴 앞에서 홀판을 들고 있다. 그 가운데 한 왕은 치켜올라간 눈썹에 불꽃을 토할 듯한 눈을 가진 분노한 형상이다. 또 다른 한 왕은 백면서생(白面書生) 같은 모습으로 세 가닥의 긴 수염을 하고 있다. 지장보살의 바로 뒤쪽에 있는 한 왕은 마치 살아 있는 듯하다. 얼굴은 검은색이며, 눈썹은 살짝 좁혀져 있고, 눈빛은 깊은 명상에 잠겨 있다. 얼굴 가득 긴 수염이 있고, 표정은 엄숙하며 힘이 넘친다.

이 수륙화에서 오른쪽의 서른일곱 번째가 염라대왕, 변성대왕, 태산대왕, 평정대왕, 도시대왕, 전륜성왕이며, 바로 시왕의 여섯 왕이다. 육왕은 대략 염라와 변성, 태산과 평등대왕, 도시와 전륜대왕으로 나뉘어 짝을 이루고 있다. 다만 화면에는 세분된 방제가 없다. 육왕도 역시 화려하고 존귀한 조복을 입고 있다. 우두머리는 당연히 염라대왕이다. 관 위에는 면류가 있고, 면류 위에는 아래로 늘어진 속대가 어깨까지 내려져 있다. 복식의 특징은 나머지 다섯 왕과 비교할 때 더 고귀함이 나타나 있고, 그 모습과 자세 또한 뛰어나다. 홀판을 들고 있으며 매우 엄숙하다. 뒤의 다섯 왕 가운데 한 명은 검은 얼굴에 눈썹을 치켜세우고 있으며, 나머지 왕들은 표정이 평온하다. 어떤 왕은 세 가닥의 수염을, 어떤 왕은 다섯 가닥의 수염을 하고 있고, 형상은 마치 문관의 모습과 같다. 전체 화면 구도로 보면, 명왕들이 똑바로 서 있어서 매우 단조롭지만, 이들이 입고 있는 조복의 화려함이 또 다른 생동감을 느끼게 한다. 조복 위에는 용무늬, 봉황무늬, 구름무늬 등의 문양이 장식되어 있으며, 땅까지 늘어진 비단 끈은 물결치듯 부드럽게 흘러내리고 있다. 명왕의 존엄이 마치 살아 있는 듯하다.

이 수륙화에서 오른쪽의 서른여덟 번째에 "지부육조사사판관지부도사관(地府六曹四司判官地府都司官)" 이라는 방제가 있으며, 이들 역시 지옥의 관리들이다. 화면은 상하 두 부분으로 나뉘어 있다. 화면 앞쪽에는 여섯 명이 조복을 입고 있는데, 고관의 모습에 홀판을 들고 있는 이가 우두머리로 홍색의 조복을 입고 있다. 나머지는 분색(粉色), 난색(蘭色), 청색 등을 입고 있다. 모습과 표정은 각자 다르나 모두 얼굴에 긴 수염이 있다. 이 도상은 육조(六曹)의 형상이다. 구름 형태의 빛 위에는 네 명이 관복을 입고 있는데, 검은색이 많다. 역시 손에는 홀판을 들고 있다. 이들 네 명의 뒤에 두 명이 또 있다. 손에 긴 종이 두루마리를 안고 있으며 머리에 작은 관을 쓰고 있고, 분색의 교령장포를 입고 있다. 이 두 명은 생사여탈권을 가진 판관이고, 앞의 네 명은 사사(四司)이다.

이 수륙화에서 오른쪽의 서른아홉 번째에 "지부오도장군등중(地府五道將軍

等衆)"이라는 방제가 있다. 이 화면 가운데에 한 장군이 투구와 갑옷을 입고 있다. 전형적인 대장군의 형상이다. 그 옆에는 부장 한 명이 있으며, 뒤쪽에 세 명의 병졸이 있다. 이 대장군이 바로 지옥의 오도대장군이다. 실재하는 초기의 『시왕경』에서 말하는 최후의 일왕이 바로 '오도전륜대장군' 이고, 『시왕경』의 두루마리에 그려진 것과 같은 모습이다. 실제로 공의(鞏義) 대력산(大力山) 석굴에 보존되어 있는 십대명왕의 조상비(造像碑) 가운데 최후의 일왕이 바로 무장한 모습을 하고 있다. 지옥 시왕 도상과 수륙화 사이의 교류와 변천 과정에서 전륜대왕과 오도장군은 그 고유한 모습을 잃고 새로운 모습으로 나타나게 된 것이다. 전륜왕은 마치 문관과 같은 모습으로, 오도대장군은 위태천과 같은 호법무장의 모습으로 나타나고 있다. 오도대장군은 양손을 맞잡아 가슴 앞에서 읍을 하고 있고, 허리에는 화살통이 달려 있다. 대단히 위엄 있는 무장의 모습이다. 그 곁에는 부장이 손에 큰 도끼를 들고 있는데, 마치 우두머리의 병기를 연상시킨다. 장군의 뒤에는 세 명의 병사가 각각 호각, 칼, 깃발을 들고 있다. 비가 올 듯한 먹구름 위쪽에는 두 명의 귀졸이 있다.

이 수륙화에서 오른쪽의 마흔 번째 방제는 "선악이부우두아방제관중(善惡二部牛頭阿傍諸官衆)"이다. 화면에는 모두 일곱 명의 인물이 있다. 앞쪽에는 투구와 갑옷을 입은 장수가 양손을 감싸고 서 있다. 앞쪽의 가운데 부분에는 두 명의 여인이 있는데, 얼굴이 갸름하고 하얗다. 양쪽 귀 밑으로 새 모양으로 머리를 땋아 내렸고, 구슬 목걸이를 하고 있다. 또한 모두 교령대삼(交領大衫)을 입고 있고, 치마를 두르고 있다. 양손으로는 가슴에 큰 종이 두루마리를 안고 있다. 비교적 초기의 『시왕경』 변상도에서는, 두 명의 동자가 나오며 선악자(善惡子)라고 기록하고 있는데, '장선(掌善) 동자' 와 '장악(掌惡) 동자' 혹은 '선장(善掌) 동자' 와 '악장(惡掌) 동자' 라고 하기도 한다. 수륙화에서도 선 · 악 이부(二部)가 표현되는데, 여기서는 이들 두 여인이 이에 해당된다. 두 여인의 뒤에는 한 명의 장사가 있는데, 구레나룻이 무성하고, 양손은 늑대 이빨이 있는 방망이 하나를 들고 있다. 뒤쪽의 세 명 가운데 한 명은 짐승의 얼굴을 하고 있으며, 연건(軟巾)에 관모를 쓰고 있고, 긴 소매의 원령대삼(圓領大衫)을 입고 있다. 양손은 큰 종이 두루마리를 안고 있다.

이 수륙화에서 제일 끝에 있는 자는 검은 옷을 입은 하급관리이다. 삼지창을 들고 있는 소머리 형상을 한 옥졸은 소위 우두아방(牛頭阿傍)이다. 아방이 바로 옥졸이다. 어떤 연유로 아방이라 칭하게 되었을까? 초기의 불전(佛典)에 있어서, 지옥과 관계있는 불전 가운데 '지옥'의 음역이 '니리(泥犁)', 옥졸의 범어에 의거한 음역이 '방(旁)'이다. '니리방(泥犁旁)'이 바로 지옥의 옥졸이다. 그러므로 아방이 바로 우두마면(牛頭馬面)의 옥졸이 된 것이다.

수륙화는 또한 일련의 지옥 장면을 그리고 있다. 그 가운데 오른쪽 마흔한 번째 방제는 "팔한팔열제지옥고혼중(八寒八熱諸地獄孤魂衆)"이다. 이 장면은 대단히 참혹하다. 화면은 산과 돌, 나무로 경계를 만들어 두 부분으로 나뉘고 있다. 앞쪽이 팔열(八熱)지옥이고, 뒤쪽이 팔한(八寒)지옥이다. 팔열지옥 아래에는 사나운 불길이 거세게 타오르고 있고, 여러 명의 아방, 즉 옥졸이 바위 위에 흉신악살(凶神惡煞)과 함께 있다. 한 옥졸은 한 영혼을 들어 불 쪽으로 끌고 있고, 한 옥졸은 갈고리가 있는 창으로 몸을 구부리고 있는 영혼을 사납게 찌르고 있으며, 한 옥졸은 불꽃이 작열하는 거울을 들고 있다. 수많은 영혼이 불 가운데서 고통으로 부르짖으며 길길이 날뛰며 통곡하는 모습들이 그려져 있다. 화면의 고목나무 가지 뒤에는 팔한지옥이 있다. 많은 영혼이 차가움에 떨며, 위축되어 몸을 웅크리고 있으며, 끝없이 얼려지는 한파의 고통에 시달리고 있다. 전체적으로 화면 분위기가 대단히 음울하며, 한 조각 구름과 안개가 쓸쓸함과 참담함을 더욱 불러일으킨다. 오른쪽의 마흔두 번째 방제는 "근변고독지옥옥도장탑등중(近邊孤獨地獄屋倒墻塌等衆)"이다. 화면 앞쪽에는 한 사람이 무너진 집과 담장 아래에서 피를 토하고 있다. 여러 사람이 와서 구하였으나 일어나지 못하고 있다. 부녀자가 이 광경을 슬프게 울면서 보고 있고, 한쪽에서는 어린아이가 무너진 담장에서 오히려 장난을 치고 있다. 돌발적으로 일어난 사고의 상황이 너무도 사실적으로 묘사되어 있다. 화면에는 음울하게 흐르는 구름과 안개로 가득하고, 구름과 안개 사이에는 한 남자와 두 여자의 영혼이 앞을 향해 나아가고 있다. 필시 무너진 담장에 깔려 죽은 영혼일 것이다. 이 장면 뒤에는 성곽 주위를 둘러싼 연못이 하나 있고, 성문(城門)이 드러나 있으며, 성 위에는 날카로운 칼끝이 매달려 있다. 제방 위에는 형구를 차고 기둥에 쇠사슬로 묶인 혼이 있고,

소머리의 옥졸이 기둥 주변에 앉아 감시하고 있다. 이것은 당연히 근방지옥(近旁地獄)의 고혼(孤魂) 등의 모습이다.

수륙화 중에는 직접 지옥을 묘사한 것을 제외하고도, 몇 개의 주목할 만한 가치가 있는 것이 있다. 바로 아귀도, 고혼과 육도사생, 일체유정을 그 내용으로 담고 있는 것들이다. 오른쪽의 마흔세 번째 방제인 "기교대사면연귀왕중(起教大師面然鬼王衆)" 장면이 이에 해당된다. 화면 위쪽에는 기교대사(起教大師), 즉 불제자 아난이 승복을 입고, 주문을 염송하고 있다. 몸에 둥근 원광이 있으며 손에는 영저법기(鈴杵法器)를 들고 있다. 뒤에는 두 동자가 깃발을 들고 있다. 아래쪽이 면연귀왕(面然鬼王)으로, 아주 마른 모습에 골격은 크다. 비단 띠로 이어진 치마를 입고 있다. 불꽃을 입에서 토해내면서 앞으로 가고 있으며, 옆에는 두 소귀가 팔을 부축하고 있다. 주변에는 귀신이 둘이 있는데, 그중 하나가 들고 있는 발우 안에서는 불꽃이 일렁이고 있다. 아래쪽에도 역시 아주 작은 소귀가 둘이 있다. 이들 장면은 시식(施食)의 연원과 관계가 있다. 『구면연아귀경(救面然餓鬼經)』에 의하면, 석가여래의 제자 아난이 어느 날 꿈에 한 아귀를 만났다. 그 몰골이 너무도 마르고 수척하며, '얼굴이 불타고 있으며[面上火燃]', 목은 가는 침(針)과 같았다. 머리는 헝클어지고 몸의 털은 길며 손톱은 날카로운 모습이었다. 아귀가 곧 면연귀왕으로, 그 이름은 당연히 '면상화연(面上火燃)'에서 비롯되었다. 면연이 아난에게 말하기를, "삼일 후에 너의 목숨이 다하여 아귀에 떨어질 것이다."라고 하자 아난이 이에 두려움을 느끼고 부처에게 나아가 아뢰니, 부처가 경주(經呪)를 주고, 아난에게 시식의 방법을 가르쳐 주었다. 아귀를 제도하고 구원하였기 때문에 이것이 곧 시식의 연원이며, 또한 수륙도량의 기원이라는 설이다.

오른쪽 쉰두 번째 방제는, "대복취모침인거구기화치연귀혼중(大腹臭毛針咽巨口飢火熾然鬼魂衆)"이다. 여기서 묘사된 아귀 장면과 경전에서 밝히고 있는 아귀도는 서로 부합하고 있다. 화면에는 거대한 수목들과 빽빽한 삼림 그리고 황량한 초원의 대지가 펼쳐져 있고, 큰 배와 긴 털의 피골이 상접한 귀신들이 초원 위를 이리저리 달리거나 혹은 넘어져 엎드려 있거나 혹은 나무에 비스듬히 기대어 있다. 보령사 수륙화 가운데 '고혼(孤魂)'이라고 알려져 있는 것이 있는데, 방제는 없지만, '시식도(施食圖)' 혹은 '수륙도량도(水陸道場圖)' 이다. 화면의 중앙에는 거대한 면연귀왕이 그려져 있고, 그 몸 주위에는 불꽃이 치성하게 타오르고 있다. 귀왕의 얼굴 앞에는 공양물이 산처럼 쌓여 있고, 공양물 옆에는 다섯 명의 작은 세속인이 있다. 마치 시식장면을 관찰하고 심각하게 의논하고 있는 것처럼 보인다. 면연귀왕의 양쪽 옆의 길 위에는 먼 곳으로부터 달려와 공양물을 받고 있는 아귀들이 있다. 공양물 탁자 주위에도 대단히 많은 아귀가 있는데, 먹을 것을 앞에 두고 다투는 모습이다. 이 중에는 만족스럽게 먹은 후에, 불룩하게 나온 배를 드러내고 땅에 앉아 꼼짝도 하지 않는 아귀도 있는데, 표현력이 뛰어나다. 면연의 원광 가운데에는, 연꽃좌대에 앉아 있는 보살상이 있다.

이 폭의 도상이 실제적으로 표현하고 있는 것은 아난의 시식 혹은 수륙도량의 제도 장면이며, "기교대사면연귀왕중도(起教大師面然鬼王衆圖)"와 "대복취모침인거구기화치연귀혼중(大腹臭毛針咽巨口飢火熾然鬼魂衆)"과 하나의 짝을 이루고 있다. 그러므로 이 3폭의 도상들은 그 내재적인 관계가 깊다고 할 수 있다.

오른쪽의 쉰아홉 번째 방제는 "육도사생일체유정정혼중(六道四生一切有情精魂衆)"으로, 많은 동물들이 그려져 있다. 여기서 '육도'는 육도윤회를 뜻하며, '사생(四生)'은 '태(胎)·난(卵)·습(濕)·화(化)' 네 종류의 출생 형태를 의미한다. 화면 위쪽에는 운무(雲霧) 속에 목단화를 정수리에 올리고 있는 목단화 여인의 모습이 있는데, 마치 꽃의 여신처럼 보인다. 이 폭의 주제와 내용으로 살펴보면, 목단화 여인이 일체의 유정을 대표하는 것으로 보인다. 여인의 뒤에는 구름과 안개가 서려 있는 마을이 있고, 그 마을에는 긴 털을 가진 귀신이 있다. 화면 앞쪽의 주요 도상들은 태생과 난생의 동물들을 표현하고 있다. 호랑이, 양, 말, 코끼리, 사자, 곰과 선학, 공작, 꿩과 닭 등과 같은 것으로, 동물들은 비록 작위적인 영령이지만, 대단히 생동감 있게 그려져 있다.

수륙화의 취지가 일체의 망혼을 제도하는 것이므로, 그 내용은 삼교구류(三教九流)를 포괄하고 있으며, 여러 측면에 있어서 직·간접적으로 당시의 사회생활 모습을 조명하고 있다. 어떤 장면은 지옥도와 아귀도를 묘사하고 있고, 어떤 장면은 일체 유정물을 그리고 있으며, 또 어떤 장면은 각양각색의 인물 등을 묘사하고 있다. 각 장면의 방제에서 알 수 있는 것은 이러한 것들이 망혼을 제도하는 역할을 하고 있다는 것이며, 하나하나 장면들은 이것과 부합되게 표현되어 있다는 것이다. 전체 장면은 '두 종류' 로 구분할 수 있는데, 하나는 사회 계층의 차이에서 오는 구별이고, 다른 하나는 죽은 후의 구체적 상황에서 오는 망혼의 종류 구분이다. 특히 두 번째의 것은 고대 사회의 생활상을 핵심적으로 묘사하고 있어서 주목된다. 각 장면에 나타나는 사후세계의 망혼에 대한 묘사는 실제적으로 또 다른 활동적인 사회상을 조명하고 모방하고 있는 것으로, 우리가 고대 사회의 사회 생활상을 이해하는 창구가 된다. 동시에 다른 각도에서 본다면, 이러한 것들은 불교에 있어서 지장보살의 범주와 사상의 광대함과 깊은 자비심을 설명해 주고 있다. 이 세계뿐만 아니라 사후의 의지할 곳 없는 '고혼', '망령' 들도 함께 제도하고자 하는 숭고함을 느낄 수 있는 것이다. 이러한 종류의 고혼, 망령의 제도가 얼마나 실현되었는지의 여부는 알 수 없다고 해도, 지장보살의 자비와 고뇌를 알 수 있는 사상적 단초는 수륙화에서 찾아볼 수 있다. 결론적으로 말한다면, 지장보살과 지옥에 대한 수륙화의 표현은 신앙과 미술이 담을 수 있는 총체적인 의미를 모두 담고 있다고 할 수 있다.

첫 번째 종류인, 서로 다른 사회 계급이나 계층, 집단을 표현하고 있는 방제의 내용은 다음과 같다.

"왕고제왕일체태자왕자등중(往古帝王一切太子王子等衆)"

"왕고비후궁빈채녀등중(往古妃後宮嬪采女等衆)"

"왕고문무관료재보등중(往古文武官僚宰輔等衆)"

"왕고위국망구일체장사중(往古爲國亡軀一切將士衆)"

"왕고비구중(往古比丘衆)"

"왕고비구니여관우바새우바이제사등중(往古比丘尼女冠優婆塞優婆夷諸士等衆)"

"왕고도사승하소단미명중(往古道士升霞燒丹未明衆)"

"왕고유류현사단청찬문중(往古儒流賢士丹青撰文衆)"

"왕고삼정구열현부열녀고혼중(往古三貞九烈賢婦烈女孤魂衆)"

"왕고구류백가제사예술중(往古九流百家諸士藝術衆)"

"왕고고전비노기리처자고혼중(往古雇典婢奴棄離妻子孤魂衆)"

모두 12폭으로 이루어져 있다. 이것은 황제, 왕자와 왕손, 비빈과 채녀, 문관과 무장, 비구, 비구니, 남녀 거사와 신자, 유류(儒流), 도사, 효자, 정절 높은 부녀 등을 포괄하고 있다. 즉, 유 · 불 · 도 삼교를 두루 포괄하고 있다. 또한 구류(九流) 가운데 사 · 농 · 공 · 상의 인물, 의료인과 복술인, 무대에서 연극을 하고 잡기를 보이는 인물들 등, 각종의 도구와 기구를 사용하는 신분의 인물들을 모두 포함하고 있다. 또한 사고 파는 노비, 버려진 처자 등과 같은 최하층의 가장 비참한 인물들도 포괄하고 있다. 각 계층의 인물들이 세밀하고 정교하게 그려져 있다.

두 번째 종류인, 여러 형태의 죽음과 위난의 장면을 표현하고 있는 천앙인화(天災人禍)의 방제 내용은 다음과 같다.

"…… 옥도장붕등중(…… 屋倒墻崩等衆)"

"기황표아병질전금자형자액중(飢荒殍餓病疾纏綿自刑自縊衆)"

"의초부목수절애최침구병환중(依草附木樹折崖摧針灸病患衆)"

"왕람무고함원보굴일체고혼중(枉濫無辜銜寃報屈一切孤魂衆)"

"부형도시유사폐뢰귀혼중(赴刑都市幽死狴牢鬼魂衆)"

"병과도적제고혼중(兵戈盜賊諸孤魂衆)"

"화분옥우진상잔중(火焚屋宇陣傷殘衆)"

"구원보한수교충상고혼중(仇寃報恨獸咬蟲傷孤魂衆)"

"타태산망엄한대서고혼중(墮胎産亡嚴寒大暑孤魂衆)"

"오사침의횡사중(誤死針醫横死衆)"

"신조도로객사타향수표탕래중(身殂道路客死他鄕水漂蕩來衆)"

그리고 최후의 한 폭은 "일체무사신녀산락영관족횡망혼제귀중(一切巫師神

女散樂伶官族橫亡魂諸鬼衆)"으로, 사망과 재난의 정황이 구체적으로 그려져 있지 않지만, 횡사 장면이 있다. 이 장면은 매우 희귀하며, 독특한 생동감을 가지고 있다.

"병과도적제고혼중"은 병사들에게 약탈당하는, 봉건사회 한 가족의 모습을 구체적으로 표현하고 있다. 몸에 갑옷을 입고 건장한 말을 탄 정예의 병사들이 바로 살인을 하고 재물을 약탈하는 것이 도적의 무리와 무엇이 다르겠는가! 한 집의 주인을 살해하고, 주부와 재물을 강탈하였으며, 어린아이는 땅에 기어다니고 있다. 앞쪽에는 땅에 앉아 지휘를 하고 있는 우두머리와 말을 끄는 졸병의 태연한 모습과 일가의 파괴된 참상이 생생하게 대비되어 있다. 화면의 위쪽에는 참화를 입은 두 부부의 망령이 표현되어 있어서, 분위기를 더욱 참담하고 무겁게 하고 있다.

"기황표아병질전금자형자액중"의 장면은 고대 사회의 대중들이 겪는 고난들을 다방면에서 반영하여 보여주고 있다. 피골이 상접한 사람이 병에 걸려 숫돌 가는 듯한 소리를 내며 간신히 숨을 쉬고 있고, 어떤 사람은 나무 아래서 목매어 죽어 있고, 어떤 사람은 칼을 들어 스스로 목을 자르고 있고, 또한 어떤 사람은 고통과 오히려 싸우고 있으나, 스스로 극복할 수가 없다.

이를 묘사한 필법(筆法)을 살펴보자. 급거적전필법(急遽的戰筆法)으로는 굶주린 백성의 옷과 고목의 가지를, 대부벽준법(大斧劈皴法)으로는 산수 배경을, 또한 홍탁법(烘托法)으로는 비참하고 쓸쓸한 분위기를 표현해 내고 있다. 이외에도 사형을 집행하는 장면이나 타향에서 객사한 모습, 도로에서 죽은 모습, 전쟁에서 패해 망명하는 모습, 맹렬한 불길에 갇혀 재난을 당하고 있는 모습 등이 표현되어 있다. 고대 사회에 있어서 일반 백성들의 위중한 고난을 사실적으로 잘 반영하고 있다.

"왕람무고함원보굴일체고혼중"에서는 작가의 무한한 상상력이 발휘되고 있다. 화면에서는 원통하게 죽은 망혼들이 마침내 자기의 두개골을 손에 들고 탐관오리를 향해 나아가 그를 내려치며 목숨을 요구하고 있다. 무리를 지은 혼귀들은 억울하게 죽은 자들이 대부분임을 말없이 보여주고 있다. 탐관오리는 공포와 두려움으로 떨고 있고, 억울한 혼귀들의 분노와 통한을 잘 묘사해내고 있으니, 그림에서 보여주는 형상과 분위기, 구도는 매우 성공적이라고 할 수 있다.

보령사의 수륙화 가운데에는 또한 명왕상이 있다. 모두 열 명이 2개의 조로 나뉘어 큰 위엄과 덕을 표시하고 있다. 방제에 의하면, 왼쪽에서 첫 번째가 '대위덕염만덕가(大威德焰曼德迦)' 이며, 이무기와 뱀 위에 다리를 뻗고 편안하게 앉아 있다. 왼쪽에서 두 번째는 '무능승명왕(無能勝明王)' 으로 정수리에 보주가 있고, 신령스런 동물인 제청의 몸 위에 앉아 있는데, 한 다리는 연꽃을 밟고 있다. 왼쪽에서 세 번째는 '마수명왕(馬首明王)' 으로 소의 등에 앉아 있는데, 머리 위 정수리는 말 머리가 아니며 부처의 머리이다. 왼쪽의 네 번째는 '감로군타명왕(甘露軍吒明王)' 으로 삼두육비(三頭六臂)의 모습이고, 기린 위에 앉아 있다. 왼쪽에서 다섯 번째는 '항삼세명왕(降三世明王)' 으로 원숭이와 짐승의 몸 위에 앉아 있다. 오른쪽의 첫 번째는 '대소명왕(大笑明王)' 으로 삼두육비의 모습이며, 발은 악룡(惡龍)을 밟고 있다. 오른쪽의 두 번째는 '보척명왕(步擲明王)' 으로 6개의 상아를 가진 코끼리를 타고 있으며, 코끼리 옆에는 한 여인이 있다. 오른쪽의 세 번째는 '대도명왕(大力明王)' 으로 영주(鈴珠)를 가지고 있으며, 앉은 자리 아래에는 소귀가 있다. 오른쪽의 네 번째는 '부동존명왕(不動尊明王)' 으로 한 귀신과 한 여인이 발을 받들고 있다. 오른쪽의 다섯 번째는 '대륜명왕(大輪明王)' 으로 큰 말을 타고 있으며, 옆에도 역시 용이 있다. 이들 명왕들은 삼두육비의 모습이 많고, 법기(法器)나 병기를 들고 있으며, 무위(武威)가 대단하다.

산서성 우옥(右玉) 보령사 법당의 수륙화는 총 139폭에 달하며, 전체가 명대(明代) 시기에 그려진 것이다. 세견(細絹)에 주로 그렸고, 대부분 세로 120cm, 가로 60cm이다. 다만 몇 개 대불상을 그린 화폭은 더 크다. 이 법당의 수륙화는 청대(淸代) 강희(康熙) 연간과 가경(嘉慶) 연간에 다시 보수하였다. 보수한 서문(序文)에 따르면, 이 법당 수륙화의 체제가 명대에 정비되었다는 것을 추정할 수 있고, '칙사진변수륙화(敕賜鎭邊水陸畵)' 라는 것을 알 수 있다. 당시에 명조(明朝)와 북방의 달단(韃靼)은 늘 병란에 휩싸여 있었다. 우옥 지방은 바로 그 전쟁의 첨봉으로 명대의 서북변 방어의 요충지였다. 보령사(寶寧寺)는 천순(天順) 4년(1449)에 건립되었으며, 이 법당도 천순(天順) 연간에 보령사(寶寧寺)라고 사액(賜額)을 받았을 가능성이 높다.

2)벽화

수륙화 벽화가 가장 많은 곳은 산서성이다. 수륙전 건물이 있는 곳으로 번치현(繁峙縣) 암산사(巖山寺), 삭주(朔州) 종복사(崇福寺), 고평(高平) 개화사(開華寺), 공동(洪洞) 광승사(廣勝寺), 천진(天鎭) 자운사(慈雲寺) 등이 있다. 그리고 산서성 직산현(稷山縣) 청룡사(青龍寺)의 접인전[引接殿 ; 요전(腰殿)]과 하북성(河北省) 석가장(石家莊)의 비로사(毘盧寺)는 대표적이라 할 수 있을 만큼 유명하다. 이외에도 산서에는 혼원(渾源) 영안사(永安寺), 천진(天鎭) 자운사(慈雲寺), 양고현(陽高縣) 운림사(雲林寺), 하곡현(河曲縣) 성수사(聖壽寺), 번치(繁峙) 공주사(公主寺), 삼성사(三聖寺), 난약사(蘭若寺), 태곡현(太谷縣) 원지사(圓智寺), 정신사(淨信寺), 영석현(靈石縣) 자수사(資壽寺), 능천현(陵川縣) 남길상사(南吉祥寺) 등, 약 10여 곳에 명대(明代)의 수륙전 벽화가 있고, 지장시왕과 지옥명부 및 명왕을 내용으로 하는 것이 많다. 이러한 사찰 가운데는 독립적인 지장전 혹은 시왕전을 만든 곳도 있다. 그리고 평순(平順) 금등사(金燈寺) 석굴에는 조각의 기법으로 표현한 수륙화가 있는 법당이 있는데, 역시 대단히 진귀한 유산이다.

직산현 청룡사에는 시왕전이 건립되어 있을 뿐만 아니라, 원대(元代)의 유명한 요전(腰殿) 남쪽 벽에 십대명왕이 그려져 있고, 북쪽 벽 위에는 지옥귀왕(地獄鬼王), 제개장(除盖障), 멸정업(滅定業), 지장왕보살이 있으며, 아래에는 십전명왕, 팔한지옥(八寒地獄), 육도윤회 등이 그려져 있다. 자운사 수륙전의 뒷처마에는 팔대명왕이 있고, 서쪽 벽 아래에는 지부(地府) 육조(六曹)의 여러 사신지(司神祗), 진왕(秦王)과 지옥의 여러 귀신, 갑자기 독약에 횡액을 당한 여러 귀신들 …… 및 지부의 삼사판관(三司判官) 등이 있다. 번치(繁峙) 공주사(公主寺) 대불전에도 명대의 벽화가 있다. 서쪽 벽 아래에 십팔전옥중(十八典獄衆), 염라천자중(閻羅天子衆), 십전자왕중(十殿慈王衆), 육조판관중(六曹判官衆),

지황오도중(地隍五道衆) 등이 그려져 있다. 남쪽의 차간(次間)에는 망령과 지옥 원혼 그리고 인로왕보살과 왕고일체제색인(往古一切諸色人) 등이 있고, 북쪽 벽에는 명왕이 그려져 있다. 영안사(永安寺)의 전법정종전(傳法正宗殿)에 있는 명화(明畵)의 북쪽 벽에는 십명왕이 있고, 서쪽 벽 가운데에는 지장왕보살, 시왕, 오도(五道), 판관과 육도유정, 육조(六曹)가 있고, 아래쪽에는 지옥과 각종의 죽음과 위난, 육도윤회 가운데 유정 등의 도상 표현이 있다. 태곡현(太谷縣) 원지사(圓智寺) 대각전(大覺殿)의 북쪽 벽의 두 초간(梢間)에는 십명왕이 있고, 동쪽 벽에는 지부육조(地府六曹), 육사(六司)가 있으며, 서쪽 벽에는 지부십팔옥장(地府十八獄莊)과 사법전(司執典) 등이 있다. 사찰의 서쪽에는 지옥전 혹은 시왕당이라 칭하는 건물이 있는데, 지장시왕상을 모시고 있다. 신이현(新弛縣) 직익묘(稷益廟) 정전(正殿)에도 역시 풍도옥문(酆都獄門)과 음조지부(陰曹地府), 지장보살과 십전염라 그리고 풍도대재(酆都大帝)가 함께 있다. 양고현 운림사 대전의 북쪽에는 4대보살 중에 지장보살과 십명왕이 있고, 서쪽 벽에는 시왕이 두 조로 나뉘어 있으며, 또한 오도감재(五道監齋)와 선악이부(善惡二部) 등이 있다.

유명한 산서성 번치현(繁峙縣) 암산사(巖山寺)〈그림 81〉의 정전(正殿)이 곧 금대(金代)의 수륙전인데, 일곱 칸 대전의 홍편대작(鴻篇大作)은 이미 그 건물과 함께 훼손되어 복구할 수가 없다. 현존하는 것은 앞 전(殿)에 그려진 불교고

그림 81
산서 번치 암산사
지장전

사도(佛傳故事圖)와 경변화본생고사도(經變和本生故事圖)이며, 회화성이 대단히 높다. 벽화의 작가는 궁정화가 왕규(王逵)이며, 금(金) 대정(大定) 7년(1167)에 완공되었다. 수륙전의 벽화는 그보다 조금 빠른 시기인 금(金) 정륭(正隆) 3년(1158) 금의 융성 시기에 만들어졌다. 당시 그의 나이가 약 59세였고, 벽화의 진귀함도 비할 데가 없으나 전체를 모두 볼 수가 없으니 안타까울 뿐이다.

산서성 직산현 청룡사의 요전(腰殿)도 역시 수륙전이다. 이 요전의 벽화는 대부분 보존되어 있으며, 일부만 파괴되었다. 벽화는 원대(元代) 말엽부터 명대(明代) 초기까지 그려졌다. 최후로 완성된 것은 명 초기인 영락(永樂) 4년(1406)이다.[78] 벽면 여러 곳에 원대와 명대의 화기가 남아 있다. 전각의 북쪽 벽 서쪽에는 음조지부(陰曹地府)가 그려져 있으며, 북쪽 벽 동쪽에는 육도윤회가 대칭적으로 그려져 있다. 동쪽 벽에는 제석천중(帝釋天衆) 등이 있고, 남쪽 벽에는 팔대명왕 등이 있으며, 서쪽 벽에는 지장왕보살, 범왕성중(梵王聖衆) 등이 있다. 서쪽 벽의 벽화는 청룡사 벽화의 정수라고 할 만한 것으로, 그 내용이 대단히 풍부하며, 도상 구성 또한 뛰어나다. 모든 조(組)의 인물들 위에는 방제가 있다.

〈음조지부도(陰曹地府圖)〉의 위에는 다음과 같은 화기가 있다.

> 繪畵水陸大殿壹座 体自然行道師圓朗孤月銘澄助緣男萬泉縣趙普寧.

〈육도윤회도〉 등의 위에도 역시 다음과 같은 화기가 있다.

> 降陽石村丹青劉士通繪畵水陸大殿壹座, 長男劉存德, 次男劉存讓, 門仁楊, 大明丙戌年孟夏漸熱月乙酉日工畢.

78 金維諾, 『中國古代寺觀壁畵』에서는 이 벽화가 완성된 시기를 明代 초기인 丙戌年, 즉 永樂四年(1406)으로 보고 있다. 『中國美術全集-寺觀壁畵』 繪畵編13, 文物出版社 等, 1988, 圖119 ; 柴澤俊, 『山西寺觀壁畵』에서는 이 건물의 건축 구성과 지진을 겪고 수리했던 일 그리고 여러 곳에 기록되어 있는 題記를 자세히 분석하여, 이 건물이 元代 至元(1264~1294) 연간인 1289년에 지어졌음을 밝히고 있다.

그림 82
석가장 비로사 수륙벽화의 지장보살

청룡사 수륙전의 여러 신의 형상은 거의 300여 개에 이르지만, 비로사(毘盧寺) 벽화보다는 많지 않으며 밑그림도 일치하지 않는다.

하북성 석가장(石家莊) 비로사(毘盧寺)의 후전(後殿)이 바로 수륙당이다. 내부에 134㎡의 벽화가 있다. 그 내용이 완전하며, 보존상태 역시 대단히 양호하다. 제작 시기는 명대 중기이다. 많은 도상들이 3층 건물 곳곳에 그려져 있다. 아래층에 표현되어 있는 도상들의 높이는 대략 1m이며, 중간층과 위층의 도상들은 그 크기가 상대적으로 작다. 다수가 반신상(半身像)이며, 질서정연하게 화면에 배치되어 있다. 여기에는 거의 500구가 넘는 도상이 있고, 120여 개의 많은 장면들이 표현되어 있다. 하나하나의 장면에는 모두 방제가 있으며, 존상의 명호가 표시되어 있다.

지장왕보살과 시왕은 동쪽 벽에 있다. 지장왕보살은 동쪽 벽 가운데층의 중앙에 시왕 등과 함께 서 있는데, 대장부의 용모를 지녔다.〈그림 82〉 홍색의 가사를 입고 있고, 오른손은 자연스럽게 내려서 석장을 들고 있다. 왼손은 가슴 앞에서 마니주를 들고 있다. 얼굴에는 콧수염과 구레나룻이 있으며 가슴에는 영락장식이 있다. 지장보살 옆에는 한 승려와 노인이 시중을 들고 있고, 그 뒤에는 2명의 동자가 있다. 이들은 도명과 민장자 그리고 선악동자일 것이다. 지장보살의 몸 왼쪽에는 시왕의 형상이 있다. 방제는 '명부시왕등중(冥府十王等衆)'으로 파악되는데, 화면에는 오직 오명왕만이 있다. 모두 관복을 입고 있으나, 한 왕만은 몸에 검은 옷을 입고, 머리에 면류관을 써서 위엄을 높이고 있다. 염라왕의 형상임에 의심의 여지가 없다. 그런데 여기에 오명왕이 있다면 다른 오명왕은 어디에 있는 것일까? 원래 시왕 가운데 나머지 오왕은 서쪽 벽에 그려져 있다. 서쪽 벽의 가운데층 중앙에는 지장보살 위치에 해당하는 곳에 대장보살(大藏菩薩)로 알려진 보살[79]이 그려져 있다.(필자는 천장보살이라 판단하고 있다.)〈그림 83〉 가운데층의 한쪽에 시왕등중(十王等衆)의 방제가 있으나, 역시 오왕만이 그려져 있다. 십대명왕을 양쪽 벽에 나누어서 표현하고 있는 것이다. 이러한 특징은 주목할 만한 가치가 있는 흥미로운 구성이다.

동쪽 벽에는 지부(地府) 3조(曹)와 팔한지옥 등이 그려져 있다. 또한 동쪽 벽에는 남극장생대제(南極長生大帝), 부상대제(浮桑大帝), 귀자모(鬼子母), 동옥(東獄), 중옥(中獄), 남옥(南獄) 등 거의 300개가 넘는 도상들이 있다. 면연귀왕은 남쪽 벽의 서쪽에 인로왕보살과 상대하여 그려져 있다. 사회 각 계층의 인물

79 방제의 '天藏菩薩' 에서 먹으로 쓴 천(天) 자의 일획이 떨어져나갔으나 그 흔적은 남아 있다. 비로전 벽화를 소개하고 있는 많은 책들이 이를 대(大)자로 써서 오류를 범하고 있다.

그림 83
천장보살

과 재난을 당한 사람들에 관한 중요 장면이 남쪽 벽에 그려져 있다. 비로사 벽화의 예술 수준은 대단히 높은 경지에 도달해 있다. 선을 묘사하는 기법이 풍부하고, 선조(線條)의 종류가 제대로 갖추어져 있으며, 필법의 소밀(疏密)도 합당하여 허실(虛實)을 생동감 있게 표현하고 있다. 중채구전(重彩勾塡)의 기법은 전체적인 벽화의 색채를 극히 부드럽게 하고 있다. 그 색감은 석색(石色)을 위주로 하였으며, 전체 벽화의 색조는 석청(石靑)·석록(石綠)으로 통일하고 있고, 그 가운데 주홍(朱紅) 등의 대비색이 두드러진다. 벽화에는 또한 역분첩금(瀝粉貼金)을 사용하여 화려하고 장중한 효과를 연출하였다.

주목해야 할 것은 비로사에 있는 명대 가정(嘉靖) 4년(1525)의 〈비로사전산기비(毘盧寺田産記碑)〉의 기록이다. 이 기록에 의하면, 원래 이 사찰에는 "화상(畵像) 이당(二堂) 모두 36축(軸), 지장시왕삼조육안양당(地藏十王三曹六案兩堂)" 이 있었다는 것이다. 여기에서의 축은 수륙화의 괘축화(掛軸畵)로서 벽화의 밑그림이었을 가능성이 크고, 더욱 가능성이 큰 것은 수륙법회에 사용되던 괘축권화(掛軸卷畵)일 것이라는 것이다. 여기서 "지장시왕삼조육안양당" 에 봉안된 것은 지장보살을 중심으로 하는 수륙화축(水陸畵軸)이다. 십대명왕, 지부판관, 삼조(三曹), 육사(六司), 양당(兩堂) 등을 그 내용으로 하고 있는데, 그 체제가 상당히 정비되어 있는 모습이다. 그러나 비(碑)의 기록으로만 남아 있어서 애석할 뿐이다.[80]

사천(四川) 봉계(蓬溪) 보범사(寶梵寺)[81]의 대전에는 명대(明代)의 지장보살로 잘못 알려진 것이 있다.

수륙화에는 지장보살과 시왕뿐만 아니라 명왕 계열의 밀종(密宗) 지장보살상도 있다. 팔대명왕 혹은 십대명왕 계열에 모두 지장보살의 화신인 무능승명왕(無能勝明王)이 있기 때문에, 수륙화에서는 간략하게 '명왕' 으로 배치한다. 산서(山西) 영구(靈丘) 각산사(覺山寺)는 북위(北魏) 시절에 건립되어 요대(遼代)에 중건되었다. 현존하는 각산사 탑은 요(遼) 대안(大安) 6년에 세워졌다. 내부

80 陳耀林, 「毘盧寺和毘盧寺壁畵」, 『美術硏究』(第1期), 1982.

81 『中國美術全集 - 寺觀壁畵』의 圖41에서는 地藏菩薩像이라고 설명하고 있지만 벽에는 羅漢像 가운데 바즈라尊者(金剛尊者)라고 기록되어 있다.

에는 8각형의 탑 중심 기둥이 있고, 같은 시기에 그려진 것으로 보이는 벽화가 있다. 이곳의 탑 중심에 있는 벽화 도상은 4대보살, 6대명왕 그리고 4대천왕상이다. 4대보살은 전(前)·후문동(後門洞) 양쪽에 그려져 있다. 대지(大智) 문수보살과 대행(大行) 보현보살, 대비(大悲) 관음보살과 대원(大願) 지장보살이 각각 협시 관계를 이루고 있다. 보살 도상은 단정하고 수려하게 그려져 있으며, 상호가 밝고 환하다. 지장보살과 관음보살과 문수보살 그리고 보현보살은 중국 지역의 현교(顯敎)에서 가장 숭앙받는 4대보살이다. 여기서의 지장보살은 보살 형상을 하고 있고 성문 형상이 아니다. 얼굴은 단정하고 약간 넓으며, 푸른색 눈썹을 하고 있고, 머리에는 화관을 쓰고 있다. 원륜에는 범어 '訶' 자가 있다. 이것은 지장보살을 관상(觀想)할 때 사용하는 것으로 따라서 현교의 경전에만 의거했다고는 볼 수 없다.

그러므로 육대명왕은 현재까지도 지장보살을 무능승(無能勝)으로, 보현은 보척(步擲)으로, 보척은 마두(馬頭)로, 자씨(慈氏)는 대륜(大輪)으로, 허공장(虛空藏)은 대소(大笑)로, 제개장(除蓋障)은 부동존(不動尊)으로 표현하고 있다. 분명한 특징은 명왕이 모두 한 권속이라는 것이다. 상의 양쪽 옆과 뒤에는 호법신장, 역사, 보살과 귀신무리 등이 있으며, 그 구성이 잘 갖추어져 있다. 명왕은 삼두육비(三頭六臂)의 모습이고, 몸의 털이 곤두서 있으며, 영락을 가슴과 배의 양쪽에 장식하였다. 손에는 칼과 검, 방패와 창을 나누어 들고 있다. 그 아래에는 시종이 있고, 위쪽에는 본지보살(本地菩薩)의 좌상이 있는데, 모두 방제가 있다. 전체적으로 불화의 화격이 높고 시각적 선명성이 강하다.

산서성 직산현(稷山縣) 청룡사(靑龍寺) 요전(腰殿)에 있는 원대(元代)의 수륙화에도 십대명왕이 있다. 명왕은 모두 삼두육비의 형상을 하고 있고, 그 위에는 본지보살(本地菩薩)의 소상이 있고, 지옥 부분에는 제개장(除蓋障), 멸정업(滅定業), 지장왕보살이 그려져 있다. 혼원현(渾源縣) 영안사(永安寺)의 전법정종전(傳法正宗殿)에 있는 명대(明代) 수륙화의 북쪽 벽에도 십대명왕이 있다. 삼두육비의 형상이며, 열 종류의 신수(神獸)를 타고 있다. 위에는 본지보살이 그려져 있다. 무능성(無能勝)과 다예적(多穢迹) 그리고 염만가덕명왕(焰曼迦德明王)이 있다.

산서성 영석현(靈石縣) 자성사(資聖寺)의 수륙전은 명대(明代) 성화(成化) 18년에 그려졌는데, 뒤쪽의 처마에 역시 팔대명왕이 있다. 도상 구성의 특징은 두 칸에 나누어서 두 조로 배치하고, 각각에 부처를 중심으로 놓고 있다. 팔대명왕은 『대묘경(大妙經)』에서 말하는 바와 같고, 모든 명왕의 머리의 관 위에는 작은 보살의 화신상이 있다. 명왕은 각각 6개의 팔로 수인(手印)을 하고 있거나 여러 무기를 들고 있으며, 주위에는 구름이 소용돌이치고 있다. 태곡현(太谷縣) 원지사(圓智寺) 대각전(大覺殿)의 수륙화에도 역시 명대에 그려진 십대명왕이 있고, 양고현(陽高縣) 운림사(雲林寺)의 대전에도 같은 시기에 그려진 십대명왕이 있다. 번치현(繁峙縣) 공주사(公主寺) 대불전에 있는 명대의 수륙화에도 십대명왕이 있다. 직산현 청룡사를 계승한 것이다. 각각 방제가 있고, 위에는 본지불(本地佛) 혹은 본지보살(本地菩薩)의 소상(塑像)이 있으며, 모두 삼두육비의 모습을 하고 있다. 대부분 노군비리명왕아미타불(露軍毘利明王阿彌陀佛)과 예적명왕불공성취불(穢迹明王不空成就佛)의 상이다. 태곡(太谷) 정신사(淨信寺)에는 동·서의 양전에 지장보살과 시왕을 모시고 있다. 비로전의 동쪽 벽에는 18옥주(獄主)의 모습이, 서쪽 벽에 전륜시왕(轉輪十王) 등이 있다.

3) 판화

불교 판화에서도 역시 지장보살을 볼 수 있다. 돈황의 지장 판화, 수륙 판화, 민간지마(民間紙馬), 갑마(甲馬) 등이 그것이다. 대영박물관에 소장된 판본들 가운데 돈황 장경동에서 출토된 사탄인겁품(斯坦因劫品) 지장판화도 있다. 목판에 먹으로 인쇄한 지본(紙本)이다.

석가모니의 전기를 담고 있는 목판본으로 『석씨원류(釋氏源流)』와 『석가여래응화사적(釋迦如來應化事迹)』이 있다.[82] 실제로 이런 종류의 판화들은 2개의 내용을 포함하고 있는데, 하나는 석가모니의 전기와 고사를, 다른 하나는 불교

82 『中國古代版畵叢刊二編』(第二輯), 上海 古籍出版社, 1994.

그림 84
『석씨원류』, 〈불찬지장보살〉 판화

사, 특히 중국 불교사에 있어서의 중요 장면들을 표현하고 있다. 그 조각기법이 대단히 세련되고 정교하다. 『석씨원류』 판화에 〈불찬지장보살(佛贊地藏菩薩)〉이 있다.〈그림 84〉 이 판화는 경문의 내용을 잘 표현해 내고 있다. 석가모니와 지장보살을 중심 구도로 하여 권속들이 배치되어 있으며, 상서로운 구름이 서려 있는 회상(會上)에는 큰 수목과 바위, 꽃들이 피어 있다. 석가모니불은 높은 속요수미좌(束腰須彌座) 위에 있으며, 연화대에 결가부좌하고 있다. 부처는 설법을 하고 있는 듯한 자세로, 오른손을 들어 앞쪽으로 펴고 있다. 몸 뒤에는 둥근 두광과 신광이 있다. 부처의 양쪽에는 부처의 십대제자 가운데, 연장자인 가섭과 청년 아난 2명이 서 있다. 모두 합장을 하고 서 있으며, 역시 원광이 있다. 부처의 뒤에는 4명의 대보살이 합장을 하고 서 있다. 부처의 앞에는 바위 위에 부처와 마주하여 앉아 있는 지장보살이 있다. 지장보살은 사문 형상이고, 결가부좌하고 있다. 왼손에는 마니주를 들고 있고, 오른손은 안쪽으로 모으고 있다. 원광이 있고, 눈썹 사이에는 백호가 있다. 지장보살 역시 2명의 협시가 있는데, 승려의 형상이다. 모두 합장을 하고 있으며, 한 명은 육환석장을 지니고 있지 않다. 석가불의 앞에는 제석천이 엎드려 법을 묻고 있다. 〈불찬지장보살〉은 『지장십륜경(地藏十輪經)』의 다음과 같은 글귀를 인용하고 있다.

이 때에 세존이 제석천에게 다음과 같이 설하였다.

"너희들은 마땅히 알라. 보살이 있어 이름이 지장이니, 성문의 모습[聲聞像]을 하였다. 이미 무량무수 대겁(大劫)의 오탁악세(五濁惡世) 부처님께서 안 계신 때에 유정(有情)을 성취하고 불가사의 수승공덕(不可思議殊勝功德)을 구족하여 시방제불국토(十方諸佛國土)에서 일체 유정들을 이롭게 하고 안락하게 하였으며, 일체의 병고(病苦)와 번뇌를 제거하였고, 능히 모든 중생이 바라는 바를 이루게 하고자 하는 원(願)을 세웠다 ……."[83]

이외에도, 사천 검각현(劍閣縣) 각원사(覺苑寺)에 그려져 있는, 명대(明代)의 『석씨원류』 벽화가 앞서 살펴본, 판화의 내용과 기본적으로 일치하고 있다. 여기에도 역시 〈불찬지장(佛贊地藏)〉의 장면이 있다.〈그림 85〉 인물 표현은 대체적으로 비슷하지만, 색채가 더 아름답고 구도가 횡폭(橫幅)으로 되어 있어서 시각적인 안정감이 있다. 불전(佛傳)이나 불교사(佛敎史)를 주제로 다룬 판화는 있지만, 이처럼 채색 벽화로 남아 있는 것은 매우 드물다.

이러한 『석씨원류』에는 또한 '시식연기(施食緣起)', '수륙연기(水陸緣起)', '양황참법(梁皇懺法)'과 '목련구모(目連救母)' 등의 내용이 있다.

'시식연기'는 면연귀왕이 아난의 꿈에 나타나 먹을 것을 받은 인연의 고사이다. 판화 도상에서는 석가모니불이 바위 위에 앉아 있고, 아난이 부처님 앞에 엎드려 절하고 있다. 면연귀왕은 입에서 불꽃을 토하며, 합장하여 서 있고, 옆에는 시중드는 소귀(小鬼)가 있다. 또한 한 노승이 바위 위에 앉아 합장하고 있고, 옆에는 빈 발우가 있다. 면연귀왕과 승려 앞에는 2명의 아귀가 있고, 노승이 베푼 음식을 탐하고 있다.

'수륙연기'는 중국 수륙도량의 기원을 설명하고 있다. 법당 안에는 좌상의 불상이 있으며, 이 불상 앞에는 탁자가 양쪽으로 배치되어 있다. 승려들은 나뉘

83 "汝等當知, 有菩薩名曰地藏, 作聲聞像. 已于無量無數大劫, 五濁惡世時, 無佛世界, 成就有情, 具足不可思議殊勝功德, 於十方諸佛國土, 利益安樂一切有情, 除一切病惱, 能滿一切所求之願 ……"

그림 85
검각현 각원사 벽화의 지장보살

어 앉아 있고, 모두 합장을 하고 있다. 앞에는 경서가 놓여 있다. 법당의 마당 앞에는 그릇이 하나 놓여 있으며, 그릇에는 먹을 것이 탑 모양을 이루며 높이 쌓여 있다. 법당의 마당 옆은 연못이며, 연못에는 아주 작은 배가 있고, 배 위에도 역시 먹을 것이 쌓여 있다. 불교에서 "부처는 흐르는 물에서 먹을 것을 구하고, 귀신은 맑은 땅에서 먹을 것을 구한다[諸佛致食於流水, 諸鬼致食於淨地]." 라고 하기에 먹을 것을 맑은 땅과 물 위에 나누어 쌓아 놓은 것이다. 이에 따라 귀신을 공양하는 재법(齋法)과 참의(懺儀)를 '수륙' 이라 부르게 된 것이다.

양(梁) 천감(天監) 2년(503)에 양(梁) 무제(武帝)는 꿈에서 신승을 만나 "육도(六道) 사생(四生)의 괴로움이 끝이 없는데, 어찌하여 수륙대재(水陸大齋)를 열어 구원받지 않는가?" 라는 설법을 듣는다. 무제가 여러 승에게 물었으나 모두 알지 못하고, 다만 보지화상(寶志和尙)이 무제에게 널리 경론을 탐구할 것을 권하였다. 이에 양 무제가 3년간 경론을 공부하여, 천감(天監) 4년에 금산사(金山寺)에서 수륙대재를 설행하였다. 이 '수륙연기' 도상은 금산사의 수륙대재를 표현한 것이다. 이후에 수(隋) 시기에는 이 법이 끊어졌다. 당(唐) 함형(咸亨) 시절에 영선사(英禪師)의 꿈에 나타난 사람이 이 의식을 말하는 것을 듣고, 이에 의거하여 대각사(大覺寺)에서 그것을 인증하고, 영선사의 법에 의거하여 금산사에서 다시 이 수륙대재를 정비하였다.

'양황참법(梁皇懺法)' 에서는 양 무제와 보지화상이 법당에 앉아 있고, 법당 앞에는 이무기 한 마리가 선회하고 있다. 이 이무기가 바로 양 무제의 후비인 치(郗)씨의 화신이다. 이 장면에서 나타내고자 하는 것은 중국 참법의 기원이다. 중국불교의 전통적인 학설에 따르면, 수륙도량은 양 무제로부터 비롯되었으며, 수륙도량은 경참법(經懺法) 가운데 가장 성대하고 엄숙한 의식의 하나이며, 참법 역시 양 무제가 만들었다고 한다. 참법을 만든 이유는 바로 양 무제의 후비 치씨가 이무기로 화하여 그 연유를 하소연하자, 이로 인해 양 무제가 참의를 만들어 공덕을 짓고, 치씨를 제도했다는 것이다.

'목련구모(目連救母)' 도 또 다른 천도 의식과 관련이 있다. 법당에 부처가 앉아 있고, 목련이 엎드려 절하고 있다. 법당의 앞에도 역시 목련이 그려져 있다. 한 손에 석장을 잡고, 한 손은 발우를 들고 앞으로 걷고 있다. 죽은 노모를 구하고자 하는데, 노모는 지옥문의 입구에 서 있다. 노모는 피골이 상접한 채로 손에 발우를 들고 걸식을 하고 있으며, 입에서 화염을 토하고 있다. 이것은 『우란분경(盂蘭盆經)』에 의거한 것인데, 경전에서는 목련이 천안(天眼)으로 노모의 괴로움을 보고, 애통해 하며 부처에게 아뢰자, 부처가 7월 15일에 하는 시식보구(施食普救)의 법을 가르쳐 주었다고 한다.

판화에도 수륙화의 중요 작품이 있다. 바로 『수륙도량귀신도보(水陸道場鬼神圖譜)』가 그것이다. 이것은 본토와 대만을 통틀어 하나밖에 없는 판본으로 원래는 사묘에 소장되어 있었다. 정진탁(鄭振鐸) 선생이 범징(梵澄)법사에게서 이것을 얻었다. 원본은 이미 유실되어 제목을 알 수 없는 까닭에 정진탁 선생이 『천신영귀상책(天神靈鬼像冊)』이라고 제목을 지었으며, 더불어 명(明) 시기의 성화(成化) 연간(1465~1487)에 인쇄된 판화라는 사실도 고증하였다. 이후에 북경도서관(北京圖書館)에서 소장품을 정리하면서 『수륙도량도(水陸道場圖)』라고 기록하였다.

사묘화(寺廟畵), 수륙화는 단계적 발전 과정을 겪어왔다. 단폭입축(單幅立軸)으로부터, 소량의 여러 폭으로, 다시 다량의 폭으로 발전되어 왔다. 일반적으로 수륙화는 적은 것은 10여 폭으로, 많은 것은 100여 폭으로 구성되어 있다. 이러한 수륙화의 판화 형식은 인쇄되어 각지에 유통되었고, 각지의 화공이 모사하고 연마하는데 큰 역할을 하였으며, 동시에 사찰에서 승려들의 교재로 사용되었다. 『수륙도량도』 뒷부분의 좌우에서 75개의 방제를 볼 수 있다. 전체 화폭이 150폭이며, 화면은 세로가 25.2cm이고 가로가 16.3cm이다. 도상 구성은 보령사의 수륙화와 대단히 비슷하다. 역시 적지 않은 지장보살과 십대명왕, 지옥과 온갖 망혼들이 표현되어 있다.

이 판본의 앞부분은 유실되었으며, 현재 화폭은 열두 번째부터 있기 때문에 이전의 제불(諸佛)과 제대보살(諸大菩薩) 중에 지장보살이 존재하는지는 알 수 없다. 마흔한 번째 전후의 화폭에 지장보살과 시왕, 지옥 등의 도상이 있다.

방제의 오른쪽 마흔한 번째에 지장보살 도상이 있다. 온화하고 자비로운 여인의 용모를 하고 서 있으며, 머리에 보관은 없고 띠로 머리를 묶고 있다. 머리카락은 양 어깨까지 흘러내리고 있다. 보살은 체형이 크고, 환희에 찬 모습이며, 두광이 있다. 눈썹 사이에 백호가 있고, 가슴에는 영락 장식을 하고 있다. 오른손은 석장을 잡고 어깨에 걸치고 있고, 왼손은 앞쪽으로 내밀고 있다. 가사를 입고 있으며, 그 사이에 수대(垂帶)가 있다. 맨발로 두 송이의 연꽃을 밟고 있다. 지장보살의 몸 왼쪽에는 한 시녀가 양손으로 깃발을 들고 있는데, 깃발에는 '지장왕보살' 이라는 다섯 글자가 쓰여 있다. 왼쪽 발 옆에는 신수 체청이 머리를 들어 주인을 바라보고 있다. 지장보살의 몸 오른쪽에는 민장자와 도명화상이 있다. 도명은 청년의 모습이고, 손은 가슴 앞에서 발우를 들고 있다. 민장자는 세속의 복장을 하고 있는 노인의 모습으로, 손에 경서를 한 권 들고 옆에 서 있다. 전체적으로 구도에 짜임새가 있다. 배경이 되는 구름은 큰 선으로 두드러지게 표현되어 있다.

지장보살상 다음에 십명왕의 도상이 있다.

방제의 오른쪽 마흔두 번째가 진광왕이다. 진광왕은 제왕의 형상을 하고 있으며, 관을 쓰고 목깃이 있는 곤룡포를 입고 있다. 양손으로 가슴 앞에서 홀판을 들고 있다. 앞에는 시녀 한 명이 깃발을 들고 있고, 깃발에는 '진광대왕' 이라 쓰여 있다. 대왕의 뒤에는 2명의 시종이 있는데, 한 명은 머리에 방건을 쓰고 있고, 한 명은 머리를 묶는 관을 쓰고 있다. 서로 이야기를 나누고 있는 모습이다.

방제의 오른쪽 마흔세 번째가 초강왕이다. 몸 앞에 한 시녀가 표표히 날리는 깃발을 들고 있고 깃발에는 '초강대왕' 이라 쓰여 있다. 대왕은 양손에 역시 홀판을 들고 있으며, 세 가닥의 긴 수염이 있다. 관을 쓰고 큰 곤룡포을 입고 있다. 몸 뒤에는 문관과 무관 한 명씩이 있는데, 서로 이야기를 나누고 있다.

오른쪽 마흔다섯 번째가 오관왕이다. 대왕은 얼굴 가득 수염이 나 있고, 눈빛은 분노한 듯하다. 역시 손에 홀판을 들고 있으며, 큰 곤룡포의 조복(朝服)이 땅에 끌리고 있다. 앞에는 역시 시녀가 '오관대왕' 이라 쓰인 깃발을 들고 있다. 대왕의 몸 뒤에는 한 명의 문관과 한 노인이 역시 홀판을 들고 서 있다.

오른쪽 마흔여섯 번째가 염라왕이다. 역시 시녀가 표표히 날리는 깃발을 들고 있고, 깃발에는 '염라대왕' 이라고 쓰여 있다. 염라왕은 머리에 관을 쓰고 있고, 관 위에는 제왕의 신분을 나타내는 면류가 달려 있다. 속대로 정수리부터 묶어 아래로 내리고 있다. 염라왕의 관대와 나머지 왕의 모습을 비교하면, 마치 같은 지위의 인물처럼 보이기도 한다. 비록 같은 큰 곤룡포를 입고 있고, 가슴 앞에서 양손에 홀판을 들고 있기는 하지만, 염라왕의 관대의제(冠帶衣制)를 면밀히 살펴보면, 곤룡포 앞에 땅까지 늘어뜨린 장식 띠와 관에 있는 면류 등은 제왕의 정식 조복으로 보인다. 그러므로 염라왕은 지부 시왕들의 대표라 할 수 있다. 또한 십대명왕은 십전염라 혹은 십전염군이라 불리기도 한다. 그 용모는 문관 혹은 서생처럼 보이고, 다섯 가닥의 수염을 흩날리고 있다. 몸 뒤에는 2명의 관리가 있는데, 모두 진현관(進賢冠)을 쓰고 있으며, 홀판을 들고 있고, 교령대포(交領大袍)를 입은 모습으로 서로 이야기를 나누고 있다.

오른쪽 마흔일곱 번째가 변성왕이다. 앞에는 시녀가 '변성대왕' 이라 쓰인 깃발을 들고 있다. 이 왕도 역시 관면을 쓰고, 큰 곤룡포를 입고, 홀판을 들고 있다. 몸 뒤에는 한 관리가 복건(幞巾)을 머리에 쓰고 있고, 연건(軟巾)을 머리에 하고 있는 사람과 서로 이야기 하고 있다.

오른쪽 마흔여덟 번째는 태산왕이다. 이 도상에서는 시녀의 위치가 바뀌어 있다. 대왕의 몸 뒤에 서 있으며, 앞에 '태산대왕' 이라 쓰인 깃발을 들어 올리고 있다. 문관 한 명이 홀판을 들고 대왕의 몸 왼쪽에 서 있다. 시녀와 상대하고 있는 것은 오히려 무장이다. 머리에 연건을 하고 있고, 투구와 갑옷을 입고 있다.

오른쪽 마흔아홉 번째는 평등왕이다. 대왕은 정면을 바라보고 있고 진현관을 쓰고 있으며 홀판을 들고 곤룡포를 늘어뜨린 것이 앞의 왕들과 같은 모습이다. 시녀가 왼쪽에서 '평등대왕' 이라 쓰인 깃발을 들고 있다. 대왕의 몸 오른쪽과 몸 뒤에는 진현관을 쓴 노인과 복건을 머리에 쓴 관리가 협시하고 있다.

오른쪽 쉰한 번째는 전륜왕이다. 전륜왕은 노인의 형상을 하고 있고, 수염과 구레나룻이 새하얗다. 권속들의 모습은 앞서 살펴본 상황과 크게 다르지 않다. '전륜대왕' 이라고 쓰인 깃발을 시녀가 들어 올리고 있다.

이 판각된 수륙화의 시왕에서는 두 왕의 도상이 없다. 오른쪽 마흔네 번째의 제삼 왕인 송제왕과 오른쪽 쉰 번째의 제구 왕인 도시왕의 도상이 그것이다. 여기서 마흔네 번째는 송제왕이어야 하지만 오히려 많은 승려들이 표현되어 있어서 〈왕고비구중도(往古比丘衆圖)〉와 비슷하다. 그러나 뒤쪽에 또한 〈왕고비구중도〉가 있는데, 표시가 분명하지 않아서 어떤 것인지 알 수가 없다. 그리고 아홉 번째 서열인 도시왕은 도판의 순서에서 적어도 오른쪽의 쉰 번째이지만 유실되었다. 이 수륙 판각도의 구도와 형식은 우옥(右玉) 보령사의 견본 수륙화와 비슷한 점이 많다. 다만 보령사 수륙화는 시왕이 하나하나 그려져 있는 수륙판각도와 달리 지장보살과 시왕이 2개의 화폭에 나뉘어 표현되어 있다. 첫 번째 화폭은 지장보살과 앞의 사왕으로 구성되어 있고, 두 번째 화폭은 시왕의 나머지 육왕으로 구성되어 있다. 판각도는 시왕 부분을 중시했다고 할 수 있다. 또한 이 판각도와 보령사 수륙화에서는 지장보살이 여인 모습의 보살 형상을 하고 있어서 특징적이다.

수륙 판각도 가운데 지옥의 내용 역시 적지 않다. 오른쪽 쉰두 번째에는 6명의 관리와 한 명의 시녀가 그려져 있다. 시녀는 '지부육조판관(地府六曹判官)' 이라고 쓰인 깃발을 들고 있다. 이것이 이 인물들의 신분을 설명해 주고 있다. 육조 판관의 모습은 상당히 생동감이 있는데, 그 특징을 잘 반영하여 판각한 것이다. 이 판각은 회화에 나타나는 선의 경중과 완급은 없지만, 색의 변화를 잘 구성하고 있다. 그래서 조형 형태에 있어서 생동감을 잘 살리고 있으며, 뛰어난 효과를 거두고 있다. 육조 판관의 앞과 뒤쪽에는 많은 인물들이 배열되어 있다. 어떤 이는 두루마리 문서를 펼쳐 읽고 있고, 어떤 이는 서로 바라보고 있으며, 어떤 이는 붓을 들어 비답을 하려고 하고 있다. 전체적으로 활기가 넘치는 분위기이다. 육관은 대부분 부드러운 깃털이 달린 모자를 쓰고 있다. 모자의 깃털은 위로 올라가기도 하고, 아래로 내려가기도 하며, 또한 똑바로 펼쳐진 단단한 깃털도 있다. 섬세한 표현이 인물들의 모습을 더욱 다양하게 하고 있다.

오른쪽 쉰세 번째는 삼사(三司)이다. 시녀가 '지부삼사판관(地府三司判官)'이라 쓰인 깃발을 들고 있다. 그림에서 3명의 판관은 각각 방망이를 안고 있거나, 혹은 들고 있거나, 혹은 옆구리에 끼고, 두루마리 문서를 안고 있다. 표정과 모습이 서로 달라, 어떤 사람은 얼굴에 구레나룻이 가득하고, 어떤 사람은 가는 수염이 있어 서로 같지 않은 모습이다.

오른쪽 쉰네 번째가 '지부도사판관(地府都司判官)이다. 시녀가 뒤에서 이 글자가 쓰인 깃발을 들고 있다. 앞에는 3명의 문관이 있는데, 각자 두루마리 문서를 들고 있다. 앞에서 설명한 그림과 유사하다.

오른쪽 쉰다섯 번째는 '지부오도전륜장군(地府五道轉輪將軍)'으로, 화면 뒤쪽에 시녀가 이 글자가 쓰인 깃발을 들고 있다. 여기에는 5명의 장군이 있는데, 모두 용맹한 무위를 지닌 모습이다. 우두머리 장수는 손에 검을 들고 있으며, 옆에는 한 장수가 도끼를 들고 있다. 5명의 장군이 하나씩 그 임무를 맡고 있는데, 오도의 각 길을 장군 한 명이 담당하고 있다. 이들 장군과 앞서 살펴본 견본 수륙화의 오도장군은 서로 다르다. 견본 수륙화에는 한 명의 장군이 있고, 부장과 사병이 곁에서 호위하고 있으며, 위치도 또한 시왕의 바로 뒤에 있다. 오도전륜왕은 시왕의 한 명으로, 시왕전의 심판을 관리하였으나, 후에는 육도의 각종 망령(亡靈)의 대왕으로, 시왕 가운데 최후의 일왕으로 변해서 전해졌다. 본래는 장군의 무인 형상으로 표현되었으나 『불설시왕경』에서는 이와 같지 않다. 시왕 가운데 열 번째 왕이 전륜대왕이고, 장군이 곧 오도장군으로, 대체적으로 호법신중인 위태천(韋馱天)과 같은 모습이다. 판각 수륙화에서는 오도장군이 이처럼 5명의 장군으로 나뉘어 있고 육조 판관 등을 거느리고 있어서, 신장 변화의 한 부분을 엿볼 수 있다.

오른쪽 쉰여섯 번째가 선악 이부(二部)와 우두마면(牛頭馬面)의 귀졸 아방(阿傍)이다. 비록 이 화면에서 시녀가 들고 있는 깃발의 글자가 마모되어 분명하지는 않지만, 도상의 구성을 살펴볼 때 의심의 여지가 없다. 화면 앞부분에는 2명의 선여인(善女人)이 서 있으며, 손과 가슴에 각각 두루마리 문서를 안고 있다. 이들 선여인 뒤에는 우두마면이 있다. 소머리 형상의 옥졸은 삼지창을 들고 있고, 말머리 형상의 옥졸은 낭아봉을 들고 있다.

오른쪽 쉰일곱 번째는 팔한지옥(八寒地獄)이다. 화면에 지옥 장면은 보이지 않고, 몇 명의 귀졸만이 등장하고 있다. 우두머리 귀졸은 손에 판자와 쇠 저울을 들고 있다. 또 다른 귀졸 한 명은 삼지창을 들고 있고, 귀졸 2명은 형벌 판을 마주 들고 있는데, 한손에 쇠사슬을 잡고 있다. 4명의 귀졸이 한빙지옥을 나타내고 있는 것이다.

오른쪽 쉰여덟 번째가 팔열지옥(八熱地獄)이다. 화면에는 다섯 귀졸이 이를 나타내고 있다. 귀졸들은 각각 병기를 잡고 있다. 한 명은 낭아곤(狼牙棍)을 들고 있고, 한 명은 긴 쇠저울과 머리 부분에 2개의 뿔이 있는 검을 들고 있으며, 뒤의 2명은 긴 칼을 마주 잡고 있고, 한 명은 긴 창을 들고 있다. 적삼 가운데 갑옷이 드러나 있다.

오른쪽 쉰아홉 번째는 근변지옥(近邊地獄)이다. 역시 귀졸들을 통해 표현하고 있다. 귀졸의 일반적인 머리 형태를 하고 있는데, 오직 뒤쪽의 한 명만이 머리를 흩날리고 있다. 그는 무시무시한 귀신 같은 얼굴에 괴성을 토해내고 있다. 앞쪽의 세 귀졸은 모두 세속의 하급 군관이나 병졸의 모습과 대단히 흡사하다. 가히 인간 세계의 생활을 반영하고 있다고 할 수 있다.

오른쪽 예순 번째가 고독지옥(孤獨地獄)이다. 이 장면도 역시 시녀 옆의 5명의 귀졸을 통해 표현하고 있다. 2개의 뿔이 달린 머리에 낭아봉을 들고 있는 귀졸의 모습이 보인다. 귀졸들의 모습은 앞의 것과 대체로 유사하고, 전체적인 분위기도 크게 차이가 나지 않지만, 귀기(鬼氣)는 매우 강하다.

판각도에도 역시 견본 수륙화와 같이 각종의 망혼과 망령을 다양하게 표현하고 있다. 그런데 앞서 열거한 예들을 서로 대비하여 살펴보면, 판각 수륙화의 화폭이 견본 수륙화보다 훨씬 많다. 양쪽의 수륙화 총수를 살펴보면, 분명히 알 수 있다. 『수륙도량귀신도보(水陸道場鬼神圖譜)』의 방제는 좌우에 각각 열다섯이고, 따라서 총계가 150폭이다. 보령사 수륙화는 단지 139폭이며, 그 가운데 3폭은 표장기(裱裝記)이다. 수륙화의 구체적 표현을 살펴보면, 판각도에서는 지장보살과 십대명왕을 각각 한 폭의 화면에 나타내고 있는데, 보령사 수륙화는 지장보살과 시왕을 오직 2폭에 모두 담고 있다. 판각도에는 지부 육조, 삼사 판관 등의 모든 판관을 3폭으로 표현하고 있고, 보령사 수륙화는 단지 한 폭으로 표현하고 있다. 팔한지옥, 팔열지옥이 판각도에서는 2개의 화폭으로 구성되어 있고, 보령사의 수륙화는 단지 하나의 화폭으로 구성하고 있다. 근변지옥과 고독지옥 역시 판각도에서는 2개의 화폭으로 나타나고 있는데, 보령사 수륙화에서는 한 폭으로 구성하고, 무너진 담장과 붕괴된 가옥의 내용을 첨가하고 있을 뿐이다. 이러한 판각도는 수륙화의 지옥도보다 한층 더 명백하여, 팔한지옥, 팔열지옥, 근변지옥, 고독지옥의 4개 부분으로 구성하고 있다. 『수륙도량귀신도보』는 과거의 일체 망혼의 모습을 모두 표현하고 있다. 판각도와 견본 수륙화의 도상은 기본적인 내용이 일치하고 있다. 사회 각 계층과 삼교구류의 각종의 인물 등은 물론 각종의 '천재인화(天災人禍)', 즉 여러 가지 형태의 비참한 죽음과 재난을 표현하고 있다는 점에서 다르지 않다.

삼교구류를 표현한 경우는 판각도가 견본 불화보다 적다. 왕고구류백가제사예술중(往古九流百家諸士藝術衆)"과 "왕고고전비노기리처자고혼중(往古雇典婢奴棄離妻子孤魂衆)"의 장면만이 있다. 다만 견본 불화에서는 한 폭으로 구성된 "왕고비구니여관우바새우바이제사중(往古比丘尼女冠優婆塞優婆夷諸士衆)"의 장면이 판각도에서는 "왕고비구니중(往古比丘尼衆)", "왕고우바이중(往古優婆夷衆)", "왕고여관중(往古女冠衆)"의 여러 폭으로 나뉘어 구성되어 있다. 그래서 화폭의 수량은 서로 동일하다.

각종 비참한 죽음과 위난을 표현한 경우는 판각도가 견본 불화보다 "화염옥우군진상잔등중(火焚屋宇軍陣傷殘等衆)"의 장면이 적고, "투애사화자형자액제귀신중(投崖死火自刑自縊諸鬼神衆)"의 장면은 조금 더 많다. '자형자액(自刑自縊)'의 내용의 일부가 견본 불화에서는 〈기황도(飢荒圖)〉, 즉 "기황표아병질전

면자형자액중(飢荒殍餓病疾纏綿自刑自縊衆)" 에 포함되어 있다. 이외에도, 판각도의 "병과탕멸수화표분제귀신중(兵戈蕩滅水火漂焚諸鬼神衆)" 은 견본 불화에서는 관병이 도적으로 변한 "병과도적제귀혼중(兵戈盜賊諸孤魂衆)" 에 표현되어 있다.

이러한 판각도 중에도 역시 십대명왕이 있고, 그 밑그림은 보령사의 견본 불화와 유사하다. 다만 겨우 5폭만 전해지고 있다. 방제의 왼쪽 첫 번째 인물은 하나의 얼굴에 8개의 팔을 가지고 있고, 기린을 거느리고 사자 위에 앉아 있는 모습이다. 군타력(軍吒力) 명왕으로 추정된다. 방제의 왼쪽에서 일곱 번째 인물은 4개의 이빨을 가진 코끼리를 타고 있으며 화살과 경서, 도끼를 들고 있다. 보척명왕으로 추정된다. 아래쪽 명왕도 방제가 훼손되어 있는데, 사자 위에 올라앉아 도장과 릉(棱)을 들어 보이고 있다. 무능승 명왕으로 추정된다. 이어 둥근 원광에 풍모를 쓰고 있는 지장보살이 있다. 다음 인물도 방제가 훼손되어 있다. 용에 올라타 검을 들고 있는데, 대소명왕으로 추정된다. 방제에서 왼쪽으로 열 번째 인물은 정수리에 해골이 있고, 염주를 잡고 짐승의 등에 타고 있으며, 옆에는 한 시녀가 법기를 들고 있다. 부동존으로 추정된다. 이것으로 오대명왕의 구성을 대략 살펴보았다.

결론적으로 말하면, 수륙 판각도는 당시 대중들의 생활상까지도 포함하는 비교적 많은 내용을 표현하고 있는 회화의 한 범주라는 것을 알 수 있다. 판각도는 같은 내용을 나누어서 여러 폭으로 구성하는 특징을 보여주고 있다. 그러나 어떠한 것은 견본 불화에서 더욱 풍부하게 표현되고 있다. "왕고구류백가제사예술중(往古九流百家諸士藝術衆)" 이 이에 속한다. 사농공상의 인물과 희극, 잡기 등의 백가의 인물들과 여러 서양인 등을 표현하고 있다. 다만 이들 장면이 작게 표현되어 있어서 화면의 한계가 나타나 있다. 견본 불화에서는 적지 않은 내용들이 하나의 화폭에 담겨져 있다. 판각도 가운데의 "장도옥탑수절진최제귀신중(墻倒屋塌樹折盡摧諸鬼神衆)" 이라는 소재에서 '장도옥탑(墻倒屋塌)' 의 내용과 '고독지옥', '근변지옥' 을 합친 세 부분의 내용을 견본 불화에서는 하나의 화폭으로 구성하여 표현하고 있다. 견본 불화의 비구니, 여관, 우바새, 우바이 등의 내용도, 판각도에서는 3개의 화폭으로 나누어 표현하고 있다. 이러한 분할 방식을 따라 지장보살과 십대명왕의 구성도 역시 판각도에서 더욱 뛰어나게 표현되고 있다는 것을 알 수가 있다. 앞서 살펴본 몇 개의 그림에는 어느 정도 차이가 있다. 어떤 것은 합하여 구성하거나, 어떤 것은 분할하여 구성하거나 했지만, 역시 몇 개의 그림에 불과할 뿐이다.

수륙화에서 지장보살과 십대명왕은 대단히 중요하다. 육도윤회의 과정, 일체 망혼 망령의 제도, 삼교구류의 인물들의 왕생과 각종 죽음과 재난의 상황 등을 소재로 하는 회화와 조각의 이면에는 지장보살과 시왕이 있기 때문이다. 판각도에서는 지장보살과 십대명왕을 나누어 여러 개의 화폭으로 구성하고 있다. 즉, 지장보살을 주제로 하여 한 폭을 구성하고, 십대명왕 역시 한 명마다 하나씩 화폭으로 구성하고 있다. 이것에다 지부판관, 선악 이부와 전륜왕, 네 종의 지옥 등을 더하면 지장보살과 시왕, 지옥에 관련된 판각도는 무려 21폭에 달한다.[84] 결론적으로, 수륙화는 지장보살과 시왕 등과 관련이 깊은 불교회화이다.

84 현존하는 이 판각도에는 二冥王이 결여되어 있다. 餓鬼道의 面然鬼王과 傍生道의 일체유정을 더 표현할 경우 판각도는 더욱 많아질 것이다. 과거 세계의 여러 망령들을 표현하는 것을 넣지 않는다고 하더라도 地藏菩薩과 十王地獄, 餓鬼, 일체유정을 모두 표현할 경우 24幅이 넘는다.

5. 사전도량(寺殿道場)

1) 서장(西藏) 고격왕국(古格王國)의 사전(寺殿)

아리(阿里) 지역에는 신비의 옛 왕국인 고격왕국의 홍묘(紅廟)와 백묘(白廟) 등을 비롯한 많은 옛 유적지가 있다. 여기에서도 역시 지장보살상이 있고 주목할만한 가치가 있다. 아리찰달현(阿里札達縣)의 유명한 고격왕국의 옛 성터의 유적지인 만다라전(曼荼羅殿)에는 정교하고 아름다운 벽화가 있다. 만다라전은 산 정상의 왕궁 지역에 수리 건축되었다. 왕궁과 약 10m의 거리에 있다. 아마도 왕실 사찰이었을 것이다. 크기는 그렇게 크지 않지만, 산 정상의 높은 곳에 1m 정도를 기반으로 하여 위치하고 있다. 놀라움으로 눈이 확 뜨이는 광경이다. 만다라전의 구조는 정교하고, 채색의 미묘함은 견줄 바가 없이 신비롭다. 당시의 가장 뛰어난 장인의 예술적 경지를 숨김없이 드러내고 있다.

전각의 천장은 두사조정(斗四藻井)으로 구성되어 있고, 천화판(天花板) 위에 고운 색으로 33종의 회화가 그려져 있다. 문틀에도 역시 정교하고 세밀하게 꽃무늬를 새겨 넣었다. 사방의 벽면에 벽화를 그려 상하의 5층에 나누어 배치하고, 순환하고 있는 형태로 구성되어 있어서, 전각을 따라 일주하면서 볼 수 있다. 꼭대기층에는 짐승의 얼굴 문양으로 장식한 휘장이 늘어져 있다. 두 번째 층에는 고승(高僧), 대덕(大德), 역사(譯師), 지자(智者) 등의 소상(塑像)이 있고, 그 제명이 있어 인도, 서장 그리고 고격인을 구별할 수가 있다. 여기에 고격왕실의 고승인 라마(喇嘛) 의희옥(意希沃)과 강곡옥(絳曲沃)이 있다. 세 번째 층에는 큰 화폭의 주요 회화가 있다. 서쪽 벽의 오여래도(五如來圖)에는 지장여래(地藏如來), 변지여래(遍智如來), 무량광불여래(無量光佛如來) 등이 있다. 대부분 삼두육비(三頭六臂)의 모습에 보살복장을 하고 있고, 선한 인상을 하고 있다. 지장여래〈그림 86〉도 삼두육비의 모습이며, 쌍신상(雙身像)이다. 머리에 오화관(五花冠)을 쓰고 있고, 결가부좌의 자세를 하고 있다. 포용하고 있는 명비(明妃) 역시 삼두육비의 모습이다. 남북 양쪽 벽에는 십대공행(十大空行), 여보공행(如寶

空行), 대공안행(大空安行) 등이 있는데, 팔면십육비(八面十六臂)의 모습, 혹은 사면십이비(四面十二臂)의 모습으로 그려져 있다. 모두 비(妃)를 끌어안고 있는 쌍신상이다. 쌍신상의 남자의 상은 방편을 나타내며, 여인의 상은 지혜를 나타낸다. 쌍신의 방편과 지혜가 함께 결합하여 '여자신성권속(與自身成眷屬)' 이라는 밀종(密宗)의 수증(修證) 방법이 되는 것이다. 네 번째 층에는 우아한 자태를 가진 공양천녀(供養天女)와 불모(佛母), 금강, 부처, 보살 등이 벽화로 그려져 있다. 다섯 번째 층은 층 자체가 하나의 긴 지옥도라고 할 수 있다. 벽화에는 사지가 잔혹하게 부서져 있는 인물, 짐승이 사람 몸을 먹고 있는 모습, 뼈가 드러나고, 사지가 잘려 나란히 놓여있는 모습 등의 내용이 있다. 벽화에 표현된 온갖 짐승들과 여러 가지의 형구 등을 살펴보면, 8대지옥 중에 중합지옥(衆合地獄)임을 알 수 있다. 어떤 사람은 독수리에게 쪼아 먹히고 있고, 어떤 사람은 짐승에게 삼켜지고 있으며, 또한 무수한 칼날에 난자당하는 사람도 있다. 백골과 육체가 뒤섞여 있고, 세찬 불길에 고기처럼 태워지고 있어서 비참한 형상을 표현할 수가 없다. 이 중에 독수리에게 쪼아 먹히는 장면은, 어떤 의미에서는 천장(天葬)을 연상시키기도 한다. 이러한 장면들은 한편으로 현실 생활의 참혹한 고통과 비참한 흔적을 반영하고 있다. 산 사이에는 수행하는 유가행자의 모습과 탑이 그려져 있어, 앞서 살펴보았던 상황과 서로 대비되는 효과를 불러일으키고 있다. 만다라전의 회화가 그려진 시기는 원대(元代)의 시기에 해당한다. 만다라전의 부근에 있는 공강동(貢康洞)의 벽화에는 위엄이 가득한 호법신장과 만묘(曼妙)의 기악천(伎樂天)이 그려져 있다. 여

그림 86
고격왕국 사전벽화의 지장여래

기에도 단전(壇殿)에 있는 것과 비슷한, 음울하고 참혹한 분위기의 지옥변상이 있다.[85]

이외에도 찰달현(札達縣) 다향촌(多香村) 부근에 있는 성의 유적지에 집회전(集會殿)이 있다. 의고전(依古殿)에는 분별하기 어려운 벽화가 있다. 의고전의 동쪽 벽에 있는 문의 양쪽 옆에는 〈육도윤회도〉가 있다. 암홍색(暗紅色)을 바탕으로 하여, 동 · 식물과 손상된 인체의 모습을 나타내었고, 음울함이 가득하여 공포스럽다. 탁림사(托林寺) 호법신전(護法神殿)에 있는 〈단성도(壇城圖)〉는 가운데 금강륜보살(金剛輪菩薩)이 있고, 주위에 금강자씨(金剛慈氏), 금강문수(金剛文殊), 금강보현(金剛普賢), 금강지장(金剛地藏), 금강공장(金剛空藏), 금강왕보살(金剛王菩薩), 금강장제(金剛障除), 금강자재(金剛自在)의 모습이 있다. 그 형상이 혹은 보살 같기도 하고 혹은 명왕 같기도 하다. 삼두육비의 모습으로 비(妃)를 포옹하고 있으며, 신비스러운 색채가 가득하다.

2) 포달랍궁과 대소사(大昭寺), 곡수(曲水) 섭당(聶塘)의 도모당(度母堂)

서장(西藏) 포달랍궁(布達拉宮)은 장전불교(藏傳佛教) 불교미술의 보고라고 할 수 있다. 여기에도 역시 지장보살상이 있다. 이 지역의 불교미술은 한족 지역의 불교미술과 큰 차이가 있는데, 라싸의 대소사(大昭寺)나 서장 지역의 다른 곳에 있는 여러 사찰도 이에 속한다. 예를 들면, 포달랍궁의 파파랍당(帕巴拉唐)에 있는 목조지장보살상〈그림 87〉은 서장불교 후홍기(後弘期)의 니박이(尼泊爾) 유파의 작풍에 속하며, 그 연대는 대략 서기 1650~1680년 사이이다. 전

그림 87
포달랍궁 소장의
목조지장보살상

85 張建林, 『荒原古堡 - 西藏古格王國故城探察記』, 四川教育出版社, 1996 ; 『中國美術全集』(寺觀壁畫), 圖73, 文物出版社, 1988.

체 높이는 100cm, 상의 높이는 85cm이며, 흰색의 전단목(旃檀木)에 신체 각 부분을 새겨서 만든 것으로, 표면은 짙은 금색으로 도색되어 있고, 얼굴 부분은 금분으로 두껍게 덧칠하였다. 바닥에 있는 좌대는 유금홍동엽추참(鎏金紅銅葉錘塹)으로 이루어져 있다. 광배에 새겨져 있는 것은 애석하게도 알아볼 수 없다.

대소사에 있는 붉은색의 동으로 만든 지장보살상〈그림 88〉 또한 후홍기의 니박이 유파의 작풍에 속하며, 그 연대는 14세기이다. 통 주조 방식으로 만든 것으로, 전체 높이는 33cm이며, 표면에 있는 금속에는 황금의 흔적이 남아 있다. 원래 있던 장식은 더욱 화려하고 풍부하였다. 보관에는 연송석(綠松石) 등의 각종 보석이 박혀 있었으나 현재는 유실되어 거의 찾아볼 수가 없다. 천의 위에는 무늬가 새겨져 있다. 상의 얼굴은 금분으로 도색되어 있고, 머리카락은 감청색으로 칠해져 있다.

그림 88
대소사 소장 홍동 지장보살상

서장 곡수 섭당 도모당(度母堂) 무량수불전에는 진흙으로 빚어 만든 8대보살상이 있다. 모두 나무로 상의 뼈대를 만들고 진흙을 붙여 만들었다. 후홍기의 초기작에 속하며, 대략 서기 1200년 전후로 보인다. 지장보살상은 전체 높이가 360cm, 상의 높이가 300cm이다. 최근에 새롭게 다시 채색하였다.

서황사(西黃寺)

북경의 서황사는 청대(清代) 시기의 장전불교에 있어서 대단히 중요한 사찰이다. 북경시 안정문(安定門) 바깥의 서황사 거리에 티베트 전통의 고등불학원이 위치하고 있다. 청대 초기에 5세 달라이 라마 라상가조(羅桑嘉措 ; 1617~1682)

가 순치(順治) 5년(1652)에 북경에 왔을 때 이곳에서 거주하였다. 건륭(乾隆) 45년(1780)에는 6세 반선(班禪 ; 판첸 라마) 파단익서(巴丹益西 ; 1738~1780)가 북경에 와서 건륭황제를 배알하고 70세 생신을 축하하였으며, 나중에 서황사에서 머물렀으나, 불행히도 병으로 인하여 그 해에 서황사에서 입적하였다. 5세 달라이 라마와 6세 반선(班禪)이 직접 이곳에 와서 거주하였고, 역대의 달라이 라마와 반선 그리고 몽골의 각 부족에서 북경의 조정에 파견한 사절단이 모두 서황사에서 거주하며 예불을 올렸다.

그림 89
서황사의 지장보살도

사찰에는 당대(唐代) 지장보살의 화상(畵像)이 보존되어 있다. 〈그림 89〉 존상은 완전한 보살 형태이다. 지장보살은 관을 쓰고 있으며, 영락이 장식된 천의를 입고 앉아 있다. 오른손은 흰색의 마니주를 가슴 한가운데에 들고 있다. 왼손은 아래로 내려 무릎 위에 올려놓았는데, 공작 깃털 하나를 쥐고 있다. 도상의 세부 묘사가 매우 세밀하고 화려할 뿐만 아니라, 채색이 두텁고 윤곽선을 그려 넣어서 도상이 뚜렷하다. 광배 위쪽에는 활짝 핀 꽃송이들이 있다.

서장불교는 랑달마멸(朗達瑪滅)의 불사 시기(841~978)를 전홍기(前弘期)와 후홍기(後弘期)로 나눈다. 전홍기는 7세기 중엽부터 9세기 전반기까지이며, 현존하는 것은 거의 없다. 후홍기의 지장보살상을 비롯한 많은 불교 조각과 회화는 각지의 장전불교 사찰과 여러 박물관에 소장되어 있다. 여기서 대략적으로 거론한 몇 개의 작품이 장전 불교미술의 면모를 일부나마 보여주고 있다.

3) 동악묘(東岳廟)

감숙(甘肅) 천수(天水) 맥적산(麥積山)의 제2굴에는 명대(明代)의 소조상과 벽화가 있는데, 지장보살과 시왕 그리고 지옥변상이 조성되어 있다. 정면 벽에 지장보살이 제청(諦聽)에 올라타고 있으며, 옆에는 부처와 승려, 도사 등이 있다. 동서의 양쪽 벽 앞에는 각각 오판관이 부조되어 있다. 양쪽 벽에는 또한 십전명왕과 나하교, 업경, 거해, 확탕, 도저(搗杵)와 갈미혼탕(喝迷魂湯) 등의 지옥 장면이 그려져 있다.

도교의 궁관에도 역시 유명한 작품이 있다. 예를 들면, 산서(山西) 포현(蒲縣)의 동악묘(東岳廟)와 사천(四川) 풍도현(酆都縣)의 귀성(鬼城) 등이 이에 속한다. 포현의 동악묘에는 상당히 완비된 구성의 '지옥변상도'가 있다. 이 동악묘의 주전(主殿)은 동악대제전(東岳大帝殿)이며, 또한 오악대제전(五岳大帝殿)이 있다. 동악묘의 중심부 뒤쪽에는 명대(明代)에 건립된 지장전이 있다. 지장전에는 지장보살과 협시, 홀판을 들고 앉아 있는 명계시왕이 있다. 지장전 옆에는 관음당(觀音堂)과 유가궁(瑜伽宮), 최부군(崔府君), 문리(門吏)와 육조사관(六曹司官)이 부속되어 있다. 십요(十窯)에도 십명왕, 수많은 칼, 대마(碓磨), 철상(鐵床), 탕확(湯鑊) 등의 지옥이 나누어서 표현되어 있는데, 순서는 앞서 살펴본 것과 큰 차이가 없다. 이 지옥에는 또한 업칭, 나하교, 망향대(望鄉臺) 등이 있다. 제십전(第十殿)의 전륜왕 앞에는 한 부인이 무릎을 꿇고 번과(番瓜)를 바치고 있다. 아마도 『당태종입명기(唐太宗入冥記)』에 보이는 '유전진과(劉全進瓜)'의 이야기와 관계가 있을 것이다. 이 지옥성의 문에는 '풍도성(酆都城)'이라는 방제가 있다. 뒷면에 만든 지옥성 부분에는 사자 머리를 부조하였고, 역시 벽화가 그려져 있다. 대해 위에 달관귀인(達官貴人), 농상공장(農商工匠), 잔병환과(殘病鰥寡), 우양저마(牛羊猪馬), 비조금류(飛鳥禽類), 곤충어하(昆蟲魚蝦), 육류인수(六類人獸) 등이 그려져 있는데, 육도윤회의 기원과 관련된 것으로 보인다. 포현의 동악묘에는 또 한 채의 오도장군 사당이 있다. 오도대신은 본래 불교에서 오도윤회를 관장하는 신이었으며, 이후에 변화되어 명부시왕의 오도전륜왕이 되었으나, 역시 육도윤회를 관장하는 왕이다. 불교의 유(幽)·명계

(冥界)와 도교의 음계(陰界)가 결합한 이후 오도신은 도교에서 동악대제의 수하가 되어 오도장군이라 칭하여졌고, 시왕의 전륜왕과 분리되어 각각 2명의 신이 되었다. 따라서 포현 동악묘에도 특별히 오도장군의 사당을 만들어 공경하게 된 것이다. 어떤 지역에서는 특별히 오도장군만의 사당을 만들고, 단독의 주신(主神)으로 공경하기도 한다. 동악묘는 실제적으로 중국에서는 대단히 보편적이며, 사당에는 대부분 시왕전을 갖추고 있다. 도교 계통의 동악대제는 명부시왕에 있어서 주신(主神)이며, 대체적으로 지장보살교주(地藏菩薩教主)의 지위에 해당한다. 또한 어떤 학설에서는 동악대제는 원래 태산부군(泰山府君)이며, 나중에 동악대제에 봉하여졌다고 주장하기도 한다.

대만(臺灣) 지역의 남쪽에 있는 동악묘(東岳廟)에도 역시 지부(地府) 염라왕이 있으며, 여기에는 18층 지옥과 형구, 우두마면의 귀졸들이 표현되어 있다. 지옥의 느낌이 너무나 강렬하여 사람의 모골을 송연하게 만들며, 또한 많은 대중의 경배를 이끌어내고 있다.

4) 풍도성(酆都城)

풍도귀성(酆都鬼城)은 지옥시왕 등의 장면이 있는 도교의 궁관으로, 민간의 사당 가운데서는 가장 유명하며, 귀신의 이름을 성의 이름으로 삼고 있다. 성에 십전염왕과 18층 지옥이 있으나, 다만 그 내용은 시왕지옥의 범위를 초월하고 있다. 전체적으로 살펴보면, 귀성유도(鬼城幽都)라 칭해지는 것이 있고, 또한 염라전이 있는데, 음천자전(陰天子殿)이라 부르기도 한다. 도성황묘(都城隍廟), 귀문관(鬼門關), 망향대(望鄉臺), 음양계(陰陽界), 황천로(黃泉路), 나하교(奈何橋)와 유명지종(幽冥之鐘) 등도 있다. 여기에는 인물도 선불신괴(仙佛神怪)를 두루 갖추고 있다. 종규(鐘馗), 응장사신(鷹將蛇神), 일유신(日游神), 황봉신(黃蜂神)과 어시신(魚腮神), 표미신(豹尾神) 등이 이에 속한다. 또한 강태공(姜太公), 토지야(土地爺), 이혜랑(李慧娘), 초계영(焦桂英), 심지어는 장주(莊周)와 전씨(田氏), 송강(宋江)의 애석한 죽음 그리고 목련구모(目連救母)와 철위성(鐵

闉城) 공략 등, 각종의 역사 고사, 희곡의 인물, 불교와 도교 경전의 자비와 효행, 환상 등의 고사들을 모두 포괄하고 있다. 그러므로 중국 민중의 모든 심리적 특성을 수용하여 담고 있다고 할 수 있다. 다만 각종 인물과 장면, 고사 중에서도 십전염왕과 지옥에 관한 부분이 귀성(鬼城)의 핵심이라고 할 수 있다. 이 귀성의 문은 실제로 하나의 현판을 가진 망루라고 할 수 있는데, 여기에 이백(李白)이 쓴 제시(題詩)가 있다. 음조지부(陰曹地府)의 금란전(金鑾殿)은 '천자전(天子殿)'이라 부른다. 이 풍도관(酆都觀)은 당대(唐代)에 일찍이 '선도관(仙都觀)', '백학관(白鶴觀)'이라 불렸고, 명·청 시기에는 '염라(閻羅), 염군묘(閻君廟)'로 불렸다. 이후에 개칭하여 '천자전(天子殿)'이라 부르게 되었다. 속칭 '염왕전(閻王殿)'이라 부르기도 한다. 전의 앞쪽에는 인간세계처럼 군왕의 문신, 무장이 줄지어 서 있다. 6명의 공조(功曹), 즉 분별하면 천조(天曹), 지조(地曹), 명조(冥曹), 신조(神曹), 인조(人曹), 귀조(鬼曹)이다. 염라의 앞에는 또한 십음사(十陰司), 공조(功曹) 등이 있으며, 전 가운데에는 한 명의 음천자낭랑(陰天子娘娘)이 있다. 일설에 의하면, 사천 대죽현(大竹縣) 여인인 노영(盧英)이 염라와 혼인하였다고 한다.

풍도성의 지옥 부분 내용은 적지 않다. 층층마다 차례차례 굽은 길이 유계로 통한다. 유명세계의 앞에는 형합(哼哈) 두 장군을 모신 형합사(哼哈祠)가 있다. 지장왕보살은 보은전(報恩殿)에 모셔져 있다. 지장왕은 오불관을 쓰고, 연화대 위에 앉아 있다. 옆에는 민장자와 도명이 협시로 있다. 이 지장왕보살은 구화산의 김지장보살과 관련이 있다. 이곳 현지에서는 지장보살과 어머니를 구하고자 하는 대목건련(大目犍連)이 서로 같은 인물로 설명되기도 한다.[86] 그래서 지장전을 보은전이라 부르기도 한다. 사천 지역에서 목련고사는 상당히 광범위한 대중적 기반을 가지고 있다. 이 지역에 전해지는 목련의 어머니 유청제(劉青堤) 사랑(四娘)은 양(梁) 무제(武帝) 시절에 사천의 사공현(射洪縣) 사람으로, 여기에 청제도(青堤渡)와 유청제의 묘가 있다. '목련구모(目連救母)'의 연대천극(連臺川劇)은 면면히 이어지고 부단히 변화하여 무려 48개의 판본[本]으로 발전하였

86 周健强·蕭賽·嚴淑琼, 『陰曹地府鬼神譜』, 重慶出版社, 1995.

으며, 2개월여의 오랜 공연 기간을 필요로 하고 있다. 이곳의 나하교(奈河橋)는 실제 다리이며, 명(明) 태조(太祖) 주원장(朱元璋)의 열한 번째 아들인 촉왕(蜀王) 주춘순(朱椿巡)이 풍도를 순시할 때에 건설한 삼공석공교(三孔石拱橋)이다. 귀문관(鬼門關)을 지날 때에 지니고 있어야 명초(冥鈔)와 귀국(鬼國)의 보호를 받는다는 로인(路引)이 있다. 로인은 목판에 새겨 인쇄하여 만들었다. 일반적으로 사용하는 것은 높이 1m, 너비가 60cm인 누런 표지에 인쇄하여 만든다. 위쪽에는 광배가 있는 지장왕보살이 연화대 위에 있고, 그 옆에는 도명과 민공이 있다. 로인 위에는 "풍도염라천자최승요령진군(酆都閻羅天子最勝曜靈眞君)"과 "나무유명교주본존사죄발고지장왕보살김석하(南無幽冥教主本尊赦罪拔苦地藏王菩薩金錫下)"라는 글이 장중하게 새겨져 있다.[87]

로인에는 3개의 대홍인장(大紅印章)이 있다. 이 귀성(鬼城)에는 비록 지장왕보살과 염라왕이 하나의 전각에 함께 있지 않지만, 이 로인에서는 지장보살과 염라대왕의 불가분의 관계를 명백하게 보여주고 있다. 망향고대(望鄉高臺), 황천길(黃泉路), 성황(城隍), 토지(土地), 연공(關公), 옥제(玉帝) 그리고 백자관음(百子觀音)과 구망보은(九蟒報恩) 등이 있다. 지황대묘(地隍大廟) 역시 명왕부(冥王府) 같은 곳이다. 좌우에 음차(陰差)가 열지어 있고, 또한 최판관(崔判官)과 집차귀두(執叉鬼頭)가 있다. 전각 가운데 18층 지옥이 만들어져 있고, 엄숙하고 장엄한 한 자리는 소염왕부(小閻王府)이다. 녹명사(鹿鳴寺)의 유명종(幽冥鍾)은 무게가 3천여 근(斤)이며, 강소(江蘇) 금산사(金山寺)에서 주조되었다. 종에는 원차종성초법계(願此鐘聲超法界), 철위유암실개문(鐵圍幽暗悉皆聞)' 등의 글귀가 새겨져 있다. 이 종은 원래 지장보은전에 걸려 있던 것으로, 종의 전체 이름은 '보은유명혼종(報恩幽冥洪鐘)' 이라 한다.

십대명왕 가운데 제1전의 진광왕 장신(蔣神)은 설의대(孽鏡臺)를 관장한다. 제2전의 초강대왕은 녹의정(剝衣亭)에서 한빙지옥을 관장하고 있다. 제3전의 송제왕은 흑승지옥(黑繩地獄)과 발설지옥(拔舌地獄)을 맡고 있다. 제4전의 오관왕은 합대지옥(合大地獄), 도산지옥(刀山地獄)과 거석지옥(巨石地獄)을 다스

87 路引에는, "爲豊都天子殿閻羅天子發給路引 …… 普天之下必備此引, 方能到豊都地府轉世升天."이라고 쓰여 있다.

린다. 일설에 의하면 오관왕이 여몽정(呂蒙正)이라고 하고, 또 다른 설은 구준(寇准)이라고 주장하기도 한다. 제5전의 염라왕은 흑면포증(黑面包拯)으로, 대규환지옥(大叫喚地獄)과 알심지옥(挖心地獄)을 관장하고 있고, 또한 이곳에는 개봉부(開封府)에서 사용하는 찰도(鍘刀)와 유과(油鍋)가 있다. 제6전의 변성왕은 대마지옥(碓磨地獄)을 관장하고 있고, 이곳에는 용구(舂臼)와 거해(鋸解)가 있으며, 알안(挖眼)과 차흉지옥(叉胸地獄)도 함께 관장하고 있다. 제7전의 태산왕은 성이 동(董)씨이며, 업칭(業秤)으로 죄의 크기를 저울질한다. 왕사주성(枉死殊城)과 대규환지옥(大叫喚地獄)도 함께 맡고 있다. 제8전의 도시왕은 성이 황(黃)씨이고, 대열뇌지옥(大熱惱地獄)과 녹피지옥(剝皮地獄)을 관장하고 있다. 제9전의 도시왕(都市王)은 성이 육(陸)씨이며, 아비지옥(阿鼻地獄)을 관장하고 있으며, 독사(毒蛇), 포락(砲烙) 등으로 벌한다. 그 형벌대 바로 앞에서는 여귀(厲鬼) 이혜랑(李慧娘)이 복수하는 업무를 맡고 있다. 제10전의 전륜왕은 성이 설(薛)씨이며, 일부에서는 임칙서(林則徐)라고 주장하기도 한다. 육도윤회(六道輪廻)와 사람의 삶과 죽음을 관장한다. 전륜전(轉輪殿)에는 또한 경문을 보념(補念)하는 승려와 도사 그리고 맹파다루(孟婆茶樓)가 있다. 맹파(孟婆)는 미혼탕차를 먹여서, 환생 시에 이전의 생에서 있었던 일을 잊게 한다. 전륜전에서 육도윤회를 관할하기 위해서 설치한 것은 생사윤회대전반(生死輪廻大轉盤)이다. 전세(轉世)하여 태(胎)에 들어가는 사람은 이 판 위에서 육도가 결정되어 윤회하게 된다. 풍도성의 지옥시왕은 비록 일반인에게 18층 지옥을 의미하는 것으로 인식되고 있지만, 이것은 도교의 『옥력보초(玉歷寶鈔)』에 영향을 받은 바가 크다. 『옥력보초』의 기원은 당연히 불교 경전이다. 불교의 『염라수기경(閻羅授記經)』 등이 최초의 기원인 것이다. 지옥시왕에 관한 것은 발전을 거듭하여, 청대에 이르러서는 이미 민간 생활 곳곳에 깊이 융합되어 있었다. 이혜랑 같은 희곡의 인물이 그 한 실례이다. 다만 지옥의 기본적 구성은 2개의 명백한 단서가 있다. 그 첫 번째는 불경에 나타나 있는 8대지옥, 16개의 소지옥이다. 지옥에는 활(活), 흑승(黑繩), 합(合), 열뇌(熱惱)와 아비(阿鼻) 등 모두 16개가 있는데, 이것이 여기에 직접적으로 반영되고 있다. 또 다른 하나는 한빙, 발설, 도산, 유과와 거해 등의 지옥을 살펴보면, 다시 대족의 보정 제20호 마애석굴의 십명왕과 지옥의 장면과 서로 비슷하다는 것을 알 수 있다. 이로부터 『지장보살십재일(地藏菩薩十齋日)』 등에 간접적으로 반영된 전통을 짐작할 수 있다. 이러한 두 가지 단서는 가장 최근의 지옥시왕에 대한 내용을 구성하게 되었다. 시왕의 뒤에는 또한 '사(死)' 라고 쓰인 패를 가진 남악대제(南岳大帝)가 있다. 명산(名山)에는 최후의 연생당(延生堂)이 있다. 이 당은 원래 동악대제(東岳大帝)의 전(殿)이었다. 1930년대의 큰 화재 이후에, 보수하여 불교의 시방총림의 하나인 연생당이 되었다. 석가삼세와 서방삼성(西方三聖), 관음보살 등을 모시고 있다. 연생당의 충만한 생기는 음조지옥과 선명하게 대비되고 있으니, 그 과정을 대하면서 인간사의 변화에 소회가 남다를 수밖에 없다.

여기서 마땅히 설명해야 하는 것은 구화산이 지장보살 도량으로 간주되어, 지장보살 신앙에 있어서 차지하는 평범하지 않은 지위이다. 구화산에 있는 사묘전우(寺廟殿宇), 조각상과 소각(塑刻)은 이미 국내외에 유명하다. 특히 육신보전(肉身寶殿)과 육신보살(肉身菩薩)은 대표적이라 할 수 있다. 구화산의 사찰은 구성에 상관없이 그 배치에 있어서, 산세 등의 지형과 조화를 이루고, 구화산 일대의 민간 건축의 특징을 잘 융합하여, 독자적인 특징을 가지고 있다. 이것의 가치도 역시 전문적인 한 권의 책이 필요할 정도이다. 다만 구화산의 지장도량과 절의 여러 상들 그리고 특수한 지장신앙에 대해서는 아래의 김지장 신앙 부분에서 그 신앙의 발전과 함께 설명하겠다.

5) 산서성의 직익묘(稷益廟)와 대악묘(岱岳廟)

산서성 신강현(新降縣)의 직익묘는 본래 상고 시대의 삼황(三皇), 대우(大禹), 후직(後稷), 백익(伯益)을 모신 독특한 사당이다. 그 서쪽 벽에 삼성을 알현하는 것을 중심으로 삼고, 각종의 선관(仙官), 역사인물 그리고 명부십전염왕, 우두마면, 육조판관 등이 그려져 있다. 삼성의 공덕을 분명하게 드러내고, 천선(天仙), 지부(地府)가 모두 도래한 경사를 표현하고 있다. 그 남쪽 벽의 서쪽 끝에 풍도옥문(酆都獄門)과 음조지부(陰曹地府)가 그려져 있다. 풍도 북음대제(北

陰大帝)는 산 사이에서 그 옥문을 다스린다. 십전염라는 각자가 한 동부(洞府)에서 기거하고, 형구와 쇠사슬에 묶인 사자망혼(死者亡魂)을 문안으로 들여 차례로 살핀 다음에, 형을 정하고, 악귀의 대부분은 수갑을 채워, 음산의 뒤에 있는 만장절벽의 아래로 내던진다. 결론적으로, 불교와 도교는 물론이고, 심지어는 가장 전통적인 삼황오제의 전설 안에도 지장보살 신앙이 내포되어 있는 것을 알 수 있다.

산서성 하곡(河曲) 대악묘는 청(淸) 함풍(咸豊) 2년(1852년)에 건립되었다. 여기에도 역시 지장전이 있는데, 그 형성 체제가 매우 특별하다. 이 사찰은 도교에 속하고 있을 뿐만 아니라 내용에 있어 독창적인 구상을 볼 수 있는 독특한 곳이기 때문이다. 그래서 어떤 이는 불교의 영향을 받아 도관의 내용과 구성 방식이 모두 변화하게 되었다고 주장하기도 한다. 이곳의 정면 벽에는 원래 지장왕과 육조의 좌상이 있었으나 지금은 모두 훼손되었다. 현재는 동서의 양쪽 벽에 작은 폭의 벽화가 있는데, 간단한 연환화(連環畵) 방식이다. 그 내용은 주부판관(州府判官)의 직무와 심리, 각종의 죄업과 망혼이 그려져 있다. 하나의 벽마다 38개씩, 모두 76폭의 작은 벽화들이 있다. 도교 계통에 있어서 지옥심판과 관련된 중요 자료들이다.

이 작은 벽화들의 구성은 지장시왕의 명왕이 그러하듯, 관부에서 심안(審案)하는 장면이 모두 있다. 한 관리가 심판대를 설치하고, 그 앞에는 민중들이 있고, 옆에는 서기가 있다. 관복을 입고 중앙에서 심리를 하고 있는 모습이며, 어떤 관리는 눈에 분노가 서려 있고, 어떤 관리는 침착하며, 어떤 관리는 자애롭고, 어떤 관리는 위엄이 있다. 탁자 앞에 있는 민중들의 모습도 역시 형형색색이다. 어떤 사람들은 각종의 형벌을 받고 있고, 어떤 사람들은 즐거워하고 있으며, 또한 선인과 악인이 대질하는 곳에 올라가 있는 등, 그 형태가 매우 다양하다. 방제는 분명하고 크다. 모든 화폭의 왼쪽 아래 모서리에는 시주자의 이름과 표시가 있는데, 가족 단위로 시주한 것이 많다. 인감신사 윤희(尹喜), 인감신사 윤회신(尹懷信), 윤기점(尹起占) 등을 비롯해 인감신사 가천통(賈天通), 이천춘(李千春) 등의 인명이 올라 있다. 그 위쪽의 방제는 더욱 더 많아서 수풀이 빽빽한 삼림이나, 망망대해를 보는 듯하다. 동쪽 벽에는 "우주왕시랑관천하어류수

류사(于州王侍郎管天下魚類水類司)", "악주악판관관천하급속보응사(岳州岳判官管天下急速報應司)", "구주부장판관관천하일체면죄사(九州府張判官管天下一切免罪司)", "위주랑판관관천하거의현능사(魏州郎判官管天下擧義賢能司)", "황주송판관관천하재계엄정사(黃州宋判官管天下齋戒嚴淨司)" 등의 벽화가 있다.〈그림 90〉 서쪽 벽에는 "임분군랑판관관천하욕매옹고사(臨汾郡郎判官管天下辱罵翁姑司)", "삼원현홍판관관천하원구증한사(三元縣弘判官管天下寃仇憎恨司)", "습주문판관관천하강도겁재사(濕州文判官管天下强盜劫財司)" 등의 벽화가 있다. 이 가운데 "악주이판관관천하예불증과사(岳州李判官管天下禮佛證果司)"에는 선남선녀 2명이 있는데, 소매를 마주하고 읍을 하고 있다. 정면의 탁자 위에는 원불(願佛)이 있고, 판관이 탁자 옆에서 서원을 하고 있다. "무주황판관관천하증복연수사(武州黃判官管天下增福延壽司)"에서는 1남 4녀의 중인이 읍을 하고 있으며, 황판관도 역시 기쁨을 십분 드러내고 있는 모습이다. 결론적으로 말하면, 이들 벽화 장면들은 당시의 사회를 다각도로 반영하고 있는 것이어서 아주 흥미롭다.

그림 90
하곡 대악묘 지장전의 동쪽 벽화

6) 산서성의 쌍림(雙林), 진국(鎭國), 암산(巖山), 화엄(華嚴) 등의 사찰

산서성 평요현(平遙縣)의 쌍림사는 평요현 서남쪽 7리쯤 되는 곳에 위치하고 있으며, 예술적인 소조상이 많은 전당으로 유명하다. 명대(明代)에 소조상으로 그 이름을 알렸다. 사찰 자체가 정교하고 아름다운 하나의 예술관이라고 하겠다. 사찰의 원래 명칭은 중도사(中都寺)이며, 그 규모와 구조가 짜임새가 있다. 앞과 뒤에 세 줄로 배열되어 있으며, 전각은 열 동이 있다. 두 길을 중심축으로 하여, 서쪽에는 묘원(廟院)이 있고, 동쪽에는 경방(經房), 선원(禪院), 승사(僧舍)가 있다. 각 전(殿)은 각종 채색의 소조상으로 가득하며, 큰 것은 1장(丈 ; 3m)이 넘고, 작은 것은 1척(尺) 정도이다. 전원(前院)에 붙어 있는 두 행랑은 나한전과 지장전이며, 나한전에는 관음보살과 18나한상이 있다. 지장전 안에는 지장보살과 십전염군(十殿閻君), 육조판관이 있다. 각 상의 의복은 장식이 화려하고 섬세하며, 의습이 신체의 굴곡을 따라 물결치듯 굽이치고 있어서, 독특하다. 지장전은 또한 염라전이라고도 한다. 내부 정중앙의 좌상이 지장보살상이지

그림 91
쌍림사 지장전의
지장보살상

만, 다른 사찰에서 볼 수 있는 지장보살상과는 차이가 있다. 〈그림 91〉 사문형의 상이 아니라 화려한 광배와 보관 그리고 대의를 입고 있는 보살상이기 때문이다. 신체가 상당히 유려하고 단아할 뿐만 아니라 상호도 매우 아름답다. 양쪽의 협시는 도명화상과 민공이며, 도명화상은 석장을 들고 있다. 대좌의 각 모서리에는 인왕이 조각되어 있어서 독특하다. 십전염라는 지장보살을 향해 알현하는 듯한 모습이다.

진국사는 산서성 평요현의 성 북쪽 15리쯤 되는 곳에 위치한 학동촌(郝洞村)에 있다. 오대(五代) 북한(北漢) 천회(天會) 7년(963)에 세워졌으며, 명대(明代)에 중수하였고, 청(淸) 가경(嘉慶) 연간(1796~1820)에 다시 보수하였다. 현존하는 사찰의 내부 건축물은 대부분 명대에 중건한 것이다. 사찰 안의 건축물은 전후의 양원(兩院)으로 나뉜다. 전원(前院)의 남쪽 모퉁이에 있는 산문의 3개 기둥 안에 사천왕상이 있다. 양쪽에는 각각 종과 북이 있는 전각이 배치되어 있다. 정면은 만불전이며, 그 체제가 고풍스럽다. 양쪽 복도의 처마에는 각각 5개의 기둥이 있으며, 비석이 여러 개 있다. 후원 동서 양쪽 모퉁이에는 관음전과 지장전〈그림 92〉의 두 전각이 상대하여 있다. 정면의 2층 누각 안에는 '삼신불'의 좌상이 모셔져 있어서 삼불루(三佛樓)라고 부른다. 두 산(山)의 안쪽에 있는 벽면은 불교의 전래 고사에 관한 벽화들로 가득하다.

그림 92
진국사 지장전

번치(繁峙) 암산사는 유명한 금대(金代) 시기의 사찰 유적이다. 앞에 있는 전각인 문수전에 있는 벽화는 궁정화가 왕규소(王逵所)의 작품으로 그 수준이 대단히 높다는 것을 느낄 수 있다. 지장사의 절터는 여전히 남아 있지만, 애석하게도 그곳에 있던 유물은 남아 있지 않다.

화엄사(華嚴寺)는 대동시(大同市) 시내에 위치하고 있는 유명한 요금(遼金) 시대의 고찰이다. 창건연대는 요(遼) 청령(淸寧) 8년(1062)이며, 도종(道宗) 야율홍기(耶律洪基)가 대동부(大同府) 사리방(舍利坊)을 확대하여 세우고, 여러 황제의 석상과 동상을 봉안하였다. 이 사찰은 요국(遼國) 황실 종묘의 성격을 겸비하면서 그 지위가 대단히 높았지만, 이후에 병란으로 훼손되는 비운을 맞게 된다. 금(金) 천권(天眷) 3년(1140)에 중건하였으나 그 이후에도 다시 몇 차례의 전란을 겪으며 여러 차례 파괴되었다. 중화인민공화국 성립 후에 정부의 유관기관이 몇 번에 걸쳐 기금을 모아 화엄사의 보수와 유지를 위해 노력해 왔다. 사원의 중요 건축물은 대웅보전과 부가교장전(薄伽教藏殿)이다. 명대(明代) 중엽 이래로 화엄사는 대웅보전이 주체가 되는 상사(上寺)와 부가교장전이 주체가 되는 하사(下寺)의 2개 사찰로 나뉘었다. 그 구조와 배치뿐만 아니라 건축물이 대단히 고풍스럽고 엄숙하다. 현재 상사는 불교계에 속하며, 하사는 대동시박물관(大同市博物館)으로 바뀌었다. 요대(遼代) 소조상의 정교하고 아름다운 특색을 잘 보여주고 있으며, 특히 나무에 새긴 벽화가 있는 천궁장(天宮藏)은 대표적이라고 할 수 있다. 사찰의 중앙에는 지장루(地藏樓)가 있다.〈그림 93〉

그림 93
대동 화엄사의 지장루

7) 하남성의 소림사(少林寺)와 서안의 운거사(雲居寺)

소림사는 하남성 등봉현(登封縣)에 위치해 있으며, 그 위치가 소실산(少室

山) 수풀 가운데에 있기 때문에 이러한 이름을 얻게 되었다. 북위(北魏) 태화(太和) 20년(496)에 창건되었으며, 북위(北魏) 정흥(正興) 초년(522), 천축(天竺)의 고승 보리달마(菩提達摩)가 법을 전하러 동쪽으로 와서 소림사에서 면벽 9년의 수행을 할 때에, 제자 혜가(慧可)가 눈 속에서 팔을 잘라내며 성심으로 불법을 찾는 것에 감동하여, 『능가경(楞伽經)』을 전하였다. 그 법의(法義)가 전승되고 전파되면서, 수많은 유파가 성행하게 되었고, 중국 불교사에 있어서 선종(禪宗)이 창립되었으며, 소림사는 선종의 조종(祖宗)으로 우뚝 서게 되었다. 지금까지 1500년의 역사 속에서 소림사는 여러 차례의 융성과 쇠락을 반복해 왔다. 북주

그림 94
소림사 지장전

(北周) 대상(大象) 연간(580)에 '섭산고사(涉山古寺)' 라고 개명하였으나 나중에 다시 옛 이름으로 돌아갔다. 수대(隋代)에 보수가 있었으며, 당대(唐代)에 규모를 확대하였고, 이후에 다시 황폐해졌다가 원대(元代)에 중흥되었다. 중화민국 시기에는 군벌의 혼란스런 각축 속에서 병란으로 불태워지는 비운을 겪기도 하였다. 중화인민공화국 성립 이후에 여러 차례의 보수를 통하여 점차 다시 옛 모습을 찾게 되었다. 현재는 산문(山門), 대웅보전, 천불전, 법당, 지장전〈그림 94〉, 백의전(白衣殿), 달마정(達摩亭)과 방장실, 승료(僧寮) 등의 건축물이 있

다. 지장전에는 지장보살과 지장 삼존의 벽화가 그려져 있다. 비교적 최근에 그려졌고 수준도 그렇게 높지는 않지만, 현재 사찰의 예술적인 면모를 어느 정도 반영하고 있다고 볼 수 있다.

서안 운거사(雲居寺)의 원래 명칭은 안경사(安慶寺)이나, 일반적으로 서오대(西五臺)라고 부르기도 한다. 서안시 옥상문(玉祥門) 연호로(蓮湖路) 남쪽에 위치하고 있고, 동서의 길이는 대략 1화리(華里; 500m)이다. 예전에는 당(唐) 장안성(長安城) 안의 태극궁(太極宮)의 소재지였다. 전하는 바에 의하면, 당 태종(太宗) 이세민(李世民)의 어머니는 대단히 독실한 불교 신자로서 매년 수차례에 걸쳐 종남산(終南山) 남오대(南五臺)까지 왕복하며 부처를 배알하고 예불을 드리는 수고를 아끼지 않았다. 태종이 어머니를 위하는 효심으로 남오대를 모방하여 궁성의 광운문(廣運門)에 있는 서태극궁(西太極宮)의 성 남쪽 벽 위에, 지세(地勢)를 따라 오좌불전(五座佛殿)을 짓고, 어머니가 이곳에서 예불을 올리도록 하였다. 모두 5개의 고대(高臺)가 있고, 종남산의 남오대와 멀리 호응하고 있다고 하여 서오대(西五臺)라고 불리게 되었다고 한다. 또한 하늘에 항상 상서로운 구름이 피어올라 사찰을 둘러싸고 흐르면서 오래도록 흩어지지 않는다 하여 운거사

그림 95
서안 운거사 중대의 지장보살상

그림 96
서안 천복사 지장왕전비

(雲居寺)라는 이름을 얻기도 했다. 운거사 중대(中臺)에 지장보살상이 모셔져 있다.〈그림 95〉

또한 서안 대천복사(大薦福寺)는 소안탑(小雁塔)으로 유명한 사찰이다. 사찰에 있는 두 석비(石碑)를 안에 두고 지은 전패루(磚牌樓)는 청대(淸代)에 사찰을 중건할 때에 세운 것이다. 한쪽 석비는 옛 천복사(薦福寺)를 중수한 기록이며, 후면에는 시주한 인(人)씨 가족의 이름과 은량(銀兩)의 수목(數目)을 기록한 공덕기가 있다. 다른 석비의 정면에는 미륵불을 선으로 새긴 도상이 있으며, 뒤에는 옛 천복사의 지장왕보살전을 중수한다는 기록이 있는데, 그 당시 지장전을 중수한 상황이 기술되어 있다.〈그림 96〉

8) 아육왕사(阿育王寺)와 천태(天台)의 방광사(方廣寺)

영파(寧波) 아육왕사는 절강성 은현(鄞縣)의 아육왕산에 위치하고 있다. 기록에 의하면, 서진(西晋) 태강(太康) 3년(282)에 창건되었으며, 뛰어난 산의 자태와 높은 전각뿐만 아니라 세인의 관심이 집중된 사리보탑(舍利寶塔)으로 세상에 그 명성을 높여 왔다. 전하는 바에 의하면, 인도의 공작왕(孔雀王), 조국왕(朝國王), 아육왕 통치 시기(BC 2세기)에 불교 경전의 결집을 거행하면서 네 승려를 파견하여 법을 전했다고 한다. 아육왕의 소임 중 하나는 8만 4천 개로 나뉜 부처의 사리를 모으는 것이었으며, "날개로 나는 귀신들을 시켜서 광명이 빛나는 곳을 좇아 하나의 탑을 세우게 하였다[令羽飛鬼, 各隨一光盡處, 安立一塔]."(『불조통기(佛祖統紀)』 권33)고 한다. 전설에 따르면, 이 8만 4천 개의 탑 가운데 중국에 있는 것이 19개이며, 보존되어 내려온 유일한 탑이 바로 서진(西晋)의 회계무현탑(會稽鄮縣塔)이고, 이 탑이 바로 이 절의 사리보탑(舍利寶塔)이라고 한다. 따라서 이 탑은 중국 역사의 여러 황실의 예우와 존중을 받아 왔으며, 고승들의 경모를 받아 왔다. 전체 사찰은 전, 당, 루, 각 등 600여 칸으로 이루어져 있으며, 산세를 살려 건축되었다. 산문, 아뇩달지(阿耨達池), 천왕전, 대웅보전, 사리전, 법당과 장경루를 중심축으로 하여, 동쪽에 종루, 대비각(大悲閣) 등이 있고, 서쪽에는 대단(大壇), 조사전(祖師殿), 방장실(方丈室; 承恩堂) 등이 있다. 현재의 대전은 청(淸) 강희(康熙) 18년(1679)에 중건된 것이다. 사방에는 양심당(養心堂), 인당료(引堂寮), 습취루(拾翠樓), 박청각(朴靑閣), 백운죽원(白雲竹院) 등이 있다.

아육왕사의 종루는 모두 3층으로 이루어져 있다. 아래층 통간(通間)이 바로 지장전이며〈그림 97A〉, 중앙에 모셔져 있는 소조상이 지장보살상이다. 유명(幽冥)의 종이 지옥 중생을 제도할 수 있다고 하여 지장보살상을 바로 이 종루에 모신 것이다. 종루 위의 두 층에는 종이 걸려 있는데, 무게가 3천 근이며, 청(淸) 가경(嘉慶) 15년(1801)에 주조되었다. 종 밑에도 역시 지장보살상이 있는데, 상 전체를 금으로 장식하여 찬란하게 빛나고 있다.〈그림 97B〉 사찰에도 또한 지장전이 있다. 이곳에 모셔져 있는 지장보살상은 소박하고 근엄하며, 불감에는 금이 장식되어 있다. 전체적으로 사찰은 고풍스럽고 소박하며 장엄한 느낌을 준다. 천태산의 방광사는 절강성 대주시(臺州市) 천태현 천태산풍경구(天台山風景區) 북부에 위치하고 있다. 전하는 바에 의하면, 남조(南朝) 진(陳) 선제(宣帝) 태건(太建) 7년(575)에 지자(智者)대사가 처음 천태산에 와서 돌다리를 건너, 정광(定光)선사의 초암(草庵 ; 石橋庵)에서 밤을 보냈다고 한다. 석교암은 동진(東晋)의 담유(曇猷)화상이 은거하던 곳으로, 이것이 바로 방광사(方廣寺)의 전신이지만 그 존속 시기와 훼손된 연대를 현재는 입증할 수가 없다. 사찰에는 오대(五代) 시기에 만들어진 오백나한동전(五百羅漢銅殿)이 있으며, 오백의 응진(應眞)이 화현한 곳이라 하여 오백나한도량이라고 불렸다고 전해진다. 대전(大殿)에는 지장보살상과 18나한이 나란히 있어서, 매우 독특하다.〈그림 98〉

그림 97A_오른쪽
▲
영파 아육왕사의 지장전

그림 97B_오른쪽
◀
종루 아래의 지장보살상

그림 98_오른쪽
▶
방광사 대웅전의 지장보살과 나한상

9) 보타산 보제사(普濟寺), 양주(揚州) 관음산사(觀音山寺), 봉화(奉化) 설두사(雪竇寺)

보타산(普陀山)은 관음도량으로 유명하며, 동남쪽의 매단령(梅檀嶺) 아래에 자죽림선원(紫竹林禪院)이 있다. 오대(五代) 시기에 승려 혜악(慧鍔)이 오대산

地藏殿

(五臺山)에서 관음상을 청하여 얻은 후, 돌아가던 길에 이곳에서 풍파를 만나 위쪽 산기슭에 '불긍거관음원(不肯去觀音院)'을 세웠다. 자죽림(紫竹林)이라는 이름을 얻은 것은 대나무 숲에 위치하고 있어서가 아니라 산에 있는 돌과 바위 등이 자홍색을 띠고 있기 때문이다. 또한 이 돌을 쪼개서 잘라보면 잣나무나 대나무 잎의 꽃무늬 같은 모양을 볼 수 있어서 이 돌을 자죽석(紫竹石)이라고 부른다. 후인이 또한 이곳에서 실제로 자죽(紫竹)을 재배하기도 하였다. 자죽선원(紫竹禪院)의 와불전(臥佛殿) 안의 한쪽에 역시 지장보살의 존상이 안치되어 있다.〈그림 99〉

그림 99
보타 자죽선원 와불전의 지장보살상

그림 100_오른쪽
보타 보제사의 지장전

보타도량은 매산(梅山) 동쪽의 영취봉(靈鷲峰) 아래에 있는 보제사가 주된 사찰이다. 현존하는 건축물은 청(淸) 강희(康熙), 옹정(雍正) 연간에 세워진 것이며, 사찰 안에는 대원통전(大圓通殿), 천왕전, 장경루 등이 있고, 전, 당, 루, 헌(軒)을 합하면 312칸에 달한다. 사찰 가운데 역시 지장전도 있으며〈그림 100〉, 관음보살과 지장보살의 두 도량이 서로 원만하게 소통하고 있다는 것을 알 수 있다. 중산문(中山門)과 천왕전 사이에 있는 통로의 양옆에 있는 건물이 종루와 고루(鼓樓)이다. 3.5톤의 동으로 된 종과 직경 2m에 가까운 가죽 북이 각각 나뉘어 걸려 있다. 그 당시 매일 밤 종소리가 바다 멀리까지 퍼져나갔다고 한다. 종 아래에 지장보살상이 안치되어 있는데, 이것은 '유명(幽冥)의 종'이라는 의미를 내포하고 있다.

양주의 관음산사는 산사의 대표적인 면모를 보여주고 있으며, 수서호(瘦西湖)의 동봉(東峰) 촉강(蜀崗)에 위치해 있는데, 양주의 빼어난 자연 경관을 잘 살려서 건축되어 있다. 그 옛터는 수(隋) 시기에 세워진 미루(迷樓)이며, 구조가 매우 복잡하였다. 어둡고 깊을 뿐만 아니라 휘어지고 구부러져 있어서, 수(隋) 양제(煬帝)가 이곳에 유람을 왔을 때, "진선으로 하여금 이곳에 놀게 하였는데,

地藏殿
佛光普照
楞嚴壇

그림 101
양주 관음산사의
지장왕전

또한 길을 잃었다[使眞仙游此, 亦當自迷]."라고 말하였다고 한다. 관음산사의 송대(宋代) 명칭은 '적성사(摘星寺)' 였다. 명(明) 홍무(洪武) 연간에 중건하며 '공덕산(功德山)', '관음각(觀音閣)' 이라고 이름 붙였다. 청(淸) 강희(康熙), 건륭(乾隆) 연간에 중수하였으나 함풍(咸豊) 시기에 화재로 훼손되었다. 현재의 대웅보전, 천왕전, 장경루, 산문 등의 건축물은 청 말기와 그 이후에 세워진 것이다. 사찰은 산세를 따라 산꼭대기에 건축되었는데, 산에 있는 고목들이 해를 가리고 있고, 붉은 담장이 높이 솟아 있어 산과 사찰이 하나로 잘 어우러져 있으며, 건축 구조는 평지에 세워진 사찰의 엄격한 대칭 구조와 차이가 있다. 관음산사의 법회는 대단히 크게 열리는데, 관음보살의 성탄일에는 더욱 특별하다.

관음산사의 불상은 일반 사찰의 형태인 부처를 존상으로 하는 방식과는 차이가 있다. 보살을 존상으로 하고 있으며, 동시에 4대 불교명산보살을 모시고 있는데, 유독 관음보살이 두드러지게 모셔져 있다. 원(院)에서 떨어진 동쪽의 방(房) 가운데 있는 것이 문수보살이며, 서쪽 방에 있는 것이 보현보살이다. 문수전 뒤에 지장왕전이 있으며〈그림 101〉, 전각의 한가운데에 지장보살상이 안치되어 있고 향을 피워 모시고 있다.

봉화 설두사는 설두산 꼭대기에 있는 평평한 곳에 위치하고 있으며, 동쪽과 서쪽의 두 개울물이 절을 둘러싸고 흘러가고 있다. 푸른 산이 둥글게 겹겹이 둘러싸고 있으며, 샘물과 폭포 소리가 경쟁하듯이 울려 퍼진다. 풍광이 아주 수려한 유명한 미륵도량이다. 사찰에 걸려 있는 주련에는 "사면이 푸른 산이요, 산마다 옛 절이 있네. 푸른 봉우리가 둘러서 봉우리들이 미륵불을 뵙네[四面青山 山山朝古刹 環列翠峰 峰峰叩彌勒]."라고 쓰여 있다. 그러나 이 사찰에 미륵을 모시게 된 원인은 오대(五代) 시기에 이곳에서 미륵의 화신으로 인식되는 계차(契此)화상이 나타났기 때문이며, 그 이전에는 관음보살을 받들고 있었다. 『설두사지(雪竇寺志)』의 기록에 의하면, 진대(晋代)에 니결로산(尼結廬山) 정상에 명폭포원(名瀑布院)이 있었는데, 당(唐) 회창(會昌) 원년(841)에 이곳으로 옮겨 새로 선원을 세웠다고 한다. 당(唐) 함통(咸通) 8년(867)에 중건하였으며, 명폭포관음원(名瀑布觀音院)이라는 사액을 내렸다. 북송(北宋) 함평 2년(999)에 진종(眞宗) 조항(趙恒)이 명설두자성선원사(名雪竇資聖禪院寺)라는 사액을 내렸다. 이후에 훼손과 보수를 겪었으며, 원래의 건축물인 패루(牌樓), 두문(頭門), 불전(佛殿), 재궁(齋宮) 등은 수백 개의 기둥만 남아 있었다. 청(淸) 순치(順治) 연간(1644~1661) 승려 석기(石奇)가 다시 중건하였다. 이때 중건된 전각 중 지장전이 있었으며, 지장전 중앙에 있는 지장보살상은 동으로 주조한 대형상이다.〈그림 102〉 상은 정수리에 오불관(五佛冠)과 비로모(毘盧帽)를 쓰고 있으며, 반가부좌의 자세를 하고 있다. 가사대포(袈裟大袍)를 엄개(掩盖)까지 늘어뜨리고 있으며, 오른쪽 다리로 연화대를 밟고 있고, 좌대 아래에는 파도무늬가 새겨져 있다. 양손은 줄기가 굽은 당대(幢臺)를 들고 있는데, 비교적 보기 어려운 모습이라고 할 수 있다. 이것은 밀종(密宗)의 지장보살상의 법물(法物)과 같은 것으로, 밀종 지장보살상의 영향을 받아 성립되었다고 볼 수 있다.

그림 102
봉화 설두사의 지장보살상

10) 공주(贛州) 보화사(寶華寺), 조주(潮州) 개원사(開元寺) 및 광주(廣州) 광효사(光孝寺)

공주 보화사

보화사는 당 현종(玄宗) 천보(天寶) 연간(742~755)에 처음 창건되었으며, 사찰의 원래 명칭은 서당보화선원(西堂寶華禪院)이었으나 명대(明代) 초년에 이르러 보화사라고 불렸다. 공현(贛縣) 전촌진(田村鎭) 동산촌(東山村) 공공산(龔公山)에 위치해 있다. 이 사찰은 선종의 고승 마조(馬祖) 도일(道一)선사가 선법(禪法)을 펴던 장소로서, 불교사에 있어서 대단한 영향력을 발휘했던 곳이다. 원래는 은사(隱士) 공량(龔亮)이 머물던 곳이다. 전하는 바에 의하면, 마조선사가 이곳에 와서 공(龔)씨에게 옷 한 벌 덮을 밭과 향 하나를 피울 수 있는 산을 청하자 공씨가 크게 웃으면서 이에 응하였다고 한다. 마조선사가 법을 발휘하여 가사를 풀어 공중에 던지자 바로 해가 가려졌고, 또한 향 하나를 사르자 그 속에서 천천히 피어난 연기가 전체 산으로 퍼져나갔다. 결국 공량은 가지고 있던 전답과 산을 모두 마조선사에게 바쳤으며, 이것이 바로 공공산의 유래이다.

사찰은 청정하고 그윽하며 우아한 정취를 느끼게 한다. 오래된 측백나무가 하늘을 찌르고, 은행나무가 해를 가리고 있으며, 또한 소나무와 대나무 숲도 울창하다. 천왕전, 대웅보전, 지장전, 관음전, 대춘루(大春樓), 재당(齋堂) 등의 대부분의 건축물은 이미 개수하여 면모를 새롭게 하였다. 여기에는 보물이 많은데, 특히 당(唐) 시기의 옥석탑(玉石塔), 천년백(千年柏), 용천정(龍泉井), 고정종(古鼎鐘) 등을 합하여 보화사의 '십대보(十大寶)'라고 부르고 있다. 또한 유공권(柳公權), 이륵(李勃) 등의 역대 명가의 서법(書法), 석각(石刻), 비명(碑銘) 등이 있다. 지장전에는 지장보살, 민장자와 도명의 삼존이 모셔져 있다. 〈그림 103〉 지장보살은 머리에 오불비로관(五佛毘盧冠)을 쓰고 가사를 입고 있다. 가부선정좌(跏趺禪定坐)의 자세를 취하고 있으며, 양손은 앞으로 모아 화염마니주를 들고 있다. 두 협시가 옆에 서 있는데, 민장자는 웃음을 머금은 노인의 모습이며, 손은 가슴 앞에서 발우를 들고 있다. 도명은 단정한 청년의 모습이며, 자태가 매우 뚜렷하게 드러나 있다. 오른손은 원래 석장을 들고 있었으나 애석

그림 103
공주 보화사의 지장보살 삼존상

하게도 이미 유실되었다. 전체 상은 금으로 장식되어 있으며, 부분적으로 홍칠색(紅漆色)이 드러나 있다. 전당 안에는 나무로 된 시렁이 높게 설치되어 있고, 천화판(天花板)은 보이지 않는다. 소박함이 가득 느껴진다.

조주(潮州) 개원사(開元寺)

광동성 조주 개원사는 시의 중심에 위치해 있다. 월동(粤東) 지역에서 첫 번째로 꼽히는 고찰이다. 사찰의 전신(前身)은 여봉사(荔峰寺)였으며, 당대(唐代) 개원(開元) 26년(738) 칙령으로 개원사를 건립하였다. 전각이 웅장하고, 성상(聖像)이 장엄하며, 문물이 대단히 풍부하고, 향화가 끊임없이 피어오르니, 그 명성이 원근에 크게 퍼져 '백만인가복지(百萬人家福地), 삼천세계총림(三千世界叢林)'이라는 명예를 얻게 되었다. 사찰을 처음 건립할 때에 100무(畝 ; 1무=666.7㎡)의 땅을 점유했지만, 역대로 10여 차례의 대규모 보수를 하였고, 지금에 이르러 남아 있는 것은 40무에 이르지 못한다. 사찰의 건축 구조는 대체적으로 세 부분으로 나눌 수 있다. 조벽산문(照壁山門), 천왕전, 대전, 장경루와 옥불루(玉佛樓)를 중심축으로 하여 동쪽에는 객당, 지장각 등이 있고, 서쪽에는 방장실, 관음각, 혜업당(慧業堂), 제천각(諸天閣) 등이 있어 방대한 사합원(四合院)

양식의 고대 건축군을 형성하고 있다. 1100여 년의 역사 속에서 지진, 해일, 태풍, 벼락, 우박 등의 자연재해를 겪었으며, 역대의 전란과 인재(人災)에 시달리면서 끊임없이 보수되어 왔다. 지금도 여전히 당・송 궁전식의 장엄하고 엄숙한 격을 지니고 있으며, '고대 건축예술의 명주(明珠)' 라는 명예를 가지고 있다.

광주(廣州) 광효사(光孝寺)

광효사는 광주시 안에 위치하고 있다. 절터는 본래 서한(西漢) 남월(南越)의 왕이었던 조타(趙佗)의 손자 조건덕(趙建德)이 머물던 곳이었다. 삼국시대에 동오(東吳)의 우번적(虞飜謫)이 광주에 거주할 때, 이곳에 절을 세우고 불법을 강설하였으며, 후에 시주하여 묘우(廟宇)를 지었다. 송(宋) 소흥(紹興) 연간에 정식으로 '칙사광효선사(敕賜光孝禪寺)' 라고 하여 사명을 갖게 되었다. 사찰의 건축물 중 대웅보전이 가장 웅장하다. 이 전각은 청(淸) 순치(順治) 연간(1944~1661)에 중수되었지만, 당・송대의 건축 양식을 띠고 있다. 사찰 안에는 적지 않은 역사문물과 고적들이 있다. 예를 들면, 당대 선종 6조인 혜능(慧能)선사의 발탑(發塔), 남한(南漢) 시기에 주조된 천불철탑(千佛鐵塔), 송대에 처음 건축된 가람전(伽藍殿), 육조전(六祖殿), 비각(碑刻), 불상, 보리수(菩提樹) 등이 이에 속한다. 사찰의 기세는 웅혼하며, 전각은 우아하고 장엄하다. 지장전은 2층 누각 형식이고,〈그림 104〉 창살이 넓게 트여 있으며, 문기둥에 있는 주련에는 "또한 중생이 정각의 참다운 공덕을 이루는 것을 볼 것이며, 바야흐로 자기가 여래의 선한 인연임을 알 것이다[且看衆生成正覺眞功德, 方知自己是如來善因緣]." 라고 쓰여 있다.

광동 신흥성시(新興城市)에 있는 소흥 연간에 설립된 홍법사(弘福寺)에도 역시 지장전당(地藏殿堂)이 있다.

장주(漳州) 남산사(南山寺)

장주 남산사는 복건성(福建省) 장주시(漳州市) 남부의 단하산(丹霞山)에 위치하고 있다. 당(唐) 개원(開元) 초년(713~714)에 건축되었으며, 처음의 명칭은

그림 104
광주 광효사의 지장전

연수사(延壽寺)였으나 명(明) 천계(天啓) 연간(1621~1627)에 남산사(南山寺)로 개칭하였다. 현존하는 건축물은 청대(淸代) 광서(光緖) 연간에 중수된 건축물이며, 근년에도 역시 보수 작업이 있었다. 주요 전당으로 천왕전, 대웅보전, 장경루, 석불각(石佛閣), 법승사리탑(法乘舍利塔) 등이 있다. 지장전에는 지장보살도가 모셔져 있다. 서봉(瑞峰) 임양사(林陽寺)는 복주(福州) 북봉령(北峰嶺) 두향(頭鄕) 서봉(瑞峰)의 산기슭에 위치해 있다. 서기 931년에 처음 건축되었으며, 임양원(林洋院)으로 불렸다. 송조(宋朝)에 고승 지단(志端)선사가 이곳에서 불법을 폈으며, 이후에 흥성과 쇠락을 거듭하였다. 청(淸) 광서(光緖) 연간에 고산(鼓山) 통천사(涌泉寺)의 고월(古月)선사가 발원하여 중흥을 발원하고, 앞서 이곳에 와서 주석하였다. 중건한 전당은 대체적으로 고산 통천사를 모방하였고, 그 규모가 매우 크다. 이때에 역시 지장전이 건축되었다. 복건성(福建省) 보전시(莆田市) 봉황산(鳳凰山) 기슭의 고찰인 광화사(廣化寺)는 복건불학원(福建佛學院)의 소재지이다. 그 종풍(宗風)이 순정하고, 사찰의 규모도 손꼽힐 정도로 크다. 사찰에 역시 지장전이 있으며, 관음전과 대칭으로 배치되어 있다.

11) 천산(千山) 향암사(香巖寺), 지화사(智化寺), 대혜사(大慧寺)

향암사는 천산 서남구(西南溝) 향암곡(香巖谷)에 위치하고 있다. 당대(唐代)에 처음 창건되었고 요, 금, 원 시기에 매우 흥성하였으며, 후에 재난을 겪으면서 훼손되었다. 명(明) 정덕(正德) 연간에 새로운 터에 중건되어, 후에 청(淸) 옹정(雍正), 건륭(乾隆), 도광(道光), 광서(光緖) 시기를 거치면서 보수하거나 확대 건축되었다. 해방 후에도 여러 차례의 수리가 이어졌으나 '문화대혁명' 시기에

그림 105
천산 향암사 지장전의 대문

사탑 등이 훼손되었고, 1982년 국가에서 대수리를 추진하여 사찰의 원래 면모를 되찾았다. 『요양현지(遼陽縣志)』의 기록에 의하면, "사찰은 산의 양지 바른 곳에 위치하고, 산에는 꽃들이 매우 많아 봄과 여름에는 산에 가득히 꽃이 피어나 향기가 가득하여 향암사로 개명하였다."라고 하고 있다.

향암사는 전후의 양원(兩院)으로 나뉜다. 전원(前院)에는 접인전(接引殿), 운수당(雲水堂), 객당(客堂), 재당(齋堂) 등이 있고, 후원(後院)에는 대웅보전, 선불장(選佛場), 선당(禪堂) 등이 있다. 모두 단첨경산식(單檐硬山式)의 건축에 속한다. 〈그림 105〉 향암사의 명승고적은 천산에서 가장 빼어나다. 사찰의 앞에는 원대(元代)의 명승 설암(雪庵)의 묘탑(墓塔)과 비기(碑記)가 있다.

지화사(智化寺)

지화사는 명 정통(正統) 9년(1443)에 건축되었다. 처음 세워질 때는 환관(宦官) 왕진(王振)의 가묘(家廟)에 불과하였다. 왕진은 명대의 환관난정(宦官亂政)의 창시자이다. 정통(正統) 7년 황태후(皇太后) 서거 이후 8세의 주기진(朱祁鎭; 英宗)이 황제의 지위를 계승하였고, 불과 16세의 태감(太監) 왕진이 조정의 실권을 장악하고, 전권을 휘둘러 그 해악이 결코 적지 않았다. 명 영종의 편애와 사액사찰이라는 명성 등에 힘입어 지화사는 300년간 향화가 끊이질 않았다. 청대 건륭(乾隆) 7년(1742)에 이르러 관원이 상주(上奏)하여, 왕진의 소조상을 제거하였지만 그 규모는 여전하며, 문물 또한 적지 않다.

지화전은 사찰의 중앙에 있는 정전이며, 일반 사찰의 대웅보전에 해당한다. 그 명간(明間) 후첨(後檐)의 포하(抱厦) 안에 한 폭의 지장보살설법도가 있다. 〈그림 106〉 이것은 대단히 희귀한 명대의 벽화이다. 벽화의 너비는 4.7m, 높이는 3.14m이며, 총면적은 14.76㎡이다. 벽화는 목판으로 된 판벽 위에 제작된 것이다. 목판 위에는 마포(麻布)가 붙어 있고, 마포 위에 초니(草泥)가 발라져 있으며, 초니층(草泥層) 위에는 분저층(粉底層)이 있다. 이 위에 마지막으로 벽화의 표면인 안료층(顔料層)이 있다. 벽화의 화면은 대칭식 구도를 사용하고 있으며, 모두 13명의 인물이 표현되어 있다. 정중앙이 지장보살이며, 좌우에 민장자와 도명화상과 지장보살의 중생 제도를 돕는 명부시왕이 있다. 그림 상단에는 오채

그림 106
북경 지화사 벽화의 지장보살도

그림 107_오른쪽
북경 대혜사의 지장왕보살

색의 상서로운 구름이 피어오르고 있다. 전체적인 벽화의 구도는 장엄하고 필법이 세밀하며 기교가 뛰어나다. 특히 가사를 입고 있는 지장보살은 위풍당당한 모습이며, 제청도 역동적으로 표현되어 있다. 전체적인 분위기가 따뜻하고 수려하여 사람들에게 초범(超凡)적인 인상과 친화감을 준다.

대혜사(大慧寺)

대혜사는 북경(北京) 해정구(海淀區)에 위치해 있으며, 명 정덕(正德) 8년(1513) 가례감(司禮監)의 태감(太監) 장웅건(張雄建)이 중첨무전(重檐廡殿)인 대비전(大悲殿)에 높이 18m의 대동불(大銅佛)을 모셨으나 중국을 침략한 일본군에 의하여 훼손되었다. 현재의 불상과 제자상 그리고 협시보살상은 근래에 만든 소조상이며, 대전의 세 벽에 둥글게 배치되어 있는 소조상과 벽화는 명대 시기에 제작된 것이다. 대전 양쪽에 있는 수미좌 위에 모셔놓은 28존은 높이가 3.3m이며, 불교 호법천으로 채색 소조상이다. 그 기세가 웅혼하며 신태(神態)가 각각 다르다. 제석천, 범천 등 중국화된 여러 천(天)들은 제왕의 복식을 하고 있으며, 근엄한 얼굴에 위엄이 서려 있다. 천왕(天王)과 위태천(韋馱天)은 노한 눈에 금강 같은 몸을 가지고 있어, 천장(天將)의 위용을 느끼게 한다. 보리수신(菩提樹神), 귀자모신(鬼子母神)은 온화하고 단정하며, 자애롭고 순후하다. 지장왕

보살과 이 두 상은 서로 비슷한데, 보살을 여인의 몸으로 장식하였다.〈그림 107〉 이것은 지장보살의 도상에 있어서 대단히 독특한 것이다.

명교사(明敎寺)

명교사는 합비시(合肥市) 안의 고교노대(古敎弩臺 ; 속칭 曹操点將臺) 위에 위치하고 있으며, 흥성과 쇠락을 거듭 겪어 왔다. 남조(南朝)의 양(梁) 시기에 처음 건립되었으며, 수(隋) 말기에 황폐화되었다. 당(唐) 대력(大歷) 연간(766~779)에 폐허 가운데서 철불 하나를 파내었고, 여주자사(廬州刺史) 배견(裴絹)이 조정에 상주하였으며, 이 상주를 받아들여 사찰을 중건하고 정식 명칭

그림 108
합비 명교사의 지장전

을 '명교원(明敎院)'이라 하였다. 명대(明代)에 '명교사'라고 개칭하였다. 청(淸) 함풍(咸豊) 3년(1853)에 다시 전화를 겪으며 훼손되었으나 광서(光緖) 연간에 중건되었다. 1937년 겨울, 사찰의 건축물이 일본군 비행기의 폭격으로 훼손되었다. 중화인민공화국 성립 후에, 정부의 유관기관이 여러 차례 기금을 조성하여 수선하였다. 명교사는 그 역사가 장구하며, 건축물이 웅혼하여, 합비성(合肥城)의 여러 사찰 가운데 으뜸이라고 할 수 있다. 현존하는 건축물로는 산문, 천왕전, 대웅보전, 지장전, 객당, 요방(寮房) 등이 있다. 지장전은 넓고 밝으며, 지장보살상이 모셔져 있다.〈그림 108〉

12) 복주(福州)와 장춘(長春)의 지장사(地藏寺)

복주 지장사

금계산(金鷄山) 지장사는 복건성(福建省) 복주시 동문 밖에 위치하고 있으며, 여승들의 도량이라는 점과 정토도량으로 유명한 고찰이다. 기록에 의하면, 남조(南朝) 양(梁) 무제(武帝) 대통(大通) 원년(527)에 창건되었으며, 당시에는 법림사(法林寺)라고 명명하였다. 당(唐) 건령(乾寧) 원년(894)에 중수하였으며, 오대(五代) 시기에는 금계산 보은사(報恩寺)라고 칭하였다. 사찰 안에 지장전이 건립되었다. 송, 원, 명의 각 시기에 모두 보수가 있었으나 이후에 화재로 훼손되었다. 청(淸) 동치(同治) 3년(1864)에 보은사(報恩寺) 지장전의 옛터에 새로운 절을 세우고, 지장사라고 명명하였다. 청(淸) 말기 이래로 여러 차례의 중수불사가 있었으나 기본적으로는 원래의 면모를 유지하고 있다. 일본군이 침입하기 전날 저녁, 비구니 덕흠(德欽)법사가 복주 동쪽 교외의 계곡 입구에 있는 쌍계암(雙溪庵)으로 대중들을 이끌었고, 그 이후 사찰을 전부 새롭게 중수하고 사찰의 면모를 일신시켜 복건의 여승총림(女僧叢林)이자 정토도량으로 거듭났다. 이 시기에 비구니 수십 명이 이곳에 기거하였다. 1981년부터 지장사는 다시 전체적인 보수작업을 하였다. 현존하는 건축물은 지장전〈그림 109〉, 대사전(大士殿), 달마조사전, 미륵전, 위태전(韋馱殿), 가람전(伽藍殿), 옥불루

그림 109 복주 지장사의 지장전

(玉佛樓), 염불당(念佛堂), 영회정(永懷亭), 덕흠법사기념실(德欽法師紀念室) 등이 있다.

장춘 지장사

길림성 장춘시 지장사는 1926년에 창건되었다. 비구니 조원(祖圓)법사가 창립하였으며, 길림성의 주요 비구니 도량이다. 중화인민공화국 성립 후에 인민정부가 여러 차례 기금을 조성하여 지장사를 보수하였다. 1956년에 지장사는 동남아 7국의 승려대표단을 접대하였으며, 동남아 각국 불교계의 칭송과 찬사를 받았다. 1983년에 지장사는 국무원(國務院)에 의해 중점사원으로 열거된 이래, 국가가 다시 두 차례에 걸쳐 기금을 조성하여, 사묘에 대한 전면적인 보수 작업을 하였다. 지장사는 산문, 천왕전, 대웅보전, 지장전을 새롭게 건축하고, 계속해서 중수하였다. 사대천왕상, 석가모니상, 지장왕상, 관세음상을 모두 새로 소조하면서 금을 입혔으며, 대웅보전의 양쪽 벽에 18나한 벽화를 그렸다. 전체 사묘(寺廟)의 건축물이 굉장히 크고, 법상(法像)은 장엄하다.

6. 경권화(經卷畵) - 시왕경

1) 『불설시왕경』 경권화의 철보(綴補)와 존권(存卷)

시왕의 도상은 지장보살의 조각과 회화에 있어서 가장 중요하고 보편적이라 할 수 있다. 앞에서 두루마리 형태의 경권화(經卷畵)와 석굴 조각상에 대해 논할 때에 이미 고찰했던 문제이다. 이전의 적지 않은 학자들이 역시 이 문제에 대해서 토론하고 연구하였으며, 또한 대단히 훌륭한 성과를 올렸다. 다만 종합적이고 전반적인 고찰은 이루어지지 못했다. 그러므로 본 글은 기존의 연구 성과 위에 시왕을 비롯해 시왕과 관련된 것을 모두 종합하여 총체적인 서술을 하고자 한다. 즉, 석굴사찰의 조각, 벽화, 독존(獨尊) 조각상과 비상(碑像), 사찰 벽화와 판화, 비단, 삼베, 종이 재질의 회화를 비롯하여 민간회화 가운데 시왕 관련 각종 도상들의 기원과 관계를 포괄하고, 그 발전 과정과 변화의 주된 흐름과 부수적 흐름을 종합적으로 기술하여, 시왕상에 대해 비교적 전면적 인식을 가지게 하고자 한다.

시왕 도상에 관한 가장 기본적이고 일반적인 것으로 먼저 경권화 도상을 들 수 있는데, 돈황석굴의 장경동에서 출토된 것이 대표적이다. 석굴사찰의 상으로는 사천석굴에 있는 것이 대표적이다. 수륙화의 시왕 도상으로는 산서와 하북지역 사묘벽화와 박물관에 소장되어 있는 견본(絹本) 불화와 판화가 대표적이다. 민간회화 가운데 시왕 관련 도상으로는 호남의 민간 수륙화 등이 대표적이라 할 수 있다. 이외에도 다시 도교 사묘, 권선화(勸善畵) 판화 등이 있는데, 열거하기 힘들 정도로 대단히 많다.

시왕도의 가장 초기 작품이며, 그 기원으로서 주목되는 것이 돈황에서 출토된 경권화이다. 『염라왕수기경(閻羅王授記經)』의 여러 사본 가운데 한 부분에 변상과 경문이 함께 있는 것이 있다. 세밀하고 아름답게 그려진 시왕도상이다. 방제의 말미에 "불설시왕경"이라고 간략하게 쓰여 있다.

이 경에 대한 연구는 돈황유서에 대한 연구와 불교미술에 대한 연구라는 서로 다른 시각의 접근을 통해 탁월한 성과를 올리고 있다. 일본 학자 토쿠시 유쇼우(禿氏佑祥)과 오가와 칸이치(小川貫一)는 이 경의 도상에 대해 더욱 상세한 비교 연구를 추가하였고,[88] 두두성(杜斗城) 선생도 돈황본 시왕경에 대하여 대단히 뛰어난 연구 성과를 발표하였다.[89] 석수겸(石守謙) 선생도 시왕도상에 대하여 역시 대단히 세밀한 연구를 하였다.[90] 이러한 과정은 모두 돈황유서의 출토와 생동감 있는 시왕도상이 있었기 때문이다. 뛰어난 여러 학자들의 연구가 있었지만, 필자는 기본적인 탐구와 관찰로 그 도상을 다시 재조명해 보고자 한다.

돈황의 시왕경 경책 중에 장권회화(長卷繪畵)가 여러 점 있는데, 모두 철하여 합본한 것이다. 펠리오 P.2003호는 변상과 경문(經文)을 모두 갖추고 있다. 수준이 매우 높다. P.2870호 역시 변상과 경문을 모두 갖추고 있으며, 보존상태가 양호하다. P.4523호는 경문이 없고 오직 변상의 일부만이 잔존해 있다. 대략, 시왕 가운데 5왕의 심판 장면만이 남아 있다. 대영박물관 소장본 중에 중간 부분이 결실된 것도 있다. 회화의 수준과 보존 상태가 모두 양호하며, 경문이 없는 것이 P.4523호의 상태와 유사하다. 대영박물관에는 또한 비교적 주목할 만한 시왕경 잔편(殘片)이 있는데, 확실한 것은 같은 경전의 다른 잔편이라는 것이다. 경권의 머리 부분의 지장보살도와 지장보살의 좌측에 있는 시왕도가 그것이다. 이 두 편은 원래는 한 부의 경권에 속한다.[91] S.3961호는 앞부분의 끝이 훼손되어 있고, 변상과 경문을 모두 갖추고 있으며, 보존 상태가 매우 뛰어나다. 일본 구보총미술관(久保總美術館)에 소장[원래는 경도(京都)의 산중상회(山中商會)에 소장되어 있었음]되어 있는 돈황 출토본은, 동문원(董文元)이 발원하여 공양한 것으로, 경권의 앞부분과 끝부분, 변상과 경문, 찬문(贊文)이 모두 완전하다. 경권의 앞면에는 『불설지장보살경(佛說地藏菩薩經)』이라는 제목이 있고, 뒷면에는 신미년(辛未年)[오대(五代) 건화(乾化) 5년, 911년 혹은 북송(北宋) 개보(開寶) 4년 971년]이라는 기년명이 있다.

88 禿氏佑祥 · 小川貫一, 「十王生七經圖卷的構造」, 『西域文化研究』, 法藏館, 1962.

89 杜斗城, 『敦煌本佛說十王經研究校錄』, 蘭州 甘肅教育出版社, 1989.

90 石守謙, 「有關地獄十王圖與其東傳日本的幾個問題」, 『歷史語言所集刊』(第56本 第三分), 臺北 中央研究院, 1985.

91 松本榮一의 『敦煌畵の研究』에서 第3章 第8節, 圖115~118 참조.

이들 경권의 현존 상태는 세 가지로 나눌 수 있는데, 변상은 있고 경문이 없는 것, 변상도 있고 경문도 있는 것 그리고 변상이 없고 경문만 있는 것이다. 이러한 구분은 경권 전체가 완전하게 남아 있는지 여부는 고려하지 않은 것이다. 또한 경문에서는 찬문의 유무로 세부적으로 구분이 된다. 그러므로 경권에서 가장 완전한 것은 변상과 경문, 찬문을 모두 구비하고 있는 것이다.

현재 중국을 포함해 여러 나라의 박물관에 소장되어 있는 시왕경 경권은 11점 정도가 알려져 있다.

이들 11점은 모두 종이 위에 쓰거나 그려진 것이며, 변상은 담채(淡彩)로 되어 있다. 시왕경 경권의 회화는 경본(經本)에 따라 도상의 내용과 표현이 매우 다양하게 나타나고 있다. 이 가운데 중요 경본을 살펴보면 다음과 같다.

동문원(董文員)이 발원한 『불설시왕경』〈그림 110〉

앞부분과 뒷부분이 모두 완전하다. 문자의 흔적이 명료하고, 그림과 서체가 모두 뛰어나다. 뿐만 아니라 시주인과 간지도 있어서, 시왕도 가운데서 첫 손가락에 꼽을 수 있을 정도로 좋은 소장본이다. 앞부분에 『불설지장보살경』이라는 경명이 있으며, 권수화(卷首畵) 역시 대단히 정교하고 아름답다. 석가모니가 시왕을 향해 설법하는 도상으로, 주존불(主尊佛)인 석가모니를 제외하고는 모두 방제가 있다. 연화대 위에 앉아 설법하는 석가모니의 몸에는 두광과 신광이 있으며, 위로는 두 그루 나무와 화려한 보개가 있다. 부처의 좌우에는 '대목건련신통제일(大目乾連神通第一)' 과 '사리불지능제일(舍利弗智能第一)' 의 두 제자가 있다. 부처의 앞에는 십대명왕이 양쪽으로 나뉘어 홀판을 들고 무릎을 꿇고 앉아 있다. 부처의 오른쪽에 있는 5왕을 안쪽에서부터 방제를 살펴보면, '제일진광왕(第一陳廣王)', '제이초강왕(第二初江王)', '제삼송제왕(第三宋帝王)', '제사오관왕(第四五官王)', '제오오도전륜왕(第五五道轉輪王)' 이다. 부처의 왼쪽에도 5왕이 있다. 역시 안쪽에서부터 보면, '제오칠일과염라왕(第五七日過閻羅王)', '제육변성왕(第六變成王)', '제칠태산왕(第七太山王)', '제팔평정왕(第八平正王)', '제구도시왕(第九都市王)' 이다. 부처 앞에는 탁자가 하나 있고, 그 위에는 향로 등이 놓여 있다. 탁자의 양쪽 옆에는 도명법사와 선악동자가 있다. 도

그림 110
동문원 발원 『불설시왕경』 권수화, 일본 구보총미술관 소장

명은 연화대에 무릎을 꿇고 합장하고 있으며, 두광과 신광이 있다. 선악동자 역시 합장하고 있고 탁자 옆에 무릎 꿇고 있다. 부처와 시왕의 뒤에 다시 4판관이 있다. 부처의 오른쪽에 '오판관(吳判官)', '조판관(趙判官)'이 있고, 부처의 오른쪽에 '최판관(崔判官)'과 '○성왕판관(○城王判官)'이 있다. 4판관은 모두 홀판을 들고 단정하게 서 있다.

이 권수화에서 몇 가지 점은 주의해야 한다. 염라왕이 '제오칠일소과지왕(第五七日所過之王)'으로 되어 있고, 열 번째인 오도전륜왕이 다섯 번째인 염라왕의 위치에 들어가 있기 때문이다. 염라왕 이후에 육 · 칠 · 팔 · 구왕이 순서대로 있다. 그리고 열 번째 왕이 비어 있고, 방제도 드러나 있지 않다. 이외에도 통상적으로 첫 번째인 진광왕(秦廣王)이 '陳廣王(진광왕)'으로 잘못 표시되어 있고, 여덟 번째의 평등왕(平等王)의 방제가 '평정왕(平正王)'으로 표시되어 있으나 평등(平等)과 평정(平正)의 의미는 아주 밀접하다고 할 수 있다. '평정왕'은 돈황 시왕경에도 나온다.

권수화 뒤에는 경문이 있고, 또한 지장, 용수, 구고관세음, 상비(常悲), 다라니, 금강장의 육보살 도상이 있으며, 말을 타고 있는 사자(使者)의 도상도 있다.

가장 중요한 것은 시왕의 심판 장면과 경찬(經贊)의 글이다. 모든 왕 앞에는 탁자가 하나씩 있고, 명왕이 심판을 하고 단죄를 하고 있다. 옆에는 선악동자와 시관이 있고, 앞에는 죄인 등이 있다. 첫째 진광왕은 손을 죽 펴서 판결을 내리고 있는 모습이다. 선악동자가 양쪽에 서 있고, 홀판을 든 판관이 활처럼 몸을 굽혀 보고를 하고 있다. 마주한 남녀 죄인들이 형구와 쇠사슬에 묶여 판관을 따르고 있다. 이 장면 뒤에는 '제일일과진광왕(第一日過秦廣王)'의 찬(贊)이 있다. 두 번째 초강왕 앞에는 나하교(奈何橋)와 나하진(奈河津)이 있고 한 부인이 다리를 건너고 있다. 강 가운데에는 형구를 차고 눈을 가린 3명의 사람이 있다. 강 언덕 위에는 소머리의 아방이 형구를 찬 죄인을 재촉하며 몰고 있다. 반대 기슭에는 검을 든 귀졸이 서 있다. 대왕은 안건을 검토하고 있으며, 옆에는 동자가, 앞에는 판관이 있다. 뒤쪽에는 칼의 산과 검의 숲이 그려져 있다. 검의 숲 위에는 손상된 옷이 걸려 있다. 이 뒤에는 '제이칠일과초강왕(第二七日過初江王)'의 찬이 있다. 세 번째 송제왕은 홀판을 들고 있고, 옆에는 선악동자가 있다. 앞에는 검을 뽑고 있는 무장과 몸을 굽히고 있는 판관 그리고 양 머리 형상의 옥졸이 있다. 뒤에는 역시 방제의 찬이 있다. 네 번째 오관왕의 앞에는 업칭(業秤)이 있으며, 형구를 차고 고문을 받고 있는 사람, 작은 불상과 경전을 들고 있는 사람이 있다. 마치 경을 따르고 염불을 하는 사람은 징벌을 받지 않는다는 것을 표현하고 있는 듯하다. 다섯 번째 염라왕 장면에서는 지장보살이 나타나 있다.〈그림 111〉 바로, 『지장보살경』에서 설하고 있는 것과 같다. 지장보살은 풍모를 쓰고 있고, 석장과 마니주를 들고 있다. 대좌 옆에는 각각 금모사자(金毛獅子)와 도명이 있으며, 옆으로 두 사람이 시립하고 있다. 멀리 거라타산(佉羅陀山)이 보인다. 염라왕 앞에는 업경이 있어서 이를 사람의 몸에 대고 선악의 일들을 비추어 보고 있다.

여섯, 일곱, 여덟, 아홉 번째 왕은 큰 특징이 없다. 열 번째 오도전륜왕은 무장의 모습이다. 왼손에 붓을 들고 바로 판결을 내리려 하고 있다. 몸 뒤에 선악 두 동자가 있고, 몸 앞에는 한 명의 문관이 검을 들고 있다. 화면 앞에는 구름 형태의 여섯 줄기 빛이 사방으로 퍼져 있다. 위에서 아래까지 순서대로 육도가 배열되어 있다. 즉 천도, 아수라도, 인도, 축생도, 아귀도와 지옥도가 있다. 천도에

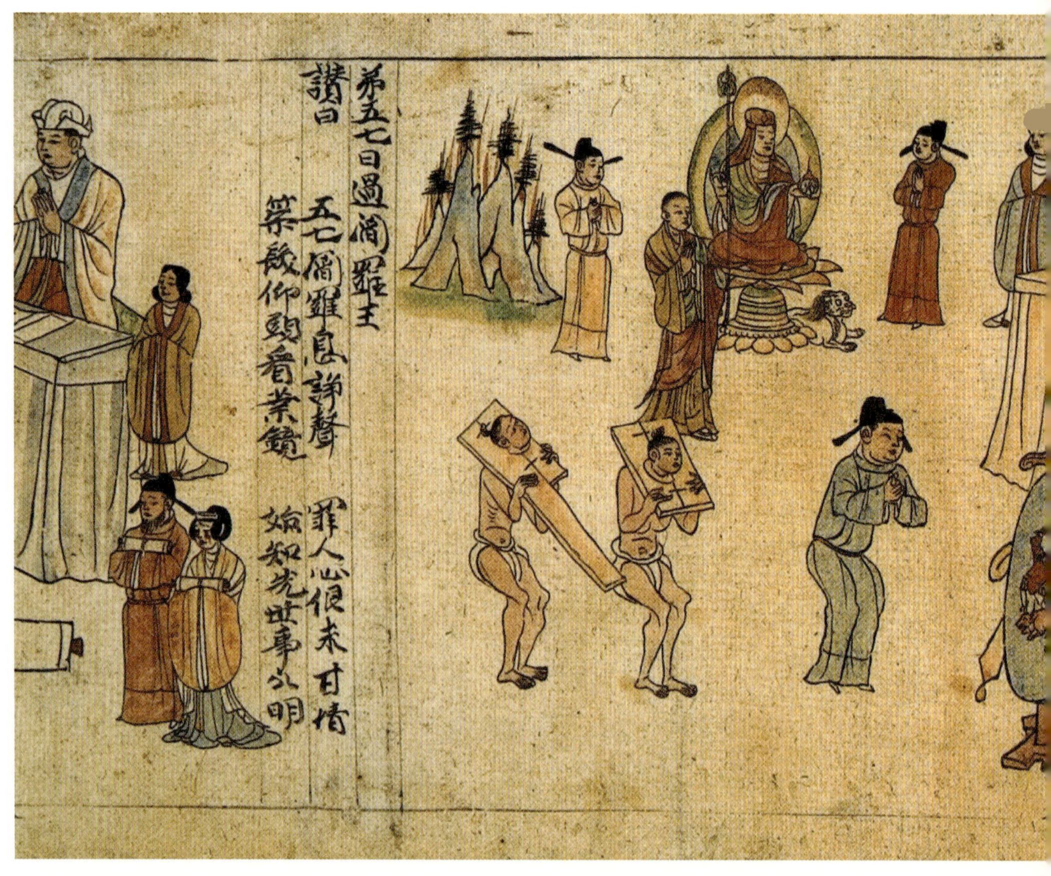

그림 111
『불설시왕경』 변상

는 귀부인이 한 명 그려져 있다. 아수라도에는 6개의 팔을 가진 아수라신이 있고, 위의 두 손은 해와 달을 들고 있다. 인도에는 한 남자의 상이 그려져 있으며, 축생도에는 한 필의 낙타와 말이 그려져 있다. 아귀도에는 한 귀신이 활처럼 몸을 굽힌 채 맞으며 나아가고 있고, 몸 앞에는 한 줄기 화염이 피어오르고 있다. 지옥도에는 소머리의 옥졸이 있어 팔짱을 끼고 가마솥을 감시하고 있다. 오도전륜왕의 탁자 앞에는 한 귀신이 육도의 구름 아래 낭아성봉(狼牙星棒)을 들고 있다. 탁자 뒤에는 시렁 하나가 있는데, 호랑이, 표범 등 각종 짐승의 가죽이 걸려 있다. 축생으로 전생(轉生)할 때 쓰기 위한 것이다. 열 번째 왕이 있는 장면과 찬문 뒤로 또 다른 장면 하나가 그려져 있는데, 칼의 산 뒤에 성과 연못이 있고, 연못의 안과 밖에서는 불길이 일고 있다. 지옥을 표현하고 있는 것이다. 앞에는 소머리의 아방이 이무기의 몸 위에 앉아 있고, 이무기도 역시 입에서 불꽃을 토하

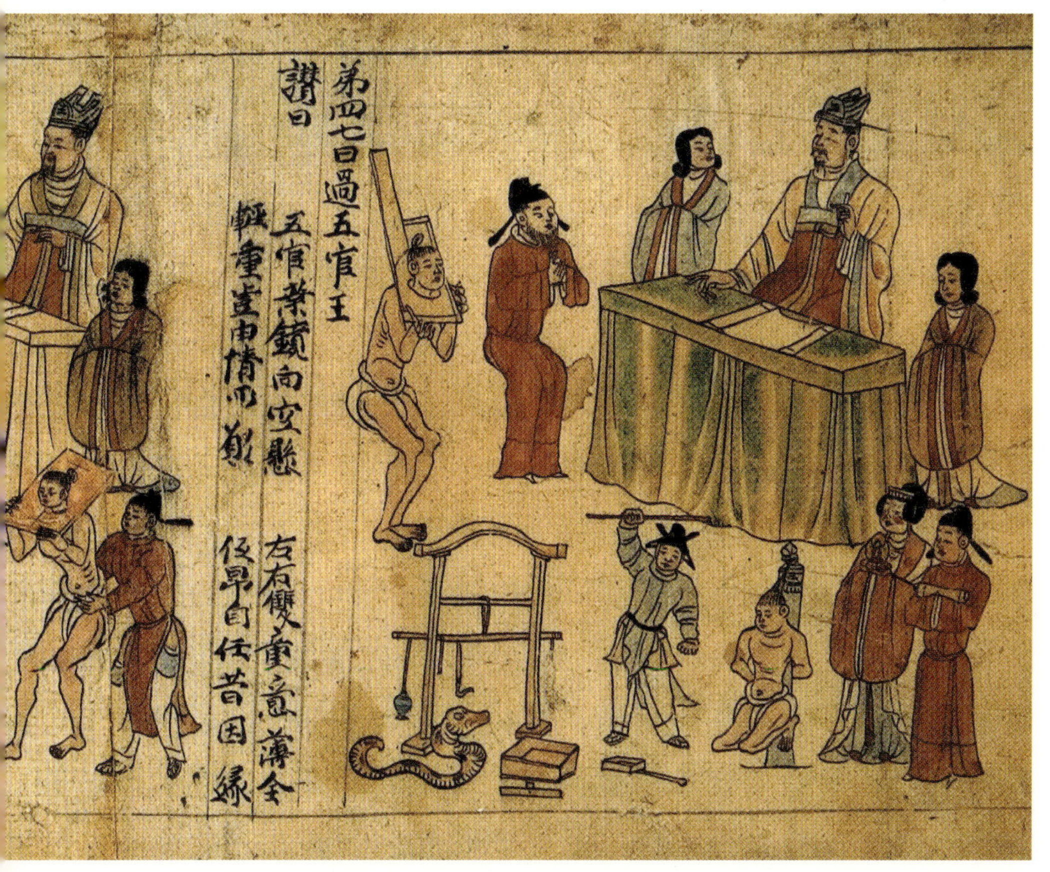

고 있다. 한 죄인은 상반신이 벗겨진 몸으로 합장을 하고 서 있는데, 다리 아래에는 3개로 묶인 경권이 있다. 죄인의 앞쪽에 지장보살이 있다. 지장보살은 사문 형상을 하고 있으며, 선량함으로 가득하여 마치 교화를 하고 있는 듯한 모습이다.

마지막 부분에는, "십재구족면십악죄방기생천(十齋具足免十惡罪放其生天)" 이라는 방제가 있고, 연속해서 찬문 등이 있다. 경전의 끝부분에 "『불설시왕경』 1권" 이라고 기록하고 있고, 연화대 위에 좌상의 불상이 그려져 있다. 발문은 동문원이 쓴 것으로, 그가 공양하는 장면이 그려져 있다.〈그림 112〉 68세의 노인인 동문원이 무릎을 꿇고, 양손으로 향로를 들고 있다. 향로에는 향이 타고 있고, 향의 연기가 아스라이 피어오르고 있다. 발문에는 "辛未年十二月日書」 書畢年六十八寫」 弟子書畢供養」" 이라고 되어 있다.

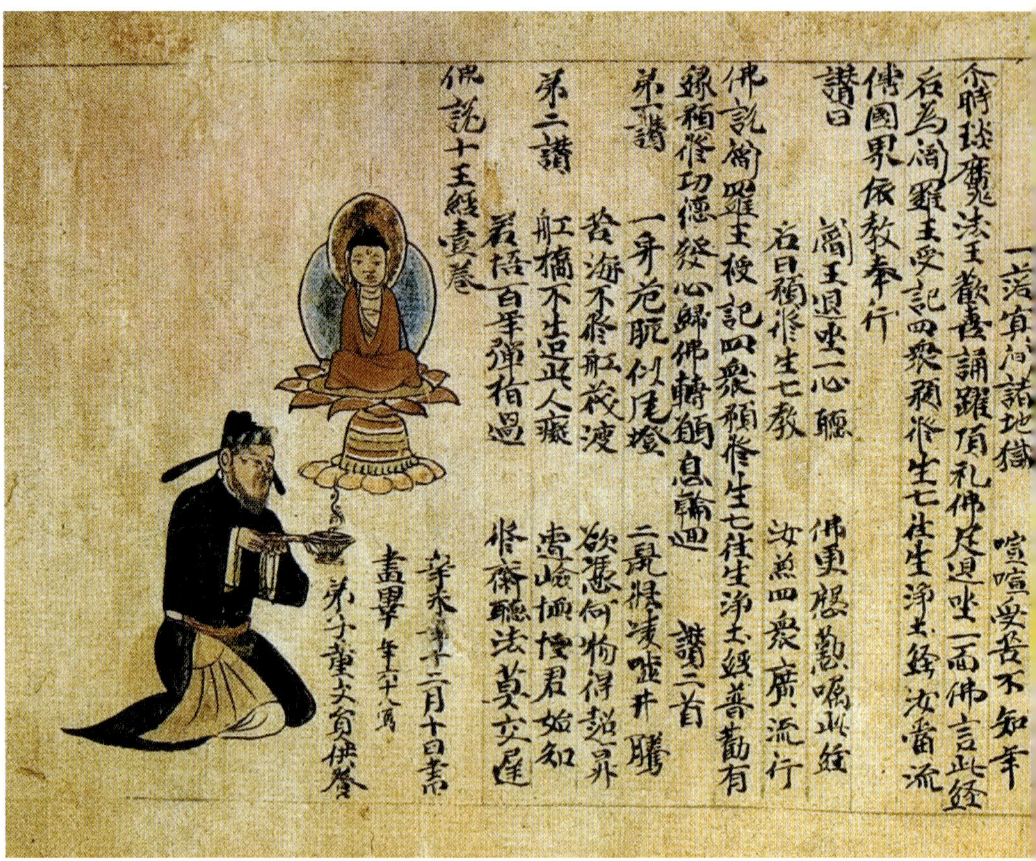

그림 112
『불설지장보살경』
발문

이 동문원의 공양상으로부터 알 수 있는 것은 동문원이 화면에서 이미 여러 번 나타났다는 것이다. 두 번째 초강왕 장면이 그중 하나인데, 탁자 앞에 한 노인이 양손으로 홀판 하나를 받들고 활처럼 몸을 굽히고 있다. 나하교 위에는 한 부녀자가 소매를 초롱처럼 하여 가슴 앞에 한 권의 두루마리 경권을 받들고 다리를 건너고 있다. 이 부인은 아마 동문원의 아내일 것이다. 아홉 번째 도시왕의 탁자 앞에도 역시 한 노인이 양손을 마주하여 읍하고 있다. 그 맞은편의 부녀자 역시 양손으로 소매를 초롱처럼 하여 경서를 받들고 있는데, 이들은 아마 동문원 부부일 것이다. 공양인의 기복(祈福)적 성격을 엿볼 수 있는 부분이다.

지장보살은 세 번 나타나고 있다. 첫 번째는 여섯 보살 가운데 하나로, 두 번째는 염라왕 부분에서 염라왕과 함께 안건을 심사하는 모습으로 나타나고 있는데, 이것은 『불설지장보살경』과 부합된다. 세 번째는 마지막 부분으로 십재(十

齋)를 모두 구족한 후에, 지장보살이 죄인에게 밝은 이치를 보여주는 모습이다.

프랑스 소장 P.4523호

변상만 있고 경문이 없는 『염라수기경』이며, 현재 남아 있는 부분은 권수화와 시왕의 앞쪽 다섯 왕뿐이다. 지장보살을 위주로 한 지장시왕도이다. 담색에 묵선을 위주로 그렸다.

화면 구도는 앞서 살펴본 일본 소장본과 기본적으로 일치한다. 주존의 뒤에는 두 그루의 나무와 화려한 보개가 있다. 지장보살은 비단으로 된 풍모를 쓰고 있으며, 오른손은 석장을 잡고, 왼손으로는 마니주를 들고 있다. 영락 장식을 하였고, 연화대 위에 반가부좌하고 있다. 오른쪽 다리는 접고 있고, 왼쪽 다리는 작은 연꽃을 밟고 있다. 다만 연대가 높지 않은 대단히 낮은 연판좌(蓮瓣座)이다. 그러므로 오른쪽 다리는 일반적으로 볼 수 있는 지장 반가부좌상의 아래로 펼친 자세와 다르게 위로 굽어져 있다. 관음보살의 유희좌(游戲坐) 형식과 유사하다. 지장보살의 정면 앞쪽에는 선악동자와 두 마리의 사자(獅子)가 각각 배치되어 있다. 그 앞의 승려는 도명화상일 것이다. 여러 도상의 위와 옆에는 모두 방제가 있지만, 현재는 오직 긴 네모형의 방제 틀만 보이고, 글자의 흔적은 아득하여 알아볼 수가 없다. 십대명왕은 앞의 화면 구도와 같이 양쪽으로 나뉘어 앞쪽에 배열되어 있다. 모두 관을 쓰고, 홀판을 들고 무릎 꿇고 있는 자세이다. 다만 시왕 가운데 오직 한 왕, 즉 지장보살의 왼쪽 앞에서 가장 바깥에 있는 왕은 머리에 면류관을 쓰고 있다. 일반적으로 염라왕으로 알려져 있다. 다만 그 위치가 오도전륜왕의 자리인 가장 끝자리에 있을 뿐이다. 이 시왕의 위쪽에 나란히 배열되어 있는 방제 역시 명료하지 않다. 오직 네모난 방제 틀만 보이고, 문자는 볼 수 없다. 방제는 비교적 큰 편이고, 나란히 위쪽에 배열되어 있다. 판관의 형상도 보이지 않는다.

권수에 바로 이어지는 것은 검은 말을 타고, 검은 옷을 입고, 검은 당기를 든 사자(使者)이다. 또한 판관 한 명이 탁자에 앉아 문서를 펴서 읽고 있고, 탁자 위에는 또 두 권의 두루마리 문서가 놓여 있다.

이 뒤에는 제일진광왕이 오른손에 붓을 들고 기록하고 있다. 탁자 앞에는 두루마리 문서가 쌓여 있으며, 양쪽 옆에는 선악동자와 도끼를 들고 있는 옥졸이 있다. 대왕의 앞쪽에는 2명의 관리가 두루마리를 펼치고 있다. 2명의 죄인이 모두 형구를 차고 무릎 꿇고 있다. 이밖에도 2명의 관리가 두루마리를 안고, 활처럼 몸을 굽히고 서 있다. 불상을 받들고, 불경을 안은 이가 편안하게 앞쪽으로 걸어가고 있다. 두 번째 초강왕은 손을 탁자 위에 올려 놓고 있고, 좌우에는 두 동자가 있다. 앞에는 나하교가 있고, 다리 위에는 일남 일녀가 불상을 받들고 건너고 있다. 물 가운데에 3명이 있는데, 형구를 차고 있고 모두 물속에 몸이 잠겨 있다. 기슭에는 소머리 형상의 옥졸이 팔짱을 끼고 땅에 앉아 있다. 이외에도 기슭의 위에는 벗은 몸으로 나뭇가지를 들고 있는 사람이 있는데, 가지 위에는 옷 몇 개가 걸려 있다. 나뭇가지 아래에는 2명이 앉아 있는데, 마치 옷을 말리고 있는 듯한 모습이다. 이러한 사람들은 마치 물로부터 기슭으로 오르려 하는 모습이다. 세 번째 송제왕은 무장의 모습이다. 붓을 들어 기록하고 있다. 선악동자가 양쪽에 서 있는데, 한 명은 두루마리 문서를 안고 서 있고, 한 명은 두루마리 문서를 안고 앞으로 나아가고 있다. 불상을 안은 부인을 뒤 따르고 있다. 죄인 3명은 옷을 벗긴 채 포승에 묶이고, 형구에 채워져 있다. 한 역사(力士)가 방망이를 든 옥졸과 함께 죄인을 쫓아 달리고 있다. 네 번째 오관왕은 붓을 들어 두루마리 문서에 쓰고 있고, 두루마리 문서는 길게 늘어져, 탁자 아래까지 펼쳐져 있다. 관리 한 명이 곁에 바짝 붙어 있고, 다른 관리는 활처럼 몸을 굽히고 있다. 한 부녀자가 불상을 받들고 있다. 앞쪽에 업칭이 있다. 업칭은 죄인을 직접 재지 않는다. 장선(掌善)・장악(掌惡) 두 동자가 선한 일과 악한 일을 기록한 두루마리 문서를 업칭 위에 나누어 놓고, 엄격하게 그 무게를 잰다. 화면의 업칭 앞에는 한 동자가 서 있고, 형구를 찬 죄인이 저울 앞에서 머리를 들고 앉아 있다. 이외에도 한쪽 옆에서는 동자가 두루마리를 펼치고 있고, 그 앞에는 형구를 차고 무릎을 꿇고 있는 죄인이 있다. 병졸이 도끼를 들고 그 뒤에 서 있다. 다섯 번째 염라왕은 면류관을 쓰고 있고, 손은 탁자 앞에 있는데, 양 소매가 펴져 있다. 선악동자가 양쪽에 서 있다. 왕 앞에는 업경이 있고, 업경에는 양을 도살하는 장면이 보인다. 업경의 앞에는 뱀, 소, 닭이 각각 한 마리씩 있다. 한 옥졸이 형구를 찬 죄인의 머리를 잡고 있다. 형구를 찬 죄인 한 명이 달려가고 있고, 뒤에는 관리 한 명이 두루마리를 펼쳐 읽고 있다. 부처의 오른쪽에 지장보살이 있다. 사문 형상이고, 연화대 위에 앉아 있으며, 원형의 두광과 신광이 있다. 오른손은 무외인을 펼치고 있고, 왼손은 마니주를 들고 있다. 왼쪽 어깨에 실띠가 있다. 도명화상이 그 옆에 있다. 지장보살 앞에는 일남 일녀가 있는데, 불상을 받들고, 평온하게 앞으로 나아가고 있다. 이 본은 이곳에서 끊어져 있고, 여섯 번째 상은 한 관리의 신체 일부분만이 남아 있다.

영국 대영박물관 소장본

세로 28cm, 가로 250cm이다. 시왕 중 뒷부분의 다섯 왕이 존재한다. 역시 문자가 없다. 앞의 여섯 번째 변성왕 부분이 약간 손상되어 있다. 변성왕은 양손을 탁자 위에 올려 놓고 있고, 옆에는 선악동자가 있다. 대왕 앞에는 각각 한 명의 선남자와 선여인이 앞으로 나아가고 있는데, 선남자는 경권을 안고 있으며, 선여인은 불상을 받들고 있다. 그 뒤에는 속옷만을 걸친 2명의 죄인이 걸어가고 있으며, 목에는 나무형구가 채워져 있고 양손은 쇠로 된 수갑을 차고 있다. 소머리 형상의 아방이 삼지창을 끼고 뒤를 따르고 있다. 일곱 번째 태산왕은 한 손을 탁자 위에 올려 놓고, 한 손은 펴서 2개의 손가락을 사용하여 판결을 하고 있는 모습이다. 선악동자가 탁자 옆에 있다. 불상을 받든 부녀자와 불경을 안고 있는 남자가 대왕의 오른쪽에 있다. 왕 앞에는 형구와 쇠 수갑을 한 2명의 남자가 있고, 앞에는 도끼를 든 옥졸이, 뒤에는 낭아봉을 든 옥졸이 압송하고 있다. 여덟 번째 평등왕은 탁자를 두드리며, 분노하여 질책하고 있다. 왕 앞에는 2명의 옥졸이 죄인을 추궁하고 있는데, 한 명은 형구를 잡아 끌고, 한 명은 어깨를 틀어잡고 있다. 죄인은 등뼈를 드러낸 채 땅에 앉아 있다. 옆의 한 옥졸은 채찍을 뽑아 들어 죄인을 내려치고 있는데, 등에는 채찍 자국이 그물처럼 얽혀 있다. 탁자 앞에는 또한 형구를 하고 쇠 수갑을 찬 죄인을 누르고 있는 옥졸도 있다. 앞에는 불상을 받든 부녀자와 불경을 안고 있는 남자가 걸어가고 있다. 아홉 번째 도시왕은 합장을 하고 있고, 두 동자와 한 옥졸이 옆에 서 있다. 2명의 죄인이 앞으로 걸어가고 있다. 그 앞쪽에 불경과 불상을 받들고 있는 무리가 있는데, 남자들은 대부분 불상을 받들고 있다. 열 번째 오도전륜왕은 문관의 용모를 하고 있으며, 손가락을 앞으로 펴고 있고, 앞에는 육도윤회가 있다. 한 동자는 탁자 옆에 서 있고, 한 동자는 탁자 앞에 있다. 한 명의 문관이 두루마리를 펼쳐서, 선악의 자취를 검열하고 있다. 동자의 몸 뒤에는 또 다른 무관이 있는데, 손에 도끼를 들고 있다. 육도형상이 여섯 줄기의 빛 위에 그려져 있고, 빛의 시작 부분은 모두 대왕의 탁자 앞에서 나오고 있는 것처럼 보인다. 빛의 가장 윗부분에 아수라가 6개의 팔로 해와 달, 병기를 잡고 합장을 하고 있다. 두 번째는 천도이다. 두광이 있는 천인이 양손을 십자 형태로 하고 서 있다. 세 번째는 인도이다. 일남 일녀가 빛의 앞에 서 있다. 네 번째는 축생도이다. 낙타와 말, 소가 각각 한 마리씩 있다. 그 아래는 아귀도이다. 한 아귀가 앞으로 넘어져 있는 상태이다. 맨 끝이 지옥도이다. 소머리 형상의 아방이 삼지창을 끼고 가마솥을 휘젓고 있다. 맨 끝에 해탈도(解脫圖)가 있다. 성의 연못 옆에는 침상에 누워 있는 시신 한 구가 있고,

그림 113
P.4523호와 앞부분의 잔편을 합본해 본 것이다.

성의 안과 밖에서는 불길이 일고 있다. 여기에 각각 한 마리의 개가 그려져 있다. 성 밖에 있는 소머리와 말머리 얼굴의 옥졸은 형구를 차고 있는 5명의 죄인을 쫓아 달리고 있다. 죄인 앞에는 지장보살의 입신상이 있다. 지장보살은 사문 형상이며, 왼손은 석장을 들어 어깨에 기대고 있으며 오른손은 가슴 앞에 마니주를 들고 있다. 선한 용모가 온전히 드러나, 마치 죄인을 바르게 교화하는 듯하다.

위에서 살펴본, 영국 소장본과 프랑스 소장본은 서로 밀접한 관계가 있음을 어렵지 않게 발견할 수 있다. 그 이유는 말하지 않아도 너무나 자명하다. 모두 형식과 양식이 비슷하며 내용에 있어서도 역시 부합되기 때문이다. 더욱 중요한 것은 전후의 연결이 가능한 것으로, 프랑스 소장본 앞의 다섯 왕과 영국 소장본 뒤의 다섯 왕을 하나로 합쳐서 시왕도를 완성시킬 수 있다는 것이다. 뿐만 아니라 불상과 불경을 받들고 있는 선남자와 선녀인이 각 왕의 심판 중에 한두 번씩 모두 나타나고 있다. 이것은 이 소장본의 일치성을 거듭해서 증명하고 있는 것이다. 그러므로 P.4523호와 대영박물관 소장본은 합본하여 하나로 만들 필요가 있다.〈그림 113〉

대영박물관 소장의 두 잔편

이것은 2개의 잔편으로 크기가 대단히 작다. 첫 번째는 권수화 부분으로, 세로가 28.8cm이고 가로는 55.8cm이다. 두 번째는 경찬의 서두 부분으로, 세로는

그림 114
S.3961호와 앞부분의 잔편을 합본해 본 것이다.

11.4cm, 가로는 38.1cm이다.〈그림 114〉 이 권수화 부분은 다른 소장본의 일반적인 도상과는 차이가 있는데, 두 그루의 나무와 화려한 보개, 금모사자 그리고 도명화상이 없다. 지장보살과 시왕으로 이루어진 지장시왕도이다. 지장보살이 가운데에 위치하고 있으며, 몸에는 두광과 신광이 있다. 지장보살은 풍모를 쓰고 있는데, 비단 천 위에 점점이 꽃장식이 있다. 지장보살은 오른손에 육환 석장을 잡고 있으며, 왼손에는 화염 마니주를 들고 있다. 영락으로 장식하고, 가사를 입었으며, 연화판대(蓮花瓣臺) 위에 앉아 있다. 공양대 위에는 천이 펼쳐져 있고, 향로와 2개의 병이 가지런히 올려져 있다. 지장보살의 양쪽 옆으로는 시왕이 한 줄로 서 있는데, 다섯 왕씩 배치되어 있다. 현재는 지장보살의 왼쪽에 있는 다섯 왕만이 온전하게 남아 있다. 다섯 왕은 모두 관을 쓰고, 넓은 소매가 달린 대포의(大袍衣)를 입고 있으며, 무릎을 꿇고 홀판을 들고 있다. 다섯 왕의 몸 앞에는 장방형의 5개의 방제가 있지만 글자는 없다. 지장보살의 몸 오른쪽에 있는 다섯 왕의 아래쪽은 이미 훼손되었고, 겨우 위쪽 세 왕의 머리 부분만을 볼 수 있다. 관을 쓰고 홀판을 들고 있는 것은 반대 면과 같다. 공양대 위에는 향로, 병 등의 예를 갖춘 공양물이 진설되어 있지만 그 주위로 공간적인 여유가 없게 표현되어 있다. 화면 앞쪽에는 또한 2명의 공양인이 서 있고, 육비보살이 연화대 위에 앉아 있는데, 이들이 전체 공간의 반을 차지하고 있다.

이 잔편의 두 번째는 화면의 높낮이가 불완전하다. 다만 앞쪽 한 개의 소단

(小段) 화면의 도상은 앞서 살펴본 권수화인 지장시왕도와 연결되어 있다. 이 잔편의 소단 화면에 있는 장방형의 방제는 시왕의 것으로 바로 앞의 것과 완전히 일치하고 있다. 이 옆에는 머리에 연복(軟幞)을 쓰고, 가슴에 두루마리를 안고 있는 인물의 상반신이 있다. 방제에는 "선동자일심공양(善童子一心供養)" 이라고 되어 있다. 이 문관 모습의 선동자도 역시 머리를 가지런히 빗어 쌍상투를 하고 있는 일반적인 동자와 구별된다.

뒤의 잔편을 따라 경문의 찬송(贊頌)이 있다. 모두 15행 글자의 전반부이다. 앞쪽에 경의 제목이 있다. 알아볼 수 있는 문자는 다음과 같다. ( ) 안의 문자는 판독 불가능한 부분으로 『염라왕수기경』에서 찾아 보충한 것이다.

佛說閻羅王授記四衆(逆修生七齋往生淨土經)
贊曰如來臨般涅(槃時廣召天靈與地祇)
用爲琰魔王授(記乃傳生七預修儀)
如是我聞一時(佛在鳩尸那城阿維跋提河邊)
婆羅雙樹間(臨般涅盤時擧身放光普照大)
衆及諸菩薩摩(訶薩天龍神王天主帝釋四天大)
王大梵天王阿修羅(王諸大國王閻羅天子太山府)
君司命司錄五(道大神地獄官典悉來集會)
敬禮世尊合掌(而立)
贊曰時(佛舒光滿大衆 普臻龍鬼會人天)
釋(梵諸天冥密衆 咸來稽首世尊前)
佛告閻羅天(子諸大于未來世當得做佛名曰)
普賢王臺如來(十號具足國土嚴淨百寶莊嚴)
國名花嚴菩(薩充滿)
贊曰世尊(此日記閻羅不久當來證佛陀)

경찬의 문구 중 남아 있는 것은 서두 부분의 몇 줄에 불과한 염라왕수기의 내용이다. 현존하는 경권 가운데 도(圖)와 찬(贊)이 있는 것은 겨우 여섯 본 정도가 알려져 있다. 이 가운데 하나는 전체가 변상만 있고 경문이 없으며, 다섯 가지는 변상과 찬 그리고 경문을 갖추고 있다. 아래의 6개 본 가운데 고야산에 소장된 것을 제외하고는 모두 돈황본이다.

A. 일본 구보총미술관(久保總美術館) 소장본

B. 프랑스 P.4523호 잔편과 대영박물관 소장 잔편 Ch. cii.001(L)

C. 대영박물관 소장 잔편 Ch.00404(L)+Ch.00212(L)와 S.3961호

D. 프랑스 소장 P.2003호

E. 프랑스 소장 P.2870호

F. 일본 고야산(高野山) 성수원(聖壽院) 소장본

프랑스 국민도서관 소장 P.2003호

이 소장본은 앞서 살펴본 2개의 잔편이 판별되어 인식되기 전에는 돈황시왕경도(敦煌十王經圖) 가운데 가장 완전하고 대표적인 것으로 여겨졌다. 도상 표현과 서법도 확실히 정교하고 뛰어나다.〈그림 115〉

이러한 권수화가 '불설시왕도' 이며, 형식은 일본 화천시 소장본 그리고 P.2870호와 일치한다. 권수화 중에는 앞서 살펴본 세 본이 '불설시왕도' 이며, 나머지 세 본은 지장보살과 시왕의 도상이다. 도상을 살펴보면, 부처 뒤에는 두 그루 나무가 있고, 보개가 있으며, 몸에는 두광과 신광이 있다. 부처는 손으로 설법인을 펴고 연화대 위에 앉아 있다. 양쪽 옆에는 2명의 대제자가 역시 속요앙복(束腰仰覆) 형태의 연화대 위에 양손으로 합장을 하고 앉아 있다. 앞쪽의 탁자에는 향로와 병 2개가 놓여 있다. 탁자 옆에는 무릎을 꿇은 자세의 도명과 사자(獅子)가 있다. 이들 상에는 방제가 없다. 부처 앞쪽의 양 옆에는 시왕이 나뉘어 앉아 있다. 부처의 몸 오른쪽 앞에는 앞 순서의 다섯 왕이 모두 무릎을 꿇고 앉아, 양손으로 합장을 하고 있다. 머리에 관을 쓰고 대포(大袍)를 입었다. 가장 안쪽에 있는 왕만이 면류관을 쓰고 있는데, 이는 염라왕이다. 여기서는 시왕이 밖에서 안으로 배치되어 있다. 각 왕의 위쪽의 방제는 네모난 틀만 볼 수 있고 글자는 명확하지 않다. 반대쪽의 다섯 왕도 역시 합장을 하고 무릎 꿇고 있으며,

그림 115
P.2003호

홀판은 가지고 있지 않다. 위쪽의 방제 역시 같은 형식이며 명료하지 않다. 부처의 뒤쪽 양옆에는 4명의 판관이 서 있는데, 머리에 연복(軟幞)을 쓰고 있다. 모두 방제가 있으나 역시 명확하지 않다.

경문의 도찬(圖贊) 가운데 가장 먼저 나타난 것이 육보살이다. 경문에서는 예수생칠재법(預修生七齋法)에 대해 밝힌 이후 육보살도(六菩薩圖)가 나타나고 있다. 계속해서 설하기를 "그때 지장보살, 용수보살, 구고관세음보살, 상비보살, 다라니보살, 금강장보살이 각각 본도(本道)의 광명으로부터 여래가 계신 곳에 이르러 이구동성으로 세존을 찬탄하기를, '범부를 불쌍히 여기사 이 묘한 법을 설하시어 죽음으로부터 중생을 구하시었다' 고 하며 부처님 발에 정례하였다."라고 하고 있다. 화면에서 육보살은 순서에 따라 서 있다. 지장보살에는 원광이 있고, 오른손은 석장을 잡고 있으며, 왼손은 가슴 앞에서 염주를 들고 있다. 머리에 풍모를 쓰고 있고, 가사를 입었으며, 두 발은 각각 연꽃을 밟고 있다. 뒤이어 사자(使者)가 있는데, 검은 옷을 입고, 꽃 장식이 된 검은 말을 타고 있으며, 검은 기(旗)를 들고 있다. 말 앞에는 또 다른 두 필의 말이 달리고 있다. 여기에 다음과 같은 글이 있다. “염라법왕이 부처님께 말씀드리기를, ‘세존이시여, 우리들 여러 왕들은 모두 마땅히 사자들에게 검은 말을 타고, 검은 기를 들고, 검은 옷을 입게 하여 사람들이 어떠한 공덕을 지었는가를 검사하도록 하겠습니다. 이름이 적힌 기록에 의거하여 죄인들을 추려내어 서원에 위배되지 않도록 하겠습니다.’ 라고 하였다.”[92]

그 아래에는 시왕도가 있다. 첫 번째 진광왕은 탁자 위에 쌓여 있는 두루마리 문서에 손을 올려 놓고 있으며, 오른손은 펴서 판결을 하고 있는 모습이다. 탁자의 좌우에는 선악동자가 있고, 앞에는 한 관리가 몸을 활처럼 굽히고 보고를 하고 있다. 앞에는 또 4명의 망자가 있는데, 벗은 몸으로 열을 지어 앞으로 걸어가고 있으며, 양손은 모두 합장하였다. 한 관리가 압송하고 있다. 화면의 앞쪽에는 비교적 크게 그려진 부인이 한 명 있는데, 공양인처럼 보인다. 이들 장면은 찬사(贊詞)와 서로 부합된다. 찬사 앞의 방제는 ‘제일칠일과태(진)광왕(第一七日過泰(秦)廣王)’ 이며, 이어지는 찬에서는 “일칠일은 망인들이 중음신(中陰身)으로서, 무리를 이루지만 몸은 마치 먼지와 같다. 또한 초왕(初王) 앞에서 나란히 심사를 받고, 나하진(奈何津)을 건넌다.”라고 하고 있다. 두 번째 초강왕 앞에는 나하진이 있다. 대왕의 손 자세는 앞과 같다. 탁자의 옆에는 두 동자가 있다. 나하진 위에는 다리 하나가 있고, 여인 한 명이 그 다리를 건너고 있으며, 한 남자가 손에 검은 깃발을 들고 그 뒤를 따르고 있다. 물 가운데에는 여러 명의 사람이 먼저 나오려고 다투고 있다. 왼쪽 기슭에는 소머리 형상의 아방이 삼지창을 들고 강 가운데를 향하고 있다. 오른쪽 기슭에는 형구를 찬 2명이 먼 곳을 향해 빠른 걸음으로 달려가고 있다. 세 번째 송제왕 앞에는 형구를 차고 있는 여러 망인이 칼을 든 소머리 형상의 옥졸에게 내몰리고 있는데, 이것은 찬사에서 설명하고 있는, “무리를 내몰아 오관왕에게 보낸다[群群驅送五官王].”라는 구절과 같다. 네 번째 오관왕이 있는 곳에 이르면, 업칭을 걸어놓고 기다리고 있다. 대왕의 좌우에는 동자가 있고, 앞에는 판관이 있다. 한 귀신이 이제 막 저울의 결과를 기다리며 판결을 들으려고 하고 있다. 다섯 번째 염라대왕은 머리에 거

92 “閻羅法王白佛言 世尊 我等諸王 皆當發使乘黑馬 把黑幡 着黑衣 檢云人家 造何功德 准名放牒 抽出罪人 不違誓願.”

대한 면류관을 쓰고 있으며, 탁자 앞에는 거대한 업경이 설치되어 있고, 업경에는 소를 도살하는 장면이 보인다. 범인들은 혹은 형구를 차고 있거나, 혹은 손으로 자기 머리카락을 쥐어뜯고 있거나, 두려워서 달아나고 있다. 여섯 번째 변성왕 앞에는 지옥성의 연못 하나가 있다. 성 가운데는 시신 하나와 옥졸의 머리가 눕혀져 있다. 성의 입구 바깥에서는 한 사람이 머리를 들고 안을 살펴보고 있다. 그 위쪽에는 일남 일녀가 구름 형태의 두 줄기 빛 위에 서 있다. 찬사에서 설명하고 있는, "하루하루 공덕의 힘을 살펴본다. 천당과 지옥이 잠시에 있다[日日只看功德力, 天堂地獄在須臾]."라는 내용이 바로 이 화면에 적절하게 표현되어 있다. 일곱 번째 태산왕 앞에는, 형틀을 차고 있는 한 무리의 범인들과 한 사람의 머리채를 잡아끌고 있는 옥졸이 있다. 뒤쪽에는 당기를 들고 있는 검은 옷의 사자와 불경을 받들고 있는 2명의 남자가 있다. 여덟 번째 평정왕 주위의 장면은 앞의 것과 유사하다. 탁자 앞에는 한 판관이 선악의 문서를 펴고 있는 상태이다. 아홉 번째 도시왕 앞쪽의 측면에는 한 귀신이 비감하게 보고하고 있는 상태이고, 역시 판관과 불경과 불상을 든 남자가 있다. 대왕의 오른손에는 여러 줄기의 빛이 새어나오고 있지만, 여기에 구체적인 형상은 표현되어 있지 않다. 열 번째 전륜왕은 몸에 갑옷과 투구를 하고 있으며, 머리에도 투구를 하고 있다. 옆에는 선악동자와 판관이 있다. 뒤에는 깃발을 든 귀졸이 있다. 대왕의 입에서는 한 줄기의 작은 빛이 토해지고 있다. 선동자의 몸 뒤에도 역시 빛이 새어나오고 있지만, 더 이상의 다른 구체적인 형상은 없다. 이 소장본과 다른 소장본의 차이점은 육도윤회에 대하여 구체적으로 그리지 않았다는 것이다. 시왕도와 이어지는 것은 '사면통과생천도(赦免通過生天圖)' 이다. 대체적으로 육도윤회의 구분과 유사하며, 여섯 번째 변성왕의 심문 장면에도 표현되고 있다. 도상의 또 다른 독특한 점은, 염라왕이 심문하는 곳에 지장보살이 보이지 않는다는 것이다. 이것은 아주 드문 경우이다.

위에서 여러 『불설시왕경』 본들의 형식과 도상적 내용을 분석해 보면, 서로 비슷하게 일치하고 있다는 것을 알 수가 있다. 권수화의 구성, 육보살, 당기를 들고 있는 사자, 시왕 한 명마다 안배되어 있는 화면, 사면도(赦免圖) 등을 들 수 있다. 모두 14폭이다. 이들 본 가운데, 고야산(高野山)의 성수원본(聖壽院本)을 제외하고는 모두 돈황본이며, 서로 대단히 유사하다. 우리가 이제 이 6개 본의 화폭을 비교해 보는 것도 역시 매우 유익한 일이 될 것이다. 각 글자의 알파벳이 대표하는 본은 아래에 열거하고 있는 바와 같다.

A : P.2003

B : 일본 구보총미술관(久保總美術館) 소장본

C : P.2870

D : S.3961호와 권수화의 잔편

E : 프랑스와 영국에 나뉘어 소장된 문자가 없는 본

F : 일본 고야산(高野山) 소장본

1) 권수화(卷首畵)

위에서 이미 언급했던 권수화 중에 석가모니를 주존으로 구성된 것이 3폭, 지장보살을 중심으로 구성된 것 역시 3폭이 있었다. 석가시왕도(釋迦十王圖)는 A, B, C에 있고, 지장시왕도는 D, E, F에 있다. 이들을 비교해 보면, 석가설법도(釋迦說法圖)가 차지하는 비중이 더 크다. 돈황본 가운데 3본이 모두 석가설법도이기 때문이다. 이러한 권수화 중에 B본의 방제는 완벽하게 정비되어 있으며, 사리불과 목건련의 존재를 통해 석가모니의 존재를 증명하고 있고, 도명화상과 선악동자 역시 대단히 명확하다. 판관의 경우는 4명의 성(姓)이 나타나 있어서, 대단히 희귀한 경우에 속한다. 시왕이 나누어 앉아 있는 모습도 규범적이지 않다. 다만 C본은 제10 염라왕의 자리가 다섯 번째에 있다. B본과 비교해 보면 열 번째 왕이 없는 것이 더욱 규범에 맞는다. B와 C본의 인물이 가장 많으며, 그 배열 순서도 상당히 일치하고 있다. 심지어 첫 번째 왕을 모두 "진광왕(陳廣王)" 이라고 그 제목을 잘못 적고 있다. 양자의 차이점은 C본의 불상 표현이 조금 더 풍부하다는 것과 시왕과 두 제자의 좌대가 약간 높다는 것 정도이다. 지장시왕도 가운데 F본의 도상이 가장 뛰어나다. 뿐만 아니라 석가시왕도의 구성과도 유사하다. D본의 지장시왕도의 구성은 다르다. 시왕은 양쪽 옆에 위로부터 아래까지 직선으로 배열되어 있고, 더욱 비슷한 것은 장식을 두른 수법이다. 다만 이 구성은 돈황 벽화에서 이미 나타났던 형식이다. 이 벽화에서는 지장시왕이 두 가지 형태로 구성되고 있는데, 그중 하나가 시왕이 양쪽으로 배치되는 것이다. F본의 차별성은 명확하게 드러난다. 지장보살은 머리에 풍모를 하고 있고, 왼손으로 염주를 받들고 있으며, 석장이 없다. 옆에는 선악동자가 있고, 연꽃 좌대 아래에는 사자 두 마리가 있다. 시왕은 좌우에 서 있는데, 순서를 교차하여 배치되어 있다. 왼쪽의 안쪽에 있는 왕이 진광왕이고, 오른쪽의 안쪽에 있는 왕이 초강왕이다. 뒤에는 3명의 남자와 한 명의 승려 그리고 세 부인의 형상이 있는데, 사무를 맡은 자도, 판관 등도 아니다. 실제적으로는 권수화는 두 종류로 나눌 수 있는데, 그 하나가 석가시왕도이고, 다른 하나는 지장시왕도이다. 석가시왕도는 석가가 염라왕에게 수기한 것을 나타낸 것으로, 경전의 서두는 부처가 염라에게 수기한 일을 설하고 있다. 뿐만 아니라 미국 프리어갤러리에 소장되어 있는 잔권의 권수 부분도 역시 이와 같다. 수기도(授記圖) 중에는 시왕이 잘못 배치되어 있어 합리적인 해석을 필요로 하는 부분이 있다. 위의 B, C본에서 시왕 염라왕은 석가 부처의 몸 옆으로 자리를 바꾸고 있어서, 염라왕수기도와 비슷하다. '오류' 에도 역시 이유가 있다는 것을 알 수가 있다.

2) 육보살도(六菩薩圖)

육보살은 지장보살, 용수보살, 구고관음보살, 상비보살, 금강장보살, 다라니보살이다. 위의 6본 가운데 D, E, F본은 육보살도가 없고, A, B, C 세 본에는 있다. 여기서 B본은 사문형 지장보살이고, 석장을 잡고 있으나 풍모는 쓰고 있지 않다. C본은 사문 형상에 가깝고, 양손은 합장을 하고 있으며, 석장 등을 잡고 있지 않고, 풍모도 없다. A본은 석장을 잡고 있고, 풍모를 쓰고 있는 지장보살이다. 나머지 D, E, F본은 마치 권수화의 지장시왕으로 충분하다는 것을 증명이라도 하려는 듯이 지장보살을 포함한 육보살도가 없다.

3) 지번사자(持幡使者)

위의 6본 가운데 F본에는 이 도상이 없다. B본의 묘사 수준은 대단히 사실적이다. 다만 말은 검은색이지만 옷과 깃발[幡]은 검지 않다. 또한 말안장 앞쪽과 말 뒤에는 시종이 있다. 미적 관점에서 보면, 검은 말과 검은 옷 그리고 검은 깃발은 확실히 보기에도 좋지 않고, 훌륭한 처리라고 할 수 없다. 그 나머지 여러 폭 가운데 E본에도 사자가 있는데, 사자 앞에는 판관으로 보이는 한 인물이 양탄자 위에 앉아 두루마리 문서를 펴서 읽고 있다. 작은 서류함 위에는 두 권의 책자가 가지런히 놓여 있다. D본에도 역시 흑마를 탄 사자가 나오는데, 사자의 옷과 모자 그리고 깃발에는 흑(黑)과 백(白) 사이에 꽃장식이 있다. 뿐만 아니라 안장의 앞과 뒤에 시종이 없다. A, C본은 모두 검은 옷을 입은 사자의 모습이고, 말에는 꽃 장식을 하고 있고, 시종이 있다. 이러한 형태로 흑·백을 처리하는 것은 회화에서 빈번하게 볼 수 있다.

4) 제일칠일과진광왕도(第一七日過秦廣王圖)

기본 내용은 찬사에서 말하고 있는, "중음신의 망자들을 몰아 전각을 지나 나하교를 건너게 한다[在中陰身的亡者, 被驅過殿, 赴奈何橋去]."는 내용과 같다. 단지 일본의 F본에서는 나하교에 도달하기 전에 제일왕의 처소에 이르고, 다리 위에는 벌거벗은 채 형구를 차고 있는 범인 한 명이 막 다리를 건너고 있다. 말을 타고 있는 사람 하나가 다리 위에 있다. 이 다리 앞에는 한 그루의 나무가 있고, 나뭇가지의 틈 사이에는 벌거벗은 인물이 서 있다. 나뭇가지 위에는 여러 벌의 옷이 걸려 있다. 이 구성은 E본에서 보이는 나하교 옆의 나뭇가지에 옷을 걸어 놓은 구성과 유사하다. 이 다리 뒤에는 귀졸이 바위 위에 앉아 나하를 건너는 자를 감독하고 있다. D본을 제외하고, 다른 본에는 모두 불경을 들고 불상을 안고 있는 선남자, 선여인이 있다. 이 중에서 A, B, C본은 매우 유사하다. 모두 잘 차려 입은 부녀자 한 명이 나오는데, 체구가 크고, 불경을 가슴에 안고 있다. 두루마리 문서 혹은 홀판을 가진 한 남자가 왕을 향해 보고하고 있다. D본에서는 왕의 뒤에 3명의 관리가 있는데, 이 남자와 합하면 4판관이 된다. E본에는 여러 명의 관리가 있는데, 2명의 관리는 문서를 펴서 읽고 있고, 2명의 관리는 문서를 안고 서 있다. B본에는 명왕이 앉아 있는 청당(廳堂)이 그려져 있고, 진광왕과 선악동자가 전(殿) 위에 있다. 각 권에는 형구를 찬 범인들이 쫓기고 있는 장면들이 많이 나온다.

5) 제이칠일과초강왕도(第二七日過初江王圖)

기본 내용은 나하를 건너는 것이다. 찬사에서 이르기를, "이칠 망인이 나하를 건너면, 몽둥이를 든 소머리 형상의 아방이 길을 인도하고, 팔짱을 낀 귀졸이 길을 재촉한다[二七亡人渡奈河, 有牛頭持棒引路, 持叉鬼卒催行]."라고 하고 있다. F본의 나하는 이미 앞에서 살펴보았다. 이 구절에는 단지 탁자 앞에 벌거벗은 채 무릎을 꿇고 있는 자세의 두 사람과 대왕의 탁자 옆에 불경과 불상을 들고 있는 남녀 등에 대한 것만 있다. A본 가운데는 한 부인이 나하교 위를 건너가고 있고, 한 남자가 깃발을 들고 그 뒤를 따르고 있다. 나하 가운데에는 여러 사람이 있고, 기슭 위에는 소머리 형상의 옥졸이 삼지창을 들고 물을 향하고 있다. 또한 형구를 찬 죄인 2명이 나하를 건너고 있다. B본에서는 한 부인이 경을 받들고 나하교 위를 건너고 있고, 이미 나하를 건너간 사람은 홀판을 들고 왕을 향해 가고 있다. 뒷면에는 도산검림(刀山劍林)이 있고, 나뭇가지 검 위에는 옷과 물건이 여러 개 걸려 있다. 나하의 물 속에는 형구를 찬 사람이 여러 명 있다. 기슭 위에는 검을 들고 있는 귀졸 한 명이 있다. 이외에도 소머리 형상의 옥졸이 삼지창을 들고 형구를 차고 있는 죄인 하나를 물 아래로 내몰고 있다. D본에는 나하교가 없고, 단지 귀졸이 형구를 찬 3명의 범인을 쫓아 달리고 있다. 몸 뒤에는 흙무더기가 하나 있는데, 나하의 기슭을 표현하고 있는 것으로 보인다. 왕의 앞에는 몸을 활처럼 굽히고, 두루마리 문서를 든 채 보고를 하고 있는 판관이 있다. E본에도 역시 불경을 들고 다리를 건너는 부인이 한 명 있고, 한 남자가 홀판을 들고 왕을 향하고 있다. 나하 옆의 한 그루 나무에는 옷과 물건이 걸려 있고, 소머리 형상의 옥졸이 삼지창을 들고 벌거벗은 남자 한 명을 쫓아가고 있다. 물 가운데에는 이미 여러 사람이 있다. 어떤 사람은 두 눈이 가려져 있고, 어떤 사람은 형구를 차고 있다. 이 초강왕은 전(殿)에 앉아 있지 않다. E본에는 또한 일남 일녀가 불경과 불상을 받들고 나하교를 건너고 있다. 나하 가운데에는 형구 등을 찬 죄인이 있고, 기슭 위에는 삼지창을 끼고 있는 소머리 형상의 옥졸과 형구를 차고 땅에 무릎 꿇고 있는 죄인이 있다. 또한 옷이 걸려 있는 나뭇가지 주변으로 서 있거나, 앉아 있는 사람들이 있다. 결론적으로, A · B · C · E본의 회화의 구성과 줄거리는 대단히 유사하다.

6) 제삼칠일과송제왕도(第三七日過宋帝王圖)

기본 내용은, "각각을 점검하여 소재를 알고, 무리들을 몰아 오관왕에게 쫓아 보낸다[各各点名知所在, 群群驅送五官王]."는 것이다. A본에는 소머리 형상의 옥졸 아방이 형구를 찬 채로 달리고 있는 5명의 죄인을 쫓아가고 있다. 이것은 '무리를 쫓아 보낸다'는 구절을 대단히 명확하게 나타내고 있다. B본에서 대왕은 역시 홀판을 들고 있으며, 탁자 옆에는 동문원(董文員)이 깃발을 들고 서 있다. 탁자 앞에는 말 얼굴 형상의 옥졸이 몽둥이를 끼고, 형구를 찬 범인을 압송하고 있다. 한 사람이 검을 들고 있는 무관에게 거듭 설명을 하고 있고, 땅에는 경책들이 놓여 있다. C본에서는 한 관리가 형구를 찬 죄인의 머리채를 틀어쥐고, 얼굴을 위로 향하게 하고 있다. 마주한 전당에 송제왕이 있다. 그 곁에는 불경을 안고 있는 선남자, 선여인과 형구를 찬 범인을 압송하는 옥졸들이 있다. D본에서는 명왕의 위쪽 옆에 판관 한 명이 문서를 펴고 있고, 앞에는 벌거벗은 남자가 한 명 있다. 아래에는 도끼를 든 옥졸과 형구를 찬 채 땅에 무릎 꿇고 있는 죄인과 홀판을 들고 있는 남자가 있다. E본에는 무복을 입고 있는 송제왕의 앞에 선동자와 불상을 안고 있는 부인 그리고 형구를 차고 있는 세 명의 죄인을 몰고 가는 역사(力士) 한 명이 있다. F본에는 팔을 뻗어 문서를 펴고 있는 판관과 벌거벗겨진 채 묶여 있는 남자를 끌고 가고 있는 귀신 관리가 있다. 왕은 홀판을 들고 있으며, 곁에는 시종과 선여인 등이 있다. 이 장면은 죄인의 '점명(点名)' 을 표현하고 있는 것으로 보인다. A본이 '무리를 좇아 보냄' 을 중시하고 있는 것을 제외하고, 나머지 본들은 악업을 지은 죄인의 점명(点名)과 신자의 대시(對侍)를 구별하여 대단히 강조하고 있다.

7) 제사칠일과오관왕도(第四七日過五官王圖)

기본 내용은 "오관왕이 업칭을 공중에 매달고, …… 밑에서 스스로 과거의 인연을 올려 보게 한다[五官業秤向空懸, …… 低昻自任昔因緣]."는 것이다. A본에는 업칭(業秤)이 앞에 놓여 있다. 왕 앞에는 종권(宗卷)의 문서를 안고 보고를 올리는 판관이 있고, 관복을 입은 남자와 벌거벗은 죄인 하나가 그 뒤쪽에 서 있다. B본의 전당 앞에도 업칭이 하나 놓여 있다. 업칭 아래에는 뱀과 선악장부 등이 있다. 옥졸이 무릎을 꿇고 있는 죄인을 누르고 있고, 선남자와 선여인이 옆에 있다. 왕의 탁자 앞에는 형구를 찬 죄인 한 명과 동문원이 있는데, 모두 몸을 굽히고 서 있다. C본에는 업칭이 정중앙에 놓여 있고, 아래에는 뱀과 흉기들이 있는 길이 있다. 저울의 한쪽 옆에는 방망이를 든 옥졸이 기둥에 묶인 채 땅에 무릎을 꿇고 있는 죄인을 누르고 있다. 뒤에는 선남자와 선여인이 이를 지켜보고 있다. 저울의 다른 쪽 옆에는 형구를 찬 죄인과 관복을 입은 남자가 서 있다. D본에는 홀판을 안고 손으로 읍을 하고 있는 2명의 남자와 형구를 차고 있는 죄인 3명이 왕 앞에 있고, 업칭은 뒷면에 놓여 있다. E본은 업칭 위에 이미 악업과 관계된 저울추가 걸려 있다. 죄인 한 명이 머리를 들고 땅에 앉아 있다. 선악동자가 양 옆에서 문서를 펴고 있고, 또한 무관이 도끼를 들고, 형구에 묶여 무릎을 꿇고 있는 범인을 짓누르고 있다. 대왕은 붓으로 선악장부에 기록하고 있다. 왕 앞에는 불상을 받든 선여인 등이 있다. F본에는 업칭이 왕의 탁자 앞에 있다. 저울 뒤쪽에는 벗겨진 채 묶여 있는 2명의 남자에게 다시 형구를 채우는 장면이 있다. 옆에는 무관 한 명과 문관 한 명이 서 있다. 선남자와 선여인은 대왕의 다른 쪽 옆에 서 있다. 결론적으로, 이러한 장면이 있는 것은 모두 업칭도(業秤圖)라 할 수 있다. 이 중에서 B본과 C본은 세부 구성이 유사하다. 모두 뱀과 기둥에 묶여 있는 남자 죄인 등의 세부 장면이 있다.

8) 제오칠일과염라왕(第五七日過閻羅王)

기본 내용은 업경과 지장보살이다. "채찍질하고 업경을 바라보게 하여 앞의 세상에 있었던 일을 분명하게 알게 한다[策發仰頭看業鏡, 始知先世事分明]." A본은 거대한 업경에 소를 도살하는 광경이 나타나 있다. 앞쪽에는 형구를 찬 죄인 한 명이 있고, 자기 머리카락을 세 다발로 쥐어 잡고 도망가는 망자가 있다. 여기서는 염라왕 옆에 앉아 있는 지장보살이 없다. B본에서는 지장보살과 염라왕이 비스듬히 상대하여 앉아 있다. 지장보살은 풍모를 쓰고 있고, 석장을 잡고 있으며, 연화대 위에 앉아 있다. 도명화상이 옆에 있다. 양 옆에는 또한 관복을 입은 2명의 남자가 있다. 뒷면에는 기라산(伎羅山)이 있다. 업경의 뒤에는 한 관리가 형구를 찬 남자를 추궁하고 있고, 업경의 앞에는 한 남자가 손으로 읍하고 있다. 형구를 차고 있는 2명의 남자도 역시 업경을 관찰하고 있고, 업경에는 한 사람이 소를 도살하는 광경이 있다. C본에는 전당의 양쪽 사이, 염라왕과 두 동자의 오른쪽에 지장보살이 있다. 지장보살은 풍모를 쓰고 있고, 석장을 잡고, 연화대에 앉아 있다. 도명이 옆에 있다. 전당의 업경 앞에는 2명의 관리와 형구를 찬 한 명의 죄인이 있다. 업경에는 소를 도살하는 광경이 나타나 있다. 업경의 뒤에는 형구를 차고 있는 2명의 죄인이 그것을 보고 있다. D본에 있는 염라왕도에는 세 칸의 전당이 그려져 있다. 염라왕과 동자가 앉아 있고, 지장보살은 그 오른쪽에 있다. 왼손에 지팡이와 염주를 들고 앉아 있다. 왕의 오른쪽에는 판관이 한 명 있다. 전당 앞에는 업경이 있는데, 업경 앞에서 두 사람이 그것을 보고 있고, 업경 안에도 역시 두 사람이 나타나 있다. 옆에는 한 판관이 두루마리 문서를 손에 들고 형구를 찬 부인을 향해 말하고 있다. E본에 있는 염라왕은 면류관을 쓰고 있고, 선악동자가 양쪽 옆에 서 있다. 업경은 왕의 앞쪽에 설치되어 있고, 업경에는 양을 도살하는 광경이 있다. 업경 앞에는 뱀과 소 그리고 닭이 달려가고 있다. 범인의 머리채를 잡고 있는 옥졸이 있고, 또한 형구를 찬 죄인 하나가 앞으로 걸어가고 있으며, 뒤에는 한 관리가 선악장부를 펴서 그 악행을 읽고 있다. 염라왕의 오른쪽에 지장보살이 앉아 있다. 밑에는 연화대가 있고, 도명화상이 옆에 있다. 지장보살의 앞에는 각각 불상과 경전을 받든 선남자와 선여인이 있다. F본의 염라왕은 홀판을 안고 있으며, 업경 앞에는 벗겨진 채 포승에 묶여 있는 사람 하나가 얼굴을 들고 땅에 무릎을 꿇고 있다. 업경 앞에는 한 무관이 업경에 나타난 악행을 지적하고 있다. 무릎을 꿇고 있는 사람의 뒤에는 곤장을 든 옥졸이 서 있고, 판관이 선악장부를 펴고 있다. 뒤쪽을 지나 좀 떨어진 곳에 좌상의 지장보살상이 있다. 옆에는 두 동자가 서 있고, 위에는 이중의 화려한 보개가 있다.

9) 제육칠일과변성왕도(第六七日過變成王圖)

기본 내용은, "매일매일 다만 공덕력을 보아라. 천당과 지옥은 한순간에 달려 있다[日日只看功德力, 天堂地獄在須臾]."라는 것이다. A본에서는 찬사 중에 "천당과 지옥은 한순간에 달려 있다"라는 구절의 의의를 가능한 최대한으로 표현하고 있다. 대왕의 전당 가운데에 있는 작은 성의 연못은 지옥을 표시하고 있다. 한 관리가 문서를 펴서 보고하고 있고, 한 관리는 머리를 들고 서 있다. 위쪽에는 선남자와 선여인 2명이 구름 형태의 빛 위에 앉아 있다. B본에는 대왕이 합장을 하고 있고, 전당 앞에는 소머리 형상의 옥졸과 망인이 땅에 무릎을 꿇고 앉아 있는데, 서로를 보며 대단히 기뻐하고 있는 듯하다. 부패되고 있는 사람의 몸 옆에는 경책들이 널려져 있다. 소머리 형상의 옥졸 뒤에는 한 귀신이 땅에 무릎을 꿇고 합장을 하고 있다. 또한 형구를 찬 죄인과 판관, 불상과 경전을 받들고 있는 선남자와 선여인이 전당의 앞에 각각 서 있다. C본은 변성왕의 전당 앞 한쪽에 경전을 받들고 있는 선남자와 선여인이 있고, 다른 한쪽에는 검을 든 옥졸이 형구를 찬 범인을 제압하고 있다. 가운데에는 관리 한 명이 보고를 하고 있다. D본은 대왕 앞에 불상을 받든 남자와 부인 그리고 몸을 활처럼 굽히고 보고를 올리고 있는 하급 관리와 병기를 든 병졸이 있다. E본에는 대왕과 선악동자 앞에 경전과 불상을 받든 선남자와 선여인이 걸어가고 있고, 뒷면에는 소머리 형상의 옥졸이 형구와 수갑에 묶인 죄인을 제압하여 가고 있다. F본에는 대왕이 홀판을 안고 있고, 한쪽 옆에는 옥졸이 형구와 쇠사슬에 묶인 죄인 2명을 끌고 가고 있으며, 옆에는 또한 방망이를 든 옥졸이 압송하고 있다. 다른 한쪽에는 불경을 받든 선남자와 선여인이 있는데, 선남자는 관복을 입었고, 선여인은 머리에 꽃을 꽂고 있다.

10) 제칠칠일과태산왕도(第七七日過太山王圖)

기본 내용은, "다시 남녀가 어떠한 인연을 지었는가를 본다[更看男女造何因]."는 것이다. 여전히 심판 장면이다. A본의 태산왕의 머리 위에는 공화개(空華蓋)가 하나 걸려 있다. 왕 앞에는 형구를 하고 있는 여러 명의 죄인과 죄인의 머리채를 틀어쥐고 있는 옥졸 하나가 있다. 또한 깃발을 든 남자 한 명과 보고를 올리고 있는 판관이 있다. B본의 대왕 앞에는 몸을 활처럼 하고 방망이와 홀판을 앞에 들고 있는 남자와 불경을 받들고 있는 선여인이 있고, 기둥에 묶여 무릎을 꿇고 있는 벌거벗은 남자와 형구를 차고 서 있는 죄인이 있다. 땅 위에는 또한 두루마리 문서 등의 물건이 있다. C본에는 전당 앞쪽의 중간에 판관이 보고를 올리며 서 있다. 선남자와 선여인이 그 좌우에 서 있고 가슴에는 불경을 안고 있다. 형구를 찬 죄인과 기둥에 묶인 채 무릎 꿇고 있는 죄인도 역시 좌우로 나뉘어 배치되어 있다. D본에는 대왕의 앞에 벌거벗은 사람 2명과 형구와 쇠사슬을 하고 형틀에 묶여 있는 죄인이 있다. 옆에는 형벌 판을 불편하게 끼고 있는 옥리 등이 있다. E본에는 도끼를 든 관리와 낭아봉을 든 옥졸이 형구와 쇠사슬에 묶인 죄인 2명을 압송하여 내몰고 있다. 위쪽에는 불상을 받든 선여인 한 명과 불경을 받든 선남자 한 명이 편안한 표정으로 걸어가고 있다. F본에서는 대왕의 탁자 앞쪽 측면에 두루마리 문서를 들고 있는 판관이 한 명 있고, 그 뒤에는 형구를 찬 죄인 하나가 머리를 들고 무릎을 꿇고 앉아 있으며, 검을 든 옥졸이 감시하며 지키고 있다. 또한 선남자와 선여인이 전당 옆에 서 있다.

11) 제일백일과평정(등)왕도(第一百日過平正(等)王圖)

기본 내용은, "백일이 지나면 망인이 더욱 두려워하고, 몸에는 형틀을 차고 채찍질을 당한다[百日亡人更栖惶, 身遭枷餌被鞭傷]."는 것이다. 형벌을 받는 것이다. A본에는 죄인의 머리채를 틀어쥐고 있는 옥졸과 형구를 차고 있는 죄인이 있다. 또한 왕 앞에서 두루마리 문서를 펴고 있는 판관, 깃발과 방망이를 들고 있는 남자가 있다. B본에는 대왕의 전당 앞에 벌거벗은 죄인 하나가 땅에 앉아 있고, 손은 옥졸에게 잡혀 있다. 다른 옥졸 하나가 그의 뒤에서 방망이를 들어 내려치고 있으며, 등 뒤에는 상흔이 그물처럼 얽혀 있다. 땅에는 내려친 몽둥이가 언덕처럼 쌓여 있다. 다른 죄인 하나는 배와 목에 둥근 형구를 차고 있으며, 큰 창에 꿰여 걸려 있다. 전당에는 다시 선남자, 선여인과 읍을 하고 있는 남자가 있다. D본에는 전당 앞에 도끼를 휘두르는 옥졸이 있다. 윗면에는 형벌 판을 옆에 끼고 서 있는 관리가 있다. 벌거벗은 세 죄인의 몸을 차서 쓰러뜨리려 하고 있다. E본에는 2명의 옥졸이 죄인을 잡고 있는데, 한 명은 팔을 잡아 꺾고 있고, 한 명은 형구를 뒤집어 씌우려 하고 있다. 다른 옥졸 한 명이 힘껏 죄인의 등을 내려치고 있으며, 등 뒤의 상흔이 늘어나고 있다. 전당의 앞에는 또한 불상과 불경을 받들고 있는 남녀와 형구에 묶여 압송된 죄인이 있다. E본에는 옥졸이 벌거벗은 죄인을 기둥에 막 묶으려 하고 있다. 옆에는 불경을 받들고 있는 선여인이 있고, 배와 목에 둥근 형구를 차고 큰 창에 꿰여 걸려 있는 죄인이 있다. F본에는 두 옥졸이 한 명의 죄인에게 형구를 채우고 있다. 형구는 저울처럼 보이지만, 도끼 하나를 쭉 펼친 것으로, 땅에 엎드려 누워 있는 범인의 등을 자르기 위한 것이다.

12) 제일년과도시왕도(第一年過都市王圖)

기본 내용은, "육도윤회가 아직 정해지지 않았고, 경전과 상을 만들어 지옥에서 벗어나게 한다[六道輪廻仍未定, 造經造像出迷津]."는 것이다. A본에는 불경과 불상을 받들고 있는 2명의 남자가 한쪽에 있고, 두루마리 문서를 펴고 있는 판관과 손을 들고 중앙에 고하고 있는 벌거벗은 사람이 있다. 왕의 몸에서는 노을과 같은 빛이 새어 나오고 있으나, 구체적인 형상은 없다. B본에는 대왕의 앞에 동문원(董文員)과 불경을 받들고 있는 선여인 그리고 형구를 차고 있는 남자가 있다. C본의 도시왕 앞에는 단지 형구에 묶인 죄인 하나와 선남자, 선여인만이 있다. F본에는 대왕의 탁자 앞에 기구 하나가 있다. 옥졸 하나가 방망이를 흔들고 있고, 다른 몇 명의 작은 귀신이 안쪽의 화단을 다듬으며 청소하고 있다. D본에는 한 노인과 귀졸을 돌리고 있는 역사(力士) 한 명이 있다. 대왕의 주위에는 또 판관과 선남자와 선여인 등이 있다. E본에는 대왕 앞에 선남자 2명과 선여인 한 명이 있다. 선여인이 불상을 받들고 앞에 있고, 선남자는 불경을 들고 그 뒤에 있다. 뒷면에는 형구를 차고 있는 2명의 남자가 있다.

13) 제삼년과오도전륜왕도(第三年過五道轉輪王圖)

기본 내용은 육도윤회이다. A본에는 무장의 모습을 한 대왕 앞에, 불상과 불경을 받든 2명의 남자와 보고를 올리고 있는 판관이 배열되어 있고, 대왕의 입에서는 한 줄기의 빛이 새어나오고 있다. 동자의 몸 뒤에도 여러 겹의 빛이 위로 피어나고 있으나, 구체적인 사물의 형상은 없다. B본과 C본은 도상 표현이 유사하다. 무장한 대왕이 붓을 들고 문서에 기록하고 있으며, 주위에 선여인과 동자, 귀졸 등이 있다. 왕 앞에 있는 빛은 단지 다섯 줄기만 그려져 있다. 그 빛 위쪽에는 6비(臂)의 아수라신 형상이 있고, 그 아래의 부부 2명이 인도를 표현하고 있다. 낙타와 말은 축생도를 의미하고, 불 속에서 달아나고 있는 아귀는 아귀도를 나타내며, 끓는 가마솥 앞의 소머리 형상의 귀졸은 지옥도를 표현한다. B본은 무장한 모습의 오도전륜왕이다. 대왕의 탁자 옆에 동자와 선여인, 병졸이 있고, 또한 시령 위에는 짐승의 가죽을 걸어두었다. 대왕 앞에는 별 모양의 방망이를 잡고 있는 귀졸이 있다. 앞쪽에 여섯 줄기의 빛이 있다. 한 줄기 한 줄기의 빛 위에는 상징적인 작은 형상이 있다. 위에서부터 아래의 순서로 고귀한 부인, 6개의 팔을 가진 신, 한 남자, 낙타와 말, 불 속의 아귀, 가마솥을 휘젓고 있는 소머리 모습의 옥졸이 각각 천도, 아수라도, 인도, 축생도, 아귀도와 지옥도를 상징하고 있다. E본의 대왕은 무장의 형상이 아니다. 앞에는 옥졸과 문서를 펼친 판관이 있다. 비교적 큰 여섯 줄기의 빛 위에는 순서대로 육비신상, 두광을 가진 신상(神像), 부부 2명, 낙타와 말 등의 짐승, 아귀, 가마솥을 휘젓고 있는 소머리 형상이 아수라, 천도, 인도, 축생도, 아귀도와 지옥도를 표시하고 있다. D본은 무장을 한 대왕의 앞쪽에 선을 이용하여 여섯 줄기로 흩어지는 띠를 그렸는데, 순서에 의하여 그려진 형상은 모두 제목에 따른 것이다. 위에서 아래로 두광을 지니고 연꽃에 앉아 있는 부처의 옆에는 '불도(佛道)' 라는 제목이, 육비의 아수라신 옆에는 '인도' 라고 쓴 제목이, 달려가고 있는 야생 소 등의 옆에는 '축생도' 라는 제목이, 두 마리 뱀 모양의 동물의 옆에는 '사도(蛇道)' 라는 제목이, 벌거벗은 채 서로 마주하고 있는 2명의 옆에는 '아귀도' 라는 제목이, 2개의 가마솥만 있는 곳의 옆에는 '지옥도' 라는 제목이 있다. 또한 화면에는 문서를 펴들고 있는 판관과 형구를 찬 죄인 2명을 압송하는 옥졸이 표현되어 있다. F본에는 깃발을 들고 있는 사졸, 동자, 선남자 등과 화살촉을 안고 손에 칼을 들고 있는 무장의 모습인 대왕이 있다. 이곳의 전당 앞에는 한 옥졸이 형구를 차고 머리를 들고 있는 죄인 하나를 압송하고 있고, 또한 양 한 마리와 개 한 마리가 앞으로 달아나고 있다. 여섯 줄기의 빛이 공중으로 흘러가고 있다. 첫 번째에 두광이 있고, 합장을 하고 있는 신의 형상은 천도를 나타내고, 두 번째에 일상적인 복장을 하고 있는 남자는 인도를 의미한다. 세 번째 육비의 아수라 신 형상은 아수라도를 뜻하고, 네 번째에 빛을 밟고 있는 귀신 하나는 아귀도를 나타낸다. 다섯 번째에 있는 말 한 필은 축생도를 표현하며, 여섯 번째 혈액을 삶고 있는 가마솥의 귀신은 지옥도를 나타낸다. 이외에도 양 한 마리와 개 한 마리가 대왕의 전당 앞에 있다. 결론적으로, 이 여섯 본의 '육도윤회도' 는 한결 같지 않고, 모두 자기

만의 고유한 특징과 세부 구성을 가지고 있다. 다만 A본은 육도의 상을 모두 갖추고 있지는 않다. 각각의 본 가운데 B본과 C본의 세부 구성이 가장 접근되어 있다. 다만 C본에는 오도만이 갖춰져 있고 천도가 없다. 이러한 정황이 오도전륜왕의 '오도(五道)' 라는 명칭에 더 부합되는 것일까? 고려해 볼 만한 가치가 있다. E본의 대왕은 문관의 형상을 하고 있다. 육도의 순서에는 어느 정도 혼란이 있다. D본에는 육도의 규범과 관계없이, 불도, 사도 등이 나타나고 있고, 아수라도의 제목이 '인도' 로 되어 있다. 상대적으로 말하면, F본은 일본 고야산(高野山)에 전해진 본으로 B, C본의 세부 구성에 가장 접근해 있다. 전당에 나타나 있는 양과 개 등의 짐승들 역시 B, C본에 있는 시렁에 걸려 있는 짐승의 가죽과 일맥상통하는 변화라고 할 수 있어, 그 사이의 연결성은 비교적 명확하다고 할 수 있다.

14) 최후의 도상, '지장사면도(地藏赦免圖)'

기본 내용은, "십재를 구족하여 죄악을 면하고 천상에 태어난다[十齋具足, 免十惡罪, 放其生天]." 라는 것에 근거하고 있다. 각각의 본(本) 가운데, 이 도상이 없는 F본을 제외하고는, 나머지 본들은 도상 표현이 상당히 일치하고 있다. 지옥성 뿐만 아니라 소머리 형상의 옥졸, 망자와 지장보살 도상이 모두 있다. A본에서는 지옥성 가운데에 시신 하나가 누워 있다. 성 바깥에는 소머리 형상의 아방이 삼지창을 들고 바위 위에 앉아 있는데, 흡사 망자와 고별인사를 하는 듯이 손을 들고 있다. 옷을 벗은 두 망자가 소머리 형상의 아방에게 읍을 하고 있고, 옆에는 하나의 흑권(黑卷)과 많은 경권을 묶어 만든 대경권(大經卷)이 있다. 경권 옆에는 지장보살이 양손으로 합장을 하고 서 있다. B본의 뒷면에는 칼의 산이 있고, 지옥성 주위와 안에서는 불길이 치솟고 있다. 지옥성 앞에는 소머리의 아방이 큰 이무기 몸 위에 앉아 있고, 이무기의 입에서도 역시 불꽃이 토해지고 있다. 망인은 지장보살과 붙어서 서 있는데, 옆으로 머리를 돌려 마치 손을 흔들어 고별인사를 하는 소머리 옥졸의 말을 듣는 듯하다. 땅에는 세 경권이 하나로 묶여 놓여져 있다. 지장보살은 사문 형상이고, 정 반대쪽에 있는 망자를 타일러 교화하고 있는 모습이다. C본에는 지옥성에 불길이 치솟고 있고, 소머리의 옥졸과 망자 그리고 지장보살의 자세는 모두 B본과 서로 유사하다. 망자는 마치 이제 막 지장보살을 따라서 지옥을 떠나려고 하고 있고, 지장보살과 소머리 형상의 옥졸은 서로 말을 나누는 듯한 모습이다. D본에는 지옥성 가운데에 못이 박힌 시신 하나가 침상 위에 누워 있고, 성안에 역시 불길이 있다. 소머리의 아방은 삼지창을 들고 이무기 위에 앉아 있다. 앞쪽에 있는 망자는 형구를 차고 있고 부녀자의 형상이다. 성 앞에는 목련이 와서 어머니를 구하려 하고 있고, 먹을 것을 보내는 입구는 모두 불에 타 재로 변해 있다. P.3304호의 뒷면은 이 경의 찬사, 즉 해설 부분이다. 여기에 "대목건련이 철상지옥에서 옥졸을 교화하여 어머니를 구할 때[大目乾連于此鐵床地獄, 勸化獄卒救母時]."라는 설명이 있다. D본과 이것은 서로 부합된다. E본에는 지옥성 가운데에 시신 하나가 침상 위에 누워 있고, 성의 윗부분에 역시 불길이 일고 있다. 불이 붙은 성에는 또한 두 마리의 개가 있다. 소머리 형상의 옥졸과 말머리 형상의 옥졸이 무기를 들고 형구와 쇠사슬에 묶인 망인 5명을 쫓아 달리고 있다. 지장보살은 앞쪽에 있는데, 사문 형상이며, 보주와 석장을 잡고 있다. 얼굴의 모습은 상서롭고 온화하다. 이들 본은 마치 망자가 이제 막 지옥을 떠나 지장보살을 따라 가려는 상황을 표현하고 있는 듯하다. 땅 위에 있는 경전은 당연히 망자가 만든 것이거나, 혹은 어떤 사람이 망자를 위해 만든 것으로 보인다. A, D, E본에서는 또한 지옥성 시신과 경전이 작위적으로 대비되어 그려져 있는데, 수재조경(修齋造經)과 십재(十齋)를 구족하는 이익을 강조하려는 듯하다.

15) 공양인상(供養人像)

오직 B본에만 공양하는 동문원의 상이 그려져 있지 않고, 발문이 함께 있다. 경문이 끝나는 곳에 연화대 위에 앉아 있는 부처의 형상이 그려져 있다. 그 측면의 아래쪽에 동문원이 무릎을 꿇고 있고, 손에는 향로를 들고 있다. 향로에는 향연이 피어오르고 있다. 동문원은 얼굴에 콧수염과 구레나룻을 길렀고, 노인의 모습이다. 발문은 확실하게 그가 68세의 나이라는 것을 밝히고 있다. 이 공양상은 사람들로 하여금 화면 속 동문원의 상을 변별할 수 있게 하고, 그러므로 여기에 내포되어 있는 '수재(修齋)'의 성격을 더욱 분명하게 인식할 수 있게 한다.

위의 글에서 대략적으로 여섯 권의 '염라수기경도'의 관계와 화면 구성의 원칙 그리고 기타 요소들에 대하여 살펴보았다. 이러한 일련의 회화 한 폭 한 폭의 내용은 경문에 근거하고 있는데, 특히 찬문에 근거하고 있다. 매 폭은 찬문의 창의성, 도상의 구체적 변화, 세부 줄거리와 상응하여 구성되어 있다. 각 도상들은 일정한 형식에서 벗어나고 있지 않지만, 변화는 각 본마다 나타나고 있다. 이 가운데 화법(畵法)과 서법(書法)이 뛰어난 P.2003호, 즉 A본은 화면의 도상 표현이 매우 독특하며 구성과 내용 전개 또한 전형적이지 않다. 예를 들면, '제육칠일변성왕도(第六七日過變成王圖)'의 피어오르는 구름 형태의 빛 위에 있는 천당과 지옥성의 표현을 비롯하여 '제일년도시왕(第一年都市王)'과 '제삼년과오도전륜왕(第三年過五道轉輪王)'에 있는 육도는 빛만 있을 뿐 육도의 구체적인 형상이 없는 것이 그러한 예에 속한다. 이러한 것들은 다른 본에서 보이지 않는 것이다.

나머지 본들의 내용은 변화가 비교적 적다. 비교하여 설명하면, B본[구보총미술관(久保總美術館)]과 C본(P.2870)은 세부 구성과 내용의 처리에 있어서 아주 유사하다. 많은 화폭의 장면, 인물, 자태, 심지어는 구도까지 대단히 비슷하다. 이들 두 본을 구별할 수 있는 것은 단아함과 소박함에서 찾을 수 있는데, 역시 상대적일 뿐이다. A본의 붓놀림은 비교적 세밀하고 힘이 있으며, 서체도 장중하다. 더욱이 앞부분의 사자도(使者圖)에 나타나는 말의 형상 등을 간략하고 직접적으로 말하면, 문인화가 혹은 전업화가의 붓놀림이라고 할 수 있다. E본은 비교적 조악하다. 민간화가의 숨결이 많이 느껴진다. E본의 또 다른 특징은, 모든 왕의 전당(殿堂)과 청실(廳室)이 그려져 있고, 왕이 전당 가운데 앉아 있는 장면이 여러 번 나온다는 것이다. 이들 중에 문장이 비교적 유사한 것은 B본과 D본이다. 하지만 도상 구성은 동일하지 않다. 민간 장인의 소박함과 자유분방

함이 가장 잘 묻어 있는 본은 C본과 E본이다. C본에는 선악동자가 나타나 있지 않고, 시왕의 복식도 역시 남조(南朝) 시기 제왕의 관복과 같다. 일본에서 늦게 발견된 F본은 일본적인 특징을 갖고 있으며, 앞의 본들과 구별이 있는 것은 자연스러운 일이다. 붓놀림에 있어서 심오함이 떨어지고, 조형 형태가 상당히 작위적이며, 명왕을 따르는 시종이 많이 표현되어 있다.

전체 소장본에 나타나는 도상의 구성 가운데에 주목해야 할 것은 선남자와 선여인의 모습과 공양자 자신의 모습을 화면에 드러낸 것이다. 이 측면에 있어서 그동안 학자들은 지옥의 망자가 형벌을 받고 있는 상황을 중시하였다. 그러나 여기에는 대왕과 그를 따르는 시종 등 이외에도, 선남자와 선여인뿐만 아니라 공양조재자(供養造齋者)인 본인 그리고 악업을 짓고 형벌을 받는 죄인들이 나타나고 있다. 이러한 세 종류의 인적 구성과 그 과정이 수칠재(數七齋)의 주체이다. 또한 쫓기는 망자의 장면, 본인이 미리 수행하는 장면들은 모두 생전에 범한 10악(惡)과 5역(逆)을 대비해서 보여주는 선명한 예증이다. 그러므로 염라수기경도를 연구함에 있어서, 이 방면의 연구를 소홀히 해서는 안될 것이다.

7. 지장보살 도상의 형식과 종류에 대한 종합적 서술

1) 지장보살 도상의 종류

지장보살 도상은 관련 경전 의궤에 근거하면, 사문형과 보살형의 두 종류가 있다. 실제로 조각에서는 불상형도 나타나고 있지만, 일반적인 조각과 회화의 영역에서는 앞의 두 종류가 주류이다. 사문형에 대해서 『지장보살의궤(地藏菩薩儀軌)』는 다음과 같이 설하고 있다. "화상법(畵像法)을 설하면 다음과 같다. 성문(聲聞) 형상을 만든다. …… 다시 거좌대사(居座大士) 형상을 만든다." 관련 밀교 의궤에도 역시 이러한 도상 설명이 많이 있다. 또한 사문형은 풍모를 썼는지의 여부도 도상 분류에 있어 중요한 기준이 된다. 초기의 지장보살상 중에는 불상형으로 조성된 것이 있는데, 섬서성 빈현 대불사의 지장보살상이 이에 속한다. 그러므로 아래에서는 불상형과 보살형 그리고 사문형의 특징을 중심으로 지장보살의 도상 형식에 대해서 종합적으로 살펴보겠다.

불상형

섬서성의 빈현 대불사 석굴은 초당(初唐)의 측천무후 시절에 조성된 것으로, 여기에는 지장보살상이 적지 않게 있다. 예를 들면, 천불동 제23호의 중심 기둥 서쪽 벽에 있는 Q14 · 19 · 23 · 24 · 25호 감실, 중심 기둥 동쪽 벽의 Q32 · 35호 감실, 굴실의 동쪽 벽에 있는 Q59 · 65호, 굴실 서쪽 벽의 Q115 · 116 · 118 · 119호 감실, 굴의 문 입구 동쪽 기둥 Q123 · 127호와 동서문 기둥 남쪽 벽의 Q129 · 130 · 133 · 135호와 Q155 · 162 · 163호가 모두 지장보살의 감상(龕像)이다. 이러한 상의 특징은 반가부좌 자세의 보살상이며, 가사를 입고 있다. 이 가운데 적지 않은 좌상이 2구의 상으로 대칭을 이루고 있다. 이 2구의 반가부좌 보살상은 감실 가운데 좌우로 대칭되어 있고, 하나는 좌서상(左舒相)의 자세를, 하나는 우서상(右舒相)의 자세를 취하고 있다. Q123호 감실의 경우는 약간 다르다. 모두 6구의 지장보살상이 조각되어 있는데, 3개조로 되어 있다.

감실 아래에는 모두 3개의 조상기(造像記)가 있다. 모두 무주(武周)시기에 빈주(豳州)의 사호참군(司戶參軍), 사법참군(司法參軍) 등의 관리가 조성하였다. 3개의 조로 구성되어 있으며, 한 조마다 2구의 상이 있다. 조상기는 이들 상이 모두 지장보살상임을 분명하게 밝히고 있다.

석굴의 상들을 다시 살펴보면, 이 가운데 감실을 바라보며 양쪽 벽에 대칭으로 새겨져 있는 2구의 상도 있으며, 또한 얼굴이 정면 앞을 향하게 대칭되어 있는 2구의 상도 있다. 이밖에도 입상 형태의 큰 불상 양 옆에, 각각 단신의 반가부좌상이 새겨져 있는 것도 있는데, 역시 대칭적이다. 예를 들면, 이 굴 입구의 동쪽 기둥과 서쪽 기둥의 남쪽 벽면에는 입상 형태의 큰 불상이 있고, 그 양 옆에 있는 작은 감실에는 이러한 방식의 조각이 새겨져 있다. 상의 대부분은 체격이 크고 어깨가 넓으며 복부는 들어가 있다. 대의(大衣)는 장식무늬가 도드라지게 뚜렷하고, 또한 체형을 분명하게 드러내고 있다. 착의법으로는 통견, 쌍견수령(雙肩垂領), 우견편단이 나타나고 있다. 모두 부처의 착의법이다. 또한 이들 상에서 가장 주목해야 할 것은 두상의 특징이다. 이러한 상들의 두상은 거의 대부분이 손상되어 있어, 원래의 형태를 아는 것이 쉽지 않지만, 세밀히 관찰하면 일부의 상들은 원래 육계 형태를 하고 있었던 흔적을 찾아볼 수 있다. 즉, 불상형의 보살상이다. Q59호 감실의 상은 얼굴 부분이 이미 훼손되었지만, 여전히 원만한 얼굴을 하고 있으며, 정수리 부분에 나계(螺髻)의 흔적이 있는 것을 볼 수 있다. 그리고 Q118호 감실의 두 상은 모두 통견의 가사를 입고 있고, 감실 내부의 오른쪽 상은 정수리에 있던 높고 둥근 육계의 인(印)의 흔적이 비교적 명확하게 나타나 있다. 동쪽 문기둥의 남쪽 면에 있는 Q130·131호의 감실에 있는 상은 얼굴 부분이 이미 손상되었지만, 머리에는 둥근 육계가 있었던 흔적이 여전히 있다. 그리고 서쪽 문기둥의 남쪽에 있는 Q163호 감실의 상은 비록 얼굴이 훼손되어 있지만, 육계의 흔적이 분명하다.〈그림 116〉 이

그림 116
빈현 대불사 Q163
감실의 지장보살상

그림 117
빈현 대불사 이승기의 조상기

상의 예증을 통해서 설명할 수 있는 것은 빈현 대불사의 지장보살상은 불상형의 지장보살이라는 것과 반가부좌를 하고 있다는 것이다. 그러나 대불사의 이러한 상의 두상이 모두 불상형이라고는 할 수 없다. 왜냐하면 부처의 대의와 승려의 가사는 대단히 유사하며, 두상의 훼손 상태로 인해서 남아 있는 것도 비교적 적기 때문이다. 그러므로 일부는 또한 승려 형태, 즉 사문형이라고 볼 수도 있다.

예를 들면, 동쪽 문기둥 Q123호 감실의 두 지장보살상 아래에는 장수(長壽)

3년(694)의 이승기(李承基)의 조상기가 있다.〈그림 117〉 조상기에는 "출가보살(出家菩薩)을 위하여 상을 조성한다."는 구절이 있는데, '출가보살'의 뜻은 '출가 승려'와 관계가 있다. 그러므로 이들 상이 사문형일 가능성도 배제할 수 없다. 다만 앞서 살펴본 예증을 통하여, 이 상들 가운데 불상형 지장보살의 존재는 이미 증명하였다. 비록 이러한 형식의 상이 경궤(經軌)에 바탕을 두고 있지는 않지만, 조상기를 통해 상의 제작 시기와 명칭을 알 수 있다. 조상기에는 7세기 말엽의 승려 신지(神智)가 무주(武周) 장수(長壽) 2년(693)에 조성하였다는 기록과 사호참군(司戶參軍) 원사예(元思叡) 등이 무주(武周) 증성(證聖) 원년(695)에 조성하였다는 기록, 신평현(新平縣) 승고적하(丞高叔夏)가 무주(武周) 성력(聖歷) 원년(698)에 조성하였다는 기록 등이 새겨져 있다. 이러한 조각상들은 이미 알려진 지장보살상 가운데 비교적 대단히 빠른 시기에 조성된 것이다. 그러므로 지장보살의 발전사에 있어서 특별한 의미를 가지고 있으므로, 중시하여 연구하여야 할 것이다.

보살형

보살형의 지장보살상은 일반적으로 볼 수 있는 형태 가운데 하나이다. 지장보살 의궤에서는 보살 장식에 대해 묘사하고 있는 것이 적지 않다. 지장보살은 일반적으로는 머리에 영락으로 장식된 관을 쓰고, 몸에는 팔찌와 목걸이를 차고 있으며, 왼손은 허리 사이에서 보당번(寶幢幡)을 들고 있는데, 보당번은 곡지연화형(曲枝蓮花形)이며, 연꽃 위에는 작은 보번(寶幡)이 있다. 오른손은 가슴 앞에서 보주를 들고 있고, 몸에는 천의피금(天衣帔帛)을 두르고 연화좌 위에 결가부좌하고 있다. 『대정장(大正藏)』 도상부 권1의 『제설부동기(諸說不同記)』 권1에는 이러한 보살형의 지장보살 대한 묘사가 있다. 『대비태장대만다라(大悲胎藏大曼茶羅)』의 지장원(地藏院)에 있는 지장보살은 손에 번을 들거나 발우를 들고 있는데, 이것은 『팔대보살만다라경(八大菩薩曼茶羅經)』에서도 볼 수 있다. 지장보살은 머리에 영락이 장식된 관을 쓰고 있으며, 왼손은 발우를 들고 있고, 오른손은 안위일체유정인(安慰一切有情印)을 맺고 있다. 현존하는 이러한 지장보살상은 용문석굴, 대족석굴 등에 대단히 많으며, 반가좌상, 좌상, 입상 등의 다양한 자세를 취하고 있다. 용문석굴의 지장보살상 중에는 연대가 기록되어 있는 것이 적지 않다. 초당(初唐)의 고종(高宗)과 측천무후(則天武后) 시절의 상이 많다. 이 상들은 대략 세 종류의 형태로 나눌 수 있다. 이러한 세 가지 형태의 지장보살은 입상, 반가서상 자세의 보살형 그리고 사문형이 있다. 그러나 사문형의 지장보살상은 비교적 적기 때문에 보살형의 상이 용문석굴의 주요 형태라고 할 수 있다. 용문석굴의 이 보살형은 입상과 반가부좌의 두 종류로 나눌 수 있다. 입상 형태의 지장보살은 통상적으로 볼 수 있는 협시보살의 형상과 구별하기 모호한 점이 있다. 빈양남동(賓陽南洞)에 있는 감실 중에는 '이○정(李○靜)'이 조성한 지장보살상이 있다.〈그림 118〉 머리에는 높이 튼 상투가 있고, 가슴에는 긴 영락이 있다. 천의는 복부 앞에서 교차하고 있고, 허리와 팔이 가늘며, 몸은 똑바로 서 있다. 오른손은 위로 올리고 있고, 왼손에는 정병을 들고 있다. 그래서 관음보살의 형상과 대단히 유사하게 보인다. 동굴에 기록되어 있는 상들의 연대와 비교해 볼 때, 이 상의 조성 연대는 당 정관(唐觀) 말에서 영미(永微) 초로 보인다. 용문석굴에 많이 있는 지장보살상은, 반가부좌 형태의 상이다. 상반신의 대부분을 드러내고 있으며, 하반신에는 하의를 입고 있다. 다만 이들 상 가운데는 머리에 높은 육계가 조각되어 있는 것이 있다. 빈양남동(賓陽南洞)에 있는, 함형(咸亨) 4년(673)에 우의덕(牛懿德)이 조성한 지장보살상이 이에 속한다. 빈현(彬縣) 대불사(大佛寺)의 상 가운데, 불상형의 상으로 육계를 가지고 있으면서, 용문석굴의 이 상처럼 역시 반가서상의 자세를 취하고 있는 것이 있다. 하지만 가사가 아니라 보살의 천의를 입고 있다. 이들 상 사이에는 어떤 도상적 연관 관계가 있다. 비록 빈현에 있는 상이 용문석굴의 상보다 빠르지만, 그간의 연구에 의하면, 빈현의 상은 장안성(長安城)의 조각 형태와 양식을 반영하고 있으며, 용문의 상도 이 장안성 양식에 영향을 받았다고 한다. 그러므로 불상형 지장보살상은 먼저 장안성

그림 118
용문석굴 '이○정'이 조성한 지장보살상

에서 나타나 빈현으로 전파되고, 다시 용문에 전해졌을 것이다. 용문석굴의 상을 계통적으로 보면, 장안의 영향을 받아들이면서 변화하게 되고, 지장보살상에 보살형 요소들이 가세하게 되어, 보살형의 반가서상이 형성된 것으로 판단된다. 지장보살상에 나타나는 불상형과 보살형 그리고 사문형의 세 종류 가운데, 용문석굴에 보이는 보살형 지장보살상은 지장보살의 조형의 변화에 있어서 중요한 단계라는 것을 주목할 필요가 있다. 대족석굴에는 남송(南宋) 시기의 거대한 지장보살상과 시왕변상이 있다. 지장보살은 머리에 누공조식(鏤空雕飾)의 보관을 쓰고 있고, 가슴에는 영락 장식을 하고 있으며, 가사를 입고 있다. 오른손은 가슴 앞에서 결인(結印)을 맺고 있고, 왼손은 마니주를 들고 있다. 한편으로, 각종 소재로 만들어진 보살형 지장보살상도 적지 않게 있다.

사문형 – 삭발형

사문형의 지장보살상은 금동, 석조, 견본 불화 등에서 나타나고 있는데, 이들 가운데 주요 상을 간략히 살펴보겠다.

당대(唐代)의 금동 지장보살상 가운데 북경 고궁에 소장되어 있는 개원(開元) 연간의 지장보살상은 대단히 독특하고 뛰어난 작품이다. 반가부좌의 자세를 취하고 있으며, 오른손은 들어올리고, 왼손은 무릎에 가볍게 올려 놓고 있다.

이외에 북경 고궁에는 또 다른 2개의 지장보살상이 있고, 국외에도 2구의 상이 소장되어 있는데, 모두 반가좌의 자세를 하고 있고, 손에 마니주를 들고 있다. 시대는 대략 고종(高宗)에서 현종(玄宗) 시기의 것이다. 당대(唐代)의 사문형 지장에 또한 석조 조각상이 있다. 국외에 소장되어 있는 한 상은 입상이고, 왼손에 보주를 들고 있다.

절강 금화만불탑(金華萬佛塔)에는 오대(五代) 시기의 지장보살 동상 두 구가 있다. 그중의 한 구는 독특한 조형미가 나타나 있다.〈그림 119〉 왼손은 마니주를 들고 있고, 오른손은 들어서 수인을 맺고 있으며, 좌서상(左舒相)의 반가부좌 자세이다. 몸 뒤에는 투각 기법으로 만들어진 둥근 화염문의 신광이 있다.

소주(蘇州) 서광사탑(瑞光寺塔)에서도 일찍이 지장보살상이 하나 출토되었다. 역시 반가부좌의 자세이며 보주를 들고 있는데, 좌대의 양식으로 보면, 송대

(宋代)에 만들어진 것이다.

돈황과 일본의 견본(絹本) 불화에도 사문형 지장보살상이 적지 않다. 돈황화는 주로 당대(唐代) 시기의 것이 많고, 오대까지 지속되고 있다. 일본에 소장되어 있는 것은 이보다 조금 늦다.

그림 119
절강 금화만불탑의 지장보살상

돈황의 견본 불화는 모두 번화(幡畵)이다. 완전한 형식을 갖춘 것으로, 긴 세로줄의 화폭으로 되어 있는 것도 있다. 뒷부분이 삼각형으로 되어 있으며, 양쪽 끝에는 띠가 늘어져 있고 아랫부분에는 장식술이 있다. 장대 위에 당겨서 걸려지게 된다.

이 불화 속 지장보살은 수인을 맺고 있고 정병을 들고 있으며, 보주와 석장 등을 들고 있다. 현재 중요하게 다루어지고 있는 불화 하나를 살펴보자. 〈미(美) XX호라고 표시되어 있는 『돈황보장(敦煌寶藏)』의 권수화(卷首畵)〉

일본 동경국립박물관(東京國立博物館)에 소장된 당대(唐代)의 지장보살상번(地藏菩薩像幡)은 세로가 83.8cm, 가로가 18cm이다. 필선이 경쾌하고 섬세하며, 색채는 밝고 환하다. 붉은색과 석록(石綠), 검은색이 주조색을 이루고 있다. 전상가사(田相袈裟)의 면은 엷게 덧칠을 하였다. 지장보살의 위에는 화려한 보개가 있다. 지장보살은 귀고리, 팔찌, 영락장식을 한 젊은 승려의 모습이며, 연꽃 위에 서 있다. 몸은 살짝 아래를 내려다보고 있다. 양 손은 모두 위로 올려, 오른손 식지와 모지로 인을 맺고, 왼손은 식지와 소지를 펴고 있다. 깃발의 위쪽에는 삼각형 문양이 밀도감 있게 그려져 있는데, 색채가 안정되어 있다. 문양은 성당(盛唐) 시기의 것으로 보인다. 미(美) 116호의 지장보살과 위 불화의 지장보살은 주목해서 살펴보아야 한다. 도상은 일치하고 있으나, 단지 방향만 서로 반대이다. 이 불화의 지장보살은 왼쪽을 향하고 있고, 위에서 언급한 불화는 오른쪽을 향하고 있다. 두 불화의 세부 구성이 이와 같이 일치하고 있기 때문에, 본래 동일한 밑그림을 바탕으로 정면과 반대의 두 방향에서 그려진 것으로 판단된다. 이들 불화는 지장보살의 위와 아래에 있는 도안에 약간의 차이가 있으며, 후자가 전자보다 비교적 완전하게 보존되어 있다. 이외에도 지장보살 불화의 방제 글자가 반대로 되어 있는 것이 있는데, 마치 밑그림을 정면과 반대면에서 그리는 경향이 있었다는 것을 보여주는 듯하다. 이러한 것은 당시 불화의 수요가 대단히 많았음을 알려준다. 미 121호도 서로 비슷하지만, 한 손은 위로, 한 손은 아래로 달리하고 있다. 두 송이 연꽃을 밟고 있으며, 우견편단을 하고 있다. 전체적으로 밝은 다홍색과 노란색을 주조색으로 하고 있으며, 삭발한 머리 부분은 하얀색으로 칠하여 변화를 주고 있다. 방제에는 "나무지장보○(南無地藏菩○)"라는 글자가 거꾸로 쓰여 있다.[93] 〈그림 120〉 미 119호는 양손으로 합장을 하고 있고, 두 송이 연꽃을 밟고 있다. 미 122호는 손과 머리 부분이 모두 훼손되어 있다.

그림 120
영국 대영박물관 소장 돈황번인계상

손에 마니주를 들고 있는 지장보살이 그려진 불화는 대단히 많다. 프랑스 기메미술관에 소장되어 있는 지장보살상 불화는 세로가 87cm, 가로가 27cm이다. 그 장식은 앞서 살펴본 것과 비슷하지만, 우견편단의 홍색 가사이

93 이들 幡畵 대다수가 대영박물관에 소장되어 있다. 李國·高國祥, 『敦煌石室寶藏』(敦煌文藝出版社, 1993)을 참조.

고, 비단 띠는 흑백이 서로 교차하고 있어, 색채가 강렬하다. 오른손에 화염마니주를 들고 있다. 왼손은 가슴 앞에 두었는데, 식지와 소지를 펴고 있고, 모지와 나머지 손가락으로 인을 맺고 있다.

그림 121
프랑스 기메미술관 소장 지장보살도 부분

미 124호는 우견편단에 왼손에는 화주를 들고 있고, 두 송이 연꽃을 밟고 있다.

미 117호는 전상가사(田相袈裟)를 입고 있으며, 오른손에 화주를 들고 있다. 〈그림 121〉

대영박물관에 소장되어 있는 불화는 세로가 62cm, 가로가 19cm이다. 정면상이며, 붉은색 가사를 입고 있는데, 색이 대단히 강렬하다. 왼손은 몸 앞에서 화주를 들고 있고, 오른손은 그 위에서 식지와 모지로 인을 맺고 있다.

또한 당대(唐代)의 것으로 정병을 든 지장보살도가 있다. 〈그림 122〉 이 불화는 세로가 66cm, 가로가 18.4cm이다. 화려한 붉은색 대가사에 검은색 단이 있는 포(袍)를 입고 있다. 왼손으로 정병을 몸 앞에 들고 있고, 왼손은 손바닥이 보이게 인을 맺고 있다. 반대로 쓴 글자가 있는 지장보살상이 있는 화폭과 동일하다. 방제에는 "나무대성지장보살(南無大聖地藏菩薩)" 이라고 쓰여 있다.

노승이 그려져 있는 당대 2폭의 불화는 매우 독특하다. 모두 기메미술관에 소장되어 있으며, 세로 62cm, 가로 27cm이다. 하단 부분이 훼손되어 있으며, 화면의 바탕 초(草)가 그대로 드러나 있다. 밝은 다홍색과 재색, 검은색이 주조색을 이루고 있어 부드럽고 차분하다. 오른손으로 석장을 들어 어깨에 비스듬히 대고, 왼손은 염주를 들고 있다. 더욱 특징적인 것은, 원광의 위쪽에 한 점의 구름이 있는데, 그 위에 보살 혹은 화불(化佛)이 있는 것이다. 기메미술관에 소장되어 있는 또 다른 불화도 역시 노승 모습의 지장보살상이다. 미 228호 〈그림 123〉 역시 바탕초가 그대로 드러나 있으며, 하단 부분이 훼손되어 잘려 있다. 도상의 세부적 특징은 모두 앞서의 것과 동일하다. 당(唐) 개원(開元) 17년 작이다. 이 상은 원래 오직 마쯔모토 에이이치(松本榮一)만 지장보살로 인식하였고,

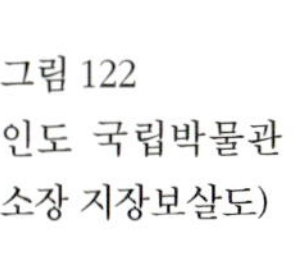

그림 122
인도 국립박물관 소장 지장보살도)

그림 123
프랑스 기메미술관 소장, 개원 17년의 지장보살도

펠리오 등의 학자들은 다른 의견을 가지고 있었다. 다만 앞의 불화와 이 불화를 서로 비교해 보면, 초기 지장보살상의 중요 도상으로 인식할 수 있다.

사문형 지장보살로 석장과 보주를 들고 있는 또 다른 불화가 있다. P.4518호는 오대(五代) 시기에 제작된 것으로 추정되며, 혜장(鞋匠)이 조성하였다. 지장보살은 앉아 있으며, 오른손은 석장을, 왼손은 보주를 들고 있다.

일본 등정유린관(藤井有隣館)에는 유명한 돈황의 견본 불화인 방광보살도(放光菩薩圖)가 소장되어 있다. 이 불화는 관음보살과 지장보살이 나란히 배치되어 있는 특징을 보여주고 있다.〈그림 124〉 오대(五代)에서 송대(宋代) 시기 사이에 조성된 것이다. 관음보살은 바위 위에 반가부좌하고 있다. 왼손은 버드나무 가지를 잡고 있고, 오른손은 손바닥에 정병을 올려 놓고 있다. 수월관음(水月觀音)의 자세이다. 다리 아래에는 연꽃 동자와 공불보(供佛寶)가 있다. 지장보살의 원광 뒤에는 기라야산(伎羅耶山)의 형태가 있다. 전상가사(田相袈裟)를 입고 있는데, 황색 바탕에 붉은색으로 조첩(條葉)을 하고 여기에 금화문(金花紋)을 넣어 화려함을 더하였다. 왼손은 가슴 앞에서 보륜(寶輪)을 들고 있다. 속요쌍사자좌 위에 반가부좌 하고 있으며, 몸의 양쪽에는 승려가 서 있는데, 깃발 같은 것을 들고 있다. 다리 아래에는 공불보(供佛寶)와 도명존자 그리고 민장자가 있다. 지장보살의 영험함을 기록한 글에는, 당대(唐代) 측천무후의 전성 시기에 승려 양장(梁張)이 조성한 〈관음지장도〉에서 빛이 쏟아져 나오고, 영험하다고 전해져 대단히 유행하였다고 한다. 이 지장보살상이 바로 사문형으로 승려와 같은 모습을 하고 있었기에, 이를 '방광보살' 이라 칭하게 되었다.

사문형 – 피모형(被帽形)

연대가 기록되어 있는 피모 지장보살도로, 돈황본 세 점이 있다. 북송 건륭(建隆) 4년(963)의 불화, 북송 태평흥국(太平興國) 6년(981)의 불화, 역시 태평흥국 8년(983)의 불화가 그것이다. 다른 나머지 불화들은 정확한 연대가 기록되어 있지 않지만, 대부분 오대에서 북송 시기의 것이다.

비교적 간단한 형식의 피모지장도(被帽地藏圖) 가운데는 독존으로 있는 것도 있다. 토로번(吐魯番)에서 서쪽으로 3리쯤 떨어진 곳에서 일찍이 피모지장보

그림 124 일본 등정유린관 소장 방광보살도

살이 그려진 견본 불화의 일부가 출토되었다. 지장보살은 서 있는 자세이며, 범협(梵篋) 모양의 경서(經書)를 들고 있다. 연대는 오대(五代) 이전으로 여겨진다. P.4070호를 살펴보자. 피모 지장보살은 하나의 휘장 아래에 매 면이 삼호문(三壺門)인 사방형의 대 위에 앉아 있다. 이 지장보살은 한 손에 불진(拂塵)을 들고 있으며 양쪽에 두 동자가 시립하고 있다. 좌대 아래에 소와 사슴 등이 있다. 지장보살의 독존상으로 대표적인 것은 영국에 소장되어 있는 오대 시기의 불화이다. 세로가 55.5cm 가로가 39.8cm이다. 주조색으로 황색과 홍색을 사용하여 온화하면서도 강렬하다. 지장보살의 몸 뒤에는 큰 원륜(圓輪)이 있고, 그 가운데에 다시 둥근 두광과 신광이 있다. 화염문이 장식되어 있다. 지장보살은 왼손을 낮게 내려 화주를 잡고 있고, 오른손은 올려서 석장을 들고 있다. 연꽃 위에 앉아 있으며 풍모의 띠를 귀에 묶어 늘어뜨리고 있다. 화면 네 모서리에는 꽃이 장식되어 있다. 하단은 훼손되어 있는데, 동자 한 명이 꽃을 든 채 합장하고 있는 모습만이 남아 있다. 대영박물관에 소장되어 있는 또 다른 소장본은, 지장보살상이 약간 작고, 연꽃 위에 앉아 있으며, 오른손에는 석장을, 왼손에는 화주를 들고 있다. 두광과 신광 그리고 원륜은 앞서 살펴본 것보다는 간단하지만, 풍모와 가사에는 화문이 가득 장식되어 있다. 화면의 하단 부분도 비교적 온전하다. 승려와 공양인 부부가 있는데, 부인의 복장이 대단히 화려하다. 방제의 문자는 이미 모두 유실되어 알아볼 수 없다.

돈황본인 〈관음지장보살도〉(미 129호)는 대단히 화려하고 아름답다.〈그림 125〉 주존은 피모지장보살과 육비관음보살이며, 등정관(藤井館)에 소장되어 있는 방광보살도의 사문형 지장보살과 수월관음보살의 배치 구도와 동일하다. 두 상 위에는 화개(華蓋)와 쌍비천(雙飛天)이 각각 있다. 모두 연화대 위에 앉아 있으며, 화려한 두광과 신광을 가지고 있다. 지장보살은 왼손에 보주를 들고 있고, 오른손에는 석장을 잡고 있다. 육비관음보살은 위의 두 손으로 달을 들고 있고, 중간의 두 손은 화주 등을 들고 있으며, 아래의 두 손은 무릎 위에 가볍게 올려 놓고 있다. 여기서 반드시 언급해야 할 불화가 있다. 윗글에서 합철(合綴)의 필요성에 대해 말한 바 있는 S.3961호 〈지장시왕도〉의 권수화에서도 육비관음보살과 피모지장보살 그리고 시왕의 상이 있었다. 이 권수화는 원래 잔편으로

그림 125
프랑스 베르사이
유궁 소장 관음지
장보살도

인식되어 왔고, 현재도 여전히 결여된 채로 있지만, 가장 앞쪽에 있는 육비관음보살상은 위의 손으로 해와 달을 들고 있고, 중간에 있는 손으로 인계(印契)를 취하고 있어서 도상적 연관성이 있다. 이외에도 돈황본과 동시대의 견본 불화 가운데, 『법화경』의 보문품변상도(普門品變相圖)에 관음보살이 육비의 형상으로 나타나 있다. 위에 있는 손은 역시 해와 달을 들고 있고, 중간에 있는 손으로 인계를 취하고 있으며, 아래의 손은 염주와 보병을 들고 있다.

지장육취도(地藏六趣圖)는 육도윤회를 묘사한 것으로 영국에 소장되어 있다.(미 471호) 북송(北宋) 건륭(建隆) 4년(963) 작인 이 불화는 강청노(康淸奴)가 병환이 깊어가면서, 오취(五趣)에 떨어질 것을 두려워하여 조성한 것이다. 2명의 보문보살(普門菩薩)이 지장보살을 협시하고 있고, 지장보살은 석장과 보주를 잡고 반가부좌하고 있다. 육도는 신광의 양쪽에 있는 물결 모양의 빛 위에 나뉘어 묘사되어 있다. 그 오른쪽 위에 그려진 보살의 형상이 천도를 의미하고, 중간에 그려진 말과 소는 축생도를 나타내며, 아래에 그려진 귀졸과 가마솥은 지옥도를 대표하는 것이다. 왼쪽의 위에는 인도가, 중간에는 아수라신이, 아래에는 불길 속에 아귀가 그려져 있다. 화면의 아래에 공양인 가족이 있다. 이외에 다른 것으로 프랑스 기메미술관에 소장되어 있는 지장육취도(미 125호)가 있다.〈그림 126〉 이 불화의 도상은 상당히 세밀하여, 육도의 세부 구성이 잘 드러나 있다. 그러나 그 구성은 앞에서 언급한 불화와는 상반되어 있다. 지장보살의 왼쪽에 천도, 축생도, 지옥도가 표현되어 있고, 지장보살의 오른쪽에 인도, 아수라도, 아귀도가 묘사되어 있다. 지장보살은 석장과 화염 마니주를 들고 있다. 양쪽 옆에는 선악동자가 협시하고 있고 사자(獅子)가 있다.

지장육취시왕도(地藏六趣十王圖)는 대단히 많다. “봉위망과여제자씨곽영충공양(奉爲亡過女弟子氏郭永充供養), 시왕지장보살일포(十王地藏菩薩壹鋪)”라는 화기를 가지고 있는 불화(미 127호)는 육도에 모두 방제가 있으며, 그 도상이 구름 형태의 빛 위에 표현되어 있다.〈그림 127〉 상의 왼쪽에 있는 궁전이 천도이고, 아래에 인도와 아수라도가 있다. 상의 오른쪽에 삼악도(三惡道), 즉 아귀도, 축생도, 하나의 솥으로 표현된 지옥도가 있다. 지장보살은 마니주와 석장을 들고 있는 모습이다. 그 양쪽과 아래에 4명의 지부판관(地府判官), 도명, 선

그림 126
프랑스 기메미술관 소장 지장육취도

악동자, 홀판을 들고 무릎 꿇고 있는 시왕과 공양인 부부가 있다. 면류관을 쓰고 있는 자가 염라왕이며, 전륜왕도 문관의 모습을 하고 있다. 시왕은 지장보살의 앞에 두 줄로 배치되어 있다. 지장육취시왕도에는 별도의 도상을 함께 묶어 구성한 복합 형식도 있다. 위쪽이 아미타정토이고, 아래쪽이 지장육취시왕도인 불화(미 132호)가 이에 속한다. 위쪽에 서방삼성(西方三聖)과 권속, 기락보지(伎樂寶池)가 있는 것이 서방정토이다. 아래쪽의 육취는 지장보살의 양쪽에 나뉘어 그려져 있다. 지장보살의 오른쪽에 아수라도, 아귀도, 지옥도가 있고, 지장보

그림 127
인도 국립박물관
소장 지장육취시
왕도

살의 왼쪽에 천도, 인도, 축생도가 있다. 시왕은 양쪽에 나뉘어 서 있는데, 염라왕과 전륜왕도 좌우로 나뉘어 있다. 도명과 사자, 선악동자도 있다. 두 도상은 상하로 조화를 이루고 있으며 경계선은 없다. 또 다른 복합 형식의 불화로 천수관음보살과 결합된 지장시왕도(미 130호)가 있다. 이것은 2개의 구도로 나뉘어 구성되어 있다. 천수관음보살과 협시가 화면의 위쪽에 있고, 지장보살을 비롯해 판관과 선악동자 그리고 지장보살의 앞에 무릎 꿇고 있는 시왕이 아래쪽에 있다. 화면 아래에는 공양인과 발문이 있다. 프랑스의 기메미술관에 소장되어 있는 불화로 북송 태평흥국(太平興國) 8년(983)의 지장육취시왕도(미 128호)가 있다. 〈그림 128〉 세로가 225cm에 달하며, 가로는 159cm이어서 일반적인 번화(幡畵)는 아니다. 도상 구성이 잘 갖추어져 있는 대표적인 불화이다. 시왕은 지장보살의 양쪽으로 배치되어 있다. 왕(王) 판관, 최(崔) 판관, 조(趙) 판관의 4명의 판관과 육취, 시왕, 사자, 도명화상 등에 모두 방제가 있다. 화면의 하단부에는 정교하고 아름답게 그려진 인로왕보살과 발문, 공양인과 그 시종들의 모습이 한 줄로 표현되어 있다. 공양인은 화려하고 고귀한 옷을 입고 있는 귀부인인데, 바로 옆에 회골문(回鶻文)의 또 다른 발문이 쓰여 있는 점이 독특하다. 이 불화는 회골의 공주나 귀부인이 발원하여 조성하였을 가능성이 높다.

그리고 태평흥국(太平興國) 6년(981)의 기년명이 있는 천수관음도 하단부에 지장보살상이 있다. 대단히 특징적인 도상이다. 지장보살과 도명, 사자(獅子)에는 "지장보살내회감물시(地藏菩薩來會鑒物時)", "도명화상각반시(道明和尙却返時)", " 금모사자조성시(金毛獅子助聖時)"라는 방제가 있다. 지장보살은 약간 측면으로 반가좌하고 있고, 그 앞에는 도명이 합장을 하고 서 있으며, 사자가 으르렁거리고 있다. 〈그림 129〉 이 화면 다음에는 "절도도두은청광록대부검교국자제자겸어사중승(節度都頭銀靑光祿大夫檢校國子祭子兼御史中承)" 이라는 기다란 발문과 공양인인 번계수(樊繼壽)의 상이 있다. 이 불화 하단의 도상과 방제는 돈황 유서 가운데 S.3092호 『도명화상환혼기(道明和尙還魂記)』의 내용을 대단히 명확하게 반영하고 있다.[94]

94 松本榮一, 上同, 圖113B.

第二七日初江王
第三七日宋帝王
第四七日五官王
第五七日閻羅王
第六七日變成王
第七七日太山王
第八百日平正王
南无道明和尚
南无金毛師子

그림 128_왼쪽
프랑스 기메미술관 소장 북송 태평흥국 8년 지장육취시왕도

그림 129
영국 소재 태평흥국 6년(981) 천수관음도 하단의 지장보살

지장시왕이 양쪽 세로로 배치되는 구도는 일반적으로 볼 수 있는 형식이며, 미 126호는 한 명의 왕마다 2명의 권속을 거느리고 있다. 탁자 앞에는 사자가 있고, 뒤에는 4명의 판관이 있다. 주존 왼쪽의 위쪽에 있는 왕이 염라왕이며, 면류

관을 쓰고 있다. 오른쪽 위쪽에 무장의 모습을 한 왕이 바로 오도전륜왕이다. 지장보살은 석장과 보주를 들고 있으며, 정수리 위에서 빛줄기가 흘러나오고 있는데, 여섯 줄기가 아니라 한 줄기이다. 이런 형식의 또 다른 중요 불화(미 474호)가 영국에 소장되어 있다. 세로가 91cm, 가로가 65.5cm이다. 화면의 앞쪽에 지옥을 의미하는 업경(業鏡) 장면이 있고, 소머리 모습의 옥졸이 죄인을 끌고 와서, 거울 속에 보이는 소를 죽이는 광경을 관찰하고 있다. 염라왕은 오른쪽 아래에 업경과 대응하여 배치되어 있다. 오도전륜대장군은 왼쪽의 윗부분에 있다. 시왕의 탁자 위에 있는 두루마리 문서에는 모두 과두문(蝌科文) 같은 글자가 있다. 지장보살은 왼손에 석장을, 오른손에 보주를 들고 있다. 앞에는 도명과 사자, 최 판관이 있다.

영국에 소장되어 있는 불화 중에는 색을 입히지 않은 선묘 상태의 초본(草本) 한 점이 있다. 시왕은 지장보살의 양쪽에 세로로 배치되어 있는데, 오른쪽의 윗부분에 염라왕이, 왼쪽의 윗부분에 오도전륜왕이 있다. 또한 육도를 나타내는 여섯 줄기의 물결 같은 선도 보인다. 「사탄인집품(斯坦因集品)」의 내용을 다룬 불화 한 점이 인도 델리박물관에 소장되어 있는데, 이것 역시 시왕이 양쪽에 배치되어 있는 형식이다.[95] 지장시왕도에 있어서 비대칭적 구도로 된 것은 대단히 드물다. 미 131호에서 지장보살은 화면의 한쪽에 있고, 4명의 판관과 구왕은 모두 그 왼쪽과 아래쪽에 있으며, 무장의 형상을 한 전륜왕과 2명의 옥졸은 앞쪽에 있고, 도명화상은 지장보살의 오른쪽에 있다. 지장보살의 원광 뒤에는 전각의 난간과 소나무, 2명의 천인이 있는데, 이것은 천(天)을 의미한다. 이 불화의 제작 연대는 원대(元代) 말기로 추정된다. 〈그림 130〉

위에서 세부적인 부분을 상세하게 살펴보았지만, 두 주제의 복합 형식을, 주도상과 종속 도상 등의 세부 구성을 고려하지 않고, 단순히 살펴보면, 피모지장시왕도(被帽地藏十王圖)의 대부분은 육도(六道)를 표현하고 있다. 또한 시왕이 지장보살의 아래쪽 혹은 지장보살의 양쪽에 세로로 배치되는 두 가지 형식으로

95 松本榮一, 上同, 圖109와 111.

그림 130
프랑스 기메미술
관 소장 지장시왕
도

나타나고 있다.

그러나 한편으로, 지장도상을 연구함에 있어서, 그것이 담고 있는 의미, 지장신앙과 각종 종파와의 관계, 민중과의 관계 등에 대해서도 더욱 주의를 기울여야 한다. 앞서 살펴본 불화 가운데, 여러 점이 미타(彌陀)와 관음보살과 관계를 가지고 있다. 이러한 것 가운데 천수관음도 하단에 있는 지장보살, 지장보살과 도명과 사자가 있는 지장보살도, 서방정토를 배경으로 하고 있는 지장시왕도, 육비관음과 대좌하고 있는 관음지장보살도 그리고 인로왕보살이 부가되어 있는 지장육취시왕도가 있다. 이것은 마치 지장보살과 정토와 관음보살은 특히 밀접한 관계에 있다는 것을 설명해 주고 있는 듯하다.

2) 지장시왕지옥(地藏十王地獄) 조각

시왕지옥 조각 가운데 그 가치가 가장 높은 것이 사천의 석굴이다. 사천의 석굴과 마애석굴에는, 대족(大足) 보정(寶頂)의 제20호 '지장시왕지옥변(地藏十王地獄變)' 이 있을 뿐만 아니라, 자중(資中)의 서쪽 절벽에 만당(晩唐) 시기의 지장시왕상 감실이 있다. 이곳 감실상의 조성 연대는 현재 가장 이른 시기의 것으로 알려진 돈황의 『불설시왕도』보다 더 빠르며, 정확한 명문을 갖추고 있다. 뿐만 아니라 두 감실의 도상은 돈황의 지장시왕도와 대비되는 형식적 특징을 가지고 있다. 돈황의 『불설시왕도』 제목에 보이는 "성도부(成都府) 대성자사(大聖慈寺) 사문(沙門) 장천(藏川)이 씀" 이라는 구절로부터 그 연원이 본래 사천의 석굴과 관계가 있다는 것을 알 수가 있다. 다시 한 번 현재 사천 지역에 남아 있는 지장시왕과 지옥을 주제로 한 유적들을 살펴보면, 지역적으로는 자중현(資中縣), 내강현(內江縣)에서부터 다시 안악(安岳), 대족에 이르고, 시대적으로는 만당(晩唐)에서 남송(南宋)까지, 그 전파와 확산 과정이 상당히 명확하다. 중요 유적으로는 자중(遺址)의 서암(西巖), 내강현(內江縣)의 청계향(淸溪鄕)과 상룡산(翔龍山)의 두 곳, 안악 원각동(圓覺洞)에 있는 두 감(龕), 대족의 북산(北山) 보정에 있는 여러 곳의 편호(編號), 광원(廣元) 천불애(千佛崖) 천불동(千佛

洞)의 옆쪽 벽의 한 곳을 꼽을 수 있는데, 그 형태가 모두 독특하고 다양하며, 시대가 빠른 것은 초당(初唐) 시기의 것으로 볼 수 있다. 그러므로 지장시왕 도상의 순서를 정한다는 것은 불가능하며, 지장시왕의 성격에 대해 끊임없는 연구와 재해석이 필요하다 할 수 있다. 사천 이외에도 산동성(山東省) 동평현(東平縣) 화엄동(華嚴洞) 석굴 조각은 명대(明代) 시기의 것이며, 하북(河北) 부평(阜平) 석굴당(石佛堂)의 조각[그 조형 형태가 안악(安岳) 삼선동(三仙洞)의 명대 시왕 조각과 비슷하여 선명한 대비를 이룬다]이 있다.

여러 종류의 지옥변상 가운데 대족 보정산(寶頂山)의 지장시왕과 지옥변(地獄變)은 군계일학이라고 말할 수 있다. 규모의 거대함, 내용의 풍부함, 조각의 정밀함이 모두 독보적이라 할 만큼 뛰어나서 필적할 만한 것이 없다. 그러므로 지옥변상에 관한 도상 연구에 있어서 보정산의 이 지옥변상은 가장 대표적인 예가 되고 있다.

지옥변상은 중국미술사에 있어서 대단히 중요한 소재이다. 고대 회화사에 관한 저술들에서는 적지 않은 지옥변상의 장인에 대해 기록하고 있다. 화성(畵聖) 오도자(吳道子) 역시 지옥변상으로 그 명성이 높았다.

『역대명화기(歷代名畵記)』에는 "양경(兩京)의 사찰에서 벽화를 본다[兩京寺觀畵壁]."는 부분이 기술되어 있는데, 이는 당시에 적지 않은 사찰에 지옥변상의 벽화가 있었음을 말해 준다. 서경(西京)의 대자은사(大慈恩寺), 정역사(淨域寺), 정법사(淨法寺)에는 장효사(張孝師)가 그린 지옥변이 있고, 보찰사(寶刹寺)에는 진정안(陳靜眼)이 그린 지옥변이 있고, 화도사(化度寺)에는 노릉가(盧棱伽)가 그린 지옥변이 있다. 그리고 화성(畵聖) 오도자는 서경(西京) 경공사(景公寺), 동경(東京) 복선사(福先寺)의 지옥변을 그렸다. 이 기록 중에는 또한 동경(東京) 대경애사(大敬愛寺) 대전의 서쪽 벽의 서쪽에 '염라왕변(閻羅王變)'이 있다는 것과 서방불회(西方佛會)와 십육관(十六觀)이 한 곳에 그려져 있음을 언급하고 있다. 이러한 화가들이 실제적으로 모두 지옥변상을 그린 뛰어난 장인들이다. 장언원(張彦遠)은 이 책에서 사찰 벽화를 관찰한 바를 기술하고 있을 뿐만 아니라, 몇 명의 지옥변상의 대가들에 대해서도 다음과 같이 기술하고 있다.

장효사(張孝師)는, …… 지옥을 특히 잘 그렸으며, 유묵(幽默)의 분위기를 잘 표현하였다. 장효는 일찍이 죽었다가 다시 소생하여 명부(冥府)의 일을 보았기 때문에 그에 대한 묘사가 정확하였다. 오도자(吳道子)가 그림을 보고 이를 '지옥변(地獄變)' 이라고 칭했다.

이생(李生)은 이름이 정확하지 않지만, '제자(弟子)' 라고도 부른다. 지옥과 불상 등을 잘 그렸지만, 오도자보다 조금 못하다.

진정심(陳靜心)은 사찰 벽화에 뛰어났으며, 동생인 정안(靜眼)은 지옥과 산수를 잘 그렸다.

이 기록으로부터 알 수 있는 것은 장효사는 비교적 일찍 지옥을 소재로 한 그림을 그린 대가라는 것이다. 오도자 역시 그 화풍을 따르고 있다. 뿐만 아니라 장효사의 그림이 성공할 수 있었던 것은 일찍이 사경을 헤매며 지옥을 '보고[見]' 다시 살아난 개인적 경험이 있었기 때문이다. 이밖에 일련의 화가들 대다수가 오도자의 영향을 받거나 오도자를 스승으로 하고 있다. 주목해야 할 것은 당시에 대단히 유행했던 지옥변상 중에 '염라왕변(閻羅王變)' 이 강조되어 나타나고 있다는 것이다. 오도자가 그린 지옥변이 너무도 뛰어났기 때문에 새로운 조류를 형성하며 영향을 미치게 되었던 것이다. 『당조명화록(唐朝名畵錄)』의 기록에 다음과 같은 구절이 있다.

일찍이 듣기에, 조경공사(趙景公寺) 노승이 말하기를, 오선생이 절에 지옥변상을 그렸을 때, 경도(京都)의 시정잡배들이 그것을 보고 죄업을 두려워하며 직업을 바꾸는 자가 왕왕 있었다고 한다.

이 책의 저자 주경현(朱景玄)은 당조(唐朝) 사람이다. 이 책에 따르면, 오도자가 장안(長安) 조경공사(趙景公寺)에 그린 지옥변을 보았다고 하고, 뿐만 아니라 『유양잡조속집(酉陽雜俎續集)』에는 명확하게 이 그림의 구체적 형식이 '백묘지옥변상(白描地獄變相)' 이라고 설명하고 있다. 이 그림을 평하기를, "필력이 예리하고 굳세며, 변상이 으스스하여 보는 자가 자신도 모르게 털끝이 솟아올랐다."라고 하였다.

오도자의 지옥도는 또한 두루마리 본으로도 전파되었다. 북송(北宋)의 황사백(黃思伯)은 『동관여론(東觀余論)』에서 다음과 같이 평하였다.

> 오도원(吳道元)이 이 그림을 그렸는데, 지금 사찰에 있는 그림과 같지 않다. 도림(刀林)이나 펄펄 끓는 가마솥과 우두아방(牛頭阿旁)과 같은 모습이 없지만, 변상(變狀)은 음침하고 참혹하여, 보는 자가 식은땀이 흐르고 털이 솟으며 두려워하고, 그로 인해 죄를 멀리하고 착한 일을 하는 사람들이 많았다.

위의 평에서 알 수 있는 것은 오도자는 소머리 형상의 아방이나 도산검림 등의 도상을 이용하지 않고도 지옥을 표현하였으며, 오히려 짐승을 잡아 매매하는 직업의 사람들이 그림을 보고 직업을 바꾸어 선업을 쌓게 만들었다는 것이다. 화성(畵聖)이 던진 그림 하나가 사람의 마음을 움직이는 걸출한 능력이 있으니, 확실히 찬탄을 금할 수 없게 만든다. 오늘날 오도자의 원래 그림의 면모를 보는 것은 불가능하게 되었지만, 역시 사람으로 하여금 오래도록 두려운 생각을 갖게 하였다. 오도자가 그린 조경공사의 '지옥변상'의 영향은 각지에 미쳤다. 이 중에는 승려 장천(藏川)이 『불설시왕경』을 저술한 사천(四川) 성도(成都)의 대성자사(大聖慈寺)도 포함이 된다. 대성자사는 당대(唐代) 이래로 사천 지역에서 가장 유명한 사찰이며, 역사적으로 중요한 회화작품들이 대단히 많다. 오도자의 '지옥변상'을 생각나게 하는 유명한 그림이 있었다. 죽건(竹虔)이 광명(廣明) 연간(880~881)에 희종(僖宗)을 모시고 촉(蜀)에 왔을 때, 화가 좌전(左全)이 이미 이 그림을 그린 것을 보았다. 좌전은 사천 사람이다. 미술사에는 좌전이 보력(寶歷) 연간(825~827)에 경사(京師)에 이름을 떨쳤으며,[96] 그가 대성자사의 다보탑(多寶塔) 아래에 오도자의 조경공사(趙景公寺) 지옥변상도를 모방하여 그

96 黃休復, 『益州名畵記錄』, 人民美術出版社, 1983년 重印本, 좌측의 전체 조목 참조.

렸다고 기록되어 있다. 송대(宋代)의 황휴복(黃休復)이 『익주명화록(益州名畵錄)』을 찬술할 때, 이 지옥변상도도 여전히 존재했었다. 그러나 오대(五代) 시절 왕건(王建)이 촉에서 정권을 잡았을 때, 일반 화가의 어설픈 솜씨로 이 그림을 새롭게 단장하여서 오히려 그림의 진면목만 크게 상하고 '오직 그 틀만' 남아 있게 되었다.

그러나 다행인 것은 석굴사찰 가운데 지옥변상 조각이 오늘날에도 남아 전해지고 있다는 점이다. 사천 지역의 석굴 사찰 가운데, 안악(安岳) 원각동(圓覺洞)의 두 곳에 있는 오대 시기의 시왕경변(十王經變) 또한 대족 석전산(石篆山)에 있는 북송 시기의 지장보살과 십대명왕 감실, 대족 북산(北山) 불만(佛灣)의 관음, 지장보살과 시왕감실 그리고 규모가 거대한 제20호 지장보살과 시왕, 지옥변상에 대해서 앞에서 이미 살펴보았다. 이 가운데 제20호 마애석굴에 있는 지옥의 내용이 가장 다양하고 풍부하여서 국내외를 막론하고 지옥변상 연구의 중심에 있다. 이곳에 있는 남송 시기의 상에 대한 기본적 내용은 앞에서 이미 살펴보았다. 여기서는 먼저 이 조각에 표현된 여러 지옥의 관계와 어떤 경전에 근거하고 있는지를 밝히는 데 중점을 둘 것이다. 이곳의 지옥시왕과 지옥변상 내용은 여러 개의 불경에 근거하여 조성된 것이기 때문이다. 그러므로 이곳의 지옥 형상을 연구하는 데 있어서, 그 근거가 되는 경전을 가능한 한 모두 제시하는 것은 대단히 중요한 의의가 있다.

제20호 조각에 있는 지장보살은 손에 마니주를 들고 있는데, 여기서 여섯 줄기의 가는 빛이 약간 휘어져서 새어나오고 있다.〈그림 131〉 위쪽의 두 줄기 빛은 원감십불(圓龕十佛)의 머리 정수리까지 펼쳐져 있고, 중간의 두 줄기 빛은 흘러나와 시왕과 양사(兩司)의 상에 이르고 있고, 아래쪽의 두 줄기 빛은 구분된 아랫부분의 지옥변상 바로 위까지 미치고 있다. 지장보살의 중심과 중요한 위치를 환하게 밝히고 있는 것은 말할 필요가 없다. 이 절벽 가운데에는 지장보살과 협시, 위에는 십불, 중간에는 십대명왕과 양사(兩司), 아래의 두 층에는 지옥과 조사 설법탑(說法塔)이 있다. 4층 조각 내용은 대단히 풍부하며, 도상에는 경문찬사(經文贊詞)가 새겨져 있어 이러한 조각들이 내포하고 있는 함의를 이해하는 데 큰 도움을 주고 있다.

그림 131
대족 보정 대불만 제20호 지장시왕 감실의 지장보살상

가장 위층은 십불(十佛)이다. 아래쪽의 십대명왕과 대체적으로 대응되고 있다. 십불은 모두 원감(圓鑒) 안에 조각되어 있고, 가사는 서로 다른 무늬로 변화를 주고 있으며, 가사의 끝단이 감실 앞까지 늘어져 있다. 십불은 무외인, 선정인, 설법인 등의 다양한 손 자세를 취하고 있다. 바위의 동쪽 옆에는 "권군막작만심사(勸君莫作謾心事), 십불암전현보사(十佛巖前現報司)"라는 게송(偈頌) 한 구절이 나란히 새겨져 있다. 이어 십불의 아래에 있는 바위를 가지런하게 안쪽으로 '凹' 형으로 파서 십대명왕과 양사를 새겨 넣었다. 시왕과 양사의 상은 동쪽에서 서쪽으로 배치되어 있다. 지장보살과 협시의 양쪽 옆에 각각 6명이 있다. 양사는 동서쪽의 가장 바깥에 위치하고 있다. 모든 상의 탁자에는 명문이 있다. 주목해야 할 것은, 이 탁자 앞에 있는 명문과 『염라수기경(閻羅授記經)』의 도찬본(圖贊本) 찬사(贊詞)가 일치한다는 것이다. 다만 순서는 같지 않다. 아래에서 시왕과 양사의 탁자 앞에 있는 명문을 정리하고, 또한 앞서 살펴보았던 D본 P.2003호와 관계있는 찬문을 다음과 같이 대비하여 보았다.

동쪽에 있는 첫 번째 상은 현보사관(現報司官)이다. 탁자 앞에 게송이 있다.

이 단락의 명문에서 "현보사관"이라는 네 글자의 관직명을 제외하면, 바로 『염라수기경(閻羅授記經)』 도찬본(圖贊本)의 P.2003호에 있는 십재수족(十齋修足) 뒤쪽 결미(結尾)의 앞에 있는 한 단락의 찬문과 같다.[97]

두 번째는 진광왕으로, 탁자 앞에 게송이 있다.

D본의 염라법왕 등이 파견한 사자의 찬문과 같다.[98]

세 번째 상은 초강왕으로, 탁자 앞에 게송이 있다.

D본의 시왕에 대한 찬문과 같다.[99]

네 번째 상은 송제왕으로, 탁자 앞에 게송이 있다.

D본에 있는, 무생법인(無生法印)의 찬문과 같다.[100]

다섯 번째 상은 오관왕이다.

D본의 앞부분에 있는, 『시왕경』의 여러 존상들의 공덕의 찬문과 같다.[101]

여섯 번째는 염라왕이다.

D본의 앞부분에 있는, 『불설염라왕수기』의 찬문과 같다.[102]

염라대왕과 변성대왕의 중간에는 지장보살과 두 협시의 큰 상이 있다.

일곱 번째는 변성대왕이다.

D본에 있는, 『시왕경』을 사경하는 공덕의 찬문과 같다.[103]

---

97 偈頌 : 現報司官」 欲求安樂」 住人天必莫侵淩三」 寶錢一落」 冥間諸地」 獄喧喧受」 罪不知年", 贊文 : "欲求安樂住人天, 輒莫侵淩三寶錢. 一落冥間諸地獄, 喧喧受罪不知年."

98 偈頌 : "秦廣大王」 諸王遺使」 撿亡人男」 女修何功」 德名因依名」 放出三塗」 獄免歷冥」 間遭苦辛", 贊文 : "諸王遺使撿亡人, 男女修何功德因. 依名放出三塗獄, 免右冥間遭苦辛."

99 偈頌 : "初江大王」 罪如山岳」 等恒沙福」 少塵微數」 未多猶得」 善神常守」 護往生豪」 富信心家", 贊文 : "罪如山岳等恒沙, 福少塵微數未多, 猶得善神常守護, 往生毫富信心家."

100 偈頌 : "宋帝大王」 罪苦三塗」 業易成都」 緣殺命祭」 神明願執」 金剛眞惠」 劍斬除魔」 族悟無生", 贊文 : "罪苦三塗業易成, 都緣殺命祭神明. 願執金剛眞惠劍, 斬除魔族悟無生."

101 偈頌 : "五官大王」 破齋毀戒」 殺鷄猪業」 鏡昭然報」 不虛若造」 此經兼畵」 像閻王判」 放罪消除", 贊文 : "破齋毀戒煞鷄猪, 業鏡照然報不虛. 若造此經兼畵像, 閻王判放罪消除."

102 偈頌 : "閻羅天子」 悲增普化」 亦威靈六」 道輪廻不」 暫停敎化」 厭苦思安」 樂故現閻」 羅天子形", 贊文 : "悲增普化是威靈, 六道輪廻不暫停. 敎化厭苦思安樂, 故現閻羅天子形."

여덟 번째 태산대왕이다.

D본에 있는, 경 끝부분의 찬문과 같다.[104]

아홉 번째 평정대왕이다.

D본에 있는, 경찬(經贊)의 가장 앞부분인 불수기(佛授記) 집회의 찬문과 같다.[105]

열 번째 도시대왕이다.

D본의 시왕찬문 이후에 있는 면죄생천(免罪生天)의 찬문과 같다.[106]

열한 번째 전륜대왕의 탁자 앞에 게송이 있다.

D본의 제십 오도전륜왕의 찬문과 같다.[107]

열두 번째 속보사관이다.

D본의 경 마지막 부분의 찬문과 같다.[108] [109]

위의 12단락의 찬문을 통해 알 수 있는 것은 대족석굴에 조각된 시왕의 찬과 돈황본의 『염라수기경』은 일치한다고 볼 수 있고, 이들 사이에는 다만 개별적인 몇 개의 글자만 차이가 있다는 것이다. 그러나 이러한 글자들도 기본적으로는 뜻이 같거나 뜻이 통하는 글자이다. 예를 들면, 석굴에 새겨진 ʻ殺ʼ과 돈황본에

---

103 偈頌 : "變成大王」若人信法」不思議書」寫經文聽」受持舍命」頓超三惡」道此身長」免入阿鼻", 贊文 : "若人信法不思議, 書寫經文聽受持. 捨命頓超三惡道, 此身長免入阿鼻."

104 偈頌 : "太山大王」一身危脆」似風燈二」鼠侵欺齧」井藤苦海」不修橋筏」渡欲憑何」物得超升", 贊文 : "一身危脆似風燈, 二鼠侵凌齧井藤. 苦海不修船筏渡, 欲憑何物得超升."

105 偈頌 : "平正大王」時佛舒光」滿大千普」臻龍鬼會」人天釋梵」諸天冥密」衆咸來稽」首世尊前", 贊文 : "時佛舒光滿大千, 普臻龍鬼會人天. 釋梵諸天冥密衆, 咸來稽首世尊前."

106 偈頌 : "都市大王」一生六道」苦茫茫十」惡三塗不」易當努力」設齋功德」具恒沙諸」罪自消亡", 贊文 : "一生六道苦忙忙, 十惡三塗不易當. 努力修齋功德具, 恒沙諸罪乍自消亡."

107 偈頌 : "轉輪大王」後王所歷」是關津好」惡惟憑福」業因不善」尙憂千日」內胎生産」死夭亡身", 贊文 : "後三所歷是關津, 好惡唯憑福業因. 不善尙憂千日內, 胎生關産死拔亡人."

108 偈頌 : "速報司官」船橋不造」此人痴遭」險西惶君」始知若悟」百年彈指」過修齋聽」法莫教遲", 贊文 : "船橋不造此人痴, 遭險西惶君始知. 若悟百年彈指過, 修齋聽法莫叫遲."

109 이 銘文은 劉長久 · 胡文和의 『大足石刻內容總錄』에 기록되어 있다. 胡文和의 『四川道教佛教石窟』에도 기록되어 있는데, 명문과 『閻羅授記經』의 대응관계를 지적하였다. 이 절벽면은 매우 높으며 높이가 10m 이상이 된다. 이들 두 책에 기록된 것은 빠진 부분이 적지 않기 때문에 본 글은 大足 石刻藝術博物館 陳明光 · 鄧之金의 논문, 「四川大足縣寶頂山大佛灣 ʻ地藏與十王地獄變ʼ 銘文勘査報告－兼校勘, 『四川摩巖造像大方廣華嚴十惡品經變』 錄文」에 의거하였다. 이 논문은 銘刻에 기록된 글에 대한 것이다. 陳明光 · 鄧之金의 논문은 회의논문으로 간행되지는 않은 것이다. 이 기회를 빌려 원고를 주신 陳明光 선생에게 깊은 감사의 말씀을 드린다.

있는 '煞' 이 이에 속한다. 이것은 돈황본에서 통상적으로 볼 수 있는 현상이다. 양자의 가장 중요한 구별은 순서에 있다. 시왕 가운데 오직 최후의 일왕인 전륜왕만 찬사(贊詞)가 서로 일치한다. 다만 돈황본의 오도전륜왕은 무장의 모습으로 그려져 있고, 대족(大足)의 전륜대왕은 문관의 모습을 하고 있다. 더욱 중요한 것은 나머지 아홉 왕의 찬사가 모두 『염라수기경』 가운데 '과시왕재(過十王齋)' 의 앞이나 혹은 뒤의 찬사로부터 나왔다는 것이다. 그 순서에도 역시 일정한 규칙은 없다. 돈황본의 도찬(圖贊) 중에 대족석굴에 조각된 글자와 대응하는 시왕의 순서를 살펴보면, 처음이 평정왕, 두 번째가 염라왕, 세 번째가 변성왕, 네 번째가 오관왕, 다섯 번째가 송제왕, 여섯 번째가 초강왕, 일곱 번째가 진광왕, 여덟 번째가 전륜왕, 아홉 번째가 도시왕, 열 번째가 현보사관, 열한 번째가 태산왕, 열두 번째가 속보사관이다. 이러한 앞뒤의 순서는 대족석굴의 석각이 어찌하여 경전의 시왕 부분과 대응되는 것을 쓰지 않고 이 열두 단을 채용했는지 알 수 없다. 그러나 찬문의 순서가 같지 않다고 하여 대족 보정의 제20호 조각과 『불설시왕경』의 관계가 부인될 수는 없다. 대족석굴에 조각된 시왕은 『염라수기경』에 근거하고 있기 때문이다. 다만 그 가운데 '예수(預修 ; 逆修)' 의 함의는 부족한 것처럼 보인다. 원래 경전의 시왕찬에서는 대단히 명확하게 칠칠재(七七齋), 100일, 1년, 3년의 경과와 진행의 수재에 대해 밝히고 있다. 『시왕경』에는 공덕을 닦는 것과 칠재의 의미가 아주 분명하게 드러나 있다. 돈황본에서 동문원(董文員)이 자신의 공양하는 모습을 그려넣은 것으로부터 이 점이 분명하게 증명된다고 하겠다. 그리고 시대의 변화에 따라서 시왕신앙은 민간으로 확대되어 전승되었지만 '예수' 의 공덕은 그리 중시되지 못하였다.[110] 이 경전이 대족 석각의 게송에 선택된 것은 매우 다양한 배경을 갖는다. 일반민중의 시왕과 지옥신앙, 지장보살의 구도(救度)신앙 등을 모두 고찰했을 때, 대족 석각이 '과칠재찬사(過七齋贊詞)' 를 채용한 원인을 파악할 수 있을 것이다.

결론적으로, 『불설시왕경』의 원본은 당연히 사천에서 비롯된 것이다. 비록

110 이 경전에서 '염라왕수기' 부분의 의미가 점차 희미해진 것도 같은 상황이다. 경권화는 석가의 설법 장면(실제로는 석가가 염라왕에게 수기를 주는 장면)으로 시작하는데, 지장보살이 주존이 되는 도상으로 빠르게 바뀌고 있다.

돈황에 보존되어 온 것이 진귀한 문헌임에는 틀림없지만, 사천 지역의 시왕을 내용으로 하는 조각 역시 오대부터 북송, 남송에 이르기까지 오랜 연원을 가지고 있다. 사천 석굴의 시왕을 주제로 하는 조각은 어떤 특징을 가지고 있을까? 사천 석굴의 시왕 조각과 돈황본의 경도(經圖) 등을 종합하여 연구하여야 비로소 전반적인 인식을 할 수 있다.

보정의 제20호 시왕 부분 아래에는 10지옥이 있다. 이 10지옥은 조각이 깊고 생동감 있으며 정밀하다. 뿐만 아니라 하나하나의 지옥에는 명문이 새겨져 있는데, 새삼 그 중요성이 강조되고 있다. 이 10개 지옥 순서는 동쪽에서 서쪽으로 다음과 같다.

첫 번째 도산지옥

두 사람이 도산(刀山) 아래 엎드려 있는데, 몸에 무수한 칼자국이 있다. 악귀 하나가 한 사람을 들어서 산 위로 던지려고 하고 있다. 형구를 찬 여자 죄인이 대단히 두려워하고 있는 모습이다. 산 위에는 또한 맹견 한 마리가 감시하고 있고, 그 아래에는 독사 한 마리가 또아리를 틀고 있다. 화면 위쪽에 세로로 일곱 행의 문자가 새겨져 있다.[111]

두 번째 확탕지옥

맹렬하게 타오르는 불길 위에 철로 만든 큰 가마솥이 있고, 가마솥 안은 이미 여러 사람이 익혀져서 백골로 변해 있다. 말 얼굴 형상의 귀졸이 사람을 잡고 흔들면서 내던지고 있다. 아래에 웅크리고 있는 악귀 하나가 이따금 아궁이에 불을 지피고 있다. 옆에 있는 귀졸은 저울을 들고 한 부인의 머리채를 잡아끌고, 가마솥에 넣으려 하고 있다. 그 부인은 얼굴을 가리고 슬피 울고 있다.

세 번째 한빙지옥

두 남자가 빙설 가운데 웅크리고 엎드려 있는데, 눈썹에는 서리가 맺혀 있으

111 "月一日, 念定光佛」 一千遍, 不墮刀山」 地獄. 贊曰」 聞說刀山不可攀,」 嵯峨險峻使心酸,」 遇逢齋日勤修福,」 免見前程惡業牽."

며, 이빨을 심하게 떨고 있다. 한 사람은 손을 옆구리에 넣고, 한 사람은 두 손을 소매 속에 넣어 추위와 싸우며 웅크리고 있다. 한빙지옥의 위에는 업칭이 새겨져 있는데, '업칭(業秤)' 이라는 두 글자도 새겨져 있다.

확탕지옥, 한빙지옥의 경찬(經贊)은 한 바위에 함께 새겨져 있다. 모두 12행이다.[112]

네 번째 검수지옥

두 사람이 검에 난자당해 있는데, 얼굴은 고통으로 일그러져 있다. 옆에서 옥졸이 엄하게 감시하고 있다. 화면 아랫부분은 이미 훼손되어 있고, 흐릿한 나무 위에 정황이 새겨져 있다. 위에는 경찬의 문자가 있다.[113]

다섯 번째 발설지옥

한 사람이 기둥에 묶여 있고, 기둥에는 '발설지옥(拔舌地獄)' 이라는 네 글자가 있다. 한 귀졸이 한쪽 다리로 죄인의 가슴을 누른 채, 머리를 위로 들어올려서, 손으로 죄인의 입을 벌려, 혀를 빼내려고 하고 있다.

여섯 번째 독사지옥

세 마리의 독사가 두 사람의 몸을 칭칭 휘어감아 사납게 물어뜯고 있다. 앞에서 악졸 한 명이 한 여자를 손으로 잡아 독사에게 던지려 하고 있다. 옆에 있는 부인은 이것을 보고 놀라서 넋이 나간 모습이다. 발설 · 독사지옥의 경찬 등은 한 바위 위에 함께 새겨져 있다. 모두 14행이다.[114]

---

112 "日念藥師琉璃光佛」 千遍, 不墮鑊湯地獄.」 勸君勤念藥師尊, 免向鑊湯受苦辛,」 落在波中何時出,」 早修淨土脫沉淪. 日念賢劫千佛一千」遍, 不墮寒氷地獄,」 就中最苦是寒氷,」 蓋因裸露對神明.」 但念諸佛求功德,」 罪業消除好處生."

113 "日(念)阿彌(陀佛)」 千遍, 不墮」 劍樹地獄.」 贊曰 : 聞說彌陀」 福最强, ○」 殘劍樹○」 消亡. 自作」自招還自」 受, 莫待○」 時手脚."

114 "○○○○如來一千」 遍, 不墮」 拔舌舌地獄.」 拔舌更使鐵牛耕,」 萬種凌持不暫停. 要免閻王親叫問,」 持念地藏一千聲. (假)使熱鐵輪于我頂上旋,」 (終)不以此苦退轉菩提心. 日念大勢智如來一」 千遍, 不墮毒蛇地獄」 贊曰 : 菩薩慈悲廣大多, 救苦常教出愛河,」 九品蓮花分有露,」 毒蛇豈敢便相(過)."

일곱 번째 좌대지옥

긴 다리를 가진 악귀 하나가 손으로 절구대의 손잡이를 잡고 있고, 발로 절구대의 끝을 밟고 있다. 절구 뒤에는 한 귀신이 웅크리고 있는데, 두 손으로 한 사람의 손을 당겨서 절구 안으로 넣고 있다. 그 사람은 이미 절구에 의해서 사지가 찢기고 몸이 갈라져 있다. 배도 파열되어 피를 흘리고 있다. 옆에 있는 부인이 너무 두려워 감히 쳐다보지 못하고 손으로 얼굴을 가리고 있다.

위쪽에 경찬의 글이 있다. 모두 10행이다. 이외에도 다시 좌대(坐碓) 위에 불경의 경문이 새겨져 있고 돌로 된 절구 기둥 위에는 게어(偈語)가 새겨져 있다.[115]

여덟 번째 거해지옥(鋸解地獄)

한 사람이 형틀 위에 거꾸로 매달려 죽어 있다. 양쪽 다리가 큰 톱에 의해 깊이 잘려 있고, 소머리 형상을 한 아방과 다른 악귀 하나가 힘을 합해 톱질을 하고 있다. 이 사람이 흘린 피로 주위가 흥건하게 젖어 있고, 몸은 잘게 부서져 있다. 이 형틀 위에 "거해지옥(鋸解地獄)" 이라는 네 글자가 쓰여 있다.

아홉 번째 철상지옥(鐵床地獄)

큰 화로 위에 철상이 놓여 있고, 철상 위에 해골 하나가 있다. 철상 안에는 한 사람이 손으로 등을 잡고 고통에 몸부림치고 있다. 철상의 옆에는 한 귀신이 창으로 한 사람의 가슴을 찔러, 철상 위로 던지려고 하고 있다. 다른 옥졸 하나는 망치를 잡고, 무릎을 꿇고 엎드려 있는 사람의 머리채를 움켜쥐어, 철상 위로 올리려 하고 있다. 철상의 옆쪽 아래에는 바람을 불어넣는 통을 든 귀졸 하나가 엎드려서 불길을 조절하고 있다. 철상지옥의 위쪽에 둥근 거울이 있다. 거울 옆에는 "업경(業鏡)" 이라는 두 글자가 있다. 〈그림 132〉

115 經贊은 "日念觀音菩薩」 千遍, 不墮坐碓」 地獄. 贊曰 : 斬身坐碓」 沒休時, 都」 緣造惡不」 修持. 觀音哀愍衆生」 苦, 免離地」 獄現慈悲." 이다. 절구대의 윗면에 세로로 "大藏佛說出曜經, 佛言衆生習惡, 如鐵生垢. 頌曰: 如鐵生垢, 反食其身. 惡生于心, 還自害形." 이라고 새겨져 있고, 돌로 만든 절구 기둥 위에 새겨진 偈語는 "佛語眞實, 決定不虛" 이다.

그림 132
대족 보정 대불만 제20호의 「지장보살십재일」 명문 중 하나

거해 · 철상지옥의 경찬 등은 한 바위에 쓰여 있다. 모두 12행이다.[116]

열 번째 암흑지옥(黑暗地獄)

한 남자와 한 여인이 비스듬히 서 있는데, 두 눈이 소경과 같다. 두 손으로 앞을 더듬으면서 나아가고 있는 모습이다. 위쪽에 7행의 경찬이 새겨져 있다.[117]

이상이 제20호 감실의 3층에 있는 10개의 지옥과 각각의 지옥에 조각되어 있는 도상과 명문의 상태이다. 본서에서 이미 돈황유서 가운데 하나로 상당히 중요한 경전인 『지장보살십재일(地藏菩薩十齋日)』에 대해 상세하게 살펴본 바 있다. 이제 이 '십재일' 과 10지옥에 새겨진 명문을 대비하여 정리하는 것도 대단히 의미 있는 일이 될 것이다.

116 "日念盧舍那佛千遍,」 不墮鋸解地獄.」 如來功德大圓明,」 由如朗月出群星.」 但念能除多種罪,」 鋸解無由敢用君. 日念藥王藥上菩薩」 千遍, 不墮鐵床地獄. 菩薩眞名號藥王.」 鐵床更用火燒彈」 直饒造業如山重,」 但念衆名免衆殃."

117 "日念釋迦牟尼佛一」 千遍不墮黑暗地獄. 贊曰 : 持齋事佛好看經,」 積善冥司姓名.」 更誦彌陀一千遍,」 自然黑暗顯光明."

	『지장보살십재일』	대족각명불보살(大足刻銘佛菩薩)・지옥
1	一日童子下念定光如來不塗刀槍地獄, 持齋除罪四千劫.	定光佛・刀山
2	八日太子下念藥師琉璃光佛不塗糞屎地獄, 持齋除罪三十劫.	藥師琉璃光佛・鑊湯
3	十四日察命下念賢劫千佛, 不塗鑊湯地獄, 持劫除罪一千劫.	賢劫千佛・寒氷
4	十五日五道大將軍下念阿彌陀如來, 不墮寒氷地獄, 持齋除罪二百劫.	阿彌陀佛・劍樹
5	十八日閻羅王下念觀世音菩薩, 不墮劍樹地獄持齋除罪九十劫.	○○○如來・拔舌
6	二十三日大將軍下念盧舍那佛不墮餓鬼地獄, 持齋除罪一千劫.	大勢智如來・毒蛇
7	二十四日太山府君下念地藏菩薩不墮斬斫地獄, 持齋除罪一千劫.	觀音菩薩・坐碓
8	二十八日帝釋下念阿彌陀佛不墮鐵鋸地獄, 持齋除罪九十劫.	盧舍那佛・鋸解
9	二十九日四天王下念藥師上菩薩不墮剴磨地獄, 持齋除罪七千劫.	藥王藥上菩薩・鐵床
10	三十日梵天王下念釋迦牟尼佛不墮灰河地獄, 持齋除罪八千劫.	釋迦牟尼佛・灰河

양자를 대조해 보면, 불보살과 지옥의 명칭이 완전히 일치하고 있지 않고 바뀐 것도 있지만, 전체적으로 상당히 유사한 점이 많다고 할 수 있다. 이러한 현상은 이들 10지옥의 유래와 명문에 새겨진 10명의 불보살의 내력을 설명해 주고 있다. 이 10지옥과 불보살은 불교의 '십재일(十齋日)'에 따라 조각된 것이다. '재일(齋日)'에 있어 중요한 것은 공양자인 재가 신자들이 준수해야 하는 계율인데, 이것을 통하여 민간에 깊이 뿌리내리고 광범위하게 전파될 수 있었다. 규정된 재일에는, 정오를 지나면 금식해야만 하고, 또한 계율을 지켜야 했다. 8

개의 기본적인 계율을 준수하여야 하는데, 이것은 '팔관재계(八關齋戒)' 라고 부르기도 한다. '재일' 에 염불을 하며 수행하면, 재앙을 물리치고 복을 얻는 효력이 있다. 경전에는 '지장보살십재일' 에 규정된 '재일' 에, 즉 모일(某日)에 부처 혹은 보살의 명호를 염하며 수행하면, 한 지옥에 떨어지는 화를 피할 수 있는 공능이 있다고 명확하게 기술되어 있다. 그러므로 10명의 부처, 보살이 바로 재일에 염불하는 '재일불(齋日佛)' · '재일보살(齋日菩薩)' 이다.

대족 보정의 마애석굴에 있는 10지옥에 새겨진 명문은 바로 재일불의 명호에 찬사(贊詞)를 추가하여 이루어진 것이다. 찬사의 내용과 이 재일불 그리고 그에 해당하는 지옥의 내용은 서로 대응하고 있다. 『지장보살십재일』에 명문과 찬사가 함께 구성됨으로써 그 내용이 더욱 풍부해 졌으며, 그 위쪽의 십대명왕에 새겨진 명문 또한 더욱 일치성을 갖게 되었다.

그러나 이들 사이에는 여전히 아주 작은 차이가 있다. 예를 들면, 『지장보살십재일』에는 대세지보살이 없는 점과 양자 사이에 다섯 번째에서 여덟 번째 보살의 명호 순서가 약간 다른 것을 들 수 있다. 특히 대족에 새겨진 불보살 명문 가운데 다섯 번째의 'OOO如來' 라고 되어 있는 것은 매우 불명확하다. 그러나 대족의 지옥변상과 십재일 사이의 연원관계가 부인되는 것은 아니다. 이 『지장보살십재일』은 돈황유서 가운데 중요 책자의 하나로, 고일의위경(古逸疑僞經)으로 『대정신수대장경』의 제85권에 편입되었다. 실제로 '십재일' 의 경문과 관계있는 것은 여러 가지를 찾을 수 있으나, 돈황유서 중에 있는 것은 이것뿐이다. 예를 들면, 『대정장』 제85권에 함께 수록되어 있으며, 『지장보살십재일』과 유사한 것은 『대승사재일(大乘四齋日)』(T.2849)이다. 『지장십재일』의 내용을 완전히 포괄하고 있다. 대영박물관에 S.2367호 책자로 소장되어 있다. 경전의 세부 구성에는 역시 하나의 차이점이 있는데, 약사유리광불(藥師瑠璃光佛)을 염불하면 '분뇨지옥(糞尿地獄)' 이 아니라 '분초지옥(粉草地獄)' 에 떨어지는 것을 피할 수 있다는 것이 그러하다.

『지장보살십재일』과 같은 종류의 경문에서는 이러한 일련의 차이가 있는데, 이것은 통상적으로 볼 수 있는 현상으로, 이로 인해 경문의 일치성이 부정되는 것은 결코 아니다. 돈황 유서를 살펴보면, 『지장보살십재일』의 형성은 대략 초

(初)·성당(盛唐) 시기 이후로 여겨진다. 『지장보살십재일』의 문구 가운데 '현장법사(玄奘法師)' 를 언급하고 있거나 혹은 "이것은 개원(開元) 황제가 권하는 바이다." 등의 설명이 있기 때문이다. 예를 들면, P.3795호 돈황본은 『대승사대재일』인데, 여기에는 "위의 재월일은 현장법사가 12부 경전에서 간략하게 뽑은 것이다[上件齋月日是玄奘法師在十二部經略出]."라는 문구가 있다.

상해박물관(上海博物館) 소장되어 있는 상박(上博) 48(41379)호는 대부분이 경전을 필사한 돈황본이다.[118] 이 가운데 제31호 경전이 『지장보살십재일』이다. 제32호는 『개원황제권십재찬(開元皇帝勸十齋贊)』이다. 이 두 권의 책자는 완전히 하나의 내용이다. 문장의 의미가 상하로 연관되어 있다. 개원(開元) 후 황제가 십재를 권장한다는 것은 바로 앞에서 기술한 십재일을 말한다. 이밖에 다른 일련의 십재일에 관한 책자에서도 또한 이 문구에 있는 개원(開元) 황제의 내용을 포함하고 있고, 심지어 제33호 『십이월예불명(十二月禮佛名)』의 내용도 포함하고 있다.

이러한 것으로 볼 때, 현장법사가 언급되어 있거나 혹은 "개원황제가 권하는 바이다"라는 문구는 틀림없이 가탁일 것이다. 또한 이처럼 이른 시기에 이러한 형식의 사본이 있을 수 없다는 것도 설명할 수 있다. 아무리 이르다고 해도 만당(晩唐) 시기에 나타나 오대(五代)와 북송(北宋)을 거쳐 남송의 대족 보정 마애석굴에 이르렀을 것이다. 흥미 있는 것은 대족의 이 거대한 마애석굴의 10대 명왕, 10대지옥이 모두 돈황유서에서 근거를 찾을 수 있다는 것이다. 거듭 양보하여 본다고 해도 이 마애석굴의 맨 아래층에 새겨져 있는 지옥경변을 어떻게 설명할 것인가!

맨 아래층의 중앙 부분에는 조사설법탑이 세 계단 형태로 나뉘어 새겨져 있다. 위에는 조지봉(趙智鳳) 상과 불경, 게어(偈語)가 새겨져 있다. 불경의 이름은 『화선경(華鮮經)』과 『호구경(護口經)』이다. 탑의 양쪽 옆에는 모두 여덟 장면의 지옥이 조각되어 있다. 그 가운데 '철륜지옥(鐵輪地獄)' 은 조사탑의 양쪽에 모두 나타나 있다. 각 장면의 지옥에는 대편폭(大篇幅)의 경게(經偈)가 있다.

118 『上海博物館藏敦煌吐魯番文獻』第2册, 上海 古籍出版社, 1993.

경계에 새겨진 경문은 역시 대다수가 『화선경』의 경문이다.[119] 이 경문과 돈황유서 가운데 『대방광화엄십악품경(大方廣華嚴十惡品經)』은 기본적으로 같다. 산동(山東) 거야(巨野)의 소서영(小徐營) 석굴에 있는 북제(北齊) 하청(河淸) 2년(563)의 간경비(刊經碑)에 한 구절의 경문이 새겨져 있는데, 역시 이 경과 동일하며, 비에 새겨진 불경의 이름은 『화엄경게(華嚴經偈)』이다. 산동(山東)의 이 간경비(刊經碑)는 이 경이 드러난 최초의 판본이며, 돈황에는 상당한 수량의 필사본이 존재하고 있다. 대족의 마애석굴에 이 경을 형상화하여 만든 경변(經變), 지장보살, 시왕, 10지옥의 구성은 한 내용으로서 하나의 거대하고 완전한 체재를 갖추고 있다. 그러므로 보정의 20호 마애석굴의 시왕과 두 층의 지옥변은 모두 돈황유서와 관계가 있고, 맨 아래층에 있는 이 경은 북제(北齊) 시대의 간경비와 관련이 있다. 이러한 여러 종의 불전은 일반적으로는 의위경(疑僞經)에 속하는 것들이다. 그러나 이 마애석굴에 담긴 함의와 지장신앙 그리고 민간에 깊게 뿌리내린 시왕신앙, 술과 육식을 금하는 계율의 관계 등은 모두 연구할 만한 가치가 있는 것이다.

맨 아래 층의 동쪽에 있는 첫 번째가 '절슬지옥(截膝地獄)' 이다. 바위 위에 지옥의 이름이 새겨져 있다. 또한 『화선경』의 내용을 담고 있는 4개의 부조(浮雕)가 함께 있다. 그중의 하나는 '취태도(醉態圖)' 혹은 '권계주도(勸戒酒圖)' 라 불린다. 도상에는 경문 21행이 새겨져 있다.[120]

경문의 네 주위에 조각되어 있는 것은 '부불식자(父不識子)', '부불식처(夫不識妻)', '형불식제(兄不識弟)', '자불식매(姉不識妹)' 의 네 장면이다. 조각은 상당히 생동감이 있고, 신기가 느껴진다. '부불식처', ' 부불식자' 의 술에 취한 자의 혼미한 표정과 자세는 보는 이로 하여금 할 말을 잊게 만든다.

'절슬지옥' 에 새겨진 명문의 옆에 있는 경문은 3개 화면으로 부조된 내용을

119 胡文和, 『四川道教佛教石窟藝術』(四川人民出版社, 1994)에 『四川摩崖造像大方廣華嚴十惡品變』(원래는 『敦煌硏究』, 1990年 第2期에 등재되었음)이 수록되어 있는데, 「華嚴十惡品」과 이 조각의 내용이 서로 같다는 점을 이미 지적하였다. 그러나 기술된 내용에 오류가 비교적 많기 때문에 본 글에서는 부분적으로 석각의 기록을 인용할 때, 위에 기술한 陳明光 등의 저술 기록을 기준으로 삼았다.

120 "大藏佛說華鮮經」 爾時佛告迦葉聽○吾 …… 若飮酒者或父不識子」 或子不識父或兄不識弟」 或弟不識兄或夫不識妻」 或妻不識夫」 或姉不識妹」 或妹不識姉或不識內外 ……."

포괄하고 있다.[121]

경문의 위쪽에 새겨져 있는 것은 두 번째와 세 번째의 것이다. '굴라마라음주입지옥도(崛羅摩羅飮酒入地獄圖)' 와 '반타녀매주입지옥도(盤陀女賣酒入地獄圖)' 이다.

조각의 좌우에는 2개의 화면이 나누어져 있다. 하나의 화면에는 술을 마시고 혼미한 상태의 굴라마(崛摩羅)가 음탕함을 숨기고 손으로 어미의 가슴을 더듬으며 안고 있고, 그 아비는 그에게 죽음을 당한 상태이다. 옆에는 그 어미의 정부(情夫)가 분노하여 칼을 들고 굴라마를 베려 하고 있다. 다른 하나의 화면은 반타녀(盤陀女)가 술을 팔고 있는 모습이다. 반타녀는 머리를 양 갈래로 묶고, 두 손으로 술병을 안고 있다. 앞에는 한 서생과 승려가 서로 권하며 마시고 있다. 경문에는 그녀가 술을 팔았기 때문에 지옥에 떨어져서 형벌을 받아 결국 눈과 귀, 열 손가락과 두 발 모두를 잃는 비참한 상태가 될 것이라고 하고 있다.

네 번째의 화면은 '절슬지옥본상도(截膝地獄本相圖)' 이다. 그 안쪽에는 앉아 있는 여인이 한 명 있는데, 발가벗은 상태로 젖을 늘어뜨리고 있고, 눈과 귀, 손가락과 두 발이 모두 없는 상태이다. 입을 동굴처럼 하고 있는데, 바로 지옥에 떨어진 반타녀의 모습이다. 중간의 받침대 위에는 악귀가 칼을 들고 무릎을 자르고 있고, 받침대 위에 있는 남자의 양 무릎에는 이미 칼자국이 있다. 귀신 역사의 몸 뒤에는 "부처님 말씀을 믿지 않았으니 후회해도 소용없다[不信佛言, 後悔無益]."라는 문구가 새겨져 있다. 바깥쪽에는 한 죄인이 형구를 차고 벌을 받고 있다. 그 형구 위에 새겨진 것은, "셋째, 재를 파하고 계를 범함. 넷째, 부모를 향하여 오역을 범함[三爲破齋幷犯戒, 四爲五逆向爺娘]." 이다.

두 번째 지옥은 '철위산아비지옥(鐵圍山阿鼻地獄)' 이다. 경문은 부조의 아랫부분에 새겨져 있다.[122]

121 "大藏經云爾時世尊」…… 舍婆提國有」摩羅爲飮酒昏亂淫匿其母殺戳其父母卽與外人通擔刀害之. 是故今日戒酒爲苦又告陀」女爲人沽酒死墮地」獄受刑法竟身長三尺」兩耳閉塞復無兩目」亦無鼻孔下唇寒哆」手無十指脚無雙足. …… 若勸比丘酒者墮截膝地/獄. 其中力士將」其刀劍截其兩膝强」勸比丘酒者受如是」苦."

122 獄名과 題銘 아래에 있는 문장은 다음과 같다. "大藏經云佛告迦葉若比」丘皮披我法衣者一不聽飮」酒二不聽食肉三不聽嫉」妬心四不聽作不淨行善」男子若受大乘大般涅盤」若住一劫不聽食肉迦葉」白佛言食肉者墮何地獄」佛告迦葉食肉者墮阿鼻」獄 ……."

높은 담장으로 둘러싸인 산 하나가 조각되어 있는데, 담장 위에는 독사와 맹견이 모두 입에서 불을 토하고 있다. 이 지옥의 내용은 바로 경문에서 "육식을 하는 자는 쇠사슬로 된 형틀에 묶여, 치솟는 불길에 피부와 살이 태워지는 고통을 받는다"는 뜻을 나타내고 있다.

세 번째는 '아귀지옥(餓鬼地獄)'이다. 지옥의 명호 아래 중간 부분에 경문이 새겨져 있다.[123]

경문의 윗부분에 머리가 크고 목이 가는 아귀 하나와 벌거벗은 채 가슴을 쥐어뜯고 있는 악귀 등이 조각되어 있다. 아랫부분에도 역시 가슴을 쥐어뜯고 있는 아귀 모습의 귀신이 있다. 또한 형구를 차고 웅크리고 있는 아귀도 있는데, 형구에 새겨진 문구는, "재를 파하고 계를 훼손하여 닭과 돼지고기를 먹으니, 업경에 환히 나타나 그 과보가 없지 않다[破齋毁戒鷄猪, 業鏡昭然報不虛]."이다.

형구에 새겨진 이 두 문구는 업경의 제자(題字)와 관련이 있으며, 또한 『염라수기경(閻羅授記經)』 가운데 이 경을 회화로 형상화하여 복을 기원하고 있는 찬사(贊詞)와 같다. 이 마애석굴의 상에서는 오관왕의 탁자 앞에 있는 제찬(題贊)에도 사용되고 있다.

이 문구에서 강조하고 있는 것은 파재자(破齋者)에 대한 징벌이다. 산동(山東)의 거야(巨野)에 있는 석불사(石佛寺) 간경비에 새겨진 경문에도 역시 파재자가 겪는 지옥에 관한 문구가 있다. 경전 제목으로는 오직 '화엄경게'라는 제명만 조각되어 있다. 이 간경비의 탁본은 일찍이 『문물(文物)』 잡지에서 소개한 바가 있다. 실제로 『팔경실금석보정(八瓊室金石補正)』에는 이미 이 비문의 상태가 기록되어 있고, 또한 비 뒤에 있는 문자도 기록하고 있다.[124] 중국불교문화연구소(中國佛教文化研究所)에도 이 비의 앞·뒷면 탁본이 소장되어 있고, 전체 문장과 간경비 머리 부분의 도상에 대해 상당히 상세한 설명을 하고 있다. 산

123 "大藏經云迦葉菩薩而」白佛言破齋者墮何處」地獄佛告迦葉破齋者」墮餓鬼地獄其中餓鬼」長五百由旬其咽如針」頭如太山手如龍爪朝」食三千暮食八百一呼」三萬繞其太山猶如須」彌擔火燒之猶如緋色」軀破齋之人入此地獄」受其大苦復○○○○」形更受."

124 周建軍·徐海燕, 「山東巨野石佛寺北齊造像刊經碑」, 『文物』, 1997年 3月 ; 陸增祥, 『八瓊室金石補正』 卷28, '劉珍秉等造經像頌' 條 ; 『文物』에서만 이 碑의 시주를 劉珍東이라고 하고 있고 陸增祥은 이 碑의 시주를 劉珍秉이라고 하고 있다.

동의 이 간경비는 오직 한 구절의 경문에 불과할 뿐 아니라, 경전의 제목 역시 돈황본 및 대족석굴의 것과 같지 않다. 다만 이것은 중요한 의위경의 형성과 발전 과정에 대한 연구에 있어서 대단히 의미 있는 것이다. 산동 간경비는 연대가 가장 빠르며, 북제(北齊)의 영역에 있었고, 이 경의 기원에 대한 심도 있는 연구에 있어서 직접적인 실마리를 제공하고 있다.

네 번째 곳의 지옥은 '도선지옥(刀船地獄)' 이다. 이 경문은 유명한 양계녀(養鷄女)의 아래쪽에 새겨져 있다. 지옥의 명호 아래에 있는 경문은 서두에서 양계자(養鷄者)를 언급하고 있다.[125]

도선지옥에는 양계녀가 조각되어 있는데, 이것은 대족석굴에 있는 다양한 도상들 중에서도 인간미와 생활상을 풍부하게 담고 있는 것 가운데 하나라고 할 수 있다. 사실감이 대단히 뛰어나며, 당시의 생활상을 잘 보여주고 있다. 아랫부분에는 배 위를 가득 채우고 있는 검수도림(劍樹刀林)이다. 칼끝에는 2명의 도적이 찔려 있고, 배 모서리에는 "스스로 지은 것을 스스로 받으니, 하늘이 사람에게 준 것이 아니다[自作自受, 非天與人]." 라는 글자가 새겨져 있다.

다섯 번째 곳은 '철륜지옥(鐵輪地獄)' 이다. 조사탑과 대칭되는 곳의 한쪽에 있으며, 철륜지옥이라 새겨져 있다. 다만 두 곳의 철륜지옥은 경문과 다르게 분리하여 만들어졌다. 하나의 철륜지옥이 분리되어 두 곳에 있는 것이 아니다. 이곳의 경문은 파재자에 대한 징벌 부분으로, 식재자(食齋者)와 친인으로부터 재식(齋食)을 받은 일단의 무리들이 철륜지옥에 떨어져 입에 구리를 녹인 액체를 받아 마셔야 하는 것이다.[126]

조각에는 한 사람이 기둥 위에 손을 뒤로 하여 묶여 있는데, 양쪽 겨드랑이에 철치륜(鐵齒輪)을 끼고 있다. 말 얼굴 형상의 귀신이 막 이 사람의 입을 열려고 하고 있다. 입 속에 구리를 녹인 액체를 넣으려고 하는 것이다.

절벽의 중앙에 있는 삼층의 네모난 형태의 조사탑 위에 불경과 게어(偈語)

125 "大藏經云佛告迦葉」 一切衆生養鷄者入」 于地獄迦葉白佛言」 養鷄者何故入其地」 獄佛告迦葉 …… 佛告迦葉一切衆生」 若當作賊墮刀船地」 獄 ……."

126 이곳의 經文은 "大藏佛言若食〇」 食或裹幞〇食與」 父母兄弟師長朋」 友妻子眷屬末」 世中墮鐵輪地獄」 左腋右俠〇銅灌」 口若食齋者亦復」 如是" 이다.

가 새겨져 있다.[127]

가운데 층의 탑신에는 불경의 이름과 경문의 한 구절을 새겨놓았다.[128] 『화선경』에서 단주금육(斷酒禁肉)의 중요성을 강조하는 구절로, 능히 이 『화선경』의 중심 사상을 대표한다고 말할 수 있다. 이 『화선경』의 경문과 돈황본 『대방광화엄십악품경』을 서로 대비해 보면, 문의(文意)와 사구(詞句)가 기본적으로 일치하고 있다. 단지, 일련의 지역적 특색을 가진 문구들은 상세한 부분에서 약간은 다르고, 그 전후의 순서가 다르다는 차이가 있다. 경문의 이 구절과 『십악품』을 대략적으로 비교해 보면, 경의 끝부분에 위치하고 있어 경의 내밀한 함의를 거듭 장중하게 종결하고 있다. 글 가운데는 대보시 공덕, 수행 공덕 등을 언급하고 있으나 모두 술과 고기를 멀리하는 공덕의 중요성에 미치지 못한다. 이 논리와 경문에서 술과 고기를 먹는 등의 재(齋)를 훼손하는 행동과 그로 인해 받아야 하는 지옥의 징벌은 상응하고 있어, 거듭 경전의 주제가 '단주금육' 의 사상이라는 것이 명료해진다. 이 경전은 본래 의위경전으로 대장경에 수록되지 않았다. 다만 이 경변(經變)의 조각 가운데, 몇몇 곳에서 "대장경에서 말하기를[大藏經云]" 등을 새겨 이 경전의 정통성을 강조하고 있다. 실제적으로는 이 경전은 중국적 특색을 선명하게 가지고 있고, 중국 불교의 소식(素食) 전통을 반영하고 있다. 그 중요성은 남북조 이래로 중국 승려들의 소식 전통으로 자리 잡는 것에 그치지 않고, 더 나아가 민간 신자들이 준수해야 하는 계율의 형태로 생활에 깊이 뿌리내리고 있으며, 이러한 형태로 민간에 깊이 뿌리 내린 계율은 다시 지장보살을 주체로 하는 지옥신앙으로 통합되고 있다. 이것은 지장신앙이 광범위하고 뿌리 깊은 민간적 토대를 구축하게 한 동인으로 작용했다. 이러한 것을 우리가 간과해서는 안 될 것이다.

조사탑의 바닥층에는 조사상과 게어[129] 그리고 경문이 새겨져 있다. 조사상은 바로 조지봉(趙智鳳)의 상으로, 입상이다.

127 위층에 "假使熱鐵輪, 于我頂上旋, 終不以此苦, 退失菩提心." 이라는 揭語가 새겨져 있다.

128 "大藏佛說華鮮經云 : 佛告迦葉假使有人國城妻子遍滿三千, 大千世界金銀億萬, 持用布施不如有人, 能斷酒肉億假使有人, 造浮圖塔廟如稻麻, 竹葦及大涅盤華嚴三昧十二部經如說修, 行百千萬分不如其, 一善男子不食肉者, 現世菩薩卽非夫."

129 "(西側) 天堂也廣, 地獄也闊, 不信佛言, 且奈心苦. (東側)吾道苦中求樂, 衆生樂中求苦."

조지봉은 유본존(柳本尊)의 교지를 계승하였고, 그 원(願)을 크게 펼친 인물이다. 대불만(大佛灣)이라는 거대 도량에 조각되어 있는 조사로서, 그의 상은 대불만에 또한 여러 차례 나타나고 있다. 조상탑(造像塔)의 서쪽 아래에 『호구경(護口經)』의 경문이 있다.[130] 이 『호구경』의 경문은 길지 않다. 중요한 것은 망언과 교언을 삼가하고, 자신의 입을 보호하여 아귀지옥에 떨어지는 일을 막을 것을 강조하고 있다는 것이다.

조사탑의 서쪽에 있는 화면에 새겨진 경문과 게(偈)는 동쪽과 비교하여 복잡하다. 세 가지 종류로 나눌 수 있지만, 모두 생육을 죽이고, 고기를 굽고, 고기를 먹는 것의 죄업과 그 징계에 대한 내용을 전개한 것이다.

그 첫 번째 곳의 경문은 토끼를 죽인, 주방 여인의 탁상보 위에 새겨져 있다.[131] 철륜지옥, 확탕지옥, 철상지옥, 무극지옥 등의 지옥에 관한 내용을 담고 있지만, 철상지옥만 대체적으로 표현되어 있고, 좌대지옥은 새겨져 있지 않다.

토끼를 죽인 주방 여인의 아래에 철륜지옥이 있다. 대철치륜(大鐵齒輪)을 악귀가 옮기고 있고, 맷돌이 무너져 굴러서 한 사람의 등 위에 있다. 맷돌이 굴러서 사람과 부딪힌 곳에 게어가 새겨져 있다.[132]

이 화면의 왼쪽 위에 있는 것이 확탕지옥이다. 큰 가마솥 아래 불길이 맹렬하게 타고 있고, 가마솥 안은 펄펄 끓고 있는데, 무엇인가를 삶고 있는 듯하다. 말 얼굴 형상의 귀신이 한 사람의 머리와 다리를 잡고, 막 가마솥에 집어넣으려고 하고 있다. 끓고 있는 솥 아래에 지옥의 명호와 게어가 있다.[133]

철륜지옥의 서쪽에 있는 것은, 경문을 그대로 옮긴 것처럼, 말 얼굴 형상의 귀신이 손에 긴 창을 잡고 기둥에 묶여 있는 사람의 등과 배를 찌르고 있다.

130 "大藏佛說護口經云有一餓鬼丑惡身出猛火口, 出蛆蟲膿血諸衰臭通徹支節火起擧身號, 哭羅漢問曰汝宿何罪今受此苦鬼曰吾往戀着, 資生慳貪不舍出言粗惡偏言惡視……善以我刑狀誡諸衆等善護口過勿妄出言, 受餓鬼身經數千劫備受楚毒我此命終, 復入地獄妄言綺語兩舌惡口受中如是苦, 善有善報惡有惡報善惡不報天地有私."

131 "大藏佛告迦葉掄兎之人, 墮鐵輪地獄方丈萬釘間, 無空處一切衆生煮肉者, 墮鑊湯地獄其中有水其, 下有火持燒之潰潰乃沸 …… 炙肉之人墮鐵床, 地獄斬肉之人墮坐碓, 地獄殺生之人墮鍪戟地, 獄其中鐵面心晝夜銅造, 其鍪戟身中一丈刃望胸而撞背上而出殺生之人亦復如是故說諸, 說開示一切衆生.

132 "地獄死生人不信待君命○○○○"

133 "大藏佛言, 各名自家造惡業, 不是諸佛沒慈悲 身落三塗遭痛苦 信者一念自合之."

두 번째 곳에 새겨진 경문은 무극지옥의 위쪽에 있는데, 사람들이 연회석에 있다. 두 사람의 식탁 앞에는 나물과 안주가 펼쳐져 있으며 식탁의 앞면에 경문이 새겨져 있다.[134]

세 번째의 경문은 실제적으로 2개의 내용을 포함하고 있다. 하나는 분예지옥(糞穢地獄)이고, 다른 하나는 부모가 갓난아이를 기르는 모습으로 석가와 중생을 비유한 것이다.[135]

경문 아래는 분예(糞穢)로 가득 찬 큰 연못이 있다. 연못 벽에는 불을 토하고 있는 뱀이 있고, 연못 가운데에는 세 사람이 떠 있으며, 흉측한 어금니를 가진 악귀가 망치를 들어 연못의 사람들을 내려치고 있다.〈그림 133〉

다시 그 옆쪽의 아래에는 노년의 부부가 마주 앉아 있다. 그 사이에는 갓난아이가 있다. 노인은 왼손에 금 그릇을 들고 있고, 오른손은 음식 그릇을 들고 있으며, 훈화를 하고 있는 모습이다. 하지만 어린 아이는 금 그릇을 여전히 잡은 상태로 음식 그릇을 빼앗으려 하고 있다. 바로 경문에서 석가와 중생을 비유하고 있는 구성인 것이다.

바닥층에 조각된 것을 살펴보면, 중간에 있는 조사 설법탑에 시주자 조지봉의 상이 조각되어 있고, 나란히 『화선경』과 『호구경』의 이름이 새겨져 있다. 『호구경』의 경문은 대단히 짧으며, 또한 도상변(圖像變)이 부조되어 있지 않다. 『화선경』과 『화엄십악품경』의 내용은 일치하며, 지옥도상의 각종 변현(變現)은 모두 이 경전에 의거하여 구성한 것이다. 다만 석각(石刻)의 도상 표현을 비롯해 전후의 순서 그리고 새겨져 있는 경문의 내용과 비교해 보면, 여러 돈황본의 『화엄십악품경』의 순서와 차이가 많고, 내용도 역시 상세한 부분은 약간 차이가 있다. 예를 들면, 양계녀(養鷄女) 부분을 『화엄십악품경』에서는 단지 한 구절로, "닭과 돼지고기를 먹는 자는 항상 지옥에 떨어지니, 세 사람이 함께 만나 지옥

134 "大藏經云, 迦葉菩薩白佛言世, 尊食肉者非如來弟, 子卽是外道眷屬食, 肉者不覺不知不聞, 不見若當食肉或君, 食臣肉或父食子肉或子食, 父肉 …… 食肉之人○食父母眷屬肉 ……."

135 "大藏經 云迦葉白佛言食肉者墮何處地獄佛告迦葉軀食肉者墮糞穢地獄其中有糞乃深萬丈 …… 迦葉白佛言如來若說法時一切衆生爲受不受佛告迦葉譬如有人年已過八十貧窮孤老後生一子極其恰憫一手把金一手把抉飯二團俱授如過與子嬰愚識其金而取其飯一切衆生亦復如是我憫一切衆生猶如慈父衆生而悉舍去○作禮奉行."

그림 133
대족 보정 대불만 제20호의 지장시왕 감실 하층의 지옥

에 들어갈 것이다[食鷄肉者常墮地獄, 三人共償(嘗)倍(賠)半(件)相迎共入地獄]." 라고 하고 있으나, 석각 명문에서는 길게 말하고 있다.[136] 그 사이의 변화는 불전 가운데 『십이악률의(十二惡律儀)』와 관계가 있을 것이다. 왜냐하면 나중에는 양계와 도적질 모두 악률(惡律)의 규정에 나란히 들어가 있기 때문이다. 또한 석가불이 어린 아이를 양육하는 이야기의 비유 구절도 『화엄십악품경』에서는 경의 끝부분에 위치하고 있다. 앞부분의 "보시하여 여러 가지 탑과 상들을 지은 것은 모두 술과 고기를 끊은 공덕만 못하다[布施建塔像種種, 皆不若斷酒肉之功德]."라는 구절과 서로 연결되어 있다. 그러나 석각에서는 어린아이를 훈육하는 부분이 분예지옥과 서로 연결되어 있고, "단주금육의 공덕이 가장 크다[斷酒肉功德最甚]."라는 내용은 오히려 조사탑 위에 있다. 결론적으로, 바닥층의 내용이 비록 8지옥의 명칭[137]이고, 각각 조성되어 있지만, 하나하나의 지옥은 하나의 경

136 "大藏經云 佛告迦葉 一切衆生養鷄者入 于地獄迦葉白佛言 養鷄者何故入地獄 佛告迦葉 …… 鷄心者生大慈○○ 有罪若爲利肉所○ 是故主人入于地獄"

137 석각 중에 地獄名은 截膝, 阿鼻, 餓鬼, 鐵輪, 刀船, 鑊湯, 鐵輪, 糞穢이다. 8가지 지옥명 가운데 鐵輪이 두 번 나온다. 그런데 조각된 지옥 도상 가운데 鏊戟地獄은 지옥명이 새겨져 있지 않다. 따라서 전체적으로 이를 八地獄이라 볼 수 있다.

문과 도상에 불과할 뿐 아니라, 경문에 근거하고 있는 내용도 결국 음주, 육식 그리고 파재 훼손자의 징계에 대해 전개하고 있는 것이라고 말할 수 있다. 그러므로 『화선경』과 『십악품』은 내용이 서로 같은 하나의 경이라고 할 수 있다. 다만 상세한 부분은 약간의 차이가 있다. 순서의 차이와 같은 것은 시대나 지역적 차이, 혹은 전본(傳本)이 같지 않은 데서 나온 것으로 보인다.

보정산 제20호 마애석굴에서 이미 지장시왕과 지옥변상을 통해서 18지옥에 대해 살펴보았다. 여기서 18지옥과 일반적 의미의 18층 지옥은 엄격히 구별되어야한다. 18지옥은 이 감실의 대변상(大變相)의 아래쪽 두 층에 구분되어 만들어져 있다. 가장 중요한 것은 서로 다른 경전에 의거하여 만들어졌다는 것이다. 10지옥 부분은 『지장보살십재일』에 의거하여 만들어졌다. 이밖에도 『대승사재일(大乘四齋日)』 등 유사한 경전이 서로 같은 내용을 가지고 있다. 그런데, 이 감실 마애조각은 지장보살을 위주로 하여 거대하게 만들어졌고, 그러므로 『지장보살십재일』에 당연히 가장 부합된다고 결론내릴 수 있다. 『지장보살십재일』과 함께 있는 찬사(贊詞)는 경전에 의거하여 10지옥 부분을 조성한 내용을 나타낸 것이며, 도상을 깊이 이해하는 데 있어서 중요한 의의를 가지고 있다. 우선, 이것은 가장 중요한 10지옥에 대하여 설명하면서 지옥경전을 일반적으로 조명하는 것에 그치지 않고, 지옥의 공포스러운 장면을 조성하여 놓음으로써, 세인들로 하여금 죄를 뉘우치고 악에 물들지 않고 선을 추구하게 하였으며, 광범위한 민중들이 재(齋)를 준수하고 계율을 지키게 하였다. 불교신자들이 재일(齋日)에 공덕을 쌓고 부처를 염불하여, 복을 구하고 재앙을 피하며 지옥에 떨어지는 것을 면하게 하는 등의 일상생활과 깊은 관계를 가지게 되었다. 이것의 의의는 역시 이 지옥변상을 오도자(吳道子) 이래의 지옥변상도와 비교해 볼 때 많은 발전을 이루었다는 것이다.

또한 더욱 주목해야 할 것은 『지장보살십재일』의 경전이 명부시왕의 연구 가운데 시왕의 기원 문제와 근원적인 불교 문제에 대해 중요한 실마리를 제공하고 있다는 것이다. 대족의 이 마애조각의 연대는 비교적 늦어서, 남송(南宋)의 순희(淳熙) 연간에서 순우(淳佑) 연간 시기의 것이지만, 이 10지옥과 시왕이 상·하로 서로 대응하여 조화를 이루고 있다. 시왕 부분에는 『염라수기경(閻羅

授記經)』의 시왕의 명호와 찬사(贊詞)가 새겨져 있고, 10지옥에도 역시 『지장보살십재일』과 찬사를 나누어 새겼다. 그런데 여기서 자세히 『염라수기경』을 관찰해보면, 이 경이 일찍이 십재일과 밀접한 관계를 가지고 있었다는 것을 알 수 있다. 앞에서 이미 일본의 토쿠시 유쇼우(禿氏佑祥)와 중국의 두두성(杜斗城) 선생이 『염라수기경』의 경문에 대하여 비교 분석하였고, 두 사람 모두 도(圖)와 찬(贊)을 가진 경문과 도와 찬이 없는 경문을 대조하여 연구하였다. 토쿠시 유쇼우(禿氏佑祥)가 이 2개의 본이 만들어지고 발전되는 과정을 중시한 반면, 두두성(杜斗城) 선생은 갑을본(甲乙本)의 구별에 편중되어 있다. 다만 도와 찬이 없는 경문 가운데 거의 대부분은 하나하나의 경전 모두가 명부 시왕의 뒤에 '下'라는 사구(詞句)를 붙이고 있다. 두두성(杜斗城) 선생이 을본(乙本)의 실례로 선택한 S.3147호에는 다음과 같은 것이 있다.

> 그때 염라법왕이 부처님께 말씀드렸다. "세존이시여, 저는 사자들에게 검은 말을 타고, 검은 기를 들고, 검은 옷을 입고, 죽은 이의 집에 가서 어떠한 공덕을 지었는가를 검사하도록 하겠습니다. 이름이 적힌 기록에 의거하여 죄인들을 추려내어 서원에 어긋남이 없게 하겠습니다. 엎드려 원하오니, 세존께서 저희 검재(檢齋)하는 시왕의 이름을 들어 주십시오. 제일칠재 진광왕 아래[下], 제이칠재 송제왕 아래, 제삼칠재 초강왕 아래, 제사칠재 오관왕 아래, 제오칠재 염라왕 아래, 제륙칠재 변성왕 아래, 제칠재 태산왕 아래, 백일재 평정왕 아래, 일년재 도시왕 아래, 삼년재 오도전륜왕 아래."[138]

두두성(杜斗城)이 나열한 15개 을류본(乙類本) 가운데, 뒷면이 훼손되어 완

138 "爾時 閻羅法王白佛言 世尊 我發使乘黑馬 把黑幡 着黑衣 檢亡人家 造何功德 准名放牒 抽出罪人 不違誓願 伏願世尊 聽我檢齋十王名字 第一七齋秦廣王下 第二七齋宋帝王下 第三七齋初江王下 第四七齋五官王下 第五七齋閻羅王下 第六七齋變成王下 第七齋太山王下 百日齋平正王下 一年齋都市王下 三年齋五道轉輪王下."

전하지 못한 두 본(S.4890, S.5585)을 제외하고, 단지 2개의 본[S.2489, 북도(北圖)8257]에만 시왕의 이름 뒤에 붙어 있는 '下'가 생략되어 있다. 그 나머지 본은 모두 위에서 열거한 것과 같다. 두두성은 예시하지 않았지만, 토쿠시 유쇼우(禿氏佑祥)가 예증한 일본 서도박칭관(書道博稱館) 소장의 중촌부절(中村不折) 본도 역시 시왕의 뒤에 '下'가 붙어 있다. 즉, 11개의 도(圖)와 찬(贊)이 없는 본을 보면, 전부 시왕 뒤에 순서대로 '下'가 붙어 있는 상황이다. 시왕에 왜 '下'가 붙어 있을까? 사람들의 일반적인 관념에 따라 설명하면, 본래 명부 지옥시왕은 지하에 있다. 그런데 왜 다시 저 '下'가 필요하게 되었을까? 원래 이것은 『지장보살십재일』과 『십재일』이라는 한 종류의 경에 나오는 의궤의 전통에 따른 것이다. 위에서 열거한 『지장보살십재일』의 경문에 따르면, 어렵지 않게 다음과 같은 것을 알 수 있다. 즉, 십재일 가운데 하나하나의 재일에는 우선 모두 한 명의 천신이 '하계(下界)' 한다는 것이고, 다음으로 특정의 부처나 혹은 보살을 염하여, 지옥에 들어가는 것을 피하고, 죄를 면하며 복을 닦을 수 있다는 것이다. 그 달의 1일에는 선악동자가 내려오고, 8일에는 태자(太子)가, 14일에는 찰명사록(察命司錄)이, 15일에는 오도대장군이, 18일에는 염라왕이, 23일에는 대장군이, 24일에는 태산부군(太山府君)이, 28일에는 제석천(帝釋天)이, 29일에는 사천왕이, 30일에는 범천왕(梵天王)이 내려온다. 이 10명의 천신이 '내려오는' 목적은 인간세계를 순시하고, 선악의 공과(功過)를 기록하는 것이다. 그래서 재일(齋日)은 특별히 중요한 것이다. 이것으로부터 알 수 있는 것은 『염라수기경』에서 시왕의 이름 뒤에 붙어 있는 '下'는 십재일 이래의 전통적인 법을 준수하고 있다는 것이다. 도찬본(圖贊本)에서 시왕을 순서대로 대비하고, '下'를 붙여서 더욱 풍부한 내용을 이루게 되었다. 그러나 찬어(贊語)에서는 추가하여, 칠칠 등의 재일을 지내는 시왕의 정형을 강조하여 '下'의 어구는 약화되었다.

지장십재일의 10개 재일 가운데, 하나하나의 재일에는 모두 특정의 부처나 보살의 명호를 염(念)하였는데, 이것은 재일마다 고정된 본시불(本時佛), 혹은 본시보살(本時菩薩), 혹은 본지불(本地佛)이 있다는 의미이다. 이후의 시왕경도(十王經圖), 특히 일본 시왕상의 대다수는 본지불이 있다. 십재일에 대해서는 경전마다 고유의 형식이 있다. 본지불의 기원은 십재일 유형의 경전과 아주 긴밀한 관련이 있다. 가부를 추측하기 어려운 것은 일본에 출현한 시왕도의 본지불 형상인데, 중국에서는 나타나지 않는다. 여기서 주목해야 할 것은 그 경궤의 근거가 십재일 형태의 경궤로부터 유래할 수 있다는 것이다. 재일의 기원은 대단히 빠르다. 사재일(四齋日)부터 육재일(六齋日), 십재일(十齋日), 연장재(年長齋), 십삼불재일(十三佛齋日) 등이 하나의 발전 과정을 이루고 있다. 이 문제는 또한 다시 검토 연구해야 할 만한 가치가 있다.

바닥층의 8지옥 부분의 경전은 『화선경』, 즉 『대방광화엄십악품경』으로 부터 나온 것이다. 이 경전의 주요 내용은 신자들에게 단주금육(斷酒禁肉), 준계수재(遵戒守齋) 등의 계율을 권장하고, 술을 팔고 고기를 먹는 등의 재(齋)를 훼손하는 행위가 가져오는 각종의 죄악과 지옥에 떨어져 받는 형벌에 대하여 나란히 기술하고 있다. 경문의 내용은 돈황본 『대방광화엄십악품경』과 서로 부합하지만, 세부적인 부분과 조성된 순서는 같지 않다. 돈황본의 이 경전의 수량은 대단히 많지만, 『대정장』 제85권에 수록된 것은 불완전한 것으로 앞서 살펴보았던 잔편 책자이다. 그런데 돈황본 가운데 온전한 것이 있다. 이 경전의 형성은 남북조(南北朝) 시기이며, 수대(隋代)의 기록에서 이미 나타나고 있다.[139] 그러므로 산동(山東) 거야(巨野) 석불사(石佛寺)에서 발견된 북제(北齊) 하청(河淸) 2년(563)년의 간경비는 별도로 주목할 만한 가치가 있다. 일반적으로 이와 같이 강렬하고 분명하게 강조하는 단주금육의 사상은 남조(南朝)의 양(梁) 무제가 제창한 소식(素食)의 전통과 긴밀한 관계를 가지고 있다고 인식되고 있으며, 총체적으로 살펴본다면 이것은 당연히 맞는 말이다. 그런데 이것의 제목은 『화엄경게(華嚴經偈)』의 간경비와 더불어 남조의 영역에서는 출현하지 않고, 도리어 북조(北朝)의 영역에서만 나타나고 있다. 이것은 북조 황실과 관계가 있다. 북제(北齊)의 역대 군주 가운데 불교를 숭상한 자가 적지 않았다. 문선제(文宣帝)는 불교를 고양하고 고승을 예우하였으며, 역경과 사찰의 건립에 힘을 쏟았다. 천보(天保) 초년에 단주금육, 수렵[畋獵] 금지 등 재(齋)의 계율을 지킬 것을 권하고,

139 『大正藏』 第85卷에 실려 있는 S.1320號 『大方廣華嚴十惡品經』은 결본이다. 실제로 敦煌 경권들 중에는 여러 가지 사본이 있다. 徐紹强이 이 경에 대해서는 이미 정리하였다. 方廣錩(主編), 『藏外佛教文獻』 第一輯 ; 徐紹强(整理), 『大方廣華嚴十惡品』, 宗教文化出版社, 1995 참조.

조정 관리와 백성들에게 훈채(葷菜)를 모두 없애게 하였으며, 스스로도 고기를 먹지 않았다. 뿐만 아니라 무성제(武成帝)의 불교에 대한 친화적 태도 역시 일맥상통한다. 하청(河淸) 연간은 불교 존중의 통치가 고양된 몇 년 후이다. 이러한 배경 아래 『화엄경게』가 나타나고, 재를 훼손하고 계율을 어긴 자를 징계하는 것은 대단히 자연스러운 일이었을 것이다.

불교는 중국 민중에게 깊이 뿌리내려, 민간 심리와 습속에 중요한 작용을 하여 왔다. 이러한 과정 속에서 지장신앙 역시 중요한 작용을 하였으며, 내용을 달리하는 많은 경전이 지장신앙 아래 통합되고 포섭되었고, 이를 통하여 더욱 큰 작용을 하게 되었다. 즉, 『불설시왕경』의 권수화는 석가가 중심이 되던 '염라왕수기도(閻羅王授記圖)' 에서 지장보살이 주존이 되었다는 것을 설명해 주고 있으며, 남송(南宋)에 이르러, 이 '염라왕수기도' 의 지장보살은 이와 같이 확대된 구성과 경전변상을 모두 포괄하게 되었으며, 이로부터 지장보살 신앙이 전체 사회의 민중에게 광범위하게 전파되고 발전되었다는 것을 알 수 있다.

사천의 석굴사묘(石窟寺廟)에 보이는 지옥시왕도상(地獄十王圖像)은 『염라수기경』·『불설시왕경』의 계통에 속하는 주요 도상들이다. 자중(資中) 서암(西巖) 제85호와 87호 지장보살과 십명왕은 만당(晚唐) 광화(光化) 연간(898~901)에 조성되었다. 지장시왕 가운데에서도 상당히 이른 것이어서 주목된다. 특히 흥미가 있는 것은 이 두 감실의 시왕이 모두 전당 안에 위치하고 있다는 것이다. 돈황본 『불설시왕경』 P.2870호의 화면에는 역시 하나하나의 명왕이 모두 작은 전당 내에 앉아 있다. 오직 S.3961호만이 유일하게 염라대왕과 지장보살이 작은 전당 내에 함께 앉아 있다. 내강(內江) 청계향(淸溪鄉)에는 오대(五代)의 지장시왕 감실상이 있다. 안악(安岳) 원각동(圓覺洞) 제80·84호 두 감실도 역시 『불설시왕경』과 밀접한 관계가 있고, 세부 구성이 서로 유사하다. 보정 대불만 제20호는 역시 경전과 연계하여 새겨놓았다. 다만 지옥 부분은 십재일의 10지옥과 『화선경』의 여러 지옥을 추가하여 매우 거대한 규모로 완성하였다. 보정 소불만(小佛灣)의 지옥 부분은 대불만(大佛灣)의 이 감실과 대응관계에 있다.

대족(大足) 북산(北山) 제253호의 도상은 형식에 있어서 오히려 차이가 있다. 주존이 관음보살과 지장보살이다. 양쪽 벽의 화면에는 여러 줄기의 상서로

그림 134A
안악현 삼선동 석
굴의 상측

그림 134B
석굴에서의 헌향
참배 모습

운 구름 형태의 빛 위에 십명왕과 두 사관(司官)이 부조되어 있다. 이 굴은 송(宋)의 초기에 완성되었으나, 원래는 오대(五代)에 착굴되었다.

관음보살과 지장보살이 나란히 있는 도상도 대단히 많다. 이러한 도상은 석굴은 물론이고 회화에서도 여러 점이 발견된다. 일본 등정유린관(藤井有隣館)에 소장된 한 폭의 유명한 돈황화 '방광보살도(放光菩薩圖)'에는 관음보살과 지장보살이 나란히 앉아 있다. 하지만 관음보살과 지장보살 그리고 십명왕의 도상은 오히려 많이 볼 수 없다. 대족 석전산(石篆山) 제9호 굴에 있는 북송(北宋) 시기의 지장시왕 도상에도 지옥 장면은 보이지 않고, 오직 지장보살과 십명왕의 좌상과 권속만이 있다.

안악(安岳) 불동암(佛洞巖) 마애상에도 역시 지옥변상이 있다. 고승향(高升鄕)에 있는 명대(明代) 만력(萬歷) 연간에 조성된 삼선동(三仙洞) 석굴에도 시왕의 전당과 지옥의 징벌 장면이 있다.〈그림 134A·B〉 모든 왕마다 하나씩의 감실에 있는데, 탁자에 앉아 있는 반신의 상이며, 옆에 권속이 있다. 탁자 앞쪽에는 확탕지옥, 좌대지옥, 거해지옥, 철마지옥, 화상지옥, 전륜지옥 등이 있다.[140]

그림 135
동평현의 화엄동

산동(山東) 동평(東平)의 화엄동(華嚴洞)은 명대의 성화(成化) 연간에 조성되었다.〈그림 135〉 지장보살의 양쪽에 시왕이 나뉘어 배치되어 있고, 도명과 민공 그리고 판관 등이 따르고 있다.

3) 지장시왕지옥도(地藏十王地獄圖)

시왕지옥 도상은 시기적 발전과정을 거치면서 적지 않은 변화를 겪었는데, 어떤 것은 불교의 범위를 넘어서고 있다. 도교에 있어서도 민간 궁관의 회화와 조각에 적지 않게 유전되고 있으며, 형식 역시 사묘(寺廟)의 조각[塑像], 벽화, 수륙화, 지마(紙馬) 등으로 매우 다양하다. 여기서는 일본으로 전해진 일련의 두루마리 형태의 시왕도, 갑마(甲馬), 지마(紙馬)와 호남(湖南) 지역의 민간 제사화(祭祀畵) 등에 대해서도 함께 살펴보겠다.

지장시왕과 지옥에 관한 회화는, 시왕 관련 경책(經册)에 그려지다가 점차 시왕만을 분리하여 두루마리에 그리는 형태로 발전하게 되었다. 산서(山西) 임의현(臨猗縣)의 한 탑의 기반에서 2폭의 지장시왕 견본(絹本) 불화가 출토되었다. 오대(五代) 시기에 그려진 것으로, 돈황화와 관련이 있으며, 절강(浙江) 명주(明州)의 두루마리 불화의 단서가 되고 있다. 두 불화 모두 지장보살이 중앙에 있고, 옆쪽의 아랫부분에 시왕이 있다. 첫 번째 불화의 지장보살은 머리 위가 훼손되어 있어서, 사문 형상인지를 구별하기가 쉽지 않다. 두 번째 불화는 풍모를 쓴 지장보살로 형상이 분명하여 알아보기 쉽다. 또한 두 시왕의 모습이 불완전하지만 의심할 바 없이 시왕으로 판단할 수 있다.[141]

송·원 시기에 시왕도 두루마리가 유행하였는데, 일부는 일본으로 전해졌다. 일본은 그 영향을 받아 사찰에 역시 대단히 많은 지옥시왕도 두루마리를 조성하였다. 겸창(鎌倉) 시대, 남북조, 실정(室町) 시대의 것들이다. 이 방면의 연구에 있어서 스즈키 타카시(鈴木敬) 선생은 절강(浙江) 영파(寧波) 지역에서 일

140 胡文和,『四川道教佛教石窟藝術』, 四川 人民出版社, 1994, 圖28~31 참조.

141 張獻哲,「山西臨猗發現兩幅絹畵」,『文物』(第5期), 1984.

본이 시왕도 두루마리를 수입했다고 설명하고 있으며, 사찰과 공공 기관 및 개인이 소장하고 있는 시왕도 두루마리를 전면적으로 수집하여, 『중국회화사총합목록(中國繪畫史總合目錄)』에 소개하였다. 시왕도 두루마리는 유럽 여러 박물관의 소장품 중에서도 적지 않게 볼 수 있다. 독일 하이델베르크 대학의 Lothar Ledderose 선생 역시 이 주제에 대하여 깊은 연구를 하였다. 총체적으로 말하면, 시왕경도(十王經圖)는 이러한 종류의 두루마리 회화의 모태라고 할 수 있다. 일본은 중국에서 전해 받은 시왕도의 영향을 받아 시왕도 두루마리를 만들었는데, 역시 일본식의 발전과 변화를 겪은 것이다. 석수겸(石守謙) 선생은 이러한 종류의 두루마리 회화가 동쪽으로 전해지는 과정과 변화에 대해 총체적으로 조사하여 연구하였다.[142]

두루마리 형태의 시왕도 중에서 중요 불화들로 분류되는 것들을 살펴보자. 미국 시카고에 소장되어 있는 『도자묵보(道子墨寶)』 중에 이미 십명왕의 화폭이 있다. 첫 번째는 명왕 심판 장면을 그린 10폭의 불화로, 지옥의 형벌 부분은 비교적 작아서 겨우 한 모서리만 차지하고 있다. 이외에도 또한 불완전한 4폭의 불화가 있다. 이러한 형태의 구성은 이미 시왕도 두루마리 회화가 다양한 형태로 분립하던 시기에 나타났던 구성이다. 미국 뉴욕의 메트로폴리탄박물관과 보스턴박물관이 공동 소장하고 있는 남송 시대의 시왕도 두루마리는 메트로폴리탄박물관이 5폭, 보스턴박물관이 4폭을 소장하고 있다. 여기에는 "송명주거교서금처사가화(宋明州車橋西金處士家畵)"라는 제관(題款)이 있다. 명주(明州), 즉 지금의 절강(浙江) 영파(寧波)는 남송(南宋) 영종(寧宗) 경원(慶元) 원년(1195)에 경원부(慶元府)로 이름을 바꾸었다. 그러므로 이 시왕도 두루마리는 그 이전에 제작된 것으로 추정된다. 이것은 시왕도 두루마리 가운데서는 비교적 이른 시기의 것이다.[143] 강산현(岡山縣) 보신사(寶神寺)에 소장되어 있는 시왕도 두루마리는 이것을 모방하여 만든 것으로 보인다. 이 두 불화는 화풍이 유사하다. 일본의 나라국립박물관에는 2개의 시왕도 두루마리가 소장되어 있다. 하나

142 石守謙, 「有關地獄十王圖與其東傳日本的幾個問題」, 『歷史語言所集刊』(第56本 第3分), 1985.

143 奈良 國立博物館, 『東亞佛像特展』, 1996, 圖163. 奈良國立博物館 소장품과 滋賀 永源寺 소장품의 도판은 圖164 · 165 · 166이다.

는 남송(南宋) 시대의 육신충(陸信忠)이 그린 시왕 하나하나의 두루마리이다. 다른 하나는 원대(元代)에 그려진 것으로 단지 3폭뿐이다. 자하(滋賀) 영원사(永源寺)에는 11폭의 시왕도 두루마리가 소장되어 있다. 지장보살과 시왕이 각각 두루마리 하나씩에 그려져 있다. 시대는 남송에서 원 사이이다. 정토사(淨土寺), 복강(福岡) 서원사(誓願寺)에도 시왕도 두루마리가 있다. 향천(香川) 법연사(法然寺)에도 역시 육신충이 그린 남송 말엽의 시왕도 두루마리가 소장되어 있다. 이외에도 미국 프린스턴 대학박물관에 역시 시왕도 두루마리가 소장되어 있는데, 이것과 대덕사(大德寺)에 소장된 시왕도 두루마리가 유사하여, 서로 비교된다. 베를린, 일본 이존원(二尊院)에도 역시 시왕도 두루마리가 소장되어 있다. 마지막으로 금택문고(金澤文庫)에 소장되어 있는 시왕도 두루마리에서 오명왕도에 대한 언급을 빼놓을 수 없다. 화면에 십명왕이 빠져 있고, 또한 모든 그림에 본지불(本地佛)이 배치되어 있다. 화면 뒤에 역시 육신충의 제명(題名)이 있다. 이것은 비록 제명이 있지만, 일본 화가가 모방하였을 가능성이 대단히 크다. 경도(京都) 임생사(壬生寺)의 시왕도 역시 일본 사찰에서 모방한 것으로 추정된다.

현존하는 시왕도 두루마리의 회화적 특징을 대략 살펴보자. 그 회화의 수준은 상당히 높고, 절강 회화의 특색을 잘 반영하고 있다. 기본 수법은 모두 견본(絹本) 위에 공필(工筆)을 가지고 덧칠하는 방법으로 정교하고 세밀하게 표현되어 있다. 대왕의 몸 뒤에 있는 병풍에 다시 수묵으로 산수를 그린 수법이, 절강 산수화의 특징을 잘 보여준다. 동경(東京) 국립박물관에 소장된 십육 아라한의 두루마리 10폭에 "대송명주교서금대수필(大宋明州橋西金大受筆)"이라는 서명이 있는데, 이것은 미국 메트로폴리탄박물관과 보스턴박물관에 소장되 있는 시왕도 두루마리 서명(署名)과 매우 비슷하다. 비록 시왕도의 화격이 십육 아라한도 보다는 높지만 화풍의 유사함이 엿보인다. 금처사(金處士)와 금대수(金大受)는 한 스승에게서 사사받았을 가능성이 크다. 그리고 제명이 육신충(陸信忠)으로 되어 있는 불화들은 모방본이거나, 이름을 빌린 것일 가능성이 크다.

결론적으로, 회화라는 틀에서 안주하지 않고, 소조(塑雕)와 회화의 관계, 불교 본래의 재일(齋日) 활동, 송대(宋代)에 유행했던 시왕의 공양, 도교의 시왕본

초(十王本醮) 등의 당시 생활 요소들을 동시에 관찰하면, 전국에 대단히 광범위하게 성행했던 시왕과 지장에 대한 공양과 민간 생활에 미친 영향, 심지어는 각종의 종교와 회화에 대한 상업활동 등의 면모까지 알 수 있다. 만당(晩唐)에서 시작되어 오대, 북송 초기를 거친 시왕경도 화본은 남송에 이르러 다방면으로 발전하게 되었다. 영파 일대에서 수출되어 일본에 전해진 두루마리 본, 대족 보정의 마애조각은 다양한 모습과 색채를 지니고 있고 화려하며 웅장하다. 회화부분에서 보면, 경전의 변상도로 시작된 시왕도가 두루마리 형태로 독자적 영역을 구축했지만, 표현 내용은 기본적으로 동일하다. 각 왕이 관련된 지옥의 처벌은 더욱 두드러지고, 회화의 묘사 역시 정교하게 되었다. 본래, 시왕경도의 세로 폭은 겨우 10cm 정도였다. 두루마리 형태로 변하면서, 작은 것은 세로가 53cm, 가로가 37cm(永源寺本)이고, 대다수는 세로가 85.9cm, 가로가 50.8cm, 혹은 세로가 83.2cm, 가로가 47cm(奈良本)이다. 더욱 큰 것으로 세로가 111cm, 가로가 47.6cm에 이르는 미국 소장본도 있다. 뿐만 아니라 이러한 두루마리 본은 더욱 정밀하고, 통일된 체제를 갖추며 제작되었다.

시왕도가 경전의 변상도에서 두루마리 형태로 분립되어 독자 영역을 구축하는 과정은 분명하지 않아 마치 단절된 것처럼 보인다. 그러나 석굴의 조각상들은 그렇지 않다. 이를 살펴보자. 사천 면양 북산원 제9호는 만당의 지장보살과 시왕의 감실상이고, 자중 서암 두 감의 지장보살과 시왕상은 만당 경복(景福) 2년(893)에 만들어진 것으로, 모두 9세기 초의 것이다. 안악 원각동 80 · 84호의 지장보살과 시왕은 모두 『시왕경』과 상당히 접근되어 있다. 또한 새롭게 발견된 안악 성수사(聖水寺) 지장보살과 시왕상은 비록 연대가 훼손되었지만, 오대 시기의 것이다. 대족 북산(北山), 석전산(石篆山)의 북송 시기의 시왕은 이미 그 변화의 모습을 보여주고 있다. 북산 254호는 관음보살과 지장보살을 주존으로 하고, 십명왕과 두 사관을 양쪽 벽의 상서로운 구름 형태 위에 나누어 배치하였다. 석전산 제9호에는 지장보살과 시왕과 협시가 있고, 지옥의 광경이 보이지 않는다. 보정 20호는 남송 시기의 것으로, 시왕이 지장보살의 양쪽에 한 줄로 배치되어 있으며, 10지옥 역시 한 줄로 배치되어 있지만, 서로 대응하는 관계에 있다. 안악에 있는 명대(明代)의 삼선동(三仙洞)은 매 왕마다 하나의 감실이 있고,

탁자 앞에 명왕과 지옥의 형벌 장면이 새겨져 있어 두루마리 회화의 구성과 가장 유사하다. 석굴 조각의 다양한 모습과 풍부한 색채, 형식의 변화와 발전을 잘 보여주고 있다.

지장시왕도의 전파와 영향은 계속되어 청대와 중화민국의 시기에 이르렀고, 심지어는 최근까지 계속되어 오고 있다. 호남 지역의 민간 제사화와 대만(臺灣)에 남아 있는 지장보살도와 지옥시왕도 등을 살펴보면, 그 생명력의 장구함을 알 수가 있다.[144] 호남 지역의 민간 제사화의 성격을 살펴보면, 불교의 수륙화와 일맥상통하고 있다. 다만 민속적 색채를 더욱 강하게 띠고 있다. 여기에는 여러 종교의 제사 종사자가 활동하고 있다. 불교, 도교, 유교와, 사교(師教)[145] 등이 있다. 이러한 제사에는 일반적으로 모두 '만당화축신상(滿堂畵軸神象)'을 사용한다. 그중에 적지 않은 것이 지장보살과 시왕지옥 종류이다. 호남 지역의 민속풍토는 귀신을 숭상하여, 예로부터 무속(巫俗)이 성행하였다. 이러한 사실은 굴원(屈原)의 『초사(楚辭)』에도 반영되어 있다. 장사(長沙) 일대에서는 전국시대의 견본 불화인 〈인물용봉도(人物龍鳳圖)〉, 〈인물어룡도(人物御龍圖)〉가 출토되었다. 또한 한(漢)나라 마왕퇴(馬王堆)의 분묘에서는 T형 견본 불화가 여러 개 출토되었는데, 이것들은 '최초의 중국화'라는 명예를 얻은 것으로 바로 초나라 시대에 사용됐던 초기의 제사화이다.

호남의 민간 제사화는 대체적으로 세 종류의 구성 형식으로 지장시왕도를 나타내고 있다. 지장보살을 위주로 하고 나머지 신들의 공덕화(功德畵)를 보조로 하는 형식이 있는가 하면, 시왕지옥 공덕의 두루마리를 대칭으로 걸어 놓는 것이 있다. 또한 위패(位牌) 형식의 시왕도 등도 있다. 호남 민간 제사화는 일반적으로 표구를 하여, 두루마리와 서화첩 형태의 두 종류로 나누어진다. 두루마리 중에 큰 것을 '공덕화'라 부른다. 온전한 두루마리는 대략 높이가 6척, 너비가 2척 반이다. 이것이 제사화 가운데 주체이며, 제사의식이 거행될 때 당실(堂

144 『湖南民間美術全集-湖南民間繪畵』(湖南美術出版社, 1994). 이 가운데 左漢中의 「湘西南地區的民間祭祀畵」와 顔新元의 「洞庭洞南岸的祭祀繪畵」를 참조.

145 師教는 婁底 현지의 자연숭배, 영혼숭배의 오래된 하나의 종파다. 도교와 불교의 신들도 모시는데, 엄격한 의미로서의 종교는 아니다. 師教라는 명칭은 현지의 습관을 기록한 내용에 따른 것이다.

屋)의 주요 벽면에 걸어 놓는다. 작은 두루마리는 '조게(吊揭)' 라고 불린다. 일반적으로 여러 장이 한 조를 이루는데, 사용할 때는 줄로 묶어서 걸어 놓아 그 기세를 북돋우고 보조하는 용도로 사용한다. 서화첩은 '패위(牌位)' 라고 불린다. 높이가 대략 1척, 너비가 6촌이다. 사용할 때는 죽첨(竹簽)으로 좁은 계단처럼 층층이 표구를 하여 쌀통 안이나 재통 위에 놓아둔다. 이동하기에 편하다.

호남 민간 제사화는 제사를 받드는 존신(尊神)의 형상 이외에 경세적인 지옥응보와 오신(娛神), 민중에 친근한 역사고사나 희곡의 인물 등을 함께 그리고 있다. 지옥시왕이 그 안에 대단히 중요한 부분을 차지하고 있는 것을 볼 수 있다. 지장보살은 지옥의 중생들을 구원하는 대보살이며, 소홀히 대할 수 없는 작용을 한다. 주요 제사화를 살펴보면 다음과 같다.

원릉현(沅陵縣)박물관에 소장되어 있는 한 폭의 지장보살과 십전염라왕의 '공덕화' 는 매우 전형적이며 대표적이다.〈그림 136〉 이것은 본래 원릉현에 전해 내려온 것이다. 청대에 그려졌으며, 세로가 126cm, 가로가 63cm이다. 묵선으로 도상의 선을 잡고, 황갈색을 주색으로 하였으나 오직 사자의 코만은 홍색으로 하여 두드러지게 하였다. 묘사기법이 자유롭지만 또한 화법에도 어긋나지 않아 민간 회화로는 뛰어난 작품이라 할 만하다. 지장보살과 시왕을 위주로 하고 불상과 지옥광경을 보조로 하고 있는데, 내용이 대단히 풍부하다. 사자를 타고 있는 주존이 지장보살이다. 지장보살은 사문형이고 삭발하였는데, 가사에는 관복처럼 구름과 용이 화려하게 그려져 있다. 왼손은 마니주를, 오른손은 석장을 들고 있다. 두광과 신광은 꽃무늬가 있는 마름모와 팔각형 문양으로 장식되어 있다. 사자는 머리를 돌리고 꼬리를 흔들고 있다. 흥미 있는 것은, 사자 아래에 또 다른 한 마리 작은 사자가 귀를 쫑긋 세우고 으르렁거리고 있는 모습이다. 민간 조각에서 큰 사자와 작은 사자를 함께 조각하는 관습과 같다. 지장보살의 양 옆에는 도명과 민장자가 보좌하고 있다. 위쪽에 있는 구름에는, 연화좌 위에 삼세불이 있고, 사자와 코끼리 위에는 문수보살과 보현보살이 있다. 지장보살의 아래에는 2명의 판관과 십전염라왕 그리고 육조사자(六曹使者)가 있다. 시왕들의 얼굴은 아주 다양하고 자연스러워서 생동감이 넘친다. 희곡의 인물들을 묘사

그림 136
호남 원릉박물관
소장의 시왕도

한 것처럼 보인다. 시왕의 중간에는 업경이 하나 있고, 거울 속에는 한 사람이 소를 도살하기 위해 도끼를 들어 올려, 막 내려치려고 하는 장면이 있다. 그 아래에는 구름 형태의 빛이 지옥으로부터 피어오르고 있다. 화면 양쪽에 있는 큰 짐승의 얼굴에 각각 '나하교'와 '귀문관'이라는 제명이 쓰여 있다. 나하교 위에는 관원과 귀부인 그리고 그 앞쪽에 노인이 걸어가고 있고, 한 옥졸이 무릎을 꿇고 읍을 하고 있다. 소머리 형상과 말 얼굴 형상의 다른 옥졸들은 낭아봉을 들고 다리 밑에 있는 사람을 쫓아 달려가고 있다. 귀문관 한쪽에 머리를 숙이고 있는 지장보살은 젊은 승려의 모습이다. 왼손에 석장을 쥐고 있으며, 오른손에 든 발우를 지옥문에서 나오는 사람들에게 주고 있다. 문 가운데 있는 한 노인, 몸 뒤에 있는 두 청년의 얼굴에는 괴로움이 그대로 드러나 있다. 이 도상에서 만약 노인이 여인의 모습을 하고 있다면, 아마도 '목련구모도(目連救母圖)'가 되었을 것이다. 여기서 주목해야 할 것은 지장보살이 금으로 된 석장으로 지옥의 문을 열고, 지옥의 중생들을 구원하는 장면이다. 이러한 지장시왕도의 대체적인 구성은 오대(五代) 이래의 돈황 견본 불화 등에서 보이는 지장시왕도와 일치하고 있는데, 다만 세부 구성과 화법에 있어서 더욱 농밀한 분위기가 느껴진다.

상동(湘東) 지역에 유전되어 온 한 폭의 '지장왕공덕화' 가운데에도 역시 지장보살과 십대명왕 그리고 지옥을 대표하는 나하교 등이 그려져 있다. 〈그림 137〉 화면의 지장보살은 사문 형상이고, 연꽃 위에 단정히 앉아 있으며 석장과 보주를 들고 있다. 옆에는 도명과 민공이 있다. 위쪽에는 삼세불과 관음보살 등이 있다. 아래에는 십대명왕이 나뉘어 서 있는데, 모두 홀판을 들고 있다. 또한 두 사관도 역시 보좌하고 있다. 아랫면은 귀문관과 나하교이다. 인혼동자(引魂童子)와 불경을 들고 합장을 한 남녀 신자들이 안온한 모습으로 자유롭게 다리를 건너고 있다. 소머리 형상과 말 얼굴 형상을 한 옥졸이 병기를 들고, 다리 아래의 죄를 범한 영혼들을 때리며 끌고 가고 있다. 더러는 물에 잠겨 있고, 더러는 뱀에 얽혀 있고, 더러는 개에게 물어뜯기고 있다. 다리를 건넌 후에는 짐승의 얼굴에 "선악분명(善惡分明)"이라는 제명이 쓰인 육도윤회의 문이 있다. 다만 짐승의 얼굴 위에 있는 여섯 줄기의 가는 빛에는 구체적인 형상이 없다. 이 불화는 윗면에 천계(天界)를 표현하고, 아랫면에서는 귀문과 나하교, 육도윤회로써

그림 137 .
안신원(顔新元) 소장의 지장시왕도

지옥을 표현하고 있는데, 대단히 간결하다.

이밖에도 한 조의 반왕도(盤王圖) 중에 한 폭의 십전염왕도(十殿閻王圖)가 있다. 십전염라는 두루마리 위에 그려져 있다. 화면의 위쪽에 시왕이 그려져 있는데, 맨 위의 층에 사왕이 있고, 아래의 양쪽에 각각 삼왕이 있다. 지옥 부분은 순서대로 업경, 추살(椎殺), 거해(鋸解), 확탕(鑊湯), 추년(椎碾), 알심(挖心) 등이 있다. 또한 도산(刀山), 자소(炙燒), 나하교와 소머리 형상과 말 얼굴의 옥졸이 지키는 옥문 등이 있다. 회화 기법은 대단히 소박하다. 색은 홍색을 위주로 하였고, 시왕과 지옥을 상하로 서로 조화롭게 구성하였다. 시왕의 제명은 따로 나누어 새겨져 있지 않다. 그 중에 두 왕은 면류관과 흡사한 것을 머리에 쓰고 있고, 탁자 위에 비자(批字)로 제명이 쓰여 있는데, "불효대인(不孝大人)" 이다. 다른 한 왕의 제명은 "타아매파(打兒罵婆)" 이고, 거해지옥에서 형벌을 내리는 사람인 듯하다. 또 한 왕은 제명이 "대두소칭(大斗小秤)" 이다. 얼굴 앞에 세 귀신이 상자 하나를 둘러싸고 있고, 상자에서는 피가 솟고 있다. 이것은 도광(道光) 16년에 화사(畵師) 왕가의(王家義)가 그린 것이다. 화면의 구성과 형식이 과장된 느낌이 있고, 민간의 호흡이 아주 짙다. 전체 그림은 '도교' 의 제사화에 속한다. 강화현(江華縣) 요족향(瑤族鄕)에 유전되어 왔다. 또한 원시천존(元始天尊)이 '반고진인(盤古眞人)' 이라는 칭호도 가지고 있는데, 요족(瑤族)의 선조인 반왕(盤王)과 부합되기 때문에 예로부터 이 그림을 '반왕도(盤王圖)' 라 불렀다. 이 반왕도에 묘사된 도교의 여러 신들 가운데에도 역시 손에 홀판을 들고 있는 십위(十位)의 염왕이 있다.[146]

호남 지역의 민간 제사화 가운데 가장 특색 있고 보편적인 작품은 대칭으로 걸어 놓은 두루마리 형태의 시왕 지옥도이다. 일반적으로는 '우시왕공덕도(右十王功德圖)' 와 '좌시왕공덕도(左十王功德圖)', 혹은 '좌전도(左殿圖)' 와 '우전도(右殿圖)' 등으로 불린다. 신단(神壇)의 좌우에 그림을 놓아두기 때문에 그렇게 부른다. 실제로 한쪽마다 다섯 왕을 그려놓아, 모두 합하면 시왕이 된다. 시왕은 모두 이름을 갖추고 있지 않으며 대칭되게 그려져 있다. 위쪽 좌우에는

146 유사한 도상으로는 앞의 顔新元의 글 가운데 揷圖11이 있다.

모두 한 왕이 단정히 앉아 있다. 면류관을 쓰고 있고, 몸 옆에 있는 탁자 앞에 사관과 판관이 있다. 그 아래에 사왕이 세로로 나뉘어 있다. 탁자 옆은 좌우 모두 사관이 있다. 왼쪽의 시왕도 가운데에는 업경, 업칭, 자소(炙燒)와 사녀(蛇女)가 있는데, 사녀는 양(梁) 무제(武帝)의 치후(郗後)로 화한 이무기에 대한 고사로부터 나왔을 가능성이 크다. 가장 아래가 귀문관이며, 오른쪽 시왕도 가운데는 한빙(寒氷), 할설(割舌), 거해(鋸解)지옥이 있다. 가장 아래쪽에 나하교와 육도윤회가 있다. 다리 위에는 인혼동자(引魂童子)가 "서방아미타불" 이라는 깃발을 들고 있다. 소머리 형상의 옥졸이 죄인을 좇으며, 죄인은 도망치다가 뱀에게 물린다. 윤회의 윤(輪) 앞에는 사람들이 있고, 다른 한 귀신은 손에 한 여자의 팔을 잡고, 다른 손으로 짐승의 가죽을 잡고 있다. 이 여자는 비통해하고 두려워하는 모습이다. 솟아오르고 있는 여섯 줄기 구름 형태의 빛에는 사람과 짐승 등이 있지만 상징적일 뿐이고, 엄격하게 그려진 육도는 아니다.

마양현(麻陽縣)에 있는 한 쌍의 시왕도 두루마리는 화면이 간결하다.〈그림 138A · B〉 오직 다섯 왕만이 홀판을 들고 서 있으며, 아랫면이 바로 지옥의 광경이다. 왼쪽 불화는 제목이 "십전일존(十殿一尊)" 이다. 오왕의 위쪽에 있는 구름에는 도교의 신선이 서 있다. 지옥에는 업경, 한빙, 추구(椎臼), 확탕(鑊湯)과 나하교가 있다. 옥졸이 악인을 쫓아 다리 아래로 가고 있고, 동자가 선인을 인도하여 다리를 건너고 있다. 오른쪽 시왕의 제목은 "시왕불상일구(十王佛像一軀)" 이다. 다섯 왕 중에 한 왕의 홀판에서 한 줄기 큰 빛이 새어나오고 있는데, 여기에 보개와 연꽃 대좌로 장엄된 화염 마니보주가 있다. 이것은 지장보살을 상징하는 것이다. 아랫면의 지옥에는 업칭(業秤), 도산(刀山), 할설(割舌), 철상(鐵床)지옥 등이 있다. 지옥문에서 주의깊게 보아야 할 것은 석장과 발우를 들고 있는 승려와 말 얼굴 형상의 옥졸이 지키고 있는 귀문관을 나오는 한 명의 노파이다. 이것은 '목련구모' 의 구성으로 보인다. 화면 하단부에 육도윤회가 있다. 승려 복장을 하고 있는 자는 천도를 나타내고, 관복을 입고 있는 자는 인도를 의미한다. 육도윤회의 선 밖에는 소와 말의 짐승탈을 쓴 사람들이 있는데, 이것은 축생도를 표현한 것이다. 선 안쪽에도 닭 등이 그려져 있다. 육도의 표현이 엄격하지 않은 것을 알 수 있다. 유사한 도상의 불화가 여러 점이 있다. 상남(湘南)에

그림 138A
좌시왕

그림 138B
우시왕

서 볼 수 있는 '응단응용(應壇應用)' 이 이에 속한다. 광서(光緖) 병오년(丙午年)에 그려진 한 폭의 '우전도(右殿圖)' 두루마리이다. 윗부분에는 깃발을 든 동자와 홀판을 지닌 오왕이 있다. 아래에는 대마, 도산, 거해 등의 지옥이 있는데, 그 광경이 너무도 참혹하다. 상북(湘北)에 유전된 한 폭의 '지옥보응도(地獄報應圖)' 는 일종의 좌시왕(左十王) 형식이다. 위쪽에 오왕이 홀판을 들고 있고, 아래에는 업경, 업칭, 할설, 거해와 나하교 장면이 있다. 역시 너무도 참혹하다. 상중(湘中) 지역의 '나하교공덕화(奈何橋功德畵)' 역시 대칭되는 2폭으로 이루어졌다. 왼쪽에 있는 화면 위에는 오왕이 나란히 그려져 있고, 한 왕에는 '단과생사(斷果生死)' 라는 제명이 있다. 가장 위에 있는 탁자에 '日' 자가 있다. 아래에는 귀문관과 나하교 그리고 약간은 육도윤회와 비슷한 장면이 있다. 거칠기는 하지만 검소하게 수분(水粉)과 국화(國畵) 안료를 함께 사용하여, 색이 산뜻하고 생기가 있다. 원릉현(沅陵縣)박물관에 소장되어 있는 한 폭의 '시왕염라도' 역시 특징이 있다. 화면 위쪽에 5명의 명왕이 그려져 있다. 중간 부분에 많은 패위(牌位)가 그려져 있다. 앞에 있는 패위에는 "명경우사하후나상(冥京右司夏侯那相)"과 "곤부십팔대옥십팔소옥삼천귀지위(坤府十八大獄十八小獄三千鬼之位)"라는 제명이 있다. 다시 명경(冥京) 제이전초강조왕위(第二殿楚江朝王位), 제사전오관왕(第四殿伍關王), 제칠전태산부군(第七殿泰山府君), 제팔전평등왕(第八殿平等王), 제십전륜왕위(第十殿轉輪王位)와 주사공조(奏事功曹), 선악동자 등의 패위가 있다. 아래에 도산, 거해 등의 지옥도상이 있다.[147]

'패위도(牌位圖)' 에도 역시 한 명의 왕마다 하나의 장면이 있고, 탁자 앞에는 한 종류의 지옥 장면이 있다. 패위의 크기가 대단히 작기 때문에, 이와 같이 배치하는 것이 간결하고 깨끗하다. 상중(湘中) 지역에 유전되어 온 패위도가 이에 속하는데, 소머리 형상과 말 얼굴 형상의 옥졸이 그려진 패위가 전체 패위의 양쪽에 위치하고 있다. 주된 도상으로는 마옥(磨獄), 나하교를 건너는 선인(善人), 확탕, 한빙, 업경, 유과(油鍋), 윤회(輪廻) 등이 있다. 작은 패위화(牌位畵) 가운데 10폭으로 나누어진 것도 있다. 즉, 십명왕에 맞추어 매 왕마다 한 폭에 표현한 것이며, 또한 18폭에 나누어 그린 것은 18지옥에 대한 것이다.

조게화(吊揭畵) 중에는 '관음유지지부(觀音游地地府)' 등의 고사가 있는 것이 있다. '향산보권(香山寶卷)' 의 묘장왕(妙莊王) 삼공주가 관음보살으로 화하는 줄거리에서 나온 것이다. 매 한 개의 조게(吊揭)는 세로로 된 줄에 3개의 화면으로 구성하여 그린다. 이들을 살펴보면, 묘선(妙善)공주가 출가하자 그 아비가 백작사(白雀寺)를 불태워 버리고, 또한 묘선공주를 숫돌에 갈아버리는 장면, 관음보살이 지부(地府)를 유람하며 지옥의 광경을 돌아보는 화면, 또한 묘장왕이 병을 얻자 자매가 하늘에 기도하여 묘장왕이 약을 복용하는 장면 등으로 구성되어 있다. 전하는 바에 의하면, 이것은 막송(莫松)이 말한 '향산도량(香山道場)' 의 초본(抄本)에 의거하여 그려진 것이라 한다.

147 위의 圖9 · 10 · 75 · 29 · 19 · 64와 같다. 유사한 十王對軸은 顔新元의 글 가운데 圖19 · 26에서 볼 수 있다. 圖19의 첫 번째 도상은 十王 가운데 五王과 二司官만이 있고 지옥의 도상은 없다. 이러한 구도는 초기 水陸畵와 많이 유사하다. 그러나 湖南民間祭祀圖 중에는 잘 보이지 않는다. 이 畵冊 圖9와 圖10의 도판 설명은 실제 도판과는 반대이다.

민간에 유전되어 오고 있는 시왕도 두루마리는 대만(臺灣)에 있는 국외의 학자와 인사들의 주목을 끌고 있다. 특히 주목을 끈 것은 오스트리아의 Purl Vidor 교수가 대만에서 구입하고 수집한 100여 점의 시왕도이다. 그는 대만의 역사박물관에서 주최한 〈십전염라전(十殿閻羅展)〉에 66점을 출품하기도 했다. 전시 도록 중에 곽립성(郭立誠)이 찬한 『전통명토관념적연변(傳統冥土觀念的演變)』[148]이 있는데, Purl Vidor 교수는 여기서 불화의 상태뿐만 아니라 명부십전으로 나누어진 것이 몇 개의 두루마리로 이루어졌는지, 일정한 체재, 즉 1, 2, 4, 6, 혹은 10폭으로 된 한 세트를 모두 구비했는지를 지적하고 있다. 그런데 모든 지옥도의 방식에 공통된 점이 있다. 매 1전(殿)마다 특정한 한 명의 왕이 관할하고, 각 전에서 내리는 형벌 역시 항상 일정하며, 지옥의 혹독한 징벌로 이 세계의 사람들에게 권선징악을 주지시키는 것이 이에 속한다. 외교관 Neal Donnelly 역시 소장했던 작품을 증보하여 두 조의 시왕도권을 미국 자연역사박물관에서 '중국지옥지려(中國地獄之旅)' 라는 제목으로 출품하였다.[149]

총체적으로 말하면, 망자의 영혼을 제도하는 작용을 하는 지장보살도, 지옥시왕도는 호남 지역의 민간 제사의 회화에서도 중요한 작용을 하고 있으며, 또한 지장보살, 시왕, 지옥도가 면면히 이어지며, 민간에 깊이 파고들어 민중의 생활에 끼친 영향과 그 과정을 우리에게 보여주는 가장 좋은 자료라고 할 수 있다. 민간의 제사의식 가운데, 어떤 지장시왕도는 불보살과 지옥상징도를 모두 포괄하고 있으며, '총합공덕(總合功德)' 이자 제사의 주된 그림으로 중앙의 중요한 위치에 놓인다. 더욱 특색 있는 것은 대칭으로 된 2개의 두루마리이다. 법사(法事)를 거행할 때, 신단의 양쪽 혹은 동서의 양쪽 벽에 걸어놓는다. 이러한 종류의 그림 수가 가장 많다. 일반적으로는 모두 상하의 두 단으로 구분되어 있다. 상단은 각각 오왕의 형상이다. 하단은 지옥 각종의 장면이며, 또한 귀문관, 나하교의 입구와 육도윤회의 출구까지 있다. 시왕은 종종 방제가 없는 경우도 있으

148 『十殿閻羅』(臺灣歷史博物館, 1984). 圖錄에서는 대륙에서 문화혁명을 거치면서 이러한 圖軸이 이미 없어졌다고 보고 있으나 湖南民間祭祀畵 가운데는 여전히 많은 十殿閻羅圖가 있다.

149 A JOURNEY THROUCH CHINESE HELL, By Neal Donnelly with an Intruduction by Paul Michael Taylor, Artist Publishing Co.

며, 어떤 것은 대칭으로 있고, 양쪽 모두에 면류관을 쓴 왕이 한 명씩 있다. 이것은 초기의 경책화와 이후의 수륙화에서 대부분 염라왕만이 면류관을 쓰고 있는 상황과 차이가 있다. 지옥에 있는 업경과 업칭 등과 각종의 징벌과 참상 등의 장면은 대체적으로 전 · 후의 다섯 왕과 대응되어 있다. 육도윤회의 부분은 역시 뜻하는 바가 있다. 중요하게 강조하는 것은 인도에 들어가는 것과 축생도에 들어가는 것의 구별과 변화이다. 이밖에도 나하교 위에는 좋은 응보를 얻어 경을 받든 모습으로 걸어가는 선남자와 선여인이 있다. 이 점은 마치 경권화(經卷畵)를 연용하여 경책화(經册畵)의 전통을 이룬 것 같다. 이외에 패위화(牌位畵)에도 시왕지옥 혹은 그 이상의 많은 지옥이 나타나고 있다. 한 명의 왕에 하나의 지옥이 대응하여 너무도 간결하고 분명하다. 조게화(吊揭畵) 중에도 관음보살과 묘선공주의 고사에서처럼 관음보살이 지옥을 유람하는 장면이 포괄되어 있다. 호남 지역의 민간 제사화에 나타나 있는 지옥시왕과 지옥 그리고 지장보살도는 풍부한 내용과 물색을 갖추고 있어, 세인들의 가슴에 깊은 인상을 심어주고 있다.

7) 지장보살 도상의 구성

석굴마애와 벽화 등에서 지장보살상은 지장보살이 주존인 상, 독존상, 양존상 이외에도 다시 기타의 부처와 보살, 지장보살, 성문, 명왕 등의 구성으로 적지 않게 나타나고 있다. 이러한 다양한 도상 구성 가운데, 가장 중요한 것으로 지장보살과 약사여래, 지장보살과 서방삼성 가운데 아미타불과 관음보살의 구성, 지장보살과 시왕, 지옥 등의 구성이 있다. 이러한 일련의 도상 구성은 지장신앙과 불교의 각 종파와의 관계를 설명하는 데 있어서 의미가 있다. 아래는 각 지역의 석굴 마애상 등이 있는 곳으로, 지장보살상이 나타나는 도상의 구성을 다시 자세히 살펴보면 다음과 같다.

약사불과 관음보살, 지장보살

빈현(彬縣) 대불사(大佛寺) 천불동(千佛洞)의 당대(唐代) Q69호 감실에는 약사유리광불(藥師琉璃光佛)과 관세음보살 그리고 지장보살상이 있다. 지장보살은 불상형이며 반가부좌하고 있다.

대족 북산(北山) 제110호 송대(宋代)의 감실에는 약사유리광불과 관음보살 그리고 지장보살이 있다. 지장보살은 석장을 잡고 금강좌 위에 앉아 있다.

북산 제279 · 281호 오대(五代) 후촉(後蜀) 광정(廣政) 18년(955)의 동방약사정토변상감(東方藥師淨土變相龕)에 여러 명의 지장보살상이 조각되어 있다.

북산 제147호의 약사불감 옆에도 역시 석장을 잡고 있는 지장보살이 있다.

대족 석문산(石門山)의 제1호 감실은 송대 소흥(紹興) 21년(1151)에 조성된 것으로 약사유리광불의 협시로 관음보살과 지장보살상이 조각되어 있다.〈그림 139〉

그림 139
대족 석문산 제1호 약사삼존상

약사불과 관음보살

용문의 만불동(萬佛洞)에 있는 진지적(陳智積)이 조성한 유리광불 옆에 지장보살상이 있다.

아미타불과 관음보살, 지장보살

용문의 보태동(普泰洞) 부근에는 상원(上元) 2년(765) 2월 6일에 교○○(喬○○)가 조성한 감실상이 있다.(관음은 구고관음이다.)

연화동(蓮花洞)에는 장수(長壽) 2년(693)에 임지만(任智滿)이 조성한 감실이 있다.

노룡동(老龍洞)에는 경운(景雲) 2년(711) 8월 8일에 조성된 감실상이 있다. 쌍요(雙窯) 이거태(李去泰)가 조성하였다.(관음은 구고관음이다.)

만불동(萬佛洞)에 있는 초대명(焦大明)이 조성한 감실은 부처와 관음보살, 지장보살상이 각각 한 구씩 있다.

그림 140
대족 북산 제52호
아미타삼존상

채대랑동(蔡大娘洞)에는 비구니 구랑(九娘)이 조성한 감실상이 있다.

대족 북산 불만(佛灣)에 있는 당(唐) 간령(干寧) 4년(897)의 제52호 감실. 주존은 아미타불이다. 지장보살이 좌협시로 여의주를 들고 연화대 위에 서 있고, 우협시로 관음보살이 서 있다. 〈그림 140〉

관음보살과 지장보살

용문의 노태동(老泰洞)에 있는 조행정(趙行整)이 조성한 감실에 구고관음보살과 지장보살상이 한 구씩 있다.

청명사동(淸明寺洞)에는 감대랑(甘大娘)이 조성한 관음 · 지장보살 감실이 있다.

만불동에는 변공(弁空)과 보광(普光)이 조성한 감실에 관음 · 지장보살상이 각각 두 구씩 있다.

경선사(敬善寺) 구역에 이경(李慶)과 위화(衛回)가 조성한 관음 · 지장보살 감실이 있다.

정토당(淨土堂)에는 경운(景雲) 원년(710)에 조성된 관음 · 지장보살 감실이 있다.

사천 협강(夾江)의 천불애(千佛崖) 제42호는 당대의 감실로 관음보살과 지장보살상이 나란히 서 있다.

한단(邯鄲) 남향당(南響堂)에는 당대에 보수하여 조각한, 관음보살과 사문형의 지장보살상이 있다. 왼쪽에 관음보살이 서 있고, 오른쪽에 지장보살이 반가부좌하고 있다.

대족 북산 불만(佛灣)의 제58호는 당 건령(乾寧) 3년(896)의 작품으로 관음보살과 지장보살좌상이 있고, 또한 공양자와 협시보살이 조각되어 있다.

제82호, 248호, 277호 감과 북산(北山) 불이암(佛耳巖)의 제4호 감실은 오대에 조성된 감실로, 관음보살과 지장보살의 입상이 있다.

제244호 감실 〈그림 141〉 과 영반파(營盤坡)의 제65호 감실도 동일하다.

제117호 감실과 불이암의 제1호 감실은 송대(宋代)의 감실로 지장보살과 관음보살상이 나란히 서 있다.

제121호는 송대(宋代)의 감실로 지장보살과 관음보살이 좌우서상(左右舒像)의 자세로 앉아 있고, 지장보살의 옆에는 석장을 잡고 있는 승려가 있다.

제172호는 송대의 감실로 지장보살과 관음보살상이 나란히 앉아 있다. 주존의 위쪽에 육불(六佛)이 있다.

제275호 오대(五代)의 감실, 제249호 송대의 감실에는 지장보살이 우서상

그림 141
대족 북산 244호 감실의 관음과 지장보살상

(右舒相)의 자세를 하고 있고, 옆에는 관음보살상이 있다.

제221호는 단지장(單地藏), 쌍지장(雙地藏)이 있는 오대의 감실로 관음보살과 지장보살이 나란히 서 있는 입상이 있다.

제241호는 만당(晩唐)의 감실로 입상의 관음보살과 좌상의 지장보살이 있다.

대족 석전산(石篆山) 천불애(千佛崖)의 제1호는 명대(明代)에 조성된 12금광불감으로, 그중에 세 조가 지장보살 감실이다. 제3호는 명대의 감실로 지장보살상이 있다.

대족 옥탄(玉灘)의 제1호는 남송 소흥(紹興) 7년(1137)에 조성된 지장보살의 감실로 조각기법이 우수하다. 지장보살 아래에 육비관음보살, 여의륜관음보살, 정병관음보살이 있고, 아래 부분에 또한 지장보살의 소상과 공양인 등이 있다.

십일면관음보살과 지장보살

용문 석우계(石牛溪)에 있는 배라한(裴羅漢)이 조성한 감실에 지장보살과 십일면관음보살상이 있다.

지장보살과 인로왕보살

대족 북산 관음파(觀音坡)의 제1호는 송대의 감실로 지장보살과 인로왕보살의 상이 있다. 두 상은 석장과 보번개(寶幡蓋)를 각각 들고 있다. 〈그림 142〉

그림 142
대족 관음파 제1호 감실의 지장과 인로왕보살

지장보살과 시왕

대족 북산의 제253호 굴에 조성되어 있는 상은 지장보살과 관음 그리고 시왕의 상이다. 북송 함평(咸平) 4년(1001)의 기년명이 있다.

통강(通江) 천불애(千佛崖)의 제29호 감실에는 지장보살과 시왕이 있다.

광원(廣元) 천불애에 지장보살과 시왕상이 있다.

대족 석전산(石篆山)에 있는 북송 소성(紹聖) 3년(1096)에 조성된 제9호 감실에 지장보살과 시왕이 있다.

대족 보정 대불만(大佛灣)의 제20호는 남송(南宋) 시기에 조성된 거대 규모의 부조이며, 지장보살과 시왕과 지옥변상이 있다.

내강(內江) 상룡산(翔龍山)에 지장보살과 시왕과 지옥변상이 있다.

안악(安岳) 원각동(圓覺洞)의 제80·84호 굴에 지장보살과 시왕의 상이 있다.

지옥변상과 지장보살

대족 보정 대불만 제15호에 있는 '부모은중경변상도(父母恩重經變相)'의 아래층 오른쪽 벽에 아비지옥(阿鼻地獄)이 있다.

대족 보정 소불만(小佛灣) 제6호에는 본존전(本尊殿)의 주존 아래쪽 전체 벽에 걸쳐 있는 긴 난간에 지옥변상도가 있다.

대족 석문산(石門山)의 제11호의 병령공(炳靈公) 부부의 감실 아래쪽에 지옥변상도가 있다.

그림 143
하남 용문석굴 빈양중동의 오도지장보살상

육도윤회와 지장보살

용문 빈양중동(賓陽中洞)의 위쪽에 사문 형상의 지장보살 입상이 있다.〈그림 143〉 들어올린 오른손 끝에 오도(五道)를 새기고, 비천(飛天), 인물, 달리는 말을 부조하여 윤회(輪廻)를 묘사하였다. 옆에는 2명의 제자가 협시하고 있다.

섬서(陝西) 요현(耀縣) 약왕산(藥王山) 제8호 감실의 마애상 가운데 역시 좌서상의 자세를 하고 있는 지장보살이 있다. 보주에서 육도윤회의 빛이 흘러나오고 있다.[150]

당 함형(咸亨) 원년(670)의 조상비(造像碑) 뒷면의 부조 역시 같은 형태이다.

파중(巴中) 남감(南龕) 제25호 감실이 지장보살과 육도윤회도상이다.

항주(杭州) 자연사(資延寺) 자운령(慈雲嶺)에 오대(五代) 오(吳)·월(越) 천복(天福) 7년(942) 전후에 조성한 제1감실이 있는데, 육도윤회가 감실의 차양에 새겨져 있다. 대단히 정교하고 아름답다. 또한 좌서상(左舒相) 자세의 사문 형상 지장보살이 있다.

대족 보정 대불만에 있는 남송 시기의 제3호 감실에 육도윤회 도상이 있다. 이를 '육취유심도(六趣唯心圖)'라고 부르기도 한다. 대륜금강(大輪金剛)이 주존이며, 손에 거대한 육취륜(六趣輪)을 들고 있다.

칠불과 지장보살

용문 혜간동(惠簡洞)에 있는 청신녀 가조(賈造)가 조성한 감실에 칠불과 지장보살상이 있다. 용문 용화사(龍華寺) 근처에는 업도칠상(業道七像)이 있다.

대족 북산 제191호 오대(五代)의 감실, 제187호 송대(宋代)의 감실에 모두

150 員安志·翟春玲, 「耀縣藥王山摩崖石刻造像」, 『文博』(第10期), 1984 ; 張硯·王福民, 「陝古耀縣藥王山摩崖造像調查簡報」, 『中原文物』(第2期), 1994.

관음보살과 지장보살의 좌상이 나란히 있다. 주존 사이에 한 개의 큰 정병이 있고, 이 피어 있는 연꽃 위에 칠불이 앉아 있다.

노사나불(盧舍那佛)과 지장보살

대족 북산 관음파(觀音坡)의 제2호 송대 감실은 주존이 노사나불이며 문수와 보현이 사자와 코끼리를 타고 협시하고 있다. 감실에는 지장보살상도 새겨져 있다.

육지장(六地藏)

『대정신수대장경』 도상권(圖像卷)에 육지장도가 여러 종류 있다. 현교와 밀교의 도상을 살펴보면 모두 육지장보살이 있고, 또한 각각 두 종류의 명칭이 있다. 육지장보살은 일반적으로 육도의 중생을 구원하는 것을 의미하며, 각각의 일도마다 한 지장보살이 대응하고 있다.

쌍신지장(雙身地藏)

용문 만불동(萬佛洞)에 당 영미(永微) 원년(680), 영미 2년(681)에 처정(處貞)이 조성한 감실이 2개 있다. 감실에 지장보살 2구가 새겨져 있다. 쌍요(雙窯)에는 '제자 ○○' 가 조성한 지장보살상 2구가 있다.

용문 왕원궤동(王元軌洞)에는 주불(主佛) 양쪽에 원공감(圓拱龕)이 있다. 여기에 각각 좌서상(左舒相)의 자세를 취하고 있는 사문 형상의 지장보살상이 있다.

빈현 대불사 천불동은 여러 개의 감실에 쌍신(雙身)의 지장보살상이 있는데, 대부분이 반가서상의 자세로 좌우 대칭되어 있다.

제개장(除蓋障)보살과 묘길상(妙吉祥)보살 혹은 멸정정(滅正定)보살, 지장왕보살

산서(山西) 삭현(朔縣) 숭복사(崇福寺)의 미타전(彌陀殿)에 제개장(除蓋障)보살이 있다.

번치(繁峙) 공주사(公主寺) 벽화에 이 삼존의 상이 있다.

직산(稷山) 청룡사(青龍寺) 수륙전 벽화에 제개장과 멸정정과 지장보살이 있다.

단존(單尊) 혹은 무리를 이루고 있는 지장보살

용문 약방동(藥方洞) 부근에는 인덕(麟德) 원년(664)에 장군실(張君實)이 조성한 감실이 있다.

빈양남동(賓陽南洞)에는 건릉(乾封) 2년(667)에 '○덕자(○德子)'가, 함형(咸亨) 4년(673)에 '우의덕(牛懿德)', '이○정(李○靜)' 등이 조성한 몇 개의 감실이 있다.

노룡동(老龍洞)에는 총장(總章) 2년(669)에 법장상(法藏尙) 등이 조성한 감실이 있다.

원홍적동(袁弘績洞)에는 수공(垂拱) 3년(687)에 조성된 2개의 감실이 있다.

뇌고대(擂鼓臺)에는 개원(開元) 2년(714)에 조성된 감실 하나가 있다.

경선사(敬善寺) 구역에 승려 지도(知道)가 조성한 감실 하나가 있다.

만불동(萬佛洞)에 역시 감실 하나가 있다.

청명사(淸明寺) 동굴에 보광사(普光師)가 조성한 감실 2개가 있다.

노룡동(老龍洞)에 양파(楊婆)가 조성한 감실이 있다.

당자동(唐字洞)에 장경종(張慶宗)이 조성한 감실이 있다.

고양동(古陽洞) 부근에 '○홍복(○弘福)의 처'가 조성한 감실이 있다.

팔작사동(八作司洞)에 감실 하나가 있다.

수미산(須彌山) 제105호 굴의 중심기둥 왼쪽에 좌서상의 지장보살이 있다.

공현(鞏縣) 제5호 굴에 소인개(蘇仁楷)가 조성한 감실이 있다.

자중(資中) 중룡산(重龍山) 제54호 굴에 함통(咸通) 5년(864)의 감실, 제 47 · 48 · 87호 등의 감실이 있다.

대족 북산 제91호에 좌서상의 지장보살이 있다.

대족 북산 제23호 오대(五代)의 감실에 지장보살이 앉아 있고, 옆에 석장이 세워져 있다.

제37호 후촉(後蜀) 광정(廣政) 3년(940)의 감실에는 지장보살이 좌서상의 자세를 하고 있으며, 오른손에 석장을 들고 있고, 아래에는 공양인과 신수(神獸) 제청(諦聽)이 있다.

제158호, 제161호에는 좌상의 지장보살이 있고, 옆에 협시가 있다.

제217호에는 보살 형상의 지장보살이 석장을 들고 있고, 앞에는 승려와 공양인이 있다.

제227 · 231 · 242 · 276호 오대(五代)의 감실에 석장을 들고 있는 지장보살의 입상이 있다. 북산(北山) 영반파(營盤坡) 제9호 오대(五代)의 감실에 역시 지장보살상이 있다.

영반파(營盤坡) 제74호 감실에 하나의 지장보살상이 있고, 보살은 우서상의 자세를 하고 있다. 주위에는 승려와 공양인 등이 다수 있다.

북산(北山) 불이암(佛耳巖) 제20호, 서성암(舒成巖) 제5호, 칠공교(七拱橋) 제6호 송대(宋代)의 감실에도 역시 지장보살상이 있다.

섬서 인유채가하(麟游蔡家河)에 있는 북송의 마애상 중 한 개의 감실에 지장보살상이 있다.

사천 협강(夾江) 천불애(千佛崖)에 있는 제91호에 당대(唐代)에 조성한 지장변(地藏變)이 있다. 주불의 왼쪽에 지장보살의 좌상이 있다. 오른쪽에는 지장화신의 좌상이 있다.

8대보살 중의 지장보살

대족 보정 도탑파(倒塔坡)의 전법륜탑(轉法輪塔) 일층에 나무지장왕보살(南無地藏王菩薩)이 있다.

안현(安縣) 유림굴(榆林窟) 제25굴 벽면에 8대보살도가 있다. 지장보살은 좌측 윗부분에 있다.〈그림 144〉

산서 영구현(靈丘縣) 각산사(覺山寺)의 탑에 원대(元代) 8대보살도가 있고, 여기에도 지장보살이 그려져 있다. 〈그림 145〉

안악(安岳) 암당사(庵堂寺) 제7호 감실에 있다. 조상기에 명확하게 "아미타불 …… 지장보살 …… 불일존(佛一尊), 미륵불일존(彌勒佛一尊)을 조성함" 이

그림 144
안서 유림굴 제25굴 8대보살 중의 지장보살

그림 145
산서 영구 각산사 탑 팔대보살 중의 지장보살

라고 기록되어 있다. 감실의 명문에는 지장보살이 언급되어 있지 않지만, 소감(小龕)에 연화를 든 지장보살상이 있다.

8) 도상원류(圖像源流)의 개설

지장보살의 도상은 지장보살 신앙의 근원과 변화과정을 잘 반영하고 있다. 뿐만 아니라 이러한 변화과정을 통하여 지장경전은 더욱 구체성과 역사성을 띠게 되고, 지장신앙의 전파와 포교에 영향을 미치게 되었다. 성전(聖典)으로서의 경전은 일반적으로 안정성을 기반으로 하고 있다. 비록 중국에서 찬술된 경전이 역경에 비하여 상대적으로 대단히 많은 변화를 겪지만, 지장신앙에 있어서 중국에서 찬술된 것은 다른 보살이나 기타 신앙에 비해 더욱 많은 변화를 겪은 것처럼 보인다. 다만 이러한 일련의 경전은 여전히 상당히 안정적이며, 주요 경전은 스스로 형성되어 대대로 이어져 오고 있어서, 그 편제와 문장 역시 쉽게 바뀌지 않고 있다. 다만 지장보살의 도상은 그렇지 않다. 그 변화와 유전 과정 속에 대단히 풍부한 면모를 가지고 있다. 앞에서 분야별로 나누어, 이미 지장보살이 나타나는 각종 구체적인 형태를 통해서 살펴보았다. 다만 그 전반적인 변화를 시대를 중심으로 단계별로 간결하게 종합하여 정리할 필요가 있는데, 이를 통해서 그 변화를 파악하는 것이 가능하다.

지장보살 도상은 초당(初唐) 시기에 출현하였다. 지장보살 도상에 대한 개관을 통해서 그 형식이 기본적으로 불상형, 보살형, 사문형의 세 종류라는 것을 알 수 있었다. 지장보살의 총체적인 발전 모습을 시대적으로 관찰해 보면, 사실상 기본적으로 이 세 가지 종류를 벗어나지 않는다. 그런데 이러한 세 종류의 형식 가운데서는 사문형의 지장보살이 지장보살의 주류적인 모습이다. 이 점은 많은 대보살신앙 가운데 아주 특수한 성격이라고 할 수 있다. 사문형의 지장보살은 다시 크게 두 가지로 분류할 수 있다. 하나는 바로 피모형과 삭발형이다. 피모형 지장상은 머리 위에 사질건대(絲質巾帶)를 하고, 풍모를 쓰고 있으나, 삭발형 지장상은 정수리를 드러내고 있다. 다른 하나는 안휘(安徽) 구화산(九華山) 지장도량의 김지장보살로, 지장보살이 화현한 김교각(金喬覺), 즉 김지장보살이다. 김지장보살은 의심할 바 없이 역시 사문형이며, 단지 그 모습의 특징에는 오히려 아득한 고대상의 형식이 보존되어 있는 것 같다. 구화산에 지장보살 도량이 생겨나기 시작하여 수많은 사묘에서 김지장보살을 받들어 모셨다. 이 가운데 비교적 전형적인 형태가 신수(神獸) 제청(諦聽)을 타고 머리에 오불관(五佛冠)을 쓰고 가사를 입고 있는 모습이다. 이것도 역시 일종의 사문형 지장보살의 표현이다. 결론적으로, 김지장보살의 특징은 지장보살 본신의 화현체로서의 사문 형상이 아니라 현세에 구체적인 이름과 신분을 가지고 있던 승려 김교각의 형상이라는 점이다. 지장보살의 세 종류의 형식 가운데 역시 주로 나타난 것은 사문형이며, 그중에서도 피모지장보살이다. 불상형이나 보살형은 사실상 그렇게 많이 보이지 않고, 또한 비교적 그 기간도 짧았다. 불상형의 지장보살은 사실 사문형의 지장보살과 유사하다. 부처의 장속(裝束)을 하고 있고, 본래 승려의 모습과 크게 다르지 않으며, 가사를 입고 있기 때문이다. 간다라 초기 불상의 특징은 원래 소박한 승려의 모습에 가깝고, 보살의 특징이 화려한 귀족의 모습에 가까웠다. 부처의 주된 특징으로 32상(相) 등이 있다. 불상형의 지장도 역시 정수리에 육계를 가지고 있는 모습이 불상과 다르지 않다. 그 원인을 한마디로 설명하는 것은 매우 어려운 일이지만, 빈현 대불사석굴의 한 곳에서 작은 단서를 찾을 수 있다.

지장보살 도상의 기원과 발전에 있어서 한층 더 중요한 것은 바로 지장보살상이 나타나는 도상의 구성이다. 앞서 살펴본 것에서 알 수 있는 것은 단존상, 쌍존상 그리고 무리를 이루어 구성된 지장보살상을 제외하고도 지장보살과 기타 다른 존격과의 구성이 상당히 풍부하게 나타나고 있다는 것이다. 다만 가장 많이 나타나는 것이 지장보살과 관음보살의 구성, 지장보살과 시왕의 구성 등이다. 지장보살과 관음보살의 구성은 대승불교의 양대 보살이 나란히 함께 있는 것이다. 관음보살과 지장보살은 가장 자비로운 존재이며, 또한 가장 숭앙받고 있는 대보살이다. 이런 연유로 관음보살과 지장보살 신앙이 크게 성행했을 뿐만 아니라 관음보살과 지장보살의 합감조상(合龕造像) 역시 크게 유행하였던 것이다. 지장보살과 시왕의 구성은 더욱 복잡하여, 그 가운데 다시 육도윤회와 지옥변상을 종합하고 있다.

밀교의 지장보살상은 만다라 구성에 나타나고 있다. 다만 그 도상이 현재 남아 전하는 것이 아주 적다. 겨우 대족 도탑파(倒塔坡)에 있는 송대에 만들어진 탑의 부조천감(浮雕淺龕), 팔대보살만다라(八大菩薩曼茶羅)에 지장왕보살이 있다. 안서 유림굴 제25호 굴 등에서도 찾아볼 수 있다. 운남(雲南)의 검천(劍川)석굴에 팔대명왕의 감실상이 있다. 또한 태장계만다라도(胎藏界曼茶羅圖)에 지장원(地藏院)이 있는데, 이 불화는 현재 일본 교왕호국사(教王護國寺)에 소장되어 있다. 선무외(善無畏)가 번역한 밀교 경전 『지장보살의궤(地藏菩薩儀軌)』에 지장보살에 대한 묘사가 있다. 그러나 이에도 불구하고 지장보살 도상을 밀교 도상의 모든 범위와 함께 다루는 것은 불가능하다.[151]

지장 도상의 발전 단계는 분명하게 드러나 있지는 않다. 그러므로 그 유전과 변화의 최대 특징을 초당 시기 그리고 만당 · 오대 · 송대의 시기와 이후의 명 · 청 시기로 크게 3기로 나누어, 간략하게 살펴보겠다.

151 丁明夷, 「四川石窟雜識」, 『文物』(第8期), 1988.

당대(唐代)의 지장보살상에 있어서 가장 중요한 것은 초당 시기에 불상형, 보살형, 사문형의 세 가지 유형이 나타났다는 것이다. 그 가운데 가장 빠르게 나타난 지장보살상의 유적으로는 바로 용문석굴을 꼽을 수 있다. 용문석굴의 지장보살상 가운데 가장 이른 것은 인덕(麟德) 원년(664)의 장군실(張君實) 조상이다. 용문석굴의 지장보살상은 보살형과 사문형의 두 종류가 있으며, '이○정(李○靜)' 조상과 '왕원궤(王元軌)' 조상은 각각 보살상과 사문형의 특징을 분명하게 잘 보여주고 있다. 이 중 가장 전형적인 것은 보살형 지장보살이다. 빈현 대불사석굴의 지장보살상은 가장 이른 기년명이 있는 것이 무주(武周) 장수(長壽) 2년(693)의 신지(神智) 조상기(造像記)이며, 성력(聖歷) 원년(698)에는 원사예(元思睿)와 고숙하(高叔夏) 조상 등과 같은 많은 중요한 상들이 만들어졌다. 한단(邯鄲) 남향당(南響堂)석굴에서 가장 이른 것은 무주(武周) 성력(聖歷) 원년(695)의 기년명이며, 형상과 명문이 사문형 지장보살상임을 말해 주고 있다.

전형성과 석굴의 관계에 따라 정리해 보면, 용문석굴은 보살형 지장보살이 대표적이며, 빈현 대불사석굴은 불상형 지장보살이 대표적이고, 향당산(響堂山)석굴은 사문형 지장보살이 대표적이라 정리할 수 있다. 여러 곳에 산재하고 있는 상들 가운데 북경 고궁박물원에 소장되어 있는 사문형 금동상도 역시 중요한 상이다. 초당의 고종(高宗) 측천무후 시기에는 장안과 낙양을 동·서경의 양경(兩京)으로 불렀다. 낙양 지역의 용문석굴은 동경의 양식적 특징을, 서안 부근의 석굴은 서경 양식의 특징을 반영하고 있다. 그리고 두 지역의 지장보살은 여전히 서로 다른 특색을 가지고 있다. 빈현 대불사석굴의 독특한 불상형 지장보살상은 이후로 계속 조성되지는 않았다. 보살형 지장보살은 많이 보이지는 않지만, 대족 보정 20호 대감지장시왕지옥변(大龕地藏十王地獄變) 중에 보살 모습의 거대한 상이 있다. 또한 독특한 것은 돈황 장경동의 견본 불화에 사문형 지장보살이 많이 나타나고 있다는 것이다.

관음보살과 지장보살상의 합감은 대단히 빠른 시기에 나타났으며, 송대까지 지속되었다. 용문석굴의 노룡동(老龍洞) 등 수많은 감실, 청명사(淸明寺), 만불동(萬佛洞)과 경선사(敬善寺) 지역 등에 모두 합감이 있다. 기년명이 가장 빠른 것은 8세기 초의 정토당(淨土堂), 한단(邯鄲)의 여러 감실에 이미 나타나 있고,

이미 그 비율이 지장 독존상과 비슷할 정도로 많다. 사천 지역에는 관음지장 감실이 대단히 많다. 지역적으로는 광원(廣元), 통강(通江), 파중(巴中)에서 대족까지 그리고 시기적으로는 만당에서 송대에 이르고 있다. 그중에서도 대족석굴에 가장 많으며, 9세기 초기와 말기의 북산 감실상에서부터, 오대와 북송, 남송 시기의 것이 모두 있다. 비교적 독특한 것으로는 먼저 용문석굴에 있는 우계(牛溪)의 십일면관음보살을 들 수 있다. 또한 대족 옥탄(玉灘)에는 지장보살을 주존으로 하고, 여의륜 등의 많은 존격과 관음보살이 있는 남송 시기의 것도 있다. 그리고 돈황 S3961호 권수화와 등정관(藤井館)에 소장되어 있는, 지장보살과 육비관음보살(당연히 여의륜보살일 것임)이 나란히 있는 견본 불화를 꼽을 수 있다. 모두 밀교의 조상이다.

피모 지장보살상이 가장 이른 시기에 나타난 것은 역시 만당 시대이다. 돈황본에 그 연대가 기록되어 있는 상으로는 북송 시기의 것 세 구가 있다.

두 번째 시기인 만당과 오대, 송대의 것들을 대략 살펴보면, 지장보살상은 여전히 사문형 지장보살이 주류를 이루고 있는데, 다만 피모 형태를 이루고 있다. 지장보살의 도상 구성 가운데 육도윤회와 시왕의 구성이 형성되기 시작하였다. 『염라수기경(閻羅授記經)』과 『불설시왕경』에 의거하여 시왕과 구성된 것이 유전되었다. 지장보살과 시왕에 대한 신앙과 중국인 고유의 장례 습속이 결합되어 새로운 풍조를 형성하였으며, 그 영향은 너무도 크고 깊다.

지장보살과 시왕의 구성은 대단히 복잡한 양상을 띤다. 시왕의 형성은 한 방면의 연구로 그 근원을 찾기가 힘들다. 중국 고유의 관념은 태산(泰山)이 망자가 가는 곳이라고 믿고 있었으며, 염라왕은 인도의 불경에서 유래된 것이다. 필자가 조사한 바에 의하면, 북위의 조상비(造像碑) 중에 이미 염라왕과 오도대신(五道大神)의 구성이 나타나고 있으며, 이러한 종류의 융화에 점차적으로 중국 고유의 태산 관념이 추가되어, 초당 시기에 이르러서는 염라, 오도, 태산의 결합이 형성되었다. 즉, 시왕 가운데 최초로 형성된 것은 이 삼왕(三王)의 결합이며, 제명(題銘)과 도상 방면에 모두 일련의 자료가 남아 있다. 오도대신은 육도윤회를 관장하고, 염라 등은 지옥의 심판을 관장한다. 시왕 신앙의 가장 기본적인 요소를 이미 구비하고 있는 것이다. 이밖에 다른 계열로 육도윤회 도상을 들 수 있다. 북조(北朝)에서부터 나타나기 시작해 당(唐)의 노사나법계상(盧舍那法界像)의 소조와 회화에 이르기까지 많은 작품이 남아 있다. 이들 대다수는 부처의 몸에 법계(法界) 혹은 육도(六道)의 도상을 표현하고 있는데, 다만 개별 작품 가운데는 염라와 오도(五道)의 관계를 표현하고 있는 것도 있다. 당대(唐代) 이전의 적지 않은 경전은 의위경(疑僞經)을 포괄하고 있는데, 이 중에는 지옥에 관한 내용들이 대단히 많다. 당시 지옥의 왕들에 관한 일련의 이야기가 유행하기도 하였으나, 지옥 시왕과는 숫자와 이름에 있어서 합치되지 않는 점이 많다.

초당 시기에 나타난 사문형 지장보살상도 역시 일부가 육도윤회와 상관관계에 있다. 예를 들면, 용문석굴 빈양동(賓陽洞)의 위쪽, 섬서 서안에서 출토된 선업니(善業泥), 요현 약왕산마애와 최모(崔某)의 조상비에 있는 것들이 이에 속한다. 돈황 장경동의 『염라왕수기경』에 의해 명부시왕이 하나의 완전한 체재를 갖추게 되었고, 명부시왕에 대한 공양이 강조되어 망자와 고인의 친·인척과 자신의 복덕과 명예를 빌고, 살아서 미리 공덕을 쌓게 되었다. 망자는 선악에 관계없이 시왕전당의 심판을 순서대로 받는 것이 요구되었고, 시기별 순서는 중음(中陰) 칠칠일에 100일, 1년, 3년이 추가되었다. 이 경전에 다시 '성도부대성자사사문장천술(成都府大聖慈寺沙門藏川述)' 이라는 찬사(贊詞)와 시왕의 도상이 더해져서 더욱 유행하게 되었으며, 또한 간략하게 『불설시왕경』이라고 칭하기도 한다. 이 경전 중에 지장보살은 용수, 구고관음보살, 상비, 다라니, 금강장과 나란히 열거되어 있다. 현존하는 육경(六經)의 책자 가운데 적절한 두 종류의 정형(定型)이 있다. 하나는 권수화(卷首畵)에 지장보살이 시왕을 통솔하고 있는 것으로, 화면에는 육보살이 보이지 않는다. 다른 하나는 권수화에 부처가 염라에게 수기하는 것으로, 화면에 지장보살 등의 육보살이 있다. 더욱 흥미로운 것은 중국에서 찬술된 아주 작은 책자인 『지장보살경(地藏菩薩經)』이다. 이 경은 지장보살이 남천(南天)에서 염부제(閻浮提)로 와서 염라왕의 옆에서 함께 망자에 대한 심판을 한다고 설하고 있다. 또한 지장보살과 염라왕이 나란히 앉아 있다고 설명하고 있는데, 이는 앞서 살펴본 『불설시왕경』의 도상을 적절하게 반영하고 있는 것으로 보인다. 프랑스에 소장된 P.2003호에서는 염라왕 부분에 지장보살이 옆에 보이지 않지만, 나머지 다섯 본에는 염라왕의 옆에 지장보살이 나란히 앉아 있다[즉, 두 조(組)의 도상에 모두 있다]. 동문원(董文員)이 발원하여 조성한 경전의 권수(卷首)에서도 『지장보살경』에 대해 쓰고 있다. 장경동(藏經洞)에 발견된 지장보살도를 살펴보면, 지장육도도(地藏六道圖), 지장시왕도 그리고 지장육도시왕도(地藏六道十王圖)가 있다는 것을 알 수 있었다. 이들 도상은 마치 발전적 관계인 것처럼 보인다. 또한 이것은 석굴 조각 등과도 결합되어 있는데, 지장보살과 육도도(六道圖)가 용문 빈양동(賓陽洞) 위쪽에 나타나 있는 것을 알 수 있다[항주(杭州) 서호(西湖) 자연사(資延寺)에도 역시 있음]. 이것은 초당 시기의 사문형 지장보살의 특징적인 형태이다. 즉, 지장보살이 육도를 관장하고 있다는 관념이 이미 도상에 나타나고 표현되고 있다는 것을 알 수 있다. 다만 더욱 빠른 것은 오도대신(五道大神)이 윤회를 관장하고 있다는 관념이며, 이것이 반영된 도상은 심지어 북위 시기에 이미 나타나고 있다. 오도대신은 점차로 오도전륜왕으로 변해서, 시왕의 서열 가운데, 마지막으로 사람을 윤회에 들게 하는 중요한 사명을 관장하게 되었다. 실제로 오도전륜왕과 지장보살의 직책은 중복되고 있었으며, 이들의 서열은 점차적으로 합쳐지게 된다. 이것의 결과가 바로 오도대신이 윤회를 관장하는 것이다. 지장보살도 여전히 관장을 하고 있는데, 오히려 더욱 높은 위치에서 윤회를 관장하는 것이다. 그러므로 지장보살이 십명왕을 주재하는 것이다. 시왕과 지장보살이 상호 융합되는 과정 가운데, 『지장보살경』과 『불설시왕경』의 염라왕과 지장보살이 나란히 앉는 것은 시왕과 지장신앙의 합일과 발전적 수용을 강하게 설명하고 있다. 시왕의 소임에 있어서, 심판과 윤회 부분은 모든 왕의 소임이다. 그러나 시왕들보다 더 높은 위치에서 지장보살이 명계를 통솔하는 것은 대단히 자연스러운 일이다. 독존의 지장 도상에서는 지장보살이 시왕을 권속으로 거느리는 것이 있고, 또한 지장보살이 육도를 관장하며, 시왕을 거느리는 것도 있다. 이러한 도상은 구성상에 있어서 지장보살의 옆에 여섯 줄기의 구름 형태의 빛으로 표현하고, 지장보살의 아래 혹은 양쪽 옆에 시왕을 배치하는 것이다. 『시왕경』 도상에 있어서 지장보살은 단지 염라의 심판을 감독하며, 오도전륜왕이 윤회를 관장한다. 즉, 지장보살은 구체적인 직무를 하지 않고, 단지 더욱 높은 위치에서 명부의 심판과 윤회를 관장하는 것이다. 지장보살과 시왕 신앙의 결합 이후에도 도상은 여전히 다양하여 석굴조각과 조상, 화방(畵坊)의 화집, 사묘전당(寺廟殿堂) 등에 나타나고 있고, 그 신앙은 중국인의 장례습속에 영향을 주었다. 사천석굴의 시왕은 더욱 확대된 양상으로 전개되었다. 성도(成都)에서부터, 자중(資中), 내강(內江), 안악(安岳), 대족(大足), 돈황 장경동의 경권, 절강 명주(즉, 寧波), 육신충 등의 육씨 화방의 작품 그리고 동쪽으로 전해진 일본의 시왕도 두루마리 등이 모두, 조각과 회화 형태로 지장시왕 신앙을 충분히 전형적으로 표현하고 있는 것들이다.

결론적으로 만당에서부터 남송에 이르기까지, 지장보살의 형상은 피모 지장보살이 주가 되었고, 시왕 그리고 지옥과 함께 결합되어 도상 형태가 형성, 발전, 변화하면서, 그 내용이 더욱 다양해지고 풍부해졌을 뿐만 아니라, 신앙이라는 측면에 있어서도 민중의 의식에 깊이 영향을 미치게 되었다. 만당 · 오대 시기에 형성되어, 북송 시기에 안정이 되고, 남송 시기에 더욱 발전하였다. 사천의 시왕감상(十王龕像)은 『감일의궤(龕日儀軌)』와 중국에서 찬술한 경전의 『지옥도경(地獄圖景)』에 의해 증가하였고, 명주화방(明州畵坊)은 시왕도 형식을 발전시켜서 한 왕마다 한 폭씩에 담는 두루마리 괘화 형식을 개척하였다. 사묘전당(寺廟殿堂) 가운데 지장보살과 시왕의 전당은 민중의 생활과 직접적으로 소통하였으나 사찰의 연혁이 대부분 보수되어 새로 세워진 바가 많아, 후대에서는 그 진면목을 짐작할 뿐이다. 또한 구화산의 김지장 신앙도 역시 한 단계 발전되었다. 그 주요한 특징으로는 도명과 민장자의 도상적 구성 그리고 후세에 끼친 영향 등을 들 수 있다.

원대(元代)에는 장전불교(藏傳佛教)가 우월적 위치에 있었기 때문에, 지장신앙은 큰 발전이 없었으며, 단지 수륙화 정도가 눈에 띈다. 명대(明代)에 이르러 연혁이 오래된 신앙과 불교전통은 다시 고양되었는데, 석굴 가운데 산동(山東) 동평(東平) 화엄동(華嚴洞)석굴, 사천(四川) 안악(安岳)의 삼선동(三仙洞)석굴 등이 주목된다. 화엄동석굴은 사묘전당을 모방하여 만들었기 때문에 그 형태가 명대의 사찰을 반영하고 있다고 할 수 있다. 그리고 삼선동석굴은 한 왕마다 하나의 굴을 배치하는 양식으로 조성되어, 마치 남송의 화집에 보이는 시왕도 두루마리 형태를 연상하게 한다. 시왕 전당을 나누어 짓는 것은 남송 이후에 유행한 기본적 양식이라는 것을 알 수 있다. 일본의 고찰에 남아 있는 청대의 민간

회화는 모두 앞서 살펴본 형태를 기본으로 하고 있는데, 확실히 이 점을 실증하고 있다. 명대 수륙화는 이미 대단한 예술적 경지에 이르러, 현존하는 일련의 사찰벽화와 두루마리 괘화, 판화 등이 모두 그 높은 조예를 확인해 주고 있다. 청대의 지장시왕 작품은 사묘와 민간작품에 널리 유전되었고, 지속적으로 만들어졌으나, 새로운 면모가 나타나지는 않았다.

마지막으로 주목해야 할 것은 일본의 지장보살 역시 대단히 풍부한 형태를 가지고 있다는 것이다. 본 저술은 해동(海東)의 지장에 대해서는 깊은 연구와 토론 없이 간략하게 정리하고자 한다. 다만 일본의 지장신앙 역시 중국으로부터 전해진 이후에 많은 변화와 발전을 이루었다는 점은 분명히 이해하여야 한다. 시왕에 관한 것이 일본에 전해지면서 일본도 새로운 경지를 열게 되었다. 일본에서도 육도(六道)의 회화 등의 발전이 있었을 뿐만 아니라 지장보살의 본신이 육지장(六地藏)보살, 연명지장(延命地藏)보살, 육자지장(育子地藏)보살, 나지장(裸地藏)보살 등으로 발전되어 나타나게 되었다. 많은 고찰(古刹)에 보존되어 있는 대단히 걸출한 고대의 목조(木雕)와 동주(銅鑄) 등의 작품 그리고 견본 회화, 일련의 인쇄본, 심지어는 길에 있는 돌덩이 등에도 지장보살이 나타나고 있다. 총체적으로 말하면, 일본의 지장신앙은 정토신앙(淨土信仰)의 중요한 구성부분이며, 민중의 의식 속에 깊이 침잠되고 집적된 민중 정신의 표출로서, 가장 깊고 두터운 민중적 기반을 가지고 있다. 이러한 바탕 위에 이루어진 일본의 지장보살 조상과 회화를 중국 작품과 함께 바라볼 때, 비로소 지장도상의 기원과 발전을 완전하게 이해할 수 있을 것이다. 연명지장보살 등과 같은 것은 중국에서는 아주 희소하거나 혹은 확인하기가 쉽지 않다. 일본의 연명지장보살은 거의 모두 반가부좌의 자세를 하고 있고, 중국의 지장보살은 가장 초기의 작품이 이러한 특징을 가지고 있으며, 입상이나 혹은 좌상은 비교적 적다. 육자지장보살은 송자관음(送子觀音)보살과 대단히 유사하다. 나지장보살은 대단히 특색이 있다. 석가불전(釋迦佛傳)에 탄생상이 있는데, 동자 형상이며, 또한 성덕태자(聖德太子)의 모습인 것 같은 태자상도 있다. 다만 나지장보살은 아이를 보호하는 밀교의 신앙과 밀접한 관계가 있다.

제 2장 김지장(金地藏)과 구화도량(九華道場)

1. 유래

중국 4대 도량 가운데 하나인 구화산(九華山) 지장보살 도량은 김지장(金地藏)으로부터 비롯되었다. 구화지장 도량이 다른 3대 도량과 다른 것은 직접 대보살을 받드는 것이 아니라 응화(應化)의 사적, 즉 구화산이 지장보살 도량이 되는 계기를 만든 신라인 김지장의 응화를 받드는 것이다.〈그림 146A·B〉 그러므로 구화산 지장 도량의 형성을 이해하고자 한다면 김지장의 유래를 이해하는 것이 필수적이다. 김지장에 대해서는 예로부터 두 종류의 서로 다른 관점에서 이해와 접근이 이루어져 왔다. 일반적인 관점은 다분히 종교 색채가 담긴 것으로 지장보살이 현성(現成)했다고 보는 것이고, 학술연구 등의 관점에서는 실재했던 한 역사적 인물에 대해 평범하지 않은 행적과 후대에 끼친 영향에 초점을 맞추는 것이다. 김지장 관련 자료는 여러 판본이 있다. 중요한 것으로 『구화산화성사기(九華山化城寺記)』, 『송고승전(宋高僧傳)』의 기록, 『신승전(神僧傳)』과 여러 종류의 『구화산지(九華山志)』 등이다. 기록상, 가장 빠르며 신뢰할 수 있는 것으로 알려진 것은 당대(唐代)의 비관경(費冠卿)이 원화(元和) 8년(813)에 찬

그림 146A
육신보전의 김지장보살

그림 146B
육신보전의 김지장보살 옆모습

술한 「구화산화성사기」이다.[152] 그 기록은 다음과 같다.

> 구화산은 옛날에는 구자산(九子山)으로 불렸으며, 양자강의 동쪽에서 일어나 첨산(灊山)과 여산(廬山)의 서쪽 기슭을 우러러보며, 뛰어난 모습이 천외의 장관을 이루었다. 옆으로는 천여 리를 굽어보고, 높은 봉우리와 산줄기를 신하처럼 거느리며 이어지는 언덕은 농서(隴西) 지방을 향하고 있다. 예로부터 원기(元氣)가 응결하여 수만 년을 거쳐 오늘에 이른다.
>
> 육조(六祖)가 도읍을 세우고 여기를 관보(關輔)로 삼았다. 사람이 산을 본다면 아득하고, 산이 사람을 본다면 물결과 같다. 성군(聖君)과 현신(賢臣)이 그 빼어남을 찬탄하였고, 수많은 사람들이 이 산을 우러렀다.
>
> 개원(開元) 말기, 속성이 장(張)인 승려 단호(檀號)가 있었는데, 군관(郡館)에서 왔다. 마을의 노인인 호안(胡彦)이 청하여 여기에 머무르며 널리 사람들을 제도하였다. 그때 호족의 질투를 받아 장리(長吏 ; 수령)가 잘 알지 못하고 거주하는 곳을 불살라 폐하였다.
>
> 그때 승려 지장(地藏)이 있었는데, 바로 신라 왕자로서 김씨 왕가의 근속이었다. 목이 솟아 골상이 기이하고 키가 7척에 달하며 힘이 장사였다. 일찍이 말하기를, "육적(六籍) 세상의, 세 가지 깨끗한 가르침[유 · 불 · 도] 가운데 오직 제일의(第一義)만이 마음에 계합된다."라고 하였다. 출가하여 바다를 건너 배를 버리고 걷다가 구름에 싸인 이 산을 보며 천리 길을 나아갔다. 숲을 헤치고 산봉우리를 넘고 계곡을 건너니, 골짜기 가운데 넓고 평편하며 양지바른 땅이 있었다. 흙이 기름지고 물은 부드럽고 맛이 달기에, 바위에 머물면서 물을 길어 먹으며 고결함을 보였다. 독충을 만

152 『전당문(全唐文)』 권 629.

났으나 무념으로 단정히 앉아 있으니, 아름다운 부인이 예를 올리며 약을 바치고 말하기를, "제가 무지하여 독충들이 나왔으니, 샘을 만들어 제 허물을 갚겠습니다."라고 하며 앉아 있는 바위를 응시하니, 바위 틈에서 물이 잔잔하게 흘러나왔다. 사람들이 그 부인을 구자신(九子神)이라고 하였다. 오직 사부경(四部經)을 베끼기를 원하여 산을 내려와 남릉(南陵)에 이르니, 유탕(兪蕩) 등이 베껴 바치었다. 이로부터 산에 돌아와 세속과 단절하였다.

지덕(至德) 초년에 이르러 제갈절(諸葛節) 등이 기슭에서 봉우리에 올랐는데, 산이 깊어 사람이 없어 보였다. 구름이 끼었지만 선명하게 보이기를, 오직 한 승려만이 머물며, 석실에서 눈을 감고 수행하고 있었다. 그 옆에 다리가 부러진 솥에는 흰 흙과 소량의 쌀뿐이니, 그것을 익혀 먹고 있었다. 여러 노인들이 땅에 엎드려 울면서 말하기를, "화상의 고행이 이와 같으니, 우리들의 허물이 이와 같습니다. 저희들이 돈을 내어 단공(檀公)의 옛 터를 매입하고, 죽음을 무릅쓰고 청하오니, 대사께서는 받아 주십시오."라고 하였다. 가까운 산의 사람들이 이를 듣고 사방에서 모여들어 나무를 베고 집을 지어 선거(禪居)를 이루었다. 상수승(上首僧) 승유(勝瑜) 등이 함께 전각을 건축하였는데, 녹나무와 예장나무가 그 땅에서 자라니 이를 잘라 사용하였으며, 무부(珷玞)·기경(琪瓊)의 옥돌은 다른 산에서 구할 수 없는 것이나 이를 마음대로 갈아서 사용하였다. 또한 계곡물을 끌어들여 논을 이루었고, 물을 모아 방생지(放生池)를 만들었다. 이에 전각에는 석가문상(釋迦文像)을 설치하여 좌우를 장엄하였고, 다음에 주대(朱臺)를 세워 그 가운데 포뢰(蒲牢 ; 종)를 걸었으며, 누문(樓門)을 세워 그 절의 관(冠)으로 삼았다. 붉은색과 흰색이 섞여 다채로웠고, 여러 층을 이루었다. 앞에는 산봉우리들이 늘어서 있고, 뒤의 봉우리에는 소나무들이 숲을 이루었다. 해와 달의 밝고 어둠이 그 경색을 더하였고, 구름과 안개가 모이고 흩어짐이 그 모습을 변화시켰다. 소나무 소리, 원숭이 울음소리가 끊어지다 이어지니 인간 세상이 아닌 듯하였다.

건중(建中) 초년에 장암전(張巖典) 공이 이웃에 있었는데, 대사의 높은 풍모를 우러러 보시를 두텁게 하여 옛 현판을 옮겨 절에 안치하였다. 그때, 본주의 목사와 현자들이 절에 이르러 대사를 공경함을 엄하게 다스렸다. 그러자 서강(西江)의 상인과 나그네들이 구름 밖에서 산을 보고, 비단 약간 필과 돈 약간 꾸러미를 보시하고, 분향하여 예를 올리며 멀리서 대사의 넓은 덕에 기도하였다. 그러한 정도이니, 친히 받들었던 사람들은 깨달음의 느낌이 더욱 깊었던 것이다. 옆 고을의 호족들이 한번 뵙고서 예를 갖추며 비단과 땅을 헌상하니, 어찌 여러 목사들이 예를 갖추지 않겠는가? 부유한 상인과 귀족들이 재산을 가볍게 보았겠는가? 그 도덕에 감탄한 것이다. 본국(신라)에서 이를 듣고 서로 바다를 건너왔는데, 그들이 무리를 이루니, 대사가 식량이 없음을 걱정하여 돌을 들어 흙을 파니, 그 색은 청백(青白)으로 모래가 섞이지 않아 밀가루와 같았다. 여름에는 흙을 섞어 먹고, 겨울에는 옷으로 불을 아끼고, 나이에 관계없이 모두 밭을 일구고 땔나무를 캐서 자급하였다. 대중들은 법을 청하여 식량으로 삼았으며, 먹는 것으로 목숨을 이어가지 않았으니, 남방에서는 이들을 '고고중(枯槁衆)' 이라고 칭하며 높이 우러르지 않는 자가 없었다. 따르는 대중들은 남대(南臺)에 머물면서 스스로 삼베옷을 지어 입었지만, 그 무게가 모두 같았으며, 당(堂)에는 평상만이 있었을 뿐이다. 방생지 곁에 대(臺)를 세워 사부경을 모시고 종일 분향하며 오로지 깊은 뜻만을 맛볼 뿐이었다.

대사의 나이 99세, 정원(貞元) 10년 여름, 홀연히 문도들에게 고별하니 가는 바를 알지 못하였다. 그러나 산이 울고 돌 떨어지는 소리가 들리니, 무정(無情)도 감동했구나. 시적(示寂)에 있어 비구니 시자가 와서 미처 말하지 않았는데, 절에서 종을 울렸음에도 소리가 땅에 떨어지지 않았고, 비구니 시자가 방에 들어가자 서까래 3개가 부러졌으니 우리 대사의 신이로다. 함에 결가부좌의 자세로 모시기를 3년이 지나서, 함을 열고 탑에 모시고자 하니, 얼굴이 살아 계실 때와 같았으며, 옮길 때 골절이 움직여 쇠사슬 움직이는 소리가 났다.

경전에 이르기를, "보살의 몸은 쇠사슬과 같아서 모든 뼈에서 울림이 난다."라고 하였다. 그 탑의 땅은 불타는 것과 같이 빛을 발하여 원광을 이루었다. 불묘(佛廟)는 뭇 재목들을 얽어 만들어 대중들이 힘써 보호하였다. 한번 재물을 보시하면, 그 과보가 나타났으니, 아래로는 윤왕(輪王)이요, 위로는 성지(聖地)에 올랐다. 옛날에 호법하는 좋은 관리가 있어 보시에 힘쓴 승려와 신도 등의 이름을 돌에 새겼다. 후대에 심하게 훼손되어서 끊어진 행적을 세워 중생을 구제할 수 없었으나, 또한 재물로 뛰어난 인연을 지은 공덕을 없앨 수 없는 것이다. 먹이를 쪼아 약한 사람들을 돌보았으나, 살아서는 사람들에게 배반당하고, 죽어서는 귀신이 책임을 물으니, 슬프다!

때는 원화(元和) 계사(癸巳)년, 내가 산 아래 한가로이 거하면서 어렸을 때 보고 들은 것을 삼가 기록한다. 맹추(孟秋) 15일에 씀.[153]

153 九華山, 古號九子山, 崛起大江之東. 揖灊廬於西岸, 儼削成於天外. 旁臨千餘里, 高峰峻嶺臣焉, 連崗走隴子焉. 自元氣凝結, 幾萬斯年.

六朝建都. 此爲關輔. 人視山而天長, 山閱人以波逝. 其間聖后賢臣, 詠歌迭興, 言不及者, 玆山屈焉.

開元末, 有僧檀號, 張姓, 自郡館至, 爲鄕老胡彦請住, 廣度男女. 觸時豪所嫉, 長吏不明, 焚其居而廢之.

時有僧地藏, 則新羅王子金氏近屬, 項聳奇骨, 軀長七尺, 而力倍百夫. 嘗曰：六籍寰中, 三淸術內, 唯第一義, 與方寸合. 落髮, 涉海, 捨舟而徒, 睹玆山於雲端, 自千里而勁進. 披榛援藟, 跨峰越壑, 得谷中之地, 面陽而寬平, 其土黑壤, 其泉滑甘, 巖棲澗汲, 以示高潔. 曾遇毒螫, 端坐無念, 有美婦人作禮奉藥云：小兒無知, 願出泉補過. 應視坐石, 石間潺潺, 時人謂九子神焉. 素願寫四部經, 遂下山, 至南陵, 有俞蕩等寫獻焉. 自此歸山, 跡絶人里.

逮至德初, 有諸葛節等, 自麓登峰, 山深無人. 雲日雖鮮明, 居唯一僧, 閉目石室, 其旁折足鼎中, 唯白土少米烹而食之. 群老投地號泣, 和尙苦行若此, 某等深過已. 出泉布, 買檀公舊地, 敢冒死請, 大師從之. 近山之人, 聞者四集, 伐木築室, 煥乎禪居. 有上首僧勝瑜等, 同建臺殿. 楩柟豫章, 土地生焉, 斷而斲之. 珷玞琪瓊, 不求他山, 肆其磨礱. 開鑿瀆澗, 盡成稻田. 相水攸瀦, 爲放生池. 乃當殿設釋迦文像, 左右備飾, 次

『전당문(全唐文)』에는 또한 비관경의 생애에 대해 간단히 기록하고 있다. 이에 따르면 비관경은 청양(靑陽) 사람으로 일찍이 원화(元和) 연간에 진사(進士)가 되었으나 모친상으로 인하여 구화산에 은거했다는 것을 알 수 있다. 조정에서 장경(長慶) 3년(823)에 불러 관직을 주려 했으나 사양하고 받아들이지 않았다. 이로부터 비관경이 대단히 기개가 높고 절의가 있는 사람이라는 것을 알 수 있다. 비관경과 김지장은 동시대 사람으로 비관경이 김지장의 행적에 대하여 "어려서 듣고 본 바[幼所聞見]"를 "경건하게 기록한 것[謹而記之]"이다. 그에 따라 후인들이 "천추에 믿을 수 있는 사료[千秋信史]"라고 평가하고 있어 비관경의 기록은 믿을 수 있는 것임을 알 수 있다.

김지장에 대한 기록은 후에 찬녕(贊寧)에 의해 북송(北宋) 단공(端拱) 원년(988)에 저술된 『고승전』에도 있다. 『송고승전』은 가히 비관경의 기록에 의거하여 저술되었다고 말할 수 있다. 비록 비관경의 기록과 비교하여 짧고 시대는 늦지만 여전히 김지장의 초기에 관한 중요한 기록이다. 「당지주구화산화성사지장전(唐池州九華山化城寺地藏傳)」은 감통편(感通篇) 권20에 게재되어 있는데, 「구화산화성사기」와 다른 점이 없다.

찬녕이 찬술한 『송고승전』은 비관경의 기록에 비하여 170여 년 늦다. 여기에 보이는 문구는 전적으로 비관경의 기록에 의거했다고 말할 수 있는데, 현재 남겨진 원본과 비교한다면 그 문구에 아주 적은 차이가 있을 뿐이다. 예를 들자

立朱臺, 掛蒲牢於其中, 立樓門以冠其寺. 丹素交彩, 層層倚空. 巖巒隊起於前面, 松檜陣橫於後嶺. 日月晦明以增其色, 雲霞聚散而變其狀. 松聲猿嘯, 相與斷續, 都非人間也.

建中初, 張公巖典是邦, 仰師高風, 施捨甚厚, 因移舊額, 奏置寺焉. 本州牧賢者到寺, 嚴師之敬. 西江估客, 於雲外見山, 施帛若干疋, 錢若干緡, 焚香作禮, 遙以祈佑, 師廣德焉. 況親承善誘, 感悟深哉. 旁邑豪右, 一瞻一禮, 必獻桑土, 豈諸牧不合禮焉. 富商大族, 輕其產哉, 道德感也. 本國聞之, 相與渡海. 其徒實衆, 師憂無糧, 發石得土, 其色青白, 不碜如麵. 夏則食兼土, 冬則衣半火. 無少長, 畬田採薪自給. 其衆請法以資神, 不以食而養命, 南方號爲枯槁衆, 莫不宗仰. 中歲領一從者, 居於南臺, 自緝麻衣, 其重兼鈞, 堂中榻上, 唯此而已. 池邊建臺, 厝四部經, 終日焚香, 獨味深旨.

時年九十九, 貞元十年夏, 忽召徒告別, 罔知攸適. 但聞山鳴石隕, 感動無情. 將示滅, 有尼侍者來, 未及語, 寺中扣鐘, 無聲墮地. 尼來入室, 堂椽三壞, 吾師其神歟. 趺坐函中, 經三周星, 開將入塔, 顏狀亦如活時. 舁動骨節, 若+金鎖.

經云 : 菩薩鉤鎖, 百骸鳴矣. 基塔之地, 發光如火, 其圓光與. 其佛廟, 群材締構, 衆力保護. 施一金錢, 報一重果, 下爲輪王, 上登聖地. 昔有護法良吏, 洎施力僧檀越等, 具刻名於石. 深疾後代, 不能立殊績以濟衆, 又不能破除餘財崇勝因緣, 啄腥羶, 顧兒婦, 生爲人非, 死爲鬼責, 悲哉!

時元和癸巳歲, 予閒居山下, 幼所聞見, 謹而錄之. 孟秋十五日記.

면, 신라인들이 김지장의 사적을 듣고 분분히 바다를 건너 들어와 대중들이 늘어나 음식을 걱정하게 되었는데, 땅에서 먹을 수 있는 흙이 나왔을 뿐만 아니라 노소를 막론하고 모두 밭을 갈고 땔나무를 구하여 자급하였다는 문장 등이 그것이다. 『송고승전』에 "그 대중들은 법을 청하여 식량으로 삼았으며, 먹는 것으로 목숨을 이어가지 않았으니, 남방에서는 이들을 '고고중' 이라 칭하며 높이 우러르지 않는 자가 없었다."[154]라는 문장이 여러 번 나온다. 전기의 끝부분을 따른다면, 김지장전은 비관경이 〈김지장탑명(金地藏塔銘)〉을 위하여 지은 서문에 의지하여 찬술하였음을 짐작할 수 있다. 『송고승전』에는 또한 당시 승려인 응물(應物)이 당(唐) 대중(大中) 연간에 지은 〈김지장성덕지문(金地藏聖德之文)〉이 기록되어 있다고 언급했지만, 현재는 찾을 수가 없고, 다만 『구화산지』에 전해 내려오는 한두 수(首)의 응물이 지은 시가 있을 뿐이다.

김지장에 관한 초기 사료는 이미 언급한 것들뿐이라고 말할 수 있고, 『전당시(全唐詩)』 가운데 김지장의 이름이 언급된 두 수의 시가 있다. 그러나 그 진위를 명확히 판별하기가 어렵다.

김지장의 종파와 교학에 대하여 역대의 자료에서는 모두 명확하게 밝히고 있지 않다. 초기의 자료 가운데 "오직 사부경을 베끼기를 원하여 산을 내려와 남릉(南陵)에 이르니, 유탕(兪蕩) 등이 베껴 바치었다. 이로부터 산에 돌아와 세속과 단절하였다."[155]라는 구절이 있다. 어떤 학자는 이 사부경은 마땅히 규기(窺基)가 설정한 『무량수경(無量壽經)』, 『관무량수경(觀無量壽經)』, 『아미타경(阿彌陀經)』, 『고음성왕다라니경(鼓音聲王陀羅尼經)』이라고 말한다.[156] 이 설은 정복보(丁福保)의 『불학대사전(佛學大辭典)』의 조목에 의거하여 나온 것이다. 그러나 정토종에서는 '정토삼경일론(淨土三經一論)' 의 설이 있는데, '삼경일론' 이란, 바로 위에서 말한 삼경 가운데 『고음성왕다라니경』을 제외하고, 세친(世親)이 저술하고 보리류지(菩提流支)가 번역한 『무량수경우바새사원생게(無量壽經優婆提舍願生偈)』, 간략히 『왕생경(往生經)』이라 칭해지는 것을 넣는다. 일

154 其衆請法以資神, 不以食而養命. 南方號爲枯槁衆. 莫不宗仰.

155 素願寫四部經, 遂下山至南陵, 有兪蕩等寫獻焉. 自此歸山, 迹絶人里.

156 黃有福 · 陳景富, 『中朝佛敎文化交流史』 第11章 第5節의 1, p.328.

반적으로 이 '삼경일론' 은 가히 정토종이 의지하는 경전이라 말할 수 있다.[157] 불교에서는 또한 '사대부경(四大部經)' 이라는 용어가 있는데, 그것은 『화엄경』, 『보적경』, 『반야경』, 『열반경』의 사부경을 말한다. 이는 대장경에 있는 841권의 사대부경으로 상당히 대표적이며, 또한 '대장(大藏)' 에 대비되어 '소장(小藏)' 이라고 칭한다. 그러나 사대부경의 칭호가 당대 중기에 형성되어 퍼졌는지 여부는 확인된 것이 아니며, 비관경의 기록에서 말하는 사부경은 『송고승전』에 이르러 사대부경이라 칭해지는데, 김지장이 거사에게 청하여 베껴 쓰게 한 사부경이 이 사대부경인지 여부도 또한 확인하기가 어렵다. 다만 그 경전들을 얻은 후부터 산에 들어 세속과의 왕래를 끊고 선(禪)수행을 하였다고 하는 것으로 본다면, 부처님의 명호를 염(念)하며 정토에 태어나기를 원하는 정토의 수행과는 거리가 있다고 하겠다. 또한 사대부경을 『화엄경』, 『대품(大品)』, 『열반경』, 『석경(釋經)』이라고 말하는 학자도 있다. 이는 화엄종에 속하였기 때문에 그런 경향이 나타나는 것이다. 또한 어떤 학자는 여러 주장에서 나오는 사부경이 모두 대승경전이라는 근거로 하여 『대반야』, 『화엄경』, 『금광명경』과 『묘법연화경』을 대장경에서 편집한 사부경전으로 간주하는데, 이는 대승경전에서 대표적인 것들로서, 이것이 대체로 김지장이 중시한 대승설법이라고 말하기도 한다.[158]

그러나 김지장이 '지장(地藏)' 이라는 법명을 얻은 후로부터 선수좌정(禪修坐定)을 대단히 중시하였고, 김지장과 그 문도의 두타 고행은 "이로부터 산에 돌아와 세속과 두절하고 ……. 오직 한 승려만이 석실에서 눈을 감고 수행하고 있었으며, 그 옆에 다리가 부러진 솥에는 흰 흙과 소량의 쌀뿐이니, 그것을 익혀 먹었다."[159]라고 하고 있다. 또한 의복에서는 "스스로 삼베옷을 지어 입었지만, 그 무게가 모두 같았고", 그 문도들이 "여름에는 흙을 섞어 먹고, 겨울에는 옷으로 불을 아낀다."라고 하여 이로 인해 '고고중' 이라 불리게 되었다. 어떤 학자는

157 中國佛教協會編의 『中國佛教』(知識出版社, 1980) 1권에 高觀如가 찬술한 '淨土宗' 條 참조. 정토종의 경전과 관련된 학설은 '淨土三經', '三經一論', '淨土七經' 등이 있지만, '四部經' 을 '淨土四部' 로 하는 경우는 비교적 적다. 또한 일본인 凝然이 저술한 『淨土源流章』에 窺基 또한 淨土宗 사람이 아니라 법상유식종의 인물이라는 주장이 있다. 따라서 필자는 이 四部가 淨土經이라는 설에 대하여 의심하고 있다.

158 謝澍田, 『地藏菩薩九華垂迹』, 華東師范大學出版社, 1994, p.38.

159 自此歸山, 跡絶人里. …… 居唯一僧, 閉目石室, 其旁折足鼎中, 唯白土少米烹而食之.

이러한 여러 가지 것들은 모두 삼계교(三階敎)의 수행과 어느 정도 관계를 보인다고 지적하기도 한다. 그러나 신도들은 그를 위하여 사찰과 전각을 짓고, 석가모니 부처님을 받들며, 방생(放生) 연못을 조성하여 화성사(化城寺)라고 하였다. 화성사는 어떠한 종파적 색채도 없으며, 그 사찰의 대중들은 노소에 관계없이 땔나무를 하고 밭을 갈아 자급하였으니, 선종의 선농일치(禪農一致)의 주장과 같다. 더욱이 그의 적멸육신(寂滅肉身)을 다비(荼毘)하지 않고 탑을 세우고 공양하는 것은 삼계교의 열반에 든 자가 피와 살을 남기지 않는 특징과 부합되지 않는다.

결론적으로 말하자면, 학계에서는 이미 지적한 바와 같이 김지장의 종교사상과 실천을 선정(禪定) 수행을 중심으로 한 것으로 보고 있으나, 어떤 특정한 종파의 법계에 속하는지는 명확하지 않다. 그의 수행과 전법 과정에는 삼계교나 선농일치 등 서로 다른 일련의 종교적 영향들이 보이고 있다.[160] 지장보살상 가운데 매우 많은 관음상과 아미타불상이 함께 감실에 있다는 것은 지장신앙과 정토신앙이 매우 밀접한 관계가 있다는 것을 확실히 설명하는 것이지만, 단지 제한된 자료에 반영된 김지장의 행적에서 정토신앙과의 관련이 명확하게 드러나는 것은 아니라고 할 수 있다. 종합하여 말하자면, 중국불교 가운데 영향이 매우 큰 4대 보살신앙은 종파・학파를 직접적으로 간단하게 나눌 수 있는 것이 아니다. 학파에서는 의미와 이치를 중요하게 보고, 종파의 측면에서는 모두 전승법계를 중시한다. 그러나 4대보살 신앙은 대승불교에 있어서 중생을 구제하고자 하는 사상 위에 세워진 것이므로 두터운 민중적 기반을 가지고, 민간생활과 민속심리에 깊이 스며들어 있다. 따라서 단순한 종파의 구분만으로는 김지장이 구화 지장보살 도량을 이룬 인연을 알 수가 없다.

160 張新鷹,「九華山地藏斷想三則」,『世界宗教研究』(第2期), 1992.

2. 다양한 학설

김지장 이후로부터 구화산은 지장도량이 되었다. 여러 종의 『구화산지』와 『고승전』 등에 있는 문장과 근래 이루어진 연구를 보면, 김지장에 대한 각종 설이 분분함을 알 수 있다. 김지장의 형상은 점차 신성화되고, 구화산은 지장보살이 현생한 총림으로 형성되게 되었다. 구화산사는 점차 확대되어 갔으며, 지장도량 또한 점점 더 규모가 커져 갔고, 민중에 대한 영향은 확대되어 갔다. 신도들의 보시와 조정의 우호적인 독려로 구화도량은 더욱 발전하고 번성하여 다른 3대 도량과 함께 그 형태가 정립되었다.

앞에서 인용한 비장방의 기록과 『송고승전』 이후에 또한 『신승전(神僧傳)』과 『구화산지』 등이 김지장에 관해 기술하고 있다. 이 가운데 『신승전』은 명대의 황제인 성조(成祖) 주예(朱棣)가 짓게 한 것이다. 성조는 칙명으로 『영락대전(永樂大典)』을 편찬하게 한 인물로 자신이 또한 불교에 깊이 심취되어 있어서 신통이 뛰어난 고승들을 각종 전적으로부터 찾아내 편집하여 영락 15년(1417)에 『신승전』을 간행하였다. 한(漢)으로부터 원(元)에 이르기까지 모두 208명이었다. 이 책의 권8, 첫 번째 나오는 것이 바로 김지장의 전기이다. 이 김지장의 전기는 『송고승전』과 전적으로 동일하고, 더해지지 않았으니, 『송고승전』에 근거하였다는 것은 의심할 바가 없다.

그러나 중화민국 시기의 『구화산지』에는 또 다른 『신승전』의 김지장 전기 일부를 볼 수 있다. 이 기록에 의하면, 지장의 출신은 신라의 왕실이며 성은 김이고 이름은 교각(喬覺)이다. 또한 24세가 되던 해인 당 고종 영휘(永徽) 4년(653)에 삭발하고, 흰 개인 선청(善聽)을 데리고 바다를 항해하여 중국으로 건너와 청양 구화산에 이르렀다. 산에서 75년을 단좌(端坐)하여 개원(開元) 16년(729) 7월 30일 밤에 도(道)를 이루었다. 또한 각로(閣老 ; 벼슬 이름, 員外라고도 함) 민공(閔公)이 있어 매번 100명의 스님을 공양하였는데, 반드시 한 자리를 비워놓고 동굴의 스님을 청하여 100명을 채웠다고 한다. 즉, 동굴에서 수행하고 있던 지장스님을 항상 청한 것이다. 이 기록을 보면, 지장스님이 땅을 희사하라고 한 일과 민공 부자의 일이 다음과 같이 나타난다.

> 스님이 가사(袈裟) 한 벌을 덮을 만한 땅을 보시하라고 하여, 민공이 허락하였다. 스님이 가사를 펼쳐 구화산을 모두 덮자 민공은 모두 희사하였다. 또한 그 아들이 출가하기를 원하였는데, 바로 도명(道明)화상이다. 민공도 또한 후에 속진을 벗어났다.[161]

위 『신승전』의 내용은 청대(清代) 의윤(儀潤)의 『백장청규증의기(百丈淸規證義記)』에서 근거하여 인용한 것이다. 『백장청규증의기』에 보이는 김교각에 관한 글은 『신승전』에서 근거하였다고 하지만, 여기에서 말하는 『신승전』은 명대의 『신승전』이 아니다. 명대의 『신승전』에는 본래 이 문장이 없다. 따라서 이러한 내용은 혹시 의윤으로부터 시작되지 않았을까 한다. 즉, 의윤이 민간에서 전해지는 이야기 혹은 어떤 전적에서 찾아 신승의 이름으로 가탁한 것이 아닐까 한다. 그러므로 이 자료에서 말하는 김지장의 연표는 초기 사료와 분명하게 부합하지 않는다. 그러나 민공이 지장에게 땅을 희사하였다는 것과 도명화상과 민공 부자가 속세를 떠나 지장을 시봉하였다는 등의 이야기는 오랫동안 민간에 전설로서 커다란 영향을 미치게 되었다.

이 이야기가 최초로 보이는 것은 〈구화행사비기(九華行祠碑記)〉인데, 이 사당은 석벽묘(石壁廟)라 칭하기도 하며 송대 순화(淳化 ; 990~994) 연간 구화 현지인인 오(吳)씨의 후인이 세우고 명대에 중수하였다. 비기(碑記)에 의하면, 김지장이 이곳에 와서 오씨 부자의 도움을 받아 민씨(閔氏)의 땅에 나아가 수행처로 삼으니, 오늘의 화성사(化城寺)라고 하고 있다. 또한 이후에 한 벌 가사의 넓이만한 땅을 희사한 이야기와 도명과 민공이 이어 출가했다는 등의 이야기가 더해진다. 지장과 관련된 회화와 조각작품에서는 도명과 민공이 지장의 협시로 나타난다.

당연히 오대(五代) 전후의 지장상(地藏像)에서, 앞선 것은 오직 도명화상의

161 "僧乃乞一袈裟地, 公許之, 衣偏覆九華, 遂盡喜舍. 其子求出家, 卽道明和尙. 公後亦離塵網."

상만이 있다. 돈황에서 나온 두루마리 중에는 『도명화상환혼기(道明和尙還魂記)』가 있을 뿐이다. 당시 민공과 김지장의 상은 없었다. 이후에 김지장 도량의 영향이 점점 커져서 비로소 도명과 민공 및 지장의 연기가 형성되어 회화와 조각에 표출되어진 것이다.

『불조통기(佛祖統記)』에 또 하나의 이야기가 있는데, 신라로부터 중국에 온 무상(無相)선사가 김지장이라는 것이다. 무상선사는 신라인으로 또한 왕족이며, 신라 왕의 셋째 아들로서, 속성은 김(金)이다. 무상선사는 중국에 구법하여 입적할 때까지 중국에 머물렀으며, 널리 선법(禪法)을 펼쳤다. 그의 주요 행적은 사천에 있는데, 처적(處寂)선사로부터 법을 이어 '삼구용심(三句用心)' 의 설을 세웠다. 그 영향은 대단하여 그의 문하를 중국 선종(禪宗)에서는 정중종(淨衆宗)으로 칭한다. 그는 중국에 와서 먼저 경사(京師)에 이르렀고 나중에 촉(蜀)에 들어왔으며, 지덕(至德) 원년(756)에 79세로 입적하였다. 『불조통기』에서는 그를 김지장이라고 여긴다. 『불조통기』에서 말하기를, "김(무상선사)은 후에 지주(池州) 구화산으로 가서 입적하였으니, 전신이 손상되지 않았다. 뼈에서는 쇠사슬과 같은 소리가 났으며, 99세였다."라고 하였다.[162] 『불조통기』는 비교적 나중에 찬술되었으니, 남송 함순(咸淳) 5년(1269)에 간행되었다. 그 이전에 찬술된 『송고승전』·『역대법보기(歷代法寶記)』에서는 무상선사가 법을 펼친 곳과 입적한 곳이 모두 성도(成都) 정중사(淨衆寺)라고 기록하고 있다. 오늘날 사천(四川)의 삼대현(三臺縣)이 당대(唐代)의 재주(梓州)인데, 혜의정사(慧義精舍) 남선원(南禪院)의 사증당(四證堂)에 무상(無相)선사를 앞세운 4대 선사의 그림이 있다. 이상은(李商隱)은 일찍이 이를 기려 〈사증당비(四證堂碑)〉를 지었는데, 그때는 무상선사가 입적한 지 수십 년의 차이가 있을 뿐이고, 전혀 구화산의 일을 언급하지 않고 있다.[163] 따라서 『불조통기』에서는 무상과 김지장의 내력이

162 金後往池州九華山坐逝, 全身不壞. 骨如金鎖, 壽九十九.

163 『歷代法寶記』에서는 그 입적을 寶應元年(762)으로 말한다. 이 내용은 黃有福 · 陳景富의 『中朝佛敎文化交流史』 第11章 第5節의 第一에서 볼 수 있다. p.328. 無相禪師가 제창한 三句用心은 "無憶 · 無念 · 莫忘"이고, 또한 흥미로운 기록이 『歷代法寶記』에 실려 있는데, 無相禪師가 天谷山에서 줄곧 坐禪만을 했고, 식량이 끊어져도 산을 나가 들어오지 않았기 때문에 흙을 익혀 먹었다는 내용이다. 이는 金地藏이 修道時 食土했다는 것과 매우 유사하다.

비슷하므로 혼동되어 한 사람으로 보게 되었을 뿐이라고 할 수 있다.

현대 학자 가운데 김지장이 신라 성덕왕(聖德王)의 첫째 아들이라고 주장하는 사람도 있다. 신・구당서와 『삼국사기(三國史記)』의 「신라본기(新羅本紀)」의 사료를 상세히 비교, 논증하고 추론한 설이다. 이 설에 의하면 김지장은 효소왕(孝昭王) 5년(697)에 출생하고, 청년기에 출가하여, 개원(開元) 8년 24세에 바다를 건너 당에 들어왔다. 그 신분이 장자(長子)지만 서자로서 적장자가 아니었기 때문에 왕위를 계승하는 것이 불가능하였다. 그에 따라 김지장은 일찍이 당에 와서 볼모가 되었고, 3년을 위획대감(衛獲大監)의 직위에 머무른 후에 돌아간 인물인 김수충으로 보고 있다.[164] 그러나 또한 어떤 한국학자는 이 설과 비관경의 기록과는 김지장의 입당 시기가 개원 말 혹은 천보(天寶) 초년으로 20여년의 차이가 난다고 지적한다. 그 기간을 만약 오직 강남 각지를 여행하며 보낸 20여 년으로 설정하고, 후에 구화산에 주석한 것으로 보기에는 당시의 해로 교통이나 중국 정치・문화 중심의 위치 및 왕자 신분 등의 여러 가지 조건을 살펴볼 때 부합하기 어렵다는 것이다.[165]

김지장 및 그가 중국에 온 상황에 관련된 여러 가지 설, 여러 역사적 문헌 등은 아직도 몇 가지가 더 있다. 그러나 무엇보다도 중요한 것은 김지장이 신라인으로 중국에 와서 고승대덕이 되었다는 것이다. 남북조로부터 수・당에 이르기까지, 한반도에서 중국에 들어와 승려가 된 이는 참으로 많다. 이에 대하여 황심천(黃心川) 교수는 이미 전문적으로 고증한 책을 지었다. 그 기간의 불교문화 교류는 매우 중요하다. 법을 구한 고승 선현들은 수행뿐만 아니라 중국불교 발전에 큰 공헌을 하였으며, 동시에 신라에서 또한 불교 발전을 이룬 분명한 특징을 보여주고 있다. 따라서 지장신앙과 관계가 있는 신라 승려들을 살펴보는 것도 또한 필요하다고 하겠다.

164 謝澍田, 「金地藏的光輝歷史」, 『佛教大學院院報』 1, 東國大學教 1994.
165 曹永祿, 「九華山的金地藏信仰與韓國」, 『1994年九華山地藏菩薩學術討論會論文』

3. 신라와의 인연

김지장이 바다를 건너 당에 와서 구화산에서 수행을 하고 많은 업적을 이루어 지장보살의 대도량을 이루었지만, 이상한 것은 한국에서 그에 관한 문헌 기록이 전혀 존재하지 않는 것이다. 황심천(黃心川) 교수의 연구에 의하면, 수·당 시기에 신라에서 중국에 들어온 승려는 총 117명 정도에 달한다.[166] 이러한 구법 고승들 가운데 한국의 사료에는 소수밖에 보이지 않으니, 약 20여 명이다. 신라 왕족 출신이 또한 몇 명으로, 무상(無相)과 무루(無漏) 같은 이가 모두 신라 왕자이다. 또한 신라 무열왕(武烈王) 8세손인 무염(無染)과 당에 금은의 불상과 경전 등을 지니고 온 김헌장(金憲章), 보천(寶川), 김능유(金能儒), 김의종(金義琮) 등이 있다. 그리고 『송고승전』에는 신라 왕손으로 기록되어 있지만, 한국 사료에는 다르게 기록된 유명한 원측(圓測)이 있다. 이렇게 중국에 들어왔던 승려들 가운데 구화산에서 지장도량을 이룬 김지장을 제외하고도 지장신앙과 상당히 밀접한 관계를 가진 승려들이 있으니, 원광(圓光)과 신방(神昉) 등과 같은 승려들이다.

앞에서 『점찰선악업보경(占察善惡業報經)』을 언급할 때, 이미 신라 승려 원광의 중요한 역할에 대하여 말하였다. 원광은 수대(隋代)에 중국에 온 신라 승려이다. 중국 사료와 한국 사료의 기록은 간략하며 서로 같지 않다. 그 사적은 중국의 『속고승전(續高僧傳)』과 한국의 『해동고승전(海東高僧傳)』, 『고본수이전(古本殊異傳)』 및 『삼국사기(三國史記)』의 「열전(列傳)」과 『삼국유사(三國遺事)』에서 볼 수 있다. 한국의 전기에 따르면 속성은 설(薛)씨이며, 30세에 출가하여 중국에 유학하였고 84세에 입적하였다. 『속고승전』 권13에는 그가 진한(辰韓) 사람으로 속성이 박(朴)씨라고 기록되어 있다. 어려서 유학(儒學)을 공부하고, 25세에 중국에 와서 금릉(金陵)에 이르러 머리를 깎고 승려가 되었으며, 처음엔 장엄사(莊嚴寺) 승경(僧旻)으로부터 『열반경(涅槃經)』과 『성실론(成實

166 黃心川, 「隋唐時期中國與朝鮮佛教的交流— 新羅來華佛教僧侶考」, 『世界宗教研究』(第1期), 1989.

論)』을 공부하며 삼장경론을 두루 읽고, 나중에 다시 소주(蘇州) 호구수선관(虎丘修禪觀)에 들어갔다고 한다. 그 시기에 이미 학문이 깊어 경론의 강의를 청하는 사람들이 많았다. "매번 법륜을 한번 굴리면, 바로 강호에 널리 퍼지고 ……. 그에 따라 명망이 높아졌으며, 법요[岑表]가 널리 전파되었다."[167] 수(隋) 개황(開皇) 9년(589) 장안(長安)에 들어와 다시 담천(曇遷)·혜원(慧遠)이 강의하는 『섭론(攝論)』을 듣고 깊은 감동을 받았으며, 후에 『섭론』을 크게 일으키게 되어 이름을 널리 떨치게 되었다. 신라 왕이 그 명성 높음을 듣고 칙사를 보내 귀국을 청하였고, 귀국 후에 융숭한 예우를 받았다. 모든 백성이 노소를 막론하고 즐겁게 영접하니, 신라 왕실과 조정 신료들이 모두 경건하고 정성스럽게 받들었다. 그는 귀국 이후에 '점찰보(占察寶)'를 설치하였고, 이는 신라에 커다란 영향을 미쳤다. 원광은 조정에서 성인(聖人)으로 받들었을 뿐만 아니라, 국정에서도 그 의견을 들었으니, 그 위명이 떠오르는 해와 같았다. 만년에 다시 궁에 들어가니, 가마 타는 것에서 의복 등에 이르기까지 모두 국왕이 친히 신경을 써 주었다. 원광은 『여래장사기(如來藏私記)』와 『대방등여래장경소(大方等如來藏經疏)』를 지었을 뿐만 아니라 항상 대승경전을 강의하였다. 보다 중요하고 커다란 영향을 끼친 것은 '세속오계(世俗五戒)'를 정하고 '점찰보'[168]를 설치하였다는 것이다. 세속오계의 내용은 첫째, 충으로써 임금을 받들고[事君以忠], 둘째, 효로써 부모를 섬기며[事親以孝], 셋째, 신의로써 친구를 사귀고[交友以信], 넷째, 전쟁에 나아가 물러남이 없으며[臨戰無退], 다섯째, 가려서 살생을 하라[殺生有擇]는 것이다. 세속오계에 함축되어 있는 뜻은 유가(儒家)의 사상으로, 당시 신라가 직면해 있던 형세와 관계가 있다. 이것은 그가 널리 『인왕호국반야경(仁王護國般若經)』을 강의하고, 충군(忠君)·애국(愛國)사상을 널리 고취시킨 것과 일치하는 것이다.

점찰보의 창립은 대략 진평왕(眞平王) 35년(613)이다. 당시 수(隋)의 조정은 왕세의(王世儀)를 신라에 사절로 파견하였는데, 그로 인하여 황룡사(皇龍寺)에

167 "每法輪一動, 輒傾注江湖 …… 故名望橫流, 播於岑表."

168 占察寶의 創立背景과 傳承에 관련된 것은 黃有福·陳景富의 『中朝佛敎文化交流史』(中國社會科學出版社, 1993年)의 第6章 第3節 참조.

백좌도량(百座道場)이 설치되었다. 원광은 강의를 청한 고승들 가운데 상수(上首)를 담당하였으며, 백좌도량에서 계(戒)에 귀의하여 중생의 고통을 멸할 것을 논의하여 제정하였다. 이에 따라 원광은 머물던 가슬갑사(嘉瑟岬寺)에 점찰보를 창설하였다. 점찰보가 의거한 경전이 바로 『점찰선악업보경(占察善惡業報經)』이다. 점찰보는 또한 '점찰법회(占察法會)' 라고도 칭하여 전문적으로 경전에 쓰인 바에 따라 길흉화복을 점치고, 참법(懺法)을 행하는 법회를 정기적으로 열었다. 이에 따라 점찰법회는 계율을 널리 펼치는 중요한 작용을 하였다. 선악업보를 점치는 것이 계율을 지키는 것과 관계가 있다고 보았기 때문이다. 원광이 재세 시 점찰보는 신도들로부터 100결(結)의 전답이 희사되어 법회가 순조롭게 진행되었으며, 원광이 입적한 이후 진표율사(眞表律師) 등에게 계승되어, 대략 신라 말까지 지속되었다.

현존하는 사료로 본다면, 『점찰경(占察經)』과 관계가 있는 고승은 원광이다. 원광은 중국에서 수학하고, 귀국 후에 점찰보와 점찰법회를 창설하였기에 『점찰경』이 원광의 손에서 나왔을 가능성이 대단히 크다. 『점찰경』과 『대승기신론(大乘起信論)』의 관계는 대단히 밀접한데, 『기신론』이 『점찰경』에 의거하여 저술되었다는 설도 있다. 따라서 『점찰경』은 목륜상(木輪相)의 법을 널리 펼쳤을 뿐만 아니라, 널리 지장보살신앙과 사상을 펼치고 있어, 중국불교의 교리 발전에 있어서 또한 경시할 수 없으므로, 이 또한 원광과 불가분의 관계가 있다고 할 수 있다.

신방(神昉) 역시 신라 사람으로 입당 승려 가운데 뛰어난 업적을 남긴 인물이다. 신방은 한국의 사료에는 나타나지 않는다. 행적이 보이는 것은 『개원석교록(開元釋教錄)』 권8 및 『동역전등목록(東域傳燈目錄)』, 『홍경록(弘經錄)』 1이다. 신방은 또한 대승방(大乘昉)으로도 칭해졌다. 그는 현장(玄奘)대사의 뛰어난 제자로서, 가상(嘉尙) · 보광(普光) · 규기(窺基)와 함께 사철(四哲) · 사고족(四高足)으로 불렸다. 그는 일찍이 현장을 도와 많은 경전을 번역하였다. 당(唐) 영휘(永徽) 원년(650), 현장이 대자은사(大慈恩寺)에서 7권 『본사경(本事經)』을 번역할 때, 신방은 필수(筆受)를 맡았다. 다음 해에 『대승대집지장십륜경(大乘大集地藏十輪經)』을 번역할 때는 신방이 그 서문을 지었다. 그러나 더욱 중요한 것은 신방이 삼계교(三階教)에 커다란 영향을 미쳤다는 것이다. 삼계교는 수대(隋代)에 신행(信行)이 창립하였고, 그 교파는 중국불교에서 독특한 특색을 보이고 있다. 삼계교와 지장보살신앙은 특별한 관계가 있다. 지장보살과 관련된 경전들을 극도로 존중하여 그 교법을 『대방광십륜경(大方廣十輪經)』에서 인용한 것이 많다. 삼계교는 아미타불을 염(念)하지 않고, 오직 지장보살만을 염한다. 신방은 이 방면에 많은 저술이 있다고 하지만, 애석하게도 대부분 전해지지 않는다. 그가 지었던 『십륜경초(十輪經抄)』 3권, 『십륜경소(十輪經疏)』 8권, 『십륜경음의(十輪經音義)』 1권이 모두 전해지지 않는다. 『성유식논요집(成唯識論要集)』 13권, 『현성유식론집기(顯成唯識論集記)』 1권, 『종성차별론(種姓差別論)』 3권 역시 전하지 않는다. 전해 오는 한 편은 『대승대집지장십륜경서(大乘大集地藏十輪經序)』인데, 현장의 역본으로부터 찬술한 것이다. 이외에 13세기의 일본인 승려 도충(道忠 : ?~1281)이 지은 『석정토군의논탐요기(釋淨土群疑論探要記)』에 그가 신방의 『십륜경초』와 신행의 『삼계불법(三階佛法)』에서 인용된 것들이 남아 있는데, 모두 삼계교 교의의 연구에 있어 귀중한 자료이다.

신방의 행적과 저작으로부터 알 수 있는 것은 그가 법상유식종(法相唯識宗)의 승려이며, 현장의 4대 제자 가운데 한 명으로서 『십륜경』에 관한 중요한 저작을 남겼다는 것이다. 삼계교가 특별히 지장경전을 존중하여 받드는 것으로 말미암아 오직 지장보살의 명호만을 염송할 것을 강조하였고, 따라서 신방과 삼계교는 지장보살 신앙에 중요한 위치를 차지하고 있다고 하겠다.

4. 구화산의 명승고적

구화산의 위치는 현재 안휘성(安徽省) 청양현(青陽縣)이다. 한대(漢代)에는 능양산(陵陽山)으로 불리웠고, 양대(梁代)에는 책산(幘山)으로, 이후에는 구자산(九子山)이라 불렸다. 『구화산록(九華山錄)』에 의하면, 산이 매우 아름답고 구름 위로 솟을 만큼 높으며, 겹겹이 이어진 커다란 봉우리가 아홉이어서 구자산으로 불렸다고 한다. 실제로 그 산세가 웅장하고 층층이 가파르며 계곡에 물이 흐르고 기암괴석들과 폭포, 동굴, 푸른 소나무, 취죽(翠竹) 등이 어우러져 매우 아름다운 모습을 이루고 있다.〈그림 147〉 전체 산의 둘레는 모두 100km에 이르며, 99봉우리가 있다. 가장 높은 것이 시왕봉(十王峰)으로 해발 1342m이다.

그림 147
구화산의 기암

당대의 대시인 이백(李白)이 천보(天寶) 연간에 유람하다 이 산에 이르러, 구봉이 우뚝 솟아 마치 연꽃과 같다고 하여, 시를 지으니, "옛날 구강(九江)을 유람할 때, 멀리 구화산을 바라보았네. 은하수 같은 폭포 걸려 있고, 아홉 연꽃 같은 봉우리 솟았네."[169]라고 하였다. 그리고 이어서, "오묘함이 두 기운으로 나뉘어, 신령한 산에 연꽃 아홉 송이가 핀 것 같다."[170]라는 유명한 구절을 남겼다. 이후로부터 이 산은 이름을 구화산으로 바꾸어 불리게 되었다. 구화도량의 명성은 무수한 시인과 화가, 신도들을 끌어모았다. 당의 문학가 유우석(劉禹錫)은 구화를 유람하고 찬탄하며 글을 남겼는데, "기이한 봉우리를 바라봄에 혼백이 달아

169 昔在九江上, 遙望九華峰, 天河掛綠水, 秀出九芙蓉.
170 妙有分二氣 靈山開九華.

난다."[171], "이는 천하에 가장 뛰어남이로다."[172]라고 하고 있다. 송(宋)의 소철(蘇轍) 또한 구화의 봉우리를 의인화하여 "고고한 아홉 선인이 아득히 운무를 날리는구나."[173]라고 하였으며, 왕안석(王安石) 또한 찬미하여 "초(楚)와 월(越)의 천만 산 가운데 이 산만이 웅장함과 빼어남을 모두 갖추고 있다."라고 하였다. 하지만 구화산의 가장 중요한 성격은 중국불교의 4대 명산으로서 지장보살의 응화사적이 있다는 것이다. 이 산에는 불교사찰과 범궁(梵宮)들이 넓게 펴져 있고, 역대 황제들이 사액한 금인(金印), 장경(藏經), 유지(諭旨), 제액(題額), 사관(賜款) 등이 셀 수 없을 정도로 많다. 또 산중에 사찰이 너무 많아서, "구화에 1천의 절이 있는데, 구름과 안개 속에 펴져 있다."[174]고 말한다. 구화에 사찰이 가장 집중되어 있는 곳은 구화가(九華街)와 민원(閔園)이다. 이 가운데 가장 유명하고 규모가 큰 것들로 화성사(化城寺), 기원사(祗園寺), 백세궁(百歲宮), 감로사(甘露寺), 전단림(旃檀林), 상선당(上禪堂), 배경대(拜經臺), 동암사(東岩寺), 소천대(小天臺), 구화련사(九華蓮社) 등이 있다. 이중에 또한 감로사와 동암사, 백세궁과 기원사의 네 사찰을 구화의 사대총림(四大叢林)이라고 한다.

구화산의 사찰건축 양식은 모두 고유한 특징을 지니고 있는데, 중국불교 사찰 건축물 가운데 가히 하나의 독특한 형식이라고 말할 수 있다. 왜냐하면 중국불교 사찰의 건축은 고대로부터 중축선을 기준으로 삼아 대칭으로 배치하며, 탑을 중심으로 삼거나 혹은 불전(佛殿)을 중심으로 삼아 층층으로 각 원(院)이 겹쳐지는 구조를 지니고 있다. 하지만 구화산의 사찰은 대부분이 산기슭 벼랑 위에, 숲과 그윽한 계곡 사이에 지어졌다. 따라서 대부분 지형을 감안하여 대칭의 엄정함에 구애받지 않았으니, 혹은 높은 곳에 지어 내려다보게 하고, 혹은 산세를 의지하였으며, 혹은 둥글게 짓고, 혹은 높낮이가 구부정하게 지었다. 그 형태가 각기 다르고 변화도 많다. 건축구조에 있어서 고대 안휘성 주민들의 풍부한 주거의 특색을 엿볼 수 있는데, 외형은 소박하게, 배치는 생동감 있게, 건축 내

171 奇峰一見警魂魄.
172 是爲天下至奇.
173 蕭然九仙人, 縹緲凌雲烟.
174 九華一千寺, 撒在雲霧中.

부는 엄격하게 장식하여 세밀함을 보여준다. 또한 그 정연한 체제는 방대한 고대 건축물들을 형성하게 되었다. 구화산의 대표적인 사찰은 다음과 같다.

화성사(化城寺)

화성사는 김지장이 구화산에서 최초로 세운 사찰로, 구화에 있는 많은 사찰 가운데 특수한 지위를 점하고 있다. 구화의 많은 사찰들은 모두 화성사를 둘러싸거나 바라보는 형태로 지어졌다. 청대의 주빈(周斌)은 『구화산지(九華山志)·화성사승요도기(化城寺僧寮圖記)』에서 이르길, "천하의 이름난 사찰도 승려의 수가 천여 명 정도이다. 화성사는 평상시에 승려가 대략 3·4천 명으로, 모두 수용할 수 없어서 동서 양쪽 요사채로 분산하였지만, 역시 수용하기가 불가능하여 다시 각각 10여 개의 요사채로 나누니, 60·70여 요사채에 달하였다. 그에 따라 각각의 요사채에서 문을 세웠고, 결과적으로 암자로 건립되게 되었다. 여기에 승려들이 모여들어 번성하니, 천하의 으뜸이다."라고 하였다. 이러한 설명은 아마도 많은 사찰들이 화성사를 바라보게 된 원인이라고 할 수 있겠다.

전하는 바에 의하면, 동진(東晉) 융안(隆安) 5년(401) 천축 승려 배도(杯渡)가 구화에 와서 짚풀로 암자를 짓고 교화하였다. 배도는 『고승전(高僧傳)』 등의 저작에 그 기록이 있는데, 잔[杯]으로 능히 강을 건너는 기이한 승려[異僧]로 묘사되고 있다. 아마 구화산에 오는 과정에서 그러한 전설이 만들어지게 된 것 같다.[175] 그러나 승단(僧壇)의 칭호는 구화산에 사찰이 건립되기 이전에는 다만 비관경의 『화성사기(化城寺記)』에만 보일 뿐이다. 승단에 필요한 땅은 마침내 제갈절(諸葛節)이 김지장을 위하여 희사하여 마련되었다. 지덕(至德) 2년(757)에 절을 짓고, 건중(建中) 2년(781)에 이르러 지주(池州) 태수 장엄(張嚴)이 절을 위해 사액(賜額)을 청하고, 이름을 화성(化城)으로 하게 되었다. 이 절의 이름은

175 杯度는 梁 慧皎의 『고승전』 권10에도 보이는데, 그 이름이 杯度이다. 朱棣의 『神僧傳』 권3에 또한 그 전기가 있는데, 이름은 杯渡이다. 배도의 전기에서는 구화산의 일을 언급하지 않으며, 또한 전기에서는 단지 南朝 宋 元嘉 3年의 연호만이 나타나고 있어 東晉時代와는 부합하지 않는다. 清 道光 3年 陳蔚의 『九華紀勝』 卷10에서는 『高僧傳』의 『九華詩集』 注에서 杯渡를 梁時人으로 한 것에 의심을 제기하여 논증하고 있고, 清 光緒時代에 周斌의 『九華山志』와 民國時代에 姜孝維 등이 杯渡를 晋代라고 한 것에 또한 잘못됨을 지적하고 있다.

여기에서 비롯되었다.

화성사는 구화가(九華街)에 위치하니, 바로 높은 산의 평평한 곳이며, 동애(東崖), 부용봉(芙蓉峰), 신광령(神光嶺), 백운봉(白雲峰)이 성처럼 사방을 둘러싸고 있다. 절의 건축물은 오래되고 또한 전란에 불타기도 하여 송대부터 청대까지 여러 차례 보수하고 다시 건축하였으며, 역대 황제들이 누차에 걸쳐 불전(佛典)과 명호(名號)를 하사하였다. 명(明) 홍무(洪武) 24년(1391)에 확대되어 총림(叢林)이 되었다. 선덕(宣德) · 정통(正統) 연간에 증수하여 더욱 커졌고, 동서(東序) · 서서요방(西序寮房) 및 불각(佛閣), 방장(方丈), 낭무(廊廡), 지장전

그림 148
구화산 화성사, 현재 구화산역사문물기념관

(地藏殿), 계석(階石) 등을 축조하였다. 휘주(徽州) 상인 황룡정(黃龍鼎)이 명 융경(隆慶) 3년(1569)에 보시하여 중수하였다. 명 만력(萬曆) 연간에 황실에서 두 차례 대장경을 하사하였다. 만력(萬曆) 31년(1603)에 방장 양원(量遠)대사가 수도에 가서 자의(紫衣)를 하사받았다. 청대에 지주(池州) 지부(知府) 유성룡(喩成龍)이 강희(康熙) 20년(1681)에 다시 확대 건축하여 화성사가 구화산 모든 사찰의 으뜸이 되게 하였다. 강희제(康熙帝)가 세 번에 걸쳐 내시를 보내 헌향하고 "구화성경(九華聖境)"이라고 사액하였다. 건륭제(乾隆帝) 41년(1776)에는 "분

타보교(芬陀普教)" 라고 사액하였다. 함풍(咸豊) 연간에는 태평군과 청군의 전쟁으로 인하여 절이 불타 오직 장경루(藏經樓)만이 홀로 남았다. 광서(光緖) 17년(1891)에 방장 논법(論法)과 귀지(貴池) 신도 유함방(劉含芳)이 돈을 모아 중건하고, 비기(碑記)를 찬술하였다. 중화민국 시기에 화성사는 구화불교협회의 소재지가 되었으며, 1929년 석허용(釋虛容)이 '강남구화불학원(江南九華佛學院)' 을 열었다. 현존하는 건축물은 1981년에 구화산관리처에서 중수하고 확대 건축하여 새롭게 한 것이다. 이렇게 하여 화성사는 중국에서 보호하는 중요문화재에 들게 되었다. 〈그림 148 · 149〉

그림 149
화성사 구화산역사문물기념관의 김지장보살비

현존 산사는 산세에 맞춰서 지어졌으며, 영관전(靈官殿) · 천왕전(天王殿) · 대웅보전(大雄寶殿)과 장경루(藏經樓) 등의 주요 전각이 들어서 있다. 산문 또한 광대하고, 사자상, 수놓은 공 모양의 장식물, 봉황, 모란 등을 세밀하게 장식하였다. 석주에는 기둥 양쪽으로 "華萼峰前香雲縹緲 化城寺時花雨繽紛" 와 "大聖道場同日月 千秋古刹護東西" 라는 주련이 걸려 있다. 사찰의 건축물들은 구화가보다 멀리 떨어져 있다. 전각의 기반은 점차로 높게 되어 있어 삼층의 토대를 이루고 있다. 첫 층에 들어가면 영궁전이고, 두 번째 층은 천왕전, 세 번째는 대전(大殿)으로, 깊이가 약 20m에 이른다. 대전의 대들보와 기둥에는 조각과 그림이 있고 천정은 삼조정(三藻井)으로 이루어져 있다. 중앙은 구룡이 가운데에 있는 여의주를 다투는 형상으로 조각되어 있는데, 조각이 치밀하며 정묘하다. 네 번째로 나아가면 명대의 건축구조인 장경루이다. 깊이 14m, 높이가 20m로 상당히 웅대하다. 여기에 소장된 경전 가운데 귀중한 문물이 많다. 명의 신종(神宗)이 대장경을 하사하였으며, 명 만력(萬曆) · 숭정(崇禎), 청의 강희(康熙) · 건륭(乾隆) 등 제왕들의 자취가 남아 있는 경들이 존재한다. 선종의 고승 종고

(宗杲)가 일찍이 구화산에 와서 법을 전하고, 입적한 후, 정광불(定光佛)로 받들어져 철상(鐵像)으로 주조하였는데, 이곳에 그 상이 모셔져 있다. 장경루 앞의 소원감(小院嵌)에는 명·청조의 비각(碑刻)이 팔방에 있다. 누각 주위에는 승려들이 머무는 요사채와 선실(禪室)과 객당(客堂)이 있고, 경치가 수려하고 그윽하다. 화성사 앞에는 광장이 있고, 그 광장 가운데에 연못이 하나 있어, 그 형상이 일그러지는 달과 같으니, 언월지(偃月池)라 이름하며, 또한 방생지(放生池)라 부르기도 하고, 물고기와 거북이를 기른다. 그 연못의 물은 맑고 푸르러 하늘과 고찰을 비춘다.

전단림(旃檀林)

전단선림(旃檀禪林)과 화성사는 대조적인데, 외견상으로 민가의 저택처럼 보이지만, 그 안에는 많은 전각들이 있다. 소원(小院)은 깨끗하며, 꽃과 나무가 무성하다. 전각 내부에 조각된 장식과 벽에 그린 그림들은 대단히 뛰어나다. 전해지는 이야기에 따르면, 청의 광서(光緖) 연간에 절을 세울 때에 거대한 나무를 베어 대들보를 지었는데, 향기가 매우 진하여 불가의 전단목(旃檀木)과 같아서 그 이름을 얻었다고 한다. 〈그림 150〉

그림 150
전단림

기원사(祇園寺)

기원사는 구화산 4대 총림 가운데 하나이다. 〈그림 151〉 동애(東涯)의 서쪽 비탈에 위치해 있다. 불전(佛典)에 나오는 이야기에서 그 이름을 따왔다. 석존께서 기타(祇陀) 태자의 정원을 수행처로 원하자 급고독(給孤獨) 장자가 정원에 금을 깔아 석존께 공양을 하였고, 이로 인해 '기수급고독원(祇樹給孤獨園)'이라는 이름으로 불렸는데, 줄여서 '기원(祇園)'이라 한다. 구화산의 이 절은 명대에 처음 세워졌고, 그 가운데 하나의 전각은 지역의 건축 양식과 결합된 드문 건

그림 151
기원사

축물로서 금빛으로 빛나고, 기와의 끝은 유리로 되어 있다. 주변에는 높은 전각들이 들어서 있다. 흰 구름과 옅은 안개가 아스라이 날리고, 장엄하며 경건하다. 절은 처음에 기수암(祇樹庵)이라 칭해졌으며, 청 강희(康熙) 연간에 화성사의 동서요방(東西寮房)이 되었다. 가경(嘉慶) 연간에 원래는 복호동(伏虎洞)에서 참선하며 머물던 융산(隆山)선사가 이 절에 와서 주지(住持)를 맡았고, 이로 인해 나날이 번성하여 점점 더 큰 사찰이 되어 갔다. 융산선사가 84세에 원적(圓寂)하였는데, 육신이 3년이 지나도 살아 있는 것처럼 선명하였다. 승려들이 그 유체를 금으로 장식하고 받들어 모셨다. 함풍(咸豐) 시절에 이 절 역시 병란으로 훼손되었다. 단지 융산선사의 육신만은 여전히 보존되었다. 동치(同治) 연간에 사찰을 중건(重建)하였다. 청 말기에는 기원사의 번성함이 구화산 사찰들 가운데 으뜸이었다.

기원사의 구조는 곡선으로 굽어 있으며, 층이 거듭되어 변화가 풍부하고, 규모가 매우 크다. 절 앞의 석판으로 된 긴 길은 옛 동전과 연꽃 문양으로 장식되어 있다. 이것은 고사에 나오는 기원정사를 모방한 것이다. 절은 영관전(靈官殿), 미륵전, 대웅보전 및 객당(客堂), 재당(齋堂), 고원(庫院), 퇴거료(退居寮) 등으로 구성되어 있고, 또한 중화민국 시절에 상해(上海) 고경사(高旻寺)의 요원(了願)법사가 만든 광명강당(光明講堂)이 있다. 건축은 대부분 민거식(民居式)이고, 다만 중심이 되는 미륵전과 대전은 궁전식 건축구조이다. 전 사찰은 4

층의 기반 위에 배열되어 있다. 배치에 있어 산문과 천왕전은 모두 중심에서 떨어져 치우쳐 있다. 지형이 굽어 있기 때문에 오를수록 높다. 제1층은 높이가 5m이고, 영관전, 미륵전, 객당과 제당, 퇴거료가 있다. 영관전은 법을 보호하는 영관(靈官)이 갑옷을 입고 긴 채찍을 들고 있으며, 옆에는 사찰을 수호한다는 두 인왕(仁王)이 시립하고 있다. 영관의 얼굴에는 3개의 눈이 있는데, 그래서 영관전에 "3개의 눈으로 두루 천하의 일을 살피고, 한 번의 채찍 휘두름으로 세상 사람들을 놀라게 하고 깨우치게 한다."[176]라는 글귀가 적혀 있다. 천왕전에는 배가 불룩하게 나온 미륵불이 모셔져 있고, 옆에는 사대천왕이 모셔져 있는데, 각각 보검(寶劍), 비파(琵琶), 우산[傘], 뱀[蛇]을 들고 있다.

제2층은 기반의 높이가 2m인데, 대웅보전이 있다. 대전은 높이가 35m에 달한다. 유리로 된 기와가 산마루에 머물고, 전각 가운데에는 석가・아미타・약사의 3존불을 모셨는데, 높이가 12m에 달한다. 그 배후에는 대형의 해도관음군상(海島觀音群像)이 있으니, 높이가 30m, 가로 7m이다. 관음과 용녀(龍女), 선재(善財), 이정(李靖), 위타(韋馱) 등의 상이 있다. 전각 가운데에는 또한 문수보살과 보현보살, 18나한상이 있다.

제3층의 기반은 높이가 6m인데, 방장료(方丈寮)와 고원(庫院)이 있다.

제4층은 광명강당(光明講堂)으로 기반의 높이는 3m이고, 높은 천장의 2층 건축이다. 모든 건축은 산을 의지하여 굽이굽이 돌아가니, 매우 독특한 특징을 이루고 있다. 객당(客堂), 제당(齋堂), 퇴거료(退居寮) 등은 둥글게 배열되어 있는데, 송림(松林)과 계곡을 따라 흐르는 물이 그 사이에 어우러져 있다. 요방(寮房) 안에는 1천 명의 승려가 식사할 수 있는 식당이 있는데, 아주 거대한 솥이 있어서, 이로부터 지난 시절 이 절의 성세가 어떠했는지를 상상해 볼 수 있다.

감로사(甘露寺)

감로사는 구화산의 북쪽으로 등산로에 위치한다. 주위에는 고목이 가득하며, 소나무와 대나무가 어우러져 있고, 사찰의 양쪽으로 누각과 전각들이 늘어

176 三眼遍觀天下事, 一鞭驚醒世間人.

그림 152A
감로사 외부

그림 152B
감로사 대웅전

서 있다. 청 강희(康熙) 6년(1667)에 옥림(玉琳)국사가 헌향할 때, 이 길을 지나가며, "이 그윽한 죽림이 하늘을 가리고, 푸른 샘과 바위가 있으니, 또한 고승의 땅으로 절을 세우기 알맞은 땅이다."라며 찬탄을 금치 못하였다고 전한다. 그래서 구화산 복호동에 있던 동안(洞安)선사가 분주히 돌아다니며 보시를 받아 돌로 절과 사당을 짓고, 유리로 된 기와지붕에 벽은 꽃을 조각하여 절을 세웠는데, 청산을 뒤에 두고, 샘물이 전각의 구석에서 솟아나오니, 옛 사람이 "전각의 한 쪽에서 샘물이 소리내어 떨어지니, 침상머리에 안개가 지나가는구나[屋角泉聲落, 床頭嵐氣過]."라고 찬탄하였다고 한다. 절을 짓고 문을 여는 날, 온 산에 가득한 소나무 잎마다 이슬구슬이 맑게 맺혀 뚝뚝 떨어지니, 이로 인해 절 이름을 '감로(甘露)'라 하였다. 〈그림 152A · B〉

백세궁(百歲宮)

백세궁은 동애(東涯)의 봉우리 꼭대기에 위치한다. 그 형세가 아주 험준하다. 〈그림 153A · B〉 백세궁 앞에서는 멀고 가까운 곳을 모두 조망할 수 있다. 푸른 산과 푸른 물 사이에 있는 사원과 구화가시(九華街市)의 전각들을 모두 눈에 담을 수 있다. 절의 건물은 산꼭대기에 있는 바위의 높고 낮음에 따라 구축되어, 1층에서 5층까지 높이는 동일하지 않지만 건물 천장은 동일한 체제로 이루

그림 153A
백세궁 원경

그림 153B
백세궁

어진 누각으로, 기이한 구조를 지니고 있다. 산문 앞에는 곁채가 대칭으로 있고, 중간 골짜기에는 청 옹정(雍正)·건륭(乾隆) 시절의 비각(碑閣)이 여러 방향에 있으며, 또한 무게가 2천여 근이 나가는 구리종이 있어서, 승려가 종을 칠 때에 나란히 종소리에 맞추어 경문을 읽기를 밤낮으로 그치지 않았다 한다. 이 절이 세워진 연유는 무하(無瑕)화상에서 비롯된다. 전해 오기를, 명 만력(万歷) 연간에, 자(字)가 무하인 승려 해옥(海玉)이, 구름처럼 천하를 유람하면서 오대산(五臺山), 아미산(峨嵋山) 등의 명산을 두루 다니다가 구화산에 도달하였다. 현재의 백세궁 부근의 동애 적성정(摘星亭)에 초암을 지어 거처로 삼았으며, 혹은 복호동에서 고된 수행을 했다고도 한다. 기록에 의하면, 그가 혀를 깨물어 나온 피를 금가루에 섞어 80권의 화엄경을 베껴 썼다고 한 것이 오늘날까지 온전하게 보존되어 남아 있다. 무하화상은 명 천계(天啓) 3년에 입적하였으니, 그 나이가 110세에 달했다. 3년이 지나 항아리를 여는데, 얼굴이 살아 있는 것 같았다. 승려들이 그 유체에 금을 입혀 신체를 보호하고, 사당을 세워 모셨다. 명(明) 숭정(崇禎) 3년(1630)에 황제가 칙령을 내려 무하화상을 '응신보살(應身菩薩)'로 봉하였다. 육신탑의 이름은 '연화보장(蓮花寶藏)'이다. 무하화상의 나이가 백세를 넘은 까닭으로 절을 백세궁이라 하였다. 청(淸) 도광(道光) 연간에 다시 확대하여 사찰을 짓고, '호국만년사(護國萬年寺)'라 칭했다. 현재 무하화상의 육신과 피로 쓴 화엄경은 모두 백세궁 육신전(肉身殿) 안에 있다. 보존은 온전하며 양호하다. 금을 입힌 육신에 붉은색 가사를 입히고, 승모(僧帽)를 쓰고, 단정히 연대(蓮臺)에 앉아 있다. 그 보존 기간이 350여 년이 지났는데, 기온이 높고 습기가 많은 남방에서 변하지 않으니 가히 기적이라 이를 만하다.

동암사(東岩寺)

동암사 역시 동애에 지어졌는데, 명(明) 만력(万歷) 시절에 둥글고 기이한 정자를 불전(佛殿)으로 고쳐 건축했다. 이 때에 지어진 전각들은 나중에 훼손되었다. 청 동치(同治) 시절(1862~1874)에 대웅보전과 만불루(萬佛樓), 지장전 등을 중건하였다. 1933년 불길에 훼손되었다. 그 후에 화성사 동쪽으로 옮기고, 동암하원(東岩下院)이라 불렀다. 전하기를, 김지장 등이 이곳에서 연좌하였기 때문에 연좌암(宴坐岩)이라 부르기도 한다.

육신보전(肉身寶殿)

육신전(肉身殿)은 또한 '월신보전(月身寶殿)'이라 불리기도 한다. 〈그림 154A · B〉 김지장 입적 후에 신광령(神光嶺) 위에 탑을 세우고, 나중에 시설을 더하여 조성하였다. 이 지장탑전(地藏塔殿)이야말로 실질적으로 지장도량의 핵심으로, 1100년을 내려오면서 중국 불교도들의 깊은 숭배를 받아 온 곳이다. 지장탑전은 원래는 남대(南臺) 혹은 일찍이는 서대(西臺)라 부르기도 했던 곳에 위치한다. 당대에 탑을 세운 후에 신령스러운 빛이 나타나니, 이에 이름을 신광령이라 바꾸었다. 탑전을 세운 후에 여러 번의 보수가 있었고, 명대의 만력(万歷) 황제가 "호국육신보탑(護國肉身寶塔)"이라고 사액하고 확대 건축하였다. 청의 함풍(咸豊) 7년(1857)에 병란으로 지장탑전이 훼손되었다. 청 동치(同治) 연간에 중수하여, 현재의 모습이 되었다. 보전 앞에는 84개의 가파른 돌계단이 있는데, 곧바로 시왕전의 옛터와 연결된다. 시왕전 가운데는 십전염라(十殿閻羅)와 지장보살상을 모셨는데, 지장, 곧 김교각(金喬覺)이 고된 수행을 하는 형상이 사실적으로 그려져 있다. 신체는 아주 크지만, 뼈가 드러나 마치 마른 땔나무와 같다. 십전염라왕(十殿閻羅王)이 양쪽 곁에 있는데, 모두 왕의 옷을 입고 면류관을 쓰고 있으며, 책상 앞에는 여러 형식의 빚어서 만든 작은 상들이 있는데, 각종 형태의 지옥과 생사윤회를 표현하고 있다. 시왕전이 문화대혁명 초기에 불에 타버린 것은 정말로 애석한 일이다. 시왕전의 앞은 영관전(靈官殿)인데,

그림 154A_오른쪽 육신보전 입구

그림 154B_오른쪽 육신보전

그림 155
육신보전 내의 지장보살탑

그림 156
신수제청

왕(王)·마(馬)·조(趙)의 영관에게 공양을 하는 곳이다. 시왕보전은 나중에 월신보전으로 되었다. 보전의 평면은 네모진 형태로, 폭과 길이가 모두 15m이다. 높이는 18m이며, 철기와로 천장을 덮었다. 한백옥(漢白玉)으로는 땅을 포장했다. 나무로 만든 금색 보탑의 토대 역시 한백옥이다. 탑은 8각 7층탑으로, 탑에는 모두 김지장상을 안치했다. 탑 안에는 금가루로 쓴 『지장본원경(地藏本願經)』이 봉안되어 있다. 목탑 안은 3층이고, 석탑의 가운데에 김지장보살의 육신을 모셔 놓았다. 전각 안에는 불등(佛燈)이 높이 걸려 있어서 그 빛으로 항상 밝다. 양옆의 대 위에는 금색의 시왕입상이 우뚝 솟아 있다. 전각 주변에는 24개의 돌기둥을 설치해 놓았다. 전각 뒤에는 반월 형태의 석요대(石瑤臺)가 있는데, 위에 3개의 철솥을 놓았다. 화원(花園)은 포금승지(布金勝地)라 부른다. 매년 지장보살이 도를 이룬 날이 되면, 많은 신도들이 이곳에 와서 향을 사르고 절을 하며, 재물을 보시한다. 또한 의복과 모자를 갖추어 입고 방장(方丈)에게 청하여 옥인(玉印)을 받아 기념한다. 보전(寶殿) 앞은 서쪽 상방(廂房)인데, 이곳에 일찍이 '불교문물진열실(敎文物陳列室)' 을 열었다. 안에는 황실의 하사품과 청대 강희(康熙) 시절 주조된, 독각수(獨角獸)라 부르기도 하는 제청(諦廳) 및 각종의 불상, 염주, 불전 등의 유물이 전시되어 있다. 〈그림 155·156〉

상선당(上禪堂)

상선당은 신광령의 육신보전 아래쪽에 위치하고 있다. 그 옆에는 금사천(金沙泉)이 있고, 금사천 옆에는 금전수(金錢樹)가 여러 그루 있다. 당대의 이백이 일찍이 이 금사천 물과 금전수 잎을 이용하여 술을 빚었다고 전해진다. 지금도 금사천은 여행객들의 여독을 풀어 주고 있다. 이 절은 명대에 처음 지어졌고, 청대 강희(康熙)·동치(同治) 시절에 확대 건축되고 중수되었다. 사찰의 건물은 산세를 의지하여 지은 것이 특징이다. 산문은 대전의 동쪽이고, 문 앞에는 육신보전으로 통하는 돌로 된 대로가 있으며, 문으로 가는 길에는 벽을 설치하여 교묘하게 관람객들을 천문(天門)으로 이끈다. 위타전(韋駄殿)과 대웅보전은 서로 통하며 맞은편에 있는데, 두 전각의 바닥은 약간 차이가 있고, 가운데 천장으로 겨우 서로 나뉜다. 대전 중앙에 석가와 관음, 지장의 상을 모셨으며, 또한 18나한상이 있다. 위타상은 탑 가운데에 모셔져 있고, 탑 주위에는 문무군신(文武群臣) 등이 조각되어 있다. 전각의 객당에서는 멀리까지 많은 봉우리들을 아스라이 볼 수가 있다.

천대사(天臺寺)

천대사는 실제로 '지장사(地藏寺)' 혹은 '지장선사(地藏禪寺)' 였는데, 그 위치가 구화산 고봉인 천대봉(天臺峰) 위에 있어 천대사로 불린다. 천대봉은 해발 1306m이고, 구화산에서 세 번째로 높은 봉우리인데, 그 옆에는 시왕봉(十王峰), 나한봉(羅漢峰), 나한돈(羅漢墩) 등이 있다. 옛 기록에 의하면, 일찍이 김지장이 천대봉에서 수행을 하는데, 승려 설병(挈瓶)이 늘 나한돈에서 천대봉으로 와서 김지장과 깨달음에 대하여 논하였다고 한다. 천대사는 구화산에서 가장 높이 있는 사찰로, 이곳에서 한번 바라보면 많은 산들이 작게 보이고, 뿐만 아니라 멀리 장강(長江)을 볼 수 있으며, 남쪽으로는 황악(黃岳)이 보이고, 죽 이어진 봉들에서 안개가 물결치듯 하며, 기상이 천변만화한다. 천대산의 일출은 '천대효일(天臺曉日)' 이라 하는데, 이곳에서 일출을 보는 것은 유명한 구화십경(九華十景)의 하나이다. 천대사는 송대에 창건되었지만, 후에 훼손된 것을 명 홍무(洪武) 원년(1368)에 진리태(陳履泰)라는 신도가 재물을 보시하여 중수하였다. 이후에 청 강희(康熙) 59년(1720), 광서(光緖) 16년(1890)에 다시 수리하고 건축하였다. 1982년 구화산관리처는 재난으로 훼손된 천대사를 다시 수리하였다.

그림 157_오른쪽 ◀ 배경대에서 천대사로 오르는 계단

그림 158_오른쪽 ▶ 천대사 대웅전 아래의 향로

그림 159_오른쪽 ▼ 천대사

천대사의 전각 건축은 특징이 분명하다. 그 자리는 북으로부터 남으로 향하고, 두 산줄기의 사이를 가로질러 위치한다. 동쪽으로는 봉우리의 뒤쪽으로 바위가 병풍처럼 펼쳐져 있고, 남쪽으로는 마치 옥(玉)이 담장을 쳐놓은 듯하며, 서북쪽으로는 돌출한 거석들이 이어져 있다. 삼좌(三座)는 민거식(民居式) 건축이고, 돌과 나무가 결합된 구조로서 1루(樓), 2루, 3루로 나뉜다. 가운데가 함몰된 땅은 8m의 석대(石臺)로 토대를 만들어 전체적으로 평탄하게 하였다. 전각의 바닥은 수정으로 가공했다. 전체적인 전각에는 정원이 없으며, 또한 천장이 없다. 그러나 지장전(地藏殿), 대웅보전(大雄寶殿), 만불루(万佛樓)와 선방(禪房), 재당(齋堂)은 균형이 잡혀 있다. 또한 우뚝 솟아 있는 낭떠러지 절벽이 가리

고 있어서 바람과 추위를 막고, 단단하며 견고하다. 심지어 빈틈이 없다 하여 '무해가격(無懈可擊)' 이라 칭해진다. 대전 담장의 남쪽은 권공식(卷拱式)의 석동산문(石洞山門)으로 되어 있는데, 높이가 4m 조금 넘는다. 그 동북쪽 양 옆에는 아찔한 절벽이 대치하고 있고, 절벽 위에서부터 바로 대전 2층으로 들어 갈 수 있다. 동쪽을 향해 돌아서 한 계단씩 올라가 그 위에서, 다시 북쪽을 향해 들어가면 대전(大殿) 3층이며, 다시 남쪽을 향하면 청룡배(青龍背) 혹은 봉일정(捧日亭)에 이를 수 있다. 절 주변에는 명소가 너무 많다. 예를 들면, '비인간(非人間)', '중천세계(中天世界)' 라고 쓰여진 마애각자(摩崖刻字)가 있으며, '석공교명(石拱橋銘)' 과 '지장족적(地藏足迹)', '용주석(龍珠石)' 등이 있다. 또한 한 사람만 겨우 지날 수 있게 양쪽으로 거암이 대치되어 있어서 '운협(雲峽)' 이라 불리는 곳이 있는데, 천대사에서 가장 높다.〈그림 157 · 158 · 159〉

혜거사(慧居寺)

이 절은 천대산 서쪽 산기슭에 있으며, 중민원(中閔園)의 동쪽이다. 청대(淸代)에 처음 세워졌으며, 원래 이름은 혜거암(慧居庵)이었다. 청(淸) 말엽에 승려 인림(仁琳)이 중수하고 확장하였다. 중화민국 시절에 승려 보명(普明)이 1938

그림 160
구화가 전경

년에 대전을 중건하였다. 운수당(雲水堂)을 넓혀 총림이 되었으며, 그 이름을 '혜거선사(慧居禪寺)'로 바꾸었다. 이 절은 뒤로 천대산의 여러 봉우리들을 의지하고, 앞으로는 민원(閔園)의 대나무 숲을 마주한다. 대전은 월아궁(月牙宮)이라 부르기도 하는데, 민거식(民居式)이다. 높이는 10m에 달한다. 전각 안에는 석가(釋迦)·약사(藥師)·아미타(阿彌陀)의 삼세불(三世佛)과 문수(文殊)·보현(普賢)과 18나한(羅漢)이 모셔져 있다. 대전 옆에는 후에 지장전(地藏殿)이 된 관음전(觀音殿)이 있었는데, 이미 훼손되었다. 중앙에는 정교하고 아름다운 소상(塑像)이 있다.

구화산에는 수없이 많은 오래된 절과 이름난 사찰이 있으나, 그 규모가 크고 작아서 서로 같지 않다. 배경대(拜經臺)에서 보면 총림이 아스라이 겹쳐 보이며, 전각의 영상도 또한 장관이다. 나머지 절도 큰 절은 방실(房室)이 100개이고, 방사가 서너 개인 작은 절도 있다. 비구니들의 암자는 대다수가 민원(閔園) 부근에 펴져 있다. 산 경치가 수려하며, 암자와 민가가 섞여 있는 곳으로, 푸른 나무들 사이에 있어서 서로 어울리니, 그 풍광이 다분히 전원적이다. 〈그림 160〉

5. 지장보살의 후예

구화산은 많은 고승들을 배출하였다. 김지장으로부터 구화도량이 개창(開創)된 이후에, 역대 고승대덕들이 차례차례 나와 끊이지 않았다. 대덕들은 혹은 계행(戒行)이 높고 엄격하거나 혹은 교학, 선수행에 정통하거나 혹은 사찰을 크게 번창시키거나 아니면 김지장의 도풍(道風)을 널리 펼치거나 하였다. 한마디로 말한다면, 김지장으로부터 구화도량이 형성된 이래로, 구화산은 중국 4대 보살의 명산이 되었고, 도를 행하는 고결한 구화도량 승려들의 흔적을 간직하게 되었으며, 확실히 지장보살의 정신을 크게 빛내고 떨친 이들도, 너무 많아서 전문적인 책이 나올 정도이니, 여기서 간략히 몇 명만을 소개하고자 한다.

김지장이 구화산에 있을 때, 제자인 승유(勝瑜)가 상수(上首)로서 산문을 열고 절을 세우는 데 커다란 역할을 하였다. 당대(唐代)에 또한 승려 응물(應物)이 있어, 대중(大中) 연간에 구화산 김지장의 높은 덕과 그 발자취를 기록하였다. 『구화산지(九華山志)』는 당대에 무상사(無相寺)의 지영(智英)과 관음암(觀音岩)에서 관음보살의 상서로운 모습을 본 승려 탁암(卓庵)에 대하여 기록하고 있다.

당대 말년에, 신라 승려 정암(淨藏)이 구화산에 와서 구자봉(九子峰) 아래 갑자령(甲子嶺)에 쌍봉사(雙峰寺)를 세우니, 신라암(新羅庵)이라 부르기도 하였는데, 청 말엽에 훼손되었다.

오대 시절, 남당(南唐)의 복호(伏虎)선사가 구화산에 와서 습보암(拾寶岩)에 원적사(圓寂寺)를 세웠다.

송대 임제종(臨濟宗) 양지파(楊岐派)의 고승 종고(宗杲)는 구화산에 머물면서 불법을 전하고, 구화를 유람하며 다수의 시를 지어 남겼다. 후인들이 그를 기려 정광불(定光佛)로 모셨다. 구화산에는 그를 위해 철상(鐵像)으로 주조한 정광불(定光佛)이 있다.

명대 홍무(洪武) 연간에, 호(號)가 옥간(玉澗)인 석종림(釋宗淋)이 주관하여 다시 화성사(化城寺)를 수리 건축하였다. 선덕(宣德) 연간에 금릉(金陵) 영속사

(靈屬寺)에서 자(字)가 무애(無碍)인 석법감(釋法鑒)이 주지를 맡아 화성령(化城靈)을 중수하였다. 또한 자(字)가 운애(云崖)인 석복경(釋福慶)이 화성사 주지가 되어, 승려 요연(了然)과 함께 대웅보전(大雄寶殿), 장경루(藏經樓) 등의 전당(殿堂)을 수리하였다. 정통(正統) 연간에 자(字)가 악종(岳宗)인 석도태(釋道泰)가 화성사 주지가 되었다. 정통(正統) 11년(1446)에 관리로 봉해져 북경(北京) 만수사(万壽寺) 계단(戒壇)의 종사(宗師)가 되었다. 경태(景泰) 7년(1456)에 연로하여 돌아가기를 청하였고, 오래지 않아 입적하였다. 화성사에서 장례를 치르고 나중에 동탑원(東塔院)에 모셨다. 만력(万歷) 연간에 자(字)를 편공(偏空)이라 하는 석양원(釋量遠)이 화성사가 재앙을 만나자 경사(京師)로 가서 황제에게 상주하였다. 황태후가 금을 내리니 이를 가지고 화성사를 수리하였고, 양원은 후에 돌아올 때 조정으로부터 자의(紫衣)를 하사받았다.

명대에 호(號)가 무하(無瑕)인 석해옥(釋海玉)이 마공령(摩空嶺) 위의 적성정(摘星亭)에서 수행하고, 110세에 부화(趺化)하였다. 3년이 지나 항아리를 열었는데 그 신색이 살아 있는 듯하여 금으로 장식하여 봉공하니, 그 금신(金身)이 지금 백세궁(百歲宮)에 모셔져 있다. 명대에 또한 석불지(釋佛智)는 화성사 동료(東寮)에 머물렀다. 80여 세에 탑에 앉아 부화하였다. 7일 후에도 안색이 살아 있는 것 같았다. 그 문도가 들고 보봉암(寶峰庵)에 모셨다가 후에 탑에 봉안하고자 하였는데, 용녀천(龍女泉)의 곁을 지날 때 삼매화(三昧火)가 일어나 산화하였다고 한다.

명대의 성련(性蓮), 주금(周金) 등은 모두 수행이 높은 고승들이다. 자(字)가 무구(無垢)인 성련은 어려서부터 불사(佛事)를 좋아하였으며, 22세에 금릉(金陵)의 서하사(棲霞寺)에서 출가하였으며, 후에 명산을 유행하며 선지식을 참구하여 그 명성이 떠오르는 해와 같았다. 지양(池陽)의 빈산(彬山), 구화산의 금강봉(金剛峰), 관음산(觀音山)의 금당(金堂), 환산(皖山) 및 진두봉(秦頭峰), 백사산(白沙山) 등에서 주석하였으며 사찰을 건립하였다. 구화도량에서는 총림주(叢林主)를 맡았다. 만력(万歷) 25년(1597)에 구화산에서 환산으로 갈 때에 시적(示寂)하였다. 주금(周金)·실암(實庵)·혜암(慧庵) 등의 고승들은 모두 유교와 불교에 능통하였다. 주금은 구화산의 왕양명(王陽明)과 유람하며 토론하여 서로 깊게 계합하였으며, 왕양명이 게(偈)를 지어 주금에게 바쳤는데, 다음과 같은 글귀가 있다. "소림 면벽을 좇지 않고, 오히려 구화에 돌아와 산을 보네. 석장을 치니 용과 호랑이가 뒤집어지고, 다시 나아가고 나아가 가파른 바위를 부수어 버리네."[177] 실암 역시 왕양명과 뜻이 잘 맞았는데, 역시 글을 지어 바쳤다. "…… 구화산의 지장왕을 보라. 뛰어난 손자이니, 실암화상이로구나."[178] 혜암은 일찍이 구화산의 왕양명 사당을 수리하고 복구하였는데, 추남고(鄒南皐)가 구화산의 고승으로 찬탄하였다.

명대(明代)의 4대 고승 가운데 한 명은 지욱(智旭)인데, 지장보살 신앙 및 구화산과 또한 깊은 인연이 있다. 지욱은 자(字)가 우익(藕益)이며, 속성은 종(鐘)으로 강소(江蘇) 오현(吳縣) 사람이다. 어려서 유학을 숭상하고 불교를 반대하여, 일찍이 『벽불론(辟佛論)』 수십 편을 지었다. 17세에 주굉(袾宏)의 글을 읽은 후에 그 사상이 불교에 기울어지게 되어 옛날에 썼던 책들을 태웠다. 20세에 부친의 상을 당하자 『지장보살본원경(地藏菩薩本願經)』을 염송하고, 출가할 뜻을 굳혔다. 24세에 여산(廬山)에서 덕청(德清)의 제자 설령(雪嶺)을 스승으로 모시고 머리를 깎고 승려가 되었다. 33세에 절강(浙江) 효풍(孝豊)의 영봉산(靈峰山)에 이르렀다. 이후에 구화산과 여러 곳을 유행하여 그 발걸음이 강소성(江蘇省), 절강성(浙江省), 복건성(福建省)과 안휘성(安徽省)에 이르기까지 여러 성에 닿았으며, 끊임없이 여러 전적을 열람하고 연구하며, 저술하고 강론하였다. 청(淸) 순치(順治) 12년(1655)에 입적하였다. 세간에서는 영봉우익(靈峰藕益)대사라 칭한다. 지욱은 그 인물됨이 위엄이 있고 주도면밀하였으며, 명리에 초탈하였고, 교리에 매우 밝아서 저술이 대단히 풍부하다. 그는 자백진가(紫柏眞可), 운서주굉(雲栖袾宏), 감산덕청(憨山德淸)의 사상과 학설을 계승하였으며, 교리를 명백히 하고, 각 종파(宗派)를 종합하였다. 더불어 유교와 불교의 일치를 주장하였다. 이 4인이 명대(明代) 말년에 불교를 진흥시키고 다방면에서 성취를 이루니, 명대 4대 고승으로 존중되었다.

불교 교리에 있어서, 그는 성상융합(性相融合)을 제창하였고, 실천에 있어

177 不向少林面壁, 却來九華看山, 錫杖打飜龍虎, 雙履踏破巉岩 …….

178 …… 看那九華山地藏王, 好兒孫, 又得个實庵和尚.

서 선(禪) · 교(敎) · 율(律) 3학의 통일을 주장하였다. "선은 곧 부처의 마음이고, 교가 곧 부처의 말씀이며, 계율은 부처의 행동이니, 모두 하나의 뜻으로 돌아간다[禪是佛心, 敎是佛語, 律是佛行, 同歸一念]."라고 주장하였다. 『아미타경요해(阿彌陀經要解)』는 그가 말년에 천태종을 이 경전의 정토사상으로 해석하여 체계적으로 저술한 것이며, 칭명염불(稱名念佛)에 중심을 두었다. 이 경전으로 불교를 총체적으로 포섭하고 또한 믿음[信] · 원함[願] · 행함[行]으로 이 경전의 종지(宗旨)를 섭수(攝受)할 것을 주장하였다. 그의 다른 저작에서도 또한 선 · 교 · 율이 정토사상으로 돌아간다고 주장하였다. 후인들이 나중에 그를 정토종 제9조로 추대하였으며, 또한 천태종의 교관(敎觀) 제3세(世)로 받들어졌다. 그의 저작은 종론(宗論)과 석론(釋論)으로 크게 구분할 수 있는데, 종론으로는 『영봉종론(靈峰宗論)』[179]과 석론으로는 『아미타경요해』, 『능가경의소(楞伽經義疏)』, 『법화경회구(法華經會久)』 등으로 모두 48종 201권이다.

지욱은 평생 구화도량에 영향을 받았고, 지장보살신앙이 깊었다고 할 수 있다. 그가 36세에 스스로 말하기를, "큰 병에 걸려 거의 숨을 놓을 지경에, 구화산에 돌아와 누웠다. 썩은 찌꺼기들로 상을 차리고, 쭉정이와 겨로 식량을 삼았다. 몸뚱이를 잊고, 세상과 단절하니, 만 가지 근심이 모두 없어지고, 한 마음이 어디에도 기댐이 없었다. 그런 후에야 유가(儒家), 현학(玄學), 선(禪), 율(律), 교(敎) 등 여러 학문의 본의(本義)를 알았다."[180]라고 하였다. 그가 구화산에 머무는 동안에 널리 각 사찰의 불사에 참여하여 활동하고, 교리에 대해 강연하니, 승려들의 깊은 존경심을 얻었다. 중화민국 인광(印光)법사가 중수한 『구화산지(九華山志)』 권5 「단시문(擅施門)」 등에 의하면 지욱선사가 구화산에 머물며 찬술한 것 가운데 지장보살신앙과 관계있는 것은 다음과 같다.

『보총지래정업진언소(補總持來定業眞言疏)』

『갑신칠월삼십일원문(甲申七月三十日願文)』

---

179 智旭의 『閱藏知津』은 『大藏經』의 目錄學과 관련된 저작이다. 또한 제자가 편집한 것으로 『藕益大師宗論』 혹은 『靈峰宗論』이 10권 있다.

180 逮大病幾絶, 歸臥九華. 腐滓以爲饌, 糠秕以爲糧, 忘形骸, 斷世故, 万慮俱灰, 一心無寄, 然後知儒, 玄, 禪, 律, 敎等諸學之本義.

『화지지장보살명호연기(化持地藏菩薩名號緣起)』
『찬례지장보살참원의후자서(贊禮地藏菩薩懺願儀後自序)』
『위서심거사지지장본원경겸권인서(爲誓心居士持地藏本願經兼勸人序)』
『화지멸정업진언일세계수장엄지장성상소(化持滅定業眞言一世界數庄嚴地藏聖像疏)』
『화철지장소(化鐵地藏疏)』
『각점찰행법경조연소(刻占察行法經助緣疏)』
『구화부용각건화엄기소(九華芙蓉閣建華嚴期疏)』
『구화산영건중승탑소(九華山營建衆僧塔疏)』
『복구화상주서(復九華常住書)』
『지장탑전원문(地藏塔前願文)』

지욱(智旭)은 『복구화상주서』에서 스스로를 "지장의 외로운 신하[孤臣]"라고 칭하였다. 『탑전발원문』에서는 또한 대서원을 다음과 같이 하였다. "나는 대자비하신 아버님[부처님] 앞에 돌아와, 피로써 마음에 새겨, 이와 같이 바랍니다. 한 중생이라도 성불하지 못한다면, 결코 먼저 스스로 열반[泥洹]을 얻지 않겠습니다."[181] 『구화산지』에 지욱선사가 입적하기 전에 남긴 유언이 전해지는데, 그것은 다음과 같다. "뼈를 갈아 가루로 만들어, 물과 땅에 뿌려 금수와 물고기에게 나누어 주라. 널리 불법의 기쁨에 함께 취해, 서방정토에서 함께 살리라."[182] 기록에 전하기를, 입적 후 3년이 지나 제자 여법(如法)이 유골함을 여니, 머리가 자라 귀를 덮을 정도이고, 얼굴이 살아 있는 것 같으며, 치아가 썩지 않았다. 그 문도들이 유언을 차마 받들지 못하고, 신령스런 뼈를 거두어 영봉대전(靈峰大殿) 오른쪽에 탑을 세워 모셨다. 가히 지욱대사가 얼마나 힘써 스스로를 다지고, 지장보살 앞에 맹세한 서원을 지키고자 애쓰고 행동하였는지를 알 수 있으니, 그 빛나는 절의와 높은 풍모에 흠모를 멈출 수가 없다.

181 我復於大慈悲父前, 瀝血銘心, 作如是願, 如一衆生未成佛, 終不先自取泥洹.
182 屑骨和粉, 分施水陸禽魚, 普結法喜, 同生西方.

청대 동암(洞庵)은 일찍이 복호동(伏虎洞)에 20여 년을 머물렀는데, 강희(康熙) 6년(1667)에 옥림(玉琳)국사가 구화산에 올 당시에, 산중에서 적당한 땅을 찾아 절을 짓기를 당부하였다. 동암이 이곳에 와서 초가를 엮고, 감로사(甘露寺)를 세웠다. 일찍이 그 문도 전등(傳燈)이 감로사 주지를 맡았고, 이후에 기원사로 옮겨서 중흥시켰다.

청대 명설(明雪)은 호를 단백(端白)이라 한다. 구화산 취룡사(聚龍寺)의 징공(澄公)을 참알하고 출가하였다. 기록에 의하면, 그는 종이 울리는 소리를 듣고 크게 깨달았다고 한다. 조동종(曹洞宗) 운문계(雲門系)의 제28조가 되었으니, 청 초기의 유명한 종장(宗匠)이다. 비록 구화산의 법단에 올라 설법은 하지 않았지만, 실제로 이곳 구화산 출신이다.

청대의 융산(隆山)은 복호동에 20여 년 머물며 철저하게 수행하였다. 도광(道光) 21년(1841) 66세에 스스로가 수명이 다하였음을 알고 단정히 앉아 입적하였다. 그 육신이 썩지 않으니, 그 문도들이 금으로 장식하여 모셨다. 함풍(咸豐) 연간의 병란에 전 사찰이 불에 탔으나 융산(隆山)의 육신만은 여전히 보존되어 남아 있다.

청대 두다(杜多)는 호(號)가 진진자(塵塵子)이다. 강희(康熙) 59년(1720)에 천대봉(天臺峰)에 이르러 초가집을 짓고 머물렀는데, 그곳을 활매암(活埋庵)이라 하였다. 지장사(地藏寺)가 중흥되었던 곳이다. 두다는 대부분 종일 포단에서 좌선만 할 뿐이고, 겨울에도 한 벌의 옷만을 입었다고 한다. 『구화산지』의 기록에 따르면, 원적(圓寂) 후 6년이 지나도 그 가부좌가 풀리지 않았으며, 육신이 마치 살아 있는듯 하였다고 한다.

청대 보오(寶悟)는 구화산 백세궁(百歲宮)에서 출가하였다. 구족계(具足戒)를 받은 후에, "마음을 다해 계율을 지키고, 두타행(頭陀行)을 엄격히 지키며, 정혜(定慧)를 함께 닦았다."[183]고 한다. 계속해서 천녕(天寧), 고경(高旻), 금산(金山), 종복(崇福) 등의 여러 종사(宗師)를 참알하고 인가(印可)를 받았다. 일찍이 금산사(金山寺)의 주지를 맡았고, 다시 의흥(宜興) 동관산(銅官山)에 이르러

183 專心毘尼, 嚴守頭陀行, 兼修定慧.

선(禪)수행에 전념하였다. 평생 강직하고 담백하였으며, 제자를 거두지 않았고, 일반적으로 귀의를 원하는 자들에게 모두 완곡한 말로 거절을 하였다. 먼 길을 와서 법을 청하는 이들에게는 차근차근 잘 가르쳐 주었는데, 늙을 때까지 싫증을 내지 않았다. 광서(光緒) 원년(1875) 좌화(坐化)하였다. 당시 강남에 보초(寶初), 보월(寶月), 보인(寶印)과 보오(寶悟)가 유명하였는데, 모두 일세 불문의 종장(宗匠)으로 '사보(四寶)' 라고 불렸다.

청대의 성전(聖傳)은 자(字)가 옥충(玉忠)으로, 어렸을 때 불사(佛事)를 즐겼고, 6세에 출가하였다. 19세에 청양 구화산을 돌아보며, 대승경전을 깊게 연구하였고, 감로사(甘露寺)의 주지를 1년 맡았으며, 후에는 명산을 두루 찾아다니며, 선지식(善知識)을 찾아 도를 참구하였다. 구화산에 다시 돌아와 고행을 하였으며, 무상사(無相寺)를 중건하고, 보제사(普濟寺)를 세웠다. 광서 15년(1889)에 입적하였다.

청대 말년에 상은(常恩)은 감로사(甘露寺)의 도감(都監)으로 있었고, 나이 91세에 입적하였다. 법룡(法龍)은 천대(天臺) 운취암(雲翠庵)의 주지였으며, 나이 96세에 입적하였다. 두 대사 모두 전신에 금을 입혀 사찰에 모셨다.

근대 중화민국 시절에는 과건(果建)이 있었으니, 어려서 외롭고 가난하였다. 목련존자가 모친을 구원하는 것을 보고 출가의 뜻을 품어 무상사(無相寺)에서 옥충(玉忠)스님을 스승으로 삼았다. 옥충스님이 무상사를 중흥하고자 할 때 힘을 다해 도왔다. 스승에 이어 무상사와 보제사의 주지를 맡았고, 고행과 정토의 서로 다른 법문으로 중생을 교화하였다.

정랑(定朗)은 호가 묘롱(妙瓏)이다. 어려서 유학을 공부하고, 중년에 출가하였다. 과건스님에게서 머리를 깎고 그 문하가 되었다. 마음 깊이 교의(敎義)를 연구하였으며, 교리에 매우 정통하였다. 중화민국 초년(1912), 기선(寄禪)화상 및 국내외의 많은 신도들의 뜻에 따라 중화전국불교총회(中華全國佛教總會)를 조직하였다. 다음 해, 본수(本修) 등을 이끌고 구화산불교회(九華山佛教會)를 조직하였다. 1915년 스승의 명을 따라 대사각(大士閣) 주지를 맡았으며, 운수납자들과 신도들을 접대하였다. 그리고 구화산불학원(九華山佛學院 ; 1929~1934)을 창립하고 자선사업에 참여하였다.

비구니 스님인 본수(本修)는 그 출생과 입적을 알 수가 없는데, 중화민국 2년에 과건과 함께 구화산불교회를 조직하였다. 같은 해 6월 정식으로 성립되어 본수가 회장을 맡고 석심견(釋心堅)이 부회장을 맡았다. 중화민국 29년(1940)에 본수는 구화산 구련암(九蓮庵)의 주지가 되었다. 위엄과 명망이 대단히 높아 당시의 사람들이 받들어 존중하였다.

석심견(釋心堅 ; 1862~1952)은 어려서 부모를 여의고, 백부와 숙부 밑에서 자랐는데, 크면서 점점 불교에 심취하였다. 1891년 구화산에서 동암월하(東岩月霞)를 스승으로 출가하였고, 계속해서 월하(月霞)가 세운 '화엄대학(華嚴大學)' 에 들어가 공부하였다. 다시 월하가 개운사(開元寺)로 돌아갈 때 모시고 가서, 불경을 연구하였다. 나중에 동애사(東崖寺) 주지를 맡았고, 동애하원(東崖下院)을 세웠다. 중화민국 초기에 다시 법화사(法華寺)를 세우고 주지를 맡았다. 중화민국 2년 구화산불교회(九華山佛教會)의 부회장을 맡았고, 후에 회장과 이사장을 역임하였다. 이후에 구화(九華) 및 안휘성(安徽省)의 불교계에서 여러 직무를 수행하였으며, 안경(安慶) 영강사(迎江寺) 주지를 맡았다. 1941년 항일전쟁으로 법화사가 훼손되었다. 원적 이후에 신도들이 그를 위해 구화산 동애(東涯) 아래 탑을 세웠다.

현대 고승으로 또한 석용허(釋容虛), 굉서(宏瑞), 의방(義方), 정선(正善), 관성(寬成) 등이 있다. 용허는 일찍이 동애사(東崖寺)의 주지를 맡았고, 1929년 구화산불학회(九華山佛學會)를 조직하였다. 같은 해 구화산불학원(九華山佛學院)을 창립하였다. 용허는 정밀하게 불리(佛理)를 연구하고, 불학원을 장기간 이끌며, 많은 승가의 인재들을 양성하였다. 그는 또한 안휘성 및 전국 불교계의 여러 직무들을 맡았고, 나중에 상해(上海)로 가서 호국사(護國寺)와 소경사(昭慶寺)의 주지가 되었다.

굉서(宏瑞 ; 1896~1968)는 속명(俗名)이 변보련(邊寶蓮)으로, 회족(回族) 출신인데, 일찍이 원세개(袁世凱)의 북벌군(北伐軍) 토벌에 참가하였고, 합비(合肥)의 제1 자위단장과 회령현(懷寧縣)의 장을 맡았고, 손중산(孫中山)의 북벌을 영접하였다. 북벌 실패 후에, 구화산으로 돌아와 경찰국의 일을 보다가 나중에 기원사(祇園寺)에서 출가하였다. 또한 소현(巢縣) 서운사(西云寺)로 가서, 현지의 인민무장항일투쟁에 참가하였다. 건국 후, 굉서는 구화산불교협회 회장과 안휘성 정무위원을 역임하였다. 구화산 불교계의 장로 가운데 한 명이었다.

의방(義方 ; 1914~1959)은 나이 어릴 때에 부모를 연이어 잃고, 조부를 따라 경을 읽으며 불교를 신앙하였다. 고등학교 시절에 천대사(天臺寺)의 철원(澈圓)에 의탁하여 출가하였다. 나중에 영파(寧波) 천동사(天童寺)의 중국불학원(中國佛學院)에서 홍법반(弘法班)을 조직하였고, 구화에 돌아와 살다가 후에 천대사 주지가 되었다. 의방은 학문에 힘써 게으름이 없었고, 몸가짐에 있어 엄격하고 정대하였다. 건국 후에는 여러 차례 중국 불교계의 대표로 동남아 각국을 방문하였다. 일찍이 전국불교협회 이사, 상무이사겸 비서장을 역임하였으나, 한창 나이에 일찍 세상을 떠났으니 애석할 뿐이다.

대흥(大興)화상은 구화후산(九華後山) 쌍계사(雙溪寺)에서 수행하였고, 1985년 2월 17일 원적하였다. 1989년 유골항아리를 열어보니, 유체가 부패되지 않았다. 1990년 9월 16일, 구화불교협회후산분회(九華佛教協會後山分會)는 대흥화상을 위해서 쌍계사(雙溪寺)에서 육신법상(肉身法像)을 세우는 의식을 거행하였다. 그때에 해외에서 1천여 명의 분향객이 방문하였는데, 한국일보에서도 현지 취재하여 보도하였다.

인덕(仁德)법사는 현대 구화산 불교계의 영수(領袖)이다.〈그림 161〉 인덕법사는 아주 어려서 출가하였는데, "남산의 외로운 신하가 되기를 원하며, 지장의 진정한 아들이 되기를 맹세한다."[184]는 크고 깊은 서원을 세우고, 대장부의 몸으로 불교의 대업을 일으켜 평생 불법을 널리 펴고 불사를 크게 일으키고자 결심하였다. 법사의 속명(俗名)은 이덕해(李德海)로 1926년 강소성(江蘇省)의 태주(泰州)에서 출생하여 2001년 8월 구화산에서 입적하였다. 그는 11세에 태위암(太尉庵) 송금(松琴)법사 문하로 출가하였다. 1940년대 말에 일찍이 남경(南京) 고림사(古林寺)에서 삼단대계(三壇大戒)를 받고, 나중에 강소성(江蘇省)으로 가서 관음사(觀音寺), 반고암(伴孤庵), 수녕사(壽寧寺), 고경사(高昊寺), 섬서성(陝西省) 종남산(終南山)의 모봉(茅蓬), 강서성(江西省) 운거산(云居山)의

184 願爲南山孤臣, 誓做地藏眞子.

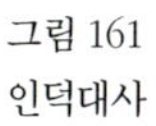
그림 161
인덕대사

그림 162
구화산불학원 제4회 졸업사진

진여사(眞如寺) 등 각지를 참배하며 공부하였다. 차례로 내과(來果), 허운(虛云)의 두 고승을 좇아 선(禪)을 공부하였다. 1957년 구화후산의 화엄선사(華嚴禪寺)에서 참학하였다. 1960·70년대의 문화대혁명 기간에 법사는 농업생산에 참가하여 그 나머지 시간에 제세(濟世)를 기치로 내걸고 병자를 치료하고 간호하는 등 여러 가지 방편을 베풀어 청양현(靑陽縣) 일대의 민중들에게 무량한 복을 지어 많은 사람들의 애정과 관심을 얻게 되었다. 법사는 정법을 보호하고 지키며, 널리 중생을 제도하였다. 그 생활은 검약하고, 보시를 즐겨하며 선(善)을 좋아하고, 어려운 자를 구하고 빈곤한 자를 돕는 등 공익사업에 열심이었으며, 평생을 고행으로 살았다. 1978년 이후부터 구화산에 머물면서 안휘성의 불교사업을 이끌었고, 기원사(祇園寺) 방장(方丈)을 맡아, 구화산의 법을 다시 중흥시켰으며, 지장보살의 정신을 널리 펼쳤다. 법사는 구화산불학원을 다시 복구하여 세웠으며, 또한 불교잡지인 『감로(甘露)』를 창간하여 승려 인재를 양성하였다. 〈그림 162〉 그는 전통적인 구화사당과 집회를 복구하였고, 김지장보살 탄신 1300주년과 원적 1200주년을 기념하는 대규모 기념회를 개최하였다. '김지장학술연구회'를 세우고, '구화산불교역사문물관'을 만들었으며, 한국, 싱가포르 등지에서 '구화산불교문물(九華山佛教文物)', '구화산불학원학승서화전(九華山佛學院學僧書畵展)'을 개최하여 구화산의 유구한 불교문화를 널리 알렸다. 법사는 사찰들을 중수하고 도량을 정비하면서 99m에 이르는 지장노천대동상(地藏露天大銅像)과 연화불국(蓮花佛國)을 묘사하여 그린 장려란도(壯麗蘭圖)를 발원하여 완성하였다. 법사는 세계 각지의 신도들로부터 귀의를 받았으며, 일본, 미국 등지를 수차례 방문하여 국제적인 교류를 개척하였다. 법사는 구화불교협회 비서장과 부회장, 회장, 청양현(青陽縣) 정협위원(政協委員), 전국정협위원(全國政協委員), 안휘성 불교협회 회장, 전국불교협회자의위원회(全國佛教協會咨議委員會) 부주석, 상무이사 및 안휘성 인민대표위원회 대표 등의 직위를 역임하였다. 인덕법사는 구화산에 주석하면서 평생 수많은 일들을 이루어냈다. 그는 비단 불교 4대 명산의 하나인 구화산 지장도량의 불교 지도자일 뿐만 아니라 안휘성 및 전국 불교계의 뛰어난 지도자 가운데 한 명이다.[185]

근대(近代) 전국의 저명한 고승들인 인광(印光), 허운(虛云), 태허(太虛), 홍일(弘一), 인순(印順) 등은 모두 구화산 지장신앙과의 인연이 깊다. 근대 정토종의 태두인 인광법사는 중화민국 27년(1930) 『구화산지(九華山志)』를 다시 수정하여 『중신편수구화산지발간유통서(重新編修九華山志發刊流通序)』를 발간하였다. 이 책의 서문에서는 이전에 여러 차례 『구화산지』를 관(官)에서 수정하였지만, 유교의 선비들이 편집을 한 까닭으로 보살의 큰 자비와 법문의 정밀하고 오묘한 뜻이 발휘되기 불가능하였기에 이원정(李圓淨)에게 청하여 중수(重修)하고, 허유정(許由淨) 거사가 감정(鑒訂)하였으며, 석덕삼(釋德森)이 편집하였다. 상해국광인서국(上海國光印書局)이 출판하고, 불학서국(佛學書局)이 발행하였다. 인광법사는 서문에서 다음과 같이 찬탄하고 있다.

> 대사의 서원은 헤아릴 수 없고, 자비의 펼침은 티끌과 같은 모든 국토에 두루 미친다. 중생이 다한 후에야 쉬고, 지옥이 비어야 그만두겠다고 서원함이여. 가르침을 받아 무상도(無上道)를 여러 차례 이루었지만, 도리어 스스로 성문(聲聞)의 자취를 보이고, 다만 불성(佛性)과 하나로 맺기 위하여 연생(緣生)하여, 구경즉(究竟卽)을 함께 얻고자 애쓰네.[186]

185 『甘露』(第3期), 2001. 仁德大和尚正念往生悼念特輯 참조.

186 大士誓願不可測, 運悲周遍塵刹國. 衆生盡後誓方休, 地獄空時願始息. 受化多成無上道, 自身猶示聲聞迹. 祇緣生佛性維一, 欲令同獲究竟卽.

운허(虛云)법사는 4대 명산을 참배하고, 구화산에 이르러 선법(禪法)을 널리 펼쳤다.

태허(太虛)법사는 일찍이 1929년에 구화산에 이르러 교무(教務)를 살피고, 동시에 김지장탑전(金地藏塔殿)에 참배하였다.

홍일(弘一)법사는 지장법문을 깊이 숭앙하여, 구화도량에 대하여 극도의 관심을 가졌다. 그는 1932년에 거사 담사소(詹士所)가 그린 '지장보살구화수역도(地藏菩薩九華垂迹圖)' 를 위하여 『지장보살구화수적도찬(地藏菩薩九華垂迹圖贊)』을 찬술하고, 제목을 붓글씨로 써서 간행하였다. 홍일법사는 출가일이 7월 30일로, 바로 지장보살(地藏菩薩)의 성도일(成道日)이다. 또한 『지장보살성덕대관(地藏菩薩聖德大觀)』 등의 저술을 남겼는데, 지장보살의 공덕을 찬탄하는 것이다. 인순(印順)법사는 『지장보살의 성덕 및 그 법문[地藏菩薩之聖德及其法門]』을 찬술하였으며, 지장보살경전과 관련된 연구를 하여 그 법문과 사상 등을 밝히고 있는데, 대단히 정밀하고 깊이가 있어 학계와 불교계에 커다란 영향을 주었다.

6. 유구하게 전래되는 법회

구화산 지장도량의 형성은 하나의 유구한 역사이다. 구화산의 명승유적지들은 앞에서 상술한 것 이외에도 전체의 산에 수많은 사찰과 사당이 분포되어 있으며, 역대의 명성이 자자한 고승들의 유적과 불교사에 있어서 오랜 세월 전승되어 온 '양황참(梁皇懺)', '수륙회(水陸會)' 등과 같은 법회와 함께하고 있다. 이러한 일련의 법회활동은 지금까지 전승되어 개최되고 있다. 이 법회들은 본래 불교에 있어서 대단히 중요한 행사로서 때와 장소에 따라 여러 가지로 개최된다. 다만 지장보살과 관계된 여러 법회는 구화산에서 개최된다고 하는 것으로도 그 의미가 평범하지 않아 다른 곳과 비교될 수 없는 것이다. 매년 7월 30일의 중원절(中元節)과 같이 지장보살의 성도일을 맞는 구화산은 평소와 다르게 성대하고 장중하다. 승려 및 신도 등을 비롯한 참가자들의 느낌 또한 평소와 다르다. 구화산 지장도량의 높은 명성은 국내외에서 나날이 그 영향이 확대되어 가고 있으며, 유구한 역사의 흐름 속에서 민중의 지지와 신뢰, 그리고 역대 왕조, 특히 명·청 두 왕조의 종교정책 아래 형성되어 온 것이다. 그러므로 여러 명승유적, 전설, 기록, 법회, 민간·민속신앙은 대단히 다양한 특징을 보여주고 있다.

실질적으로 구화산에서 가장 이르게 종교활동을 한 것은 도교(道敎)라고 할 수 있다. 기록에 의하면, 서한(西漢) 원봉(元封) 연간(BC 110~105)에 능양현(陵陽縣)의 현령(縣令)이었던 두자명(竇子明)은 선도(仙道)에 심취하여 즐겨 수련하였다. 일찍이 입산하여 선도를 수련하였는데, 이곳에서 도를 얻어 백룡(白龍)을 타고 하늘로 올라갔다고 전해진다. 후세에 두진인(竇眞人)이라 불렸다. 진대(晋代)에도 계속해서 도인이 구화산에 와서 약초를 캐고 연단(煉丹)을 하였다고 한다. 당대(唐代) 함통(咸通) 연간에 도사 조지철(趙知微)이 구화산 봉황령(鳳凰嶺)에 오두막을 짓고 도를 닦았다. 도가에서는 일찍이 구화산이 도가에서 제시하는 '72개소의 복지(福地)' 가운데 서른아홉 번째의 복지에 해당한다고 본다. 불가(佛家)가 구화산에 들어온 것은, 비록 진대(晋代)에 배도(杯渡)가 구화산에 들어와 초가집을 지었다는 이야기가 있지만, 『고승전(高僧傳)』의 배도(杯度)와 일치하지 않기 때문에 사실로 믿기에는 부족함이 있다. 김지장이 구화산에 들어왔을 때, 비록 산수가 빼어나고 수려하였지만 여전히 아주 황량하고 궁벽하였다. 당대로부터 송대에 이르기까지의 기록에 의하면, 김지장이 수풀이 무성하고 샘물과 바위만 가득한 이 땅에서, 바위에서 머물고 물을 길어 올리면서 고된 수행을 엄격하게 행하였다는 것을 알 수 있고, 대중들이 서로 힘을 합쳐 절을 세우고서야 고행이 끝났으며, 그 후 대가람을 이루었으니, 확실히 역사적 전환이었다.

송 말기와 원 초기의 시인 진암(陳岩)이 남송이 멸망한 후에 구화산의 쌍봉(雙峰) 아래 은거하여 널리 봉우리의 명승유적들을 유람하면서 200여 수의 시를 짓고 묶어서 『구화시집(九華詩集)』을 만들었다. 여기에 많이 기록되어 있는 것이 당시에 형성된 김지장의 유적과 명승지에 관한 이야기이다. 화성사(化城寺), 화성지(化城池), 지장탑(地藏塔), 신광령(神光嶺), 남대(南臺), 안좌암(晏坐岩), 용녀천(龍女泉), 백토선혈(白土善穴), 화당간(花塘澗), 나한봉(羅漢峰), 전차봉[煎茶峰], 금광동(金光洞)과 같은 것들과 또한 황립도(黃粒稻), 금지차[金地茶]와 오차송(五釵松) 등이 그것이다. 화성지는 바로 방생지(放生池)이고, 안좌암은 김지장이 대중을 이끌고 선정에 들던 곳이다. 명 · 청의 『구화산지』 등에는 동봉(東峰) 혹은 동암(東岩)이라고 해석되어 있다. 용녀천이 전하는 이야기로는 바로 구자산의 신이 봉헌한 샘물이라고 하는데, 신녀헌천(神女獻泉)이라는 기록도 있다. 금광동은 향림봉 아래에 있는데, 김지장이 머물렀던 동굴이라고 전한다. 나한봉과 전차봉은 김지장과 그 도반들이 이곳에서 유람하며 수행하였다고 전하는 곳이다. 황립도와 금지차는 모두 김지장이 지니고 온 씨앗으로부터 유래한 것이라고 한다. 이외에도 흰 개가 설법을 잘 들었다는 것과 민공(閔公)이 땅을 희사하였던 것, 김지장의 발자취 등이 『구화시집』에서 언급된다. 이러한 이야기들은 지장의 신령스러운 발자취가 당시 그곳의 민중들에게 얼마나 큰 영향을 미쳤는지를 반영한 것이며, 또한 민간 전설의 형성에 얼마나 큰 작용을 하였었는지를 보여준다.

이러한 사당과 사찰, 유적지 등은 민간 신앙화되기도 하였다. 이신전(二神殿)이라 불리는 이성전(二聖殿)은 신라로부터 두 외삼촌이 김지장을 찾아 이곳에 왔으나 김지장의 독실한 불심에 감화되어 귀국하지 않았으며, 나중에 두 사람 모두 신이 된 곳이라고 민간 전설에서 전한다. 혹은 신라의 두 신하가 김지장을 찾아 이곳에 왔으나 귀국하지 않고 김지장을 따르며 이곳에 머물러 후에 신이 되었다고 전해지기도 한다. 또 낭랑보탑(娘娘寶塔)은 김지장을 사랑하는 신라 여인이 그를 찾아 이곳에 왔다가 우물에 몸을 던진 곳이라고 전해지거나, 혹은 김지장의 어머니가 이곳에 와서 통곡하다 실명하였는데, 이 탑의 아래에 있는 우물물로 씻으니 회복되었다는 등의 이야기가 전해진다.

영관전(靈官殿)은 비교적 특별하다. 일반적으로, 영관은 도교의 궁관(宮觀)에 있다. 불교의 호법신(護法神)으로는 천룡팔부(天龍八部)와 위타(韋陀) 등이 있다. 구화산에 전해지는 전설은 위타호법이 산을 떠나 순례를 나갔을 때, 마침 불법을 믿지 않는 장원(狀元)이 와서 바늘로 김지장의 육체를 찔러 진신(眞身)인지 아닌지를 시험하였다고 한다. 뜻밖에도, 찔린 다리에서 피가 나오니, 장원이 황급히 떠났다. 위타가 돌아와서 화가 나서 장원을 좇았다. 지장은 생전에 은침으로 옷을 깁다가 신중하지 못해 이 한 마리에게 실수한 인과가 있어, 그 이를 5리만 좇아가 할(喝)을 한번 하라고 분부하였다. 그러나 위타가 5리(里)를 5계(溪)로 잘못 알아듣고, 도착해서 보니, 장원이 있어서 그를 절굿공이로 때려 죽였다. 지장이 그 착오로 위타를 내쫓으니, 이로 인해 도교의 수신왕(守神王)인 영관이 이곳에 부임하였다고 전해진다. 현재 구화산의 육신보전에는 영관전이 있고, 기원사(祗園寺), 감로사(甘露寺), 배경사(拜經寺) 등의 사찰에는 영관의 소상(塑像)이 있다. 〈그림 163〉

그림 163
배경대 영관상

구화산은 김지장의 성스러운 유적지를 사찰구조의 중심으로 삼고 있으며, 또한 적지 않은 시인과 화가들이 남긴 발자취가 있다. 이 중에는 명성이 쟁쟁한 시선(詩仙) 이백과 은거 선비와 학자, 관료 등이 있다. 그들은 전해져 오는 천고의 시문과 서화를 남겼을 뿐만 아니라, 적지 않은 인문적 유적을 이곳에 남기고 있다. 이태백, 비관경, 등자경(藤子京) 등과 같은 이들의 서당(書堂), 그리고 왕양명(陽明)의 서원, 쌍화정사(雙華精舍), 감천서원(甘泉書院), 천주산방(天柱山房) 등이 있는데, 이러한 유적들은 당연히 대부분 구화산과 지장도량의 명성과 관련이 있으며, 구화지장 도량의 문화적 내면을 더욱 더 풍부하게 하고 있다.

구화지장 도량의 불교 활동은 매우 중요하다. 방장이 법좌에 올라 설법을 하고, 보살이 불공을 드리는 등의 흔히 볼 수 있는 의식 외에도 구화 신도들의 수계식(受戒式)은 대단히 웅장하고 거대하다. '지장묘회(地藏廟會)'는 앞의 것과 비교가 안되게 성황을 이룬다. 매년 음력 7월 30일, 지장왕의 수진일(壽辰日)에 구화산은 성대한 법회를 거행하는데, 대략 천여 년의 역사를 가지고 있다.〈그림 164〉 실제 그 영향은 구화산에 그치지 않고, 멀리 일반 사찰과 사당에서 모두 지장법회를 거행하여 지장보살의 공덕을 칭송한다. 강남(江南)의 어떤 지방은 심지어 집집마다 '지장등(地藏燈)'을 켜고 지장향(地藏香)을 사르며, 지장상에 절한다. 구화에 직접 참배하여 구화지장법회에 헌향하고자 하는 이들의 왕래가 길에 끊이지 않는다. 널리 안휘성(安徽省), 강서성(江西省), 절강성(浙江省), 강소성(江蘇省), 하남성(河南省), 호북성(湖北省) 등 많은 성의 신도들이 구화산에 참배하고 헌향하여, 향연이 온 산에 가득하게 된다.

그림 164
구화산 지장보살 성회(聖會)

명대 가정(嘉靖) 연간의 『지주부지(池州府志)』의 기록에 의하면, "멀고 가까운 것을 가리지 않고, 향을 올리고자 온 사람들이 하루에 1천 명 단위로 헤아려야 하며, 불호를 외며 엎드려 절하니, 길에 끊이지 않았다."[187]라고 하였다. 청

187 遠近焚香者, 日以千計, 呼叫膜拜, 不絶於途.

(淸)의 시윤장(施閏章)은 『유구화기(游九華記)』에서 "외치는 소리가 산과 골짜기를 울리는데, 혹은 애절히 부모를 불러 확탕지옥에서 구원을 구함을 알리고자 한다."[188]라고 형용하여 말하였다. 『천호현지(蕪湖縣志)』에는 헌향하는 자가 "100명 혹은 10명으로 무리를 지어 밤에는 사람마다 등을 밝혀 줄을 이루어 오르니, 마치 촉룡(燭龍)과 같아 보인다."[189]라고 기록하고 있다.

『중화전국풍속지(中華全國風俗志)』「안휘경현동향언신기(安徽涇縣東鄉偃神記)」에서는 과거의 헌향에는 '소행향(燒行香)'과 '소배향(燒拜香)' 두 종류가 있는데, '소행향'은 일반적으로 향을 올리는 자들을 가리키고, '소배향'은 일정한 규칙을 준수하는 자들을 말한다고 기술하고 있다.

> '소배향'은 '조구화(朝九華)'라고도 하는데, 하층 사회의 사람들을 이끌기 위한 것이다. 향을 사르는 것에는 두 가지 종류가 있다. 보통의 형태는 '소행향'이라 말하는데, 달리 특이한 것은 없다. 특별한 형태는 '소배향'이라 부르는데, 풀로 만든 신발을 신고 베옷을 입고 머리를 산발하며, 정수리에 추사건(縐紗巾)을 하고, 손으로는 향반(香盤)을 받들고, 입으로 불호(佛號)를 염송하며, 사묘를 만나면 절을 하고, 다리를 만나면 무릎을 꿇으며, 마음에 이는 사념을 없애고, 눈으로는 곁눈질하지 말아야 하니, 실로 이를 행함에 조금의 게으름이 있는 자는 반드시 신(神)의 꾸짖음을 듣는다고 한다. 운운. 구화를 참배하고 집으로 돌아가서는, 또한 반드시 재초(齋醮) 의식을 수일간 행한 후 …….[190]

오늘날에 와서는 법회의 참여자가 이미 7~8만 명에 달하는데, 3보에 한 번 머리를 조아리고, 5보에 한 번 절을 하는 것이 일반적으로 과거의 '소배향'의

188 叫呼動山谷, 或疾痛之呼父母, 赴湯火之求救援.

189 百十爲群, 夜則人持一燈, 魚貫而上, 望之若燭龍然.

190 燒拜香, 一名朝九華, 率下等社會人爲之. …… 燒香有二種: 普通者謂之燒行香, 無他特異. 特別者謂之燒拜香, 草履布衣散發, 頂縐紗巾, 手捧香盤, 口誦佛號, 遇廟而拜, 遇橋而跪, 心无邪念, 目不旁視, 苟銷有懈怠者, 謂必遭神譴云云. 朝山歸來, 又必齋醮數日而後已 …….

의식과 다르다. 정해진 시간이 되면 법사가 주지하는 개막식이 묘회(廟會)의 분위기를 고조시킨다. 각지의 불산(佛山)과 사원(寺院)으로부터 달려온 승려들이 지장보살의 축복을 기원하고, 또한 해외의 헌향객들이 함께하는데, 이들은 오로지 지장보살의 배수(拜壽)를 위하여 온 사람들이다. 그리고 수많은 대중들이 자기를 위하여 죽어간 친인들의 축복을 기원한다. 단지 불교문화를 체험하기 위하여 온 사람들도 역시 있는데, 분위기에 감화를 받게 된다. 이 시기에는 사람의 물결이 끊임없으니, 78개의 사찰과 사당이 밤낮으로 발 디딜 틈이 없다. 6400여 개의 존불상(尊佛像) 앞에는 향의 연기가 표표히 흩어지고, 불등(佛燈)은 항상 밝혀져 있다. 묘회는 또한 민간 문예활동을 수반한다. 용춤[舞龍], 사자춤[舞獅], 잡기(雜技), 곡예(曲藝), 무술(武術) 등이 공연되고, 심지어 장사꾼들까지 있어 묘회의 내용을 풍부하고 생동감 있게 만든다.

지장탑을 지키는 일도 역시 이 기간에는 대단히 중요하다. 7월 30일 밤 시간에 신도들이 지장육신보전에 모여서 육신탑을 둥그렇게 둘러싸서 경을 읽는다. 지장에 예를 다해 참배하기를 아침까지 한다. 신도들은 이 의식을 영(靈)을 지키는 일과 동일시하여 마음과 몸을 다해 공경하며 중시한다. 전(殿) 안으로 들어가는 것이 허용되지 않아 신도들은 탑전 이외의 곳에 모여앉아 아침이 밝아올 때까지 기다린다.

법회의 의식으로 또한 방생(放生)과 방하화등(放荷花燈)이 있다. 8월 1일 오후에는 4대 명산의 대표가 이곳에 모인다. 구화산불교협회는 화성사(化城寺) 광장에서 수륙법회를 연다. 돌계단 아래 제단에는 관음상을 모신다. 법사가 승려들을 인솔하여 재단으로 들어오는데, 우선 경문을 읽고, 승려들은 앞에서 밝게 빛나는 하화등(荷花燈) 하나하나를 방생지(放生池)에 넣는다. 연이어서 방생이 진행된다. 준비된 쟁반과 통에는 물고기, 두꺼비, 거북이 등등이 들어 있으며, 앞서 계를 받은 승려들이 경문을 읽으면서 차례로 물 속에 풀어 준다. 승려들은 방생지 주변에 서서 경문 읽는 것을 그치지 않는다.

보다 웅장하고 장중한 의식은 '양황참'과 '계건지장불칠(啓建地藏佛七)'이다. 이 두 종류의 의식은 모두 규모가 매우 커다란 법회이다. 연속해서 7일 동안 거행해야 한다. 양황참 법회의 기원은 양 무제가 커다란 이무기로 화한 애비(愛

妃) 치씨를 위하여 시작된 것이라고 전한다. 이 법회는 전단림(旃檀林)에서 개최하는데, 재앙을 제거하고 어려움을 소멸하고자 하는 것이다. 법회가 열리면 승려들은 가사를 입고 관을 쓰고 위엄을 갖추어 정좌하여 경문을 염송한다. 신도들은 극도의 예로써 엎드려 절을 하는데, 법상(法象)이 장엄하다. 계건지장보살불칠 법회는 기원사(祇園寺) 대전에서 거행하는데, 죽은 이들을 제도하거나 세인들의 기복을 위한다. 법회 기간 동안 기원사 강경당(講經堂)은 매일 단(壇)을 열어 경전을 강의하는데, 대법사가 법좌에 올라 경전을 강의하면 승려와 신도들이 강경당에 정연하게 앉아 경청한다. 평시에도 구화산의 사찰들은 때에 따라 여러 종류의 크고 작은 법회를 거행한다.

한마디로 말하면, 구화산의 지장도량은 1100년을 이어 내려오며 민중의 깊은 신심과 관부의 도움이 함께 어우러져 형성된 것이다. 사찰과 사당을 명승유적 및 자연경관의 중심으로 세우고, 유적지와 여러 문인들의 전설, 그 위에 고승들의 행적과 법회, 도량의 건설 등이 모두 하나로 어우러져 4대 명산의 하나인 구화산이 중국 불교문화의 중요한 구성 부분이 되게 하였고, 또한 지장신앙이 중국과 해외에서 발전하게 하여 전적으로 새로운 세상을 열게 하였던 것이다.

역자 후기

"내가 지옥에 가지 않으면 누가 지옥에 갈 것인가!", "중생이 모두 구원받아 지옥이 텅 비지 않는다면, 결코 성불하지 않겠다!", "중생이 모두 제도된 후에 보리(菩提)를 증득하겠다!"는 구절들은 모두 『지장보살본원경(地藏菩薩本願經)』에 보이는 지장보살의 대원(大願)을 여실하게 보여주는 내용이다. 특히 근대 중국불교를 이끈 인순(印順)법사는 이 경전을 다시 편찬한 서문에서 지장보살에 대하여 "가히 험난한 길을 이끄는 스승이요, 어두운 거리를 비추는 지혜의 등불[慧炬]이며, 빈궁한 자의 보장(寶藏)이며, 흉년을 넘길 수 있는 곡식과 같다고 말할 수 있다. 일체의 미혹한 중생들로 하여금 속히 깨달음을 얻을 수 있게 한다."라고 설하고 있다.

이러한 지장보살에 대한 신앙이 중국에서 본격적으로 일어난 계기는 바로 당대(唐代) 구화산(九華山)의 김지장 스님의 수행과 교화라고 하겠다. 특이한 것은 역사적으로 실존하는 인물로부터 지장신앙이 일어났다는 것이고, 더욱 우리에게 친근하게 다가오는 것은 그가 바로 신라 왕자 출신인 김교각 스님이라는 점이다. 더구나 김지장 스님의 행화가 널리 알려지자 신라로부터 수많은 스님들이 도래해 함께 수행을 했다고 하니 보다 깊은 감회가 있다.

본 『지장』 I · II권은 바로 중국의 지장신앙에 대한 종합적인 연구서이다. 원저자인 장총(張總) 선생은 중국에서 지장신앙에 대한 유명한 연구자로서 다양한 소의경전과 주석서, 보권, 민간신앙 자료, 돈황 사본 및 김지장 스님의 구화도량을 비롯한 중국 전역의 사적들을 집대성하고 있다. 그에 따라 원 텍스트인 『지장신앙연구』는 중국에서도 지장신앙 연구의 대표작으로 손꼽히는 책이다. 저자가 한국어판 서문에서도 언급한 바와 같이, 역자가 번역을 한다는 소식을 접하고 전반적으로 텍스트를 보완 · 수정해 주었으며, 풍부한 지장보살 관련 도판 사진들을 첨부해 주어 더욱 그 가치를 높였다.

번역을 맡으며 마침 구화산의 지장도량을 탐방할 기회를 얻었다. 김지장 스님의 사적을 직접 답사했을 때 느꼈던 감회는 역자에게 바쁜 일정에서도 번역에

더욱 매진하게 하는 힘이 되었다. 번역 과정에서 적지 않은 분들의 도움을 받았다. 우선, 본 『지장신앙연구』 한국어판 번역의 계기를 제공해 주신 한중불교문화교류협회 회장인 영담 스님께 깊은 감사의 마음을 올린다. 또한 역자에게 번역을 맡겨준 동국대학교출판부의 김윤길 부장님과 김혜경 선생, 번역을 추천해준 불교문화연구원의 조기룡 박사에게 이 지면을 빌려 깊은 감사를 표한다. 그리고 무엇보다도 성문출판사 강영철 선생의 도움이 없었다면 본 책의 출간은 상당히 힘들었을 것이다. 그것은 역자가 미술사학과 관련된 영역에는 문외한이라 강 선생이 감수와 전체적인 문장의 교열, 사진 편집 등을 맡아 주었기에 깊은 감사의 마음을 보낸다. 그리고 밀교 부분에 있어서 도움을 준 정성준, 이정수 두 선생, 또한 바쁜 와중에 인용문 번역을 도와준 이인혜 선생 등과 그 외에 여러 가지 편의를 봐준 불교문화연구원 원장인 박인성 교수님, 늘 함께하는 불교문화연구원의 모든 동료들에게도 마음 깊이 감사를 보낸다.

역자에게 『지장』 I · II권의 출간은 또 다른 의미를 가진다. 폐암으로 몇 년간 고통받으시다가 얼마 전에 결국 세상을 떠나신 아버님의 영전에 본 역서를 올릴 수 있게 되었기 때문이다. 여러 가지 사정으로 효도다운 효도 한번 못했는데…… 그래도 마지막 임종을 모실 수 있었고, 사십구재를 마치기 전에 본 책이 출간되어 마지막으로 조그마한 효도를 할 수 있게 되었음은 바로 지장보살님의 가피가 아닐까 싶다.

2009년 8월

동국대 불교문화연구원 연구실에서

김진무